LA SUCCESSION D'EMMA HARTE

Barbara Taylor Bradford

LA SUCCESSION
D'EMMA HARTE

Roman

Traduit de l'anglais (Etats-Unis)
par Eveline Charlès

PRESSES
DE LA CITÉ

Titre original : *Just Rewards*

© Beaji Enterprises, Inc., 2005.
Tous droits réservés.
© Presses de la Cité, un département de [place des éditeurs], 2006, pour la traduction française
ISBN 2-258-06740-5

Pour Bob, avec mon amour

LES TROIS CLANS

Les Harte

Emma Harte : fondatrice de la dynastie et d'un empire économique.

LES ENFANTS D'EMMA

Edwina : comtesse douairière de Dunvale, premier enfant et fille illégitime d'Emma et d'Edwin Fairley

Christopher Lowther, dit « Kit » : deuxième enfant ; fils d'Emma et de son premier mari, Joe Lowther

Robin Ainsley : troisième enfant ; fils d'Emma et de son second époux, Arthur Ainsley

Elizabeth Ainsley : troisième enfant ; fille d'Emma et de son second époux, Arthur Ainsley ; jumelle de Robin

Daisy Ainsley : quatrième enfant ; fille illégitime d'Emma et de Paul McGill.

LES PETITS-ENFANTS D'EMMA

Anthony Standish : comte de Dunvale ; fils d'Edwina et de Jeremy Standish, comte et comtesse de Dunvale

Sarah Lowther : fille de Kit et de June Lowther

Owen Hughes : fils illégitime de Robin Ainsley et de Glynnis Hughes

Jonathan Ainsley : fils de Robin et de Valérie Ainsley

Paula McGill Harte Amory Fairley O'Neill : fille de Daisy et de David Amory

Philip McGill Harte Amory : fils de Daisy et de David Amory ; frère de Paula

Alexander Barkstone : fils d'Elizabeth Ainsley et de Tony Barkstone ; frère d'Emily, d'Amanda et de Francesca (décédé)

Emily Barkstone Harte : fille d'Elizabeth Ainsley et de Tony Barkstone ; demi-sœur d'Amanda et de Francesca

Amanda Linde : fille d'Elizabeth et de son second époux, Derek Linde ; jumelle de Francesca et demi-sœur d'Emily

Francesca Linde Weston : fille d'Elizabeth et de son second mari, Derek Linde ; jumelle d'Amanda et demi-sœur d'Emily.

ARRIÈRE-PETITS-ENFANTS D'EMMA

Tessa Fairley Longden : fille de Paula et de Jim Fairley, son premier mari

Lorne Fairley : fils de Paula et de Jim Fairley ; jumeau de Tessa

Lord Jeremy Standish : fils d'Anthony et de Sally Standish, comte et comtesse de Dunvale ; frère de Giles et d'India

Toby Harte : fils d'Emily et de Winston Harte II ; frère de Gideon et de Natalie

Gideon Harte : fils d'Emily et de Winston Harte II ; frère de Toby et de Natalie

Natalie Harte : fille d'Emily et de Winston Harte II ; sœur de Toby et de Gideon

Lord Giles Standish : fils d'Anthony et de Sally Standish, comte et comtesse de Dunvale ; frère de Jeremy et d'India

Lady India Standish : fille d'Anthony Standish et de Sally Harte, comte et comtesse de Dunvale ; sœur de Jeremy et de Giles

Patrick O'Neill : fils de Paula et de son second mari, Shane O'Neill ; frère de Linnet, d'Emsie et de Desmond (décédé)

Linnet O'Neill : fille de Paula et de Shane O'Neill, son second époux ; demi-sœur de Tessa et de Lorne ; sœur d'Emsie et de Desmond

Chloe Pascal : fille de Sarah Lowther et d'Yves Pascal

10

Fiona McGill Amory : fille de Philip McGill Amory et de Madalena O'Shea Amory (décédée)

Emsie O'Neill : fille de Paula et de Shane O'Neill ; sœur de Desmond et de Linnet ; demi-sœur de Tessa et de Lorne

Desmond O'Neill : fils de Paula et de Shane O'Neill ; frère d'Emsie et de Linnet ; demi-frère de Tessa et de Lorne

Evan Hughes : fille d'Owen et de Marietta Hughes.

Les Harte (suite)

Winston Harte : frère aîné d'Emma et son associé

Randolph Harte : fils de Winston et de Charlotte Harte

Winston Harte II : fils de Randolph et de Georgina Harte

Sally Harte Standish : comtesse de Dunvale ; fille de Randolph et de Georgina Harte ; sœur de Winston II et de Vivienne

Vivienne Harte Leslie : fille de Randolph et de Georgina ; sœur de Winston Harte II et de Sally Harte Standish

Toby Harte : fils de Winston Harte II et d'Emily Harte ; frère de Gideon et de Natalie

Gideon Harte : fils de Winston Harte II et d'Emily Harte ; frère de Toby et de Natalie

Natalie Harte : fille de Winston Harte II et d'Emily Harte ; sœur de Toby et de Gideon

Frank Harte : frère cadet d'Emma

Rosamund Harte : fille de Frank et de Natalie Harte

Simon Harte : fils de Frank et de Natalie Harte ; frère de Rosamund.

Les O'Neill

Shane Patrick Desmond O'Neill, dit « Blackie » : fondateur de la dynastie et d'un empire économique

Bryan O'Neill : fils de Blackie et de Laura Spencer O'Neill

Shane O'Neill : fils de Bryan et de Géraldine O'Neill

Miranda O'Neill : fille de Bryan et de Géraldine O'Neill ; sœur de Shane et de Laura

Laura O'Neill : fille de Bryan et de Géraldine O'Neill ; sœur de Shane et de Miranda

Patrick O'Neill : fils de Shane et de Paula O'Neill ; frère de Linnet, d'Emsie et de Desmond (décédé)

Linnet O'Neill : fille de Shane et de Paula O'Neill ; sœur d'Emsie et de Desmond

Emsie O'Neill : fille de Shane et de Paula O'Neill ; sœur de Desmond et de Linnet

Desmond O'Neill : fils de Shane et de Paula O'Neill ; frère de Linnet et d'Emsie.

Les Kallinski

David Kallinski : fondateur de la dynastie et d'un empire économique

Sir Ronald Kallinski : fils de David et de Rébecca Kallinski

Michael Kallinski : fils de Ronald et d'Helen Kallinski, dite « Posy »

Mark Kallinski : fils de Ronald et d'Helen Kallinski, dite « Posy » ; frère de Michael

Julian Kallinski : fils de Michael et de son ex-femme, Valentine Kallinski

Arielle Kallinski : fille de Michael et de son ex-femme, Valentine Kallinski ; sœur de Julian

Jessica Kallinski : fille de Michael et de sa première femme, Valentine Kallinski ; sœur de Julian et d'Arielle.

Londres, 2000

L'homme se tenait sur le seuil de la boutique, blotti dans l'encoignure de la porte pour se protéger du vent glacé. Il faisait très froid par cette matinée du mois de janvier, et il était tenté de se réfugier au Hyde Park Hotel tout proche pour y déguster un petit déjeuner complet à l'anglaise.

Mais il ne parvenait pas à quitter ce recoin, d'où il jouissait d'une vue parfaite sur l'immeuble d'en face. Celui-là même qu'il avait si longtemps convoité.

Se penchant en avant, il contempla l'imposant édifice de l'autre côté de la rue. Il était là depuis quatre-vingts ans, pourtant il semblait que le temps n'avait aucune prise sur lui. Il le voyait comme un bastion du prestige, des privilèges et de la richesse.

Qui aurait dû lui appartenir.

Il avait été victime d'une escroquerie, et ce bâtiment magnifique était tombé entre les mains de Paula O'Neill. Elle s'imaginait qu'il lui appartenait, alors que, si ses droits avaient été respectés, il en aurait été le légitime propriétaire.

Dans les années quatre-vingt, il avait failli lui arracher le vaisseau amiral, ainsi que les magasins de province, parce qu'elle avait commis une série d'erreurs lors d'une transaction concernant les magasins.

Malheureusement, au moment où il atteignait son but, il avait été trahi. Paula O'Neill ne l'avait vaincu que parce qu'il avait été victime de cette traîtrise inattendue.

Elle était déjà son ennemie depuis plusieurs années, mais

c'était à cet instant précis qu'il avait juré sa perte. Et bientôt, il aurait sa revanche.

Brusquement, l'homme fit un pas en avant et sortit de son abri pour observer deux jeunes femmes qui sortaient en hâte du magasin afin d'inspecter les vitrines donnant sur Knightsbridge.

Il reconnut immédiatement celle des deux qui était rousse. C'était Linnet O'Neill, la fille de Paula. En réalité, elle était une Kallinski désormais, puisqu'elle avait épousé Julian Kallinski le mois précédent. Ses pensées se fixèrent sur la petite église de Pennistone Village, où ils s'étaient mariés. Elle aurait pu facilement être incendiée de fond en comble, avec tous ceux qui s'y trouvaient. Ses problèmes avec les Harte auraient été résolus à jamais.

Il maudit sourdement Mark Longden, qui n'avait pas eu le cran d'aller jusqu'au bout. Un lâche et un hypocrite ! Il avait été exilé en Australie par Paula O'Neill. Bon débarras et au plaisir de ne jamais le revoir !

Pendant un instant, l'homme fut incapable d'identifier la seconde femme. Elle était emmitouflée dans une cape de loden, la tête enveloppée d'un grand foulard, si bien que son visage était masqué. Mais dès qu'elle se tourna, il reconnut aussitôt son profil fin.

La poitrine prise dans un étau, il fut envahi par la rage à la vue d'Evan Hughes. Elle était sa nouvelle ennemie, cette Américaine qui s'était insinuée dans la famille et était sur le point de devenir une Harte. Il grommela un juron… Elle était déjà une Harte, grâce en grande partie à l'appétit sexuel de son propre père, bien longtemps auparavant. Et maintenant, son existence menaçait chacun d'entre eux, et surtout lui. Elle était une cible, désormais, au même titre que Paula et sa rouquine de fille.

Un rictus déforma le beau visage. Pendant un long moment, son regard dur ne quitta pas les deux femmes, puis il prit la direction de l'hôtel, où l'attendait un bon petit déjeuner.

Arborant un sourire d'autosatisfaction, il releva le col de son manteau et accéléra le pas.

16

Tout en marchant, il examinait le plan qu'il avait récemment conçu... Si démoniaque et si intelligent qu'il était digne de Machiavel en personne. Un plan tellement ingénieux que l'empire des Harte ne pourrait que s'effondrer, il en était absolument certain.

Jonathan Ainsley laissa échapper un rire. Ils allaient recevoir la récompense qu'ils méritaient.

Il y veillerait.

PREMIÈRE PARTIE

QUATUOR

L'envie recèle en elle-même les instruments de sa
propre perte.

Dicton du Moyen Age

1

Le vent soulevait des tourbillons de flocons argentés qui s'amoncelaient sur les baies vitrées du magasin Harte. Ils glissaient sur les jolis visages des deux jeunes femmes qui observaient les vitrines avec attention.

Evan Hughes porta une main gantée à sa joue pour l'essuyer. Courbant le dos afin d'échapper à la morsure du froid glacial, frissonnant dans sa grande cape de laine verte, elle s'approcha de Linnet O'Neill.

Immédiatement, cette dernière se tourna vers elle et s'exclama :

— Quelle égoïste je fais ! Jamais je n'aurais dû te traîner dehors pour regarder les vitrines par un temps pareil. Tu gèles ! Viens, rentrons. Nous en avons assez vu.

Prenant Evan par le bras, elle l'entraîna très vite à l'intérieur du magasin.

Propulsée dans le rayon parfumerie, Evan protesta :

— Je vais très bien, je t'assure ! Je ne suis pas en sucre, ajouta-t-elle avec un brin d'irritation. Je ne vais pas fondre.

— Tu es très courageuse, je le sais parfaitement, répliqua Linnet, mais il s'est mis à faire horriblement froid et, si tu attrapes le moindre rhume, Gideon me hachera menu.

Evan éclata de rire, amusée comme toujours par le penchant de Linnet pour les formules un peu désuètes. Elle était souvent frappée par le franc-parler de son amie, qui pouvait se montrer à la fois concise et impérieuse, et considérait sa toute nouvelle cousine comme un être à part. Elle n'avait jamais rencontré personne qui lui ressemblât ; durant cette année passée ensemble, elles étaient devenues les meilleures amies du monde.

Les crèmes et les parfums étaient disposés avec goût et de façon à accrocher l'œil. Tout en circulant dans le rayon, Evan sentit ses jambes glacées se dégourdir dans la chaleur du magasin. Elle défit son foulard et ouvrit sa cape.

Lissant d'une main son ventre rond, elle avoua :

— J'ai l'impression d'être une baleine échouée sur la plage, Linny. J'ai vraiment hâte d'accoucher.

Linnet la regarda avec sympathie.

— Je sais. Mais rends-toi compte, Evan, tu vas avoir des jumeaux ! Des jumeaux ! Tu nous as donné à réfléchir, à Tessa, India et moi. Nous avions oublié que les femmes de notre famille donnaient souvent naissance à des jumeaux. Grand-mère en a eu, ainsi que maman, quand elle était mariée avec Jim Fairley. Nous venons seulement de réaliser que nous pourrions bien, à notre tour, connaître le même sort que toi. Qu'en penses-tu ?

— Nous avons pas mal de gènes en commun, c'est vrai.

— Julian l'espère et, finalement, moi aussi. La vie est plus facile quand on a des jumeaux. Deux enfants qui naissent au même moment… Une famille entière qui se crée d'un coup, plus de temps pour travailler…

— Bien vu ! répliqua Evan, les yeux pétillants de malice.

Elle ne pouvait s'empêcher de penser qu'avec son pragmatisme habituel, Linnet allait droit au but. Elle l'admirait d'avoir à ce point les pieds sur terre.

Les deux jeunes femmes arrivèrent devant les ascenseurs et montèrent en silence jusqu'à l'étage des bureaux, où elles avancèrent dans le couloir d'un pas vif.

Lorsqu'elles atteignirent l'alcôve du centre, elles s'immobilisèrent devant le portrait d'Emma Harte. Elles échangèrent un coup d'œil, se sourirent, puis elles saluèrent brièvement leur arrière-grand-mère et poursuivirent leur chemin. Récemment, c'était devenu une sorte de rite pour elles, qu'elles fussent seules ou ensemble. Elles exprimaient ainsi leur fierté d'être ses descendantes et de travailler dans le magasin qu'elle avait fondé.

Quelques minutes plus tard, installée dans le bureau d'Evan, Linnet demanda :

— Dis-moi franchement ce que tu penses des vitrines.

— Je suis d'accord avec toi, elles sont assez vieillottes. Oh, elles sont très belles, très bien décorées. Elles renvoient parfaitement le genre d'image que nous voulons pour le magasin, mais elles pourraient être un peu… rafraîchies.

— Elles ne sont pas assez tape-à-l'œil, peut-être ?

— Pas tape-à-l'œil du tout, tu veux dire ! Mais cela ne ressemblerait pas au style Harte, tu ne crois pas ?

— Non, sans doute.

Linnet se renfonça dans son fauteuil sans quitter des yeux Evan, dont elle appréciait l'avis.

Cette dernière se mordit la lèvre inférieure, puis elle s'exclama :

— Je tiens le mot que je cherchais ! *Glamour.* Je te parle des vitrines de mode, Linnet. Elles devraient être un tantinet plus accrocheuses, plus tentatrices. Tu comprends, il faudrait qu'elles disent aux clientes quelque chose du genre : *Entre, essaie-moi, achète-moi.*

Le visage de Linnet s'éclaira.

— Tu as tout à fait raison ! Tu as mis le doigt dessus.

— Toi qui reviens de New York, continua Evan, tu as vu leurs vitrines. Et je crois que maintenant, tu trouves les nôtres un peu ternes.

Les yeux gris d'Evan se posèrent sur Linnet. Comme cette dernière ne répondait pas, elle insista :

— Je me trompe ?

— Pas du tout, mais… je ne suis pas sûre que maman serait d'accord avec nous.

— Tu as discuté des vitrines avec Paula ? demanda Evan avec un peu d'anxiété.

— Non, je n'en ai pas eu l'occasion. Papa et elle se reposent dans le Yorkshire, cette semaine. Ils se remettent de Noël, du Nouvel An et de toutes leurs réceptions. C'est une semaine de congé et ils souhaitent uniquement vivre leur petit train-train à Pennistone. Ils adorent se retrouver à la maison pour y faire ce qu'ils ont toujours fait depuis qu'ils sont adolescents. Tant qu'elle ne sera pas de retour, mieux vaut que je m'abstienne de la moindre allusion, conclut Linnet. De toute façon, je veux parler avec elle d'autres changements que nous pourrions décider dans le magasin.

Evan se redressa sur son siège mais ne dit mot.

— Tu sembles surprise, remarqua Linnet.

— Je le suis. Quel genre de changements envisages-tu ?

— J'y viendrai tout à l'heure, mais laisse-moi d'abord te dire une chose : comme tu le sais, notre rétrospective de la mode a été un grand succès l'été dernier. Nous avons gagné de nouveaux clients et nos ventes ont grimpé en flèche. Malheureusement, elles ont ensuite chuté. Nous devons trouver le moyen de garder nos anciennes clientes tout en en attirant de nouvelles. Je crois que nous entrons dans une nouvelle ère de la vente. Nous devons faire du shopping une expérience unique, tout en offrant d'autres services.

— Je vois que tu y as beaucoup réfléchi et que tu fourmilles d'idées neuves, avança Evan.

Mais elle se demandait si Paula permettrait qu'on modifie l'organisation du magasin de Knightsbridge.

— Absolument, confirma Linnet. Par exemple, nous devrions ouvrir un spa, un institut de beauté qui offrirait toutes sortes de soins.

— Ce serait magnifique ! s'exclama Evan. Mais où le placerais-tu ? ajouta-t-elle aussitôt.

Linnet fronça le nez.

— Je pense qu'on pourrait supprimer certains rayons ennuyeux, comme celui des matelas. Mais, plus sérieusement, on doit pouvoir dégager de l'espace. Je connais ce magasin comme ma poche et je suis sûre que c'est possible.

— Ce ne serait pas un spa immense, je suppose ? Il serait seulement unique en son genre ?

— Exactement. Et puis écoute, Evan, tu ne crois pas qu'on devrait avoir davantage d'endroits pour les repas ? Des cafés-restaurants, par exemple, surtout au rez-de-chaussée, près du rayon alimentaire. On pourrait y déguster des fruits de mer, des pizzas, des hot-dogs, des sandwiches et des pâtes. Une cuisine rapide et bonne à la fois. Je suis sûre qu'on aurait du succès, cela attirerait les gens qui travaillent dans Knightsbridge et les quartiers voisins, tout autant que nos propres clients.

— Excellente idée ! Rien que d'y penser, j'en ai l'eau à la bouche. Que ne donnerais-je pas pour une assiette d'huîtres, là, maintenant !

— Avec de la glace dessus, je parie, dit Linnet en souriant à sa cousine. Ce n'est pas ton plat favori, ces temps-ci ?

— Pas tout à fait, bien que j'aie parfois des envies alimentaires un peu bizarres.

Linnet se pencha en avant et braqua sur Evan un regard intense.

— J'examinerai avec attention toute idée venant de toi, Evan. Tu possèdes un esprit novateur et je crois que nous devons réorganiser le magasin, ne serait-ce qu'un tout petit peu.

— Je suis d'accord avec toi...

Evan s'interrompit, hésita et poursuivit :

— J'ai eu une idée, ces derniers temps. Nous pourrions consacrer un étage tout entier aux fiancées. Il serait intitulé... « mariées ». Bien entendu, nous proposerions des robes de mariée, des tenues pour les demoiselles d'honneur, des costumes pour les garçons. Mais nous vendrions aussi tous les accessoires : chaussures, bijoux, cadeaux et lingerie. Autre chose : aux Etats-Unis, il est possible d'acheter l'organisation de ses noces de A à Z, et c'est un service très populaire. Je pense que les gens seraient très contents si nous le leur offrions.

— J'adore ça, Evan ! C'est une excellente suggestion ! Que penserais-tu de la « collection nuptiale Evan Hughes » ? Tu adores concevoir les robes de mariée, n'est-ce pas ?

Evan réfléchit un instant.

— Je crois que ça me plairait. J'aimerais beaucoup me remettre au dessin, ajouta-t-elle avec enthousiasme. Je reconnais que les gens ont posé des questions à propos de ta robe. Il y a eu beaucoup de photos dans les journaux, et les femmes avaient l'air emballé.

— Je les comprends ! Tu as créé quelque chose d'entièrement nouveau. Vendons-la-leur ! s'exclama Linnet. A mon avis, ton idée d'un étage consacré aux mariées est géniale. J'aimerais beaucoup que tu me rédiges un projet. Fais-le dès que possible.

— J'ai déjà pas mal de matière sur mon ordinateur. Je t'imprimerai tout avant de partir pour le Yorkshire.

— Merci. Quand vas-tu à Pennistone Royal ?

— Dans trois jours. Gideon et moi partons en voiture samedi prochain. J'en suis heureuse. Mais, à dire vrai, je suis aussi inquiète. Il me semble que je peux accoucher d'une seconde à l'autre.

Evan émit un rire léger, mais elle éprouvait une réelle crainte à cette éventualité.

Linnet se faisait aussi du souci, même si elle riait avec Evan pour la rassurer.

— Tout se passera bien, ma chérie. Julian et moi serons là pour le week-end, je pourrai donc t'aider à régler les derniers détails de la cérémonie.

— Merci beaucoup, c'est très gentil de ta part, mais il ne reste plus grand-chose à faire. Après tout, nous serons en famille.

— Tes parents vont venir, je crois ?

— Oui, bien sûr, ainsi que mes sœurs. Ma mère est déjà là, d'ailleurs. Elle est arrivée depuis plusieurs jours, les autres la rejoindront dans une semaine. Robin a été merveilleux. Il a invité mes parents et mes sœurs à habiter chez lui, à Lackland Priory.

— C'est très bien, mais n'oublie pas que tu lui as rendu sa jeunesse, Evan. Selon maman, il n'a jamais été en aussi bonne forme. Et India me dit que notre grand-tante Edwina pétille de joie.

— C'est ce qu'on m'a raconté, mais c'est certainement parce qu'India va épouser Dusty à Clonloughlin, cet été. De grandes noces, avec tout le tralala, c'est tout à fait son rayon, remarqua Evan avec un sourire.

Linnet acquiesça, puis elle se leva et prit son manteau.

— Il faut que j'y aille, j'ai des tonnes de paperasse à régler. Merci de m'avoir écoutée et de m'avoir donné ton avis. C'était ce dont j'avais besoin.

Arrivée à la porte, elle envoya un baiser à son amie.

— A tout à l'heure, dit-elle avant de disparaître.

Evan regarda la porte, le visage déjà rembruni.

Elle avait conscience que la nonchalance de Linnet était affectée. En réalité, elle craignait la réaction de sa mère lorsqu'elle lui exposerait ses idées de rénovation. Elles n'étaient pas radicales, mais Evan savait qu'elles tomberaient à plat. En tant que nouvelle arrivée, elle ne posait pas sur Paula O'Neill le même regard que ses filles ou que sa nièce India. Evan voyait en Paula une femme qui, au cours du temps, s'était ancrée dans ses habitudes. Elle était déterminée à ce que Harte conserve son image traditionnelle. Les projets de Linnet ne menaçaient pas cette image, mais ils pouvaient bouleverser Paula. Elle était la petite-fille et l'héritière d'Emma Harte, et elle n'avait jamais dévié des règles instituées par sa grand-mère. Depuis trente ans, elle dirigeait le magasin comme Emma avant elle, et il y avait peu de chances pour qu'elle accepte des changements.

Elles vont s'opposer, songea Evan. Il va y avoir un conflit.

Cherchant à chasser ce pressentiment, elle se tourna vers son ordinateur et réexamina le projet qu'elle venait d'exposer à Linnet. Elle espérait s'immerger dans le travail, mais l'impression de malaise persistait.

2

Il la voyait de loin, bien au-dessus de lui, sur les marches de l'escalier roulant. Elle gagnait les étages supérieurs du magasin.

Sa chevelure d'un roux éclatant formait un halo ardent autour de son visage. On ne pouvait pas la manquer, pas plus qu'on ne pouvait éviter de remarquer le tailleur noir bien coupé. La tenue aurait été austère sans les éclairs blancs autour du cou et des poignets.

Elle était le portrait craché d'Emma Harte et elle le savait, parce que tout le monde le lui répétait depuis des années. On lui avait dit, aussi, combien elle était intelligente et habile, tout comme sa grand-mère. Ou encore qu'elle avait hérité de son intelligence, de sa verve et de son énergie. Mais Jack Figg, chef de la sécurité et vieil ami de la famille, se demanda soudain si elle savait qu'elle était la seule à avoir reçu en partage le charme immense d'Emma. Certainement, elle en avait plus que Paula ou que sa demi-sœur, Tessa Fairley. Sur ce plan, Linnet battait tout le monde.

C'était une notion bien difficile à définir que le charme, pensa Jack en avançant vers l'Escalator. On ne pouvait l'acquérir. On naissait avec, ou sans... Le charme était inné, c'était quelque chose qui venait de l'intérieur. Cela n'avait rien à voir avec la longueur ou la teinte des cheveux, pas plus qu'avec la beauté de la peau, du visage ou du corps. Le charme... le glamour... provenait de la présence et du charisme. Ceux qui avaient la chance de le posséder, qu'ils

28

soient hommes ou femmes, faisaient partout sensation. Les têtes se tournaient sur leur passage, les gens s'écartaient pour les laisser passer.

Un petit sourire erra sur les lèvres de Jack lorsqu'il posa le pied sur la première marche de l'Escalator. Il devait reconnaître, quoique de mauvais gré, qu'il était de parti pris lorsqu'il s'agissait de Linnet O'Neill. Elle était sa préférée depuis toujours. Aux yeux de Jack, elle et son cousin Gideon étaient, dans la famille, les plus brillants de leur génération. Non que leurs cousins et cousines fussent sots, d'ailleurs... loin de là. Simplement, ces deux-là les surpassaient dans tous les domaines. Il fallait admettre que dans son ensemble la famille était exceptionnelle et comportait beaucoup de cerveaux. Durs au travail, honnêtes et loyaux, ils étaient aussi tous très beaux, comme Emma et ses frères.

Les pensées de Jack se fixèrent sur Gideon, qui devait épouser Evan Hughes quelques jours plus tard.

Evan Hughes... Un nom avec lequel il fallait compter, désormais. La nouvelle parente venue des Etats-Unis... toute une histoire. Envoyée de Londres un an plus tôt par sa grand-mère, Glynnis Hughes, elle était censée retrouver Emma Harte... dont Evan avait bien vite découvert qu'elle était morte depuis trente ans. Propulsée parmi les Harte, Evan avait rencontré Gideon dès qu'elle avait mis les pieds dans le magasin et elle était tombée aussitôt sous son charme, tout comme il était tombé sous le sien. L'amour était sublime, lorsqu'il se déclenchait au premier coup d'œil. Evan avait fait une telle impression à Linnet qu'elle l'avait engagée sur-le-champ. Paula avait été amenée à se poser des questions sur ses origines, elle avait fouillé le passé et découvert la vérité. Evan était la petite-fille de son grand-oncle, Robin Ainsley, le fils préféré d'Emma.

Ensuite, une nouvelle histoire avait été dévoilée. Robin avait eu une liaison secrète avec Glynnis pendant la Seconde Guerre mondiale. Glynnis avait donné naissance au fils de Robin, Owen, peu après son mariage avec un GI, Richard Hughes, qui avait élevé l'enfant comme le sien. A la fin de la guerre,

Richard avait emmené son épouse galloise et son fils à New York. Mais, entre Glynnis et Robin, les choses étaient encore plus compliquées que cela. Jack le savait. Ils le savaient, aujourd'hui.

Tout était transparent, il n'y avait plus de secret et, avec leur générosité coutumière, les Harte avaient reçu Evan comme une des leurs. Plus tard, ils avaient réservé le même accueil aux parents d'Evan, Owen et Marietta Hughes, et les avaient introduits dans le clan sans un murmure ou un regret.

Mais c'était compter sans Jonathan Ainsley. Contrairement aux autres, il n'avait jamais rencontré les Hughes. C'était là le problème, songea Jack avec une grimace. Le fils légitime de Robin avait été exclu de la famille des années auparavant, en raison de sa duplicité, de sa déloyauté, et parce qu'il avait escroqué le département de Harte qu'il dirigeait.

Paula, son père, David Amory, et leur cousin Alexandre l'avaient chassé de leur vie et il était devenu leur pire ennemi. David était mort depuis longtemps, et toute la haine de Jonathan s'était concentrée sur Paula, qu'il considérait comme son ennemie jurée.

En raison des jeux dangereux qu'il jouait, Jack surveillait sans discontinuer Jonathan, où qu'il fût dans le monde, c'est-à-dire, le plus souvent, à Paris ou à Hong Kong. Jack avait besoin de savoir ce que Jonathan complotait et, plus important encore, *où* il complotait.

Pour l'instant, Jonathan Ainsley se trouvait à Londres, ce qui dérangeait Jack au plus haut point. Maintenant qu'il dirigeait de nouveau la sécurité à plein temps, il se sentait responsable de tous les membres de la famille. La présence soudaine de Jonathan était aussi menaçante qu'une bombe à retardement.

Actuellement, le mariage d'Evan et de Gideon constituait sa principale préoccupation. Il devait avoir lieu le samedi 19 janvier, dans la petite église du village de Pennistone. La cérémonie serait intime, puisque seuls les membres de la famille y assisteraient. Une grande tentation pour Jonathan Ainsley, sans aucun doute...

Jack était convaincu qu'Evan et son père étaient désormais ses cibles, tout comme Paula et Linnet. La ressemblance de Linnet avec Emma devait attiser sa rancune. Et il devait haïr Owen, son tout nouveau demi-frère, en dépit du fait qu'il était illégitime. Quant à Evan, elle était la petite-fille que Robin avait toujours désiré avoir. Jonathan, qui avait été marié et divorcé, n'avait jamais eu d'enfants.

Parvenu au dernier étage du magasin, Jack regarda autour de lui. Linnet, à portée de vue quelques instants auparavant, avait disparu.

Après avoir déambulé au quatrième étage pendant quelques minutes, Jack repéra Linnet dans la salle de conférence. Poussant la porte de verre, il l'appela.

— Bonjour, Linnet !

Pivotant sur elle-même, elle sourit dès qu'elle l'aperçut. Se précipitant vers lui, elle l'embrassa affectueusement, puis elle recula d'un pas et déclara :

— Quelle bonne surprise ! Comment m'as-tu trouvée ?

Il fit une petite grimace.

— C'est un peu mon métier de retrouver les gens, tu le sais. En réalité, je t'ai aperçue dans l'Escalator et je me suis lancé à ta poursuite. Tu es un régal pour les yeux, Beauté. Je suis content que tu sois revenue. Comment était ce voyage de noces ?

— Fantastique ! Il faisait chaud à la Barbade et froid à New York. C'était passionnant. Les deux séjours ont été extraordinaires, mais je suis contente d'être à la maison et de te revoir.

Linnet avait toujours connu Jack Figg et elle le considérait davantage comme son oncle préféré que comme un collègue. Passant un bras sous le sien, elle l'entraîna vers l'estrade, auprès de laquelle se trouvaient quelques chaises.

— Je pensais te téléphoner un peu plus tard pour te parler du mariage de Gideon.

Tandis qu'ils s'asseyaient côte à côte, Jack déclara :

— Tout est réglé et la sécurité sera renforcée, comme le

jour de ton mariage, le mois dernier. Il n'y a aucun souci à se faire.

Hochant la tête, Linnet se pencha en avant.

— Maman est dans le Yorkshire, officiellement pour se reposer. En réalité, elle veut aider tante Emily et oncle Robin à organiser la réception, puisqu'elle aura lieu à Pennistone Royal. Maman aurait pu tout faire seule, mais les autres veulent s'impliquer. Ils insistent, dirai-je, Robin à cause d'Evan, et Emily à cause de Gideon, son enfant préféré. Rien n'est trop beau pour lui.

— Un seul membre de cette famille a-t-il jamais admis avoir un préféré ? demanda Jack, dont les yeux bleus pétillèrent de malice.

Linnet se mit à rire.

— Non, mais ils en ont tous. Et tout le monde adore Gideon, tu le sais.

Jack pensa au frère aîné de Gideon, Toby, toujours en compétition avec son cadet. Toby était jaloux, mais Jack s'abstint de tout commentaire.

— C'est vrai, admit-il. Ta mère m'a donné la liste des invités et j'ai rencontré Gideon il y a quelques jours. Seule la famille a été invitée, me semble-t-il.

— En effet.

Il y eut un bref silence, que Jack rompit.

— Il y a quelque chose que je veux te dire, Linnet, fit-il plus gravement. Jonathan Ainsley est de retour à Londres, je voulais que tu le saches.

— Il faut toujours qu'il se pointe au mauvais moment ! s'écria-t-elle.

— Je contrôle la situation. Mes hommes le surveillent sans relâche, c'est pourquoi nous sommes informés de sa présence.

Ne souhaitant pas l'inquiéter davantage, il ne lui dit pas qu'on avait repéré Ainsley, le matin même, en train d'observer le magasin depuis le trottoir d'en face.

— Je te le signale uniquement parce que je t'ai promis de te tenir au courant, poursuivit-il. Je souhaite seulement que tu restes sur tes gardes.

— Compte sur moi. Tu en as parlé à Gideon ?

— Pas encore.

— Dois-je le dire à Evan ?

— Non. La nouvelle pourrait la bouleverser, elle qui est très, très enceinte.

— Elle tient bien le coup, pourtant, et les bébés ne sont attendus qu'à la fin du mois de mars. Mais tu as raison, mieux vaut qu'elle ne sache pas qu'Ainsley rôde dans le coin. Gideon et elle partent pour le Yorkshire et resteront à Pennistone Royal jusqu'au mariage. Elle pourra se reposer un peu.

— Et elle y sera en sécurité, murmura Jack. Cette maison ressemble à Fort Knox.

— Grâce à toi ! Je parie que Gideon t'a demandé d'installer un système de sécurité à Beck House.

— C'est vrai, répliqua Jack en souriant. C'est une ravissante vieille maison et ils ont été ravis, tous les deux, quand elle a été mise en vente. Gideon, surtout, puisqu'elle a appartenu à son père, autrefois.

— Ainsi qu'à papa, lorsqu'ils formaient une bande de joyeux drilles, je sais. Gideon m'a dit que, bientôt, ils pourront y emménager.

— Il m'a fait part de cette intention, en effet. Mais, pour en revenir à la liste des invités, penses-tu qu'il y aura des changements de dernière minute ? Des gens extérieurs à la famille peuvent-ils être conviés, par exemple ?

— J'en doute. Tu sais, Evan ne s'est pas fait beaucoup d'amis. En dehors de nous, je veux dire. Elle se trouvait avec Gideon la plupart du temps, ou avec India, Tessa et moi. Oh, une seconde ! Il y a ce couple qui tient un hôtel... Georges et Arlette Thomas, les amis de son père. Je suis certaine qu'elle va les inviter, mais...

— C'est déjà fait. Ils sont sur la liste de Gideon.

— Alors, je ne vois personne d'autre.

— Parfait. Ainsi que je te l'ai dit, nous serons nombreux à assurer la sécurité, mais j'aurai besoin de ton aide, si cela ne te dérange pas.

— Dis-moi ce que tu veux.

— Plus que n'importe qui d'autre, tu connais tous les gens qui vont assister au mariage. Tu repérerais certainement un étranger s'il se mêlait à la foule. Bien plus vite que moi, sans nul doute, ou que n'importe lequel de mes gars. De toute façon, bien que je connaisse tous les membres de la famille, je ne peux être partout. Alors, voici ce que je voudrais : dès que tu vois quelqu'un que tu ne connais pas, tu me le dis.

— Je pourrais porter un micro et des écouteurs, s'empressa de suggérer Linnet. Comme toi le jour de mon mariage.

Jack éclata de rire. Il n'y avait personne comme elle... sauf Emma. Elle aurait fait exactement le même genre de suggestion scandaleuse que son arrière-petite-fille.

— Pourquoi ris-tu ? lui demanda-t-elle avec étonnement.

— Parce que seule ta grand-mère m'aurait dit une chose pareille. Tu es exactement comme elle !

— J'en suis bien contente, mais, pour en revenir au mariage, je pourrais porter un micro et des écouteurs, non ? Pourquoi pas ? Qu'est-ce qui m'en empêcherait ? Ou qui ?

— Personne, bien entendu, mais tu ne crois pas que ça inquiéterait certaines personnes de l'assistance ? Comme la grand-tante Edwina, par exemple.

— Elle ! Tu plaisantes ! Si Edwina me voyait harnachée de cette façon, elle voudrait l'être aussi. Tu sais bien qu'elle joue les généraux en chef, dans cette maison. Elle commande tout le monde. Mais c'est quelqu'un de bien.

— Je suis d'accord avec toi, murmura-t-il en réprimant un sourire.

Linnet était étonnante, parfois, mais il avait une confiance absolue en elle. Elle était courageuse, déterminée et intelligente. Un jour, elle prendrait la direction des magasins Harte.

— Alors, Jack ? le pressa-t-elle. Je pourrai avoir un micro ?

— Ce n'est pas une mauvaise idée, Linny, répondit-il finalement.

Pourtant, il se demandait ce qu'en penserait Paula. Ne serait-elle pas offusquée si sa fille était équipée d'un micro lors d'une cérémonie familiale ?

34

Linnet semblait avoir suivi le cours de ses pensées, car elle déclara :

— Maman pourrait ne pas être d'accord, si elle était au courant. Mais elle n'a pas à le savoir. Je suis sûre de pouvoir placer le micro sur ma poitrine, dissimulé sous une grosse fleur. Et personne ne remarquera les écouteurs, puisque j'ai les cheveux plus longs que les tiens.

Tout en parlant, la jeune femme fit bouffer sa chevelure rousse et fixa Jack avec intensité. Ce dernier se leva et jeta un coup d'œil à sa montre.

— Ils sont plus longs que les miens, c'est vrai, murmura-t-il. Ecoute, je vais y réfléchir et je t'en reparlerai un peu plus tard. En principe, je ne crois pas que ce soit nécessaire, puisqu'il s'agit d'un cercle restreint.

Jack se dirigea vers la porte, puis il se retourna :

— Autre chose : ta mère m'a dit que les extras qu'elle a engagés, pour la réception qui aura lieu à Pennistone, habitent tous dans le coin et ont déjà travaillé pour vous. Vérifie la liste, s'il te plaît.

Hochant la tête, elle se leva à son tour et le rejoignit.

— Je demanderai à Margaret de m'aider, ce week-end, et bien entendu je garderai les yeux ouverts, le grand jour.

— Merci, Beauté.

Linnet lui emboîta le pas, mais juste avant d'atteindre la porte de la salle, elle lui toucha le bras.

— Jack ?

— Oui ?

— Tu penses vraiment que Jonathan Ainsley peut tenter de nous causer des ennuis ?

— Non. Je le crois trop malin pour cela. Mais d'un autre côté, je préfère avoir une longueur d'avance sur mon adversaire. Alors je ne prends aucun risque.

3

Evan prit un feutre à grosse pointe puis, de son écriture fluide et hardie, elle écrivit sur la chemise cartonnée : « MARIÉES ». Le sourire aux lèvres, elle repoussa ensuite le dossier et le tapota presque amoureusement. Jusqu'à ce qu'elle l'imprime, elle n'avait jamais vraiment évalué le travail qu'elle avait accompli.

Plusieurs semaines auparavant, elle l'avait relu et elle était persuadée que son projet était réalisable. Elle espérait que Linnet en serait aussi satisfaite qu'elle-même. En réalité, elle en était certaine. Mais qu'en penserait Paula O'Neill ? Leur patronne les laisserait-elle créer ce rayon réservé aux jeunes épousées, si cela devait se faire aux dépens des autres sections ?

Elle n'avait pas de réponse à cette question. En revanche, elle continuait de pressentir des ennuis, mais elle écarta cette préoccupation. Comme l'aurait dit Linnet, elle avait d'autres chats à fouetter.

La jeune femme se leva. Les photos de la maison que Gideon avait achetée dans le Yorkshire étaient éparpillées sur la longue table de travail placée de l'autre côté de la pièce. Soudain, elle éprouva le besoin de les regarder.

Elle s'assit pour les examiner et, une fois de plus, elle éprouva un plaisir mêlé d'excitation à la pensée qu'elle y serait bientôt chez elle. Elle avait hâte d'emménager !

Comme elle étudiait les photos du terrain et de la maison,

elle évoqua ce samedi matin d'octobre, trois mois auparavant, où elle l'avait vue pour la première fois.

Gideon l'avait emmenée dans le petit village pittoresque de West Tanfield et lui avait expliqué en route qu'il voulait visiter avec elle une vieille demeure.

« Je l'ai toujours aimée, lui avait-il dit, et il se trouve qu'elle est à vendre. Mon seul souci est qu'elle est peut-être un tantinet délabrée, ce qui entraînerait beaucoup de travaux. Mais cela ne nous empêche pas de la visiter et de voir comment nous sentons les choses. »

Evan avait tout de suite accepté. Elle était étonnée, pourtant, qu'il envisage de vivre dans le Yorkshire alors qu'ils travaillaient tous les deux à Londres. D'autant qu'ils pouvaient séjourner chez les parents de Gideon chaque fois qu'il éprouvait le besoin de fuir la ville. Mais en même temps, elle avait pris conscience du fait qu'elle souhaitait avoir sa propre maison, surtout quand les jumeaux seraient nés. Après l'accouchement, l'appartement de Gideon leur paraîtrait sans doute bien étriqué. Cette idée d'une maison dans le Yorkshire la séduisait.

En route, elle apprit que West Tanfield se trouvait à mi-chemin entre Pennistone Royal, la grande propriété que Paula avait héritée d'Emma, et Allington Hall, la maison de Winston et d'Emily, qui leur avait été léguée par le grand-père de Gideon, Randolph Harte.

Juste avant d'atteindre le village, Gideon s'était mis à rire doucement. Il lui avait confié que, de nombreuses années auparavant, son père et Shane O'Neill avaient possédé la maison qu'ils allaient visiter. Winston et Shane avaient le même âge, ils étaient amis et avaient fréquenté Oxford ensemble. Au départ, ils avaient considéré l'achat de cette demeure comme un investissement et projetaient de la rénover pour réaliser une plus-value.

Au lieu de cela, ils s'étaient tellement attachés à la maison, en y travaillant, qu'ils avaient décidé de s'y installer. Elle était devenue leur résidence secondaire, jusqu'à ce que Winston épouse Emily Barkstone, la mère de Gideon. Shane avait continué de vivre à Beck House pendant un an, mais il s'y était senti un peu seul, sans son partenaire de toujours. Avec l'accord de Winston, il l'avait mise en vente et elle avait trouvé immédiatement acquéreur. Pendant les années qui avaient suivi, elle n'avait changé de main qu'une seule fois.

Gideon s'était garé devant la grille de la maison, à l'extérieur du village, au pied d'une petite colline.

« Mon père m'a averti qu'elle était à vendre. Selon lui, il n'y aura pas trop de frais, parce que Shane et lui l'auraient quasiment reconstruite. Allons-y, ma chérie. L'agent immobilier m'a remis les clefs, jetons un œil à ce qui pourrait devenir notre maison de famille. »

Il avait bondi hors de la voiture, puis il l'avait contournée pour aider Evan à en sortir. Ensuite, il l'avait entraînée jusqu'au portail de fer peint en noir, rivé dans un vieux mur de pierre recouvert de lichen et dominé par de hauts arbres.

« Beck House... avait lu Evan à haute voix. La Maison du Ru... J'aime bien ce nom, Gid. »

Il avait souri, puis ils avaient franchi le portail et remonté l'allée qui menait jusqu'à la porte.

« Elle a été appelée ainsi parce qu'il y a un petit ruisseau, un ru, qui court dans la propriété. »

Dès qu'elle la vit, Evan fut enchantée. Elle voulait vivre dans cette maison, qui était absolument magnifique.

Située dans un petit vallon, elle était entourée de sycomores et de vieux chênes majestueux. C'était une charmante demeure élisabéthaine, plutôt pittoresque, basse et conçue de façon un peu anarchique, construite en pierre du pays. Elle comportait de hautes cheminées, des fenêtres à petits carreaux et une façade à colombages de style Tudor.

Evan avait toujours eu en tête une représentation de ce que devait être une maison de campagne anglaise. Cette image lui avait été transmise par sa grand-mère, Glynnis Hughes. Par ce samedi d'octobre froid et ensoleillé, ce fantasme avait pris une soudaine réalité. Quand Gideon avait introduit la grosse vieille clef dans la serrure de la porte d'entrée, son excitation avait été à son comble.

Evan savait qu'elle n'oublierait jamais ce qu'elle avait ressenti lorsqu'elle avait franchi le seuil et regardé autour d'elle. La joie l'avait submergée et elle avait eu l'intime conviction qu'elle allait vivre là avec Gideon et leurs enfants. Ils y seraient heureux, elle en était persuadée. La maison lui communiquait des ondes positives, elle s'y sentait la bienvenue.

Elle se rappelait si bien cet instant : elle avait marché à travers de vastes pièces, vides de meubles, mais pleines d'atmosphère et de grains de poussière qui dansaient, scintillants, illuminés par le soleil. Elle se souvenait de l'immense cuisine à l'ancienne, avec ses poutres de bois sombre, ses fenêtres à meneaux et son imposant âtre de pierre : une cuisine familiale, le cœur de la maison et le rêve de toute femme. A son grand soulagement, les pièces de réception, au rez-de-chaussée, étaient spacieuses et bien proportionnées, alors que les chambres de l'étage étaient douillettes et chaleureuses.

« C'est une maison parfaite, pour une famille, avait-elle dit à Gideon sans la moindre hésitation. C'est exactement ce qu'il nous faut et, en même temps, elle fait partie de l'histoire familiale, si j'ai bien compris ? »

Les yeux rieurs, Gideon avait déposé un baiser sur sa joue.

« Exactement. On l'achète, alors ?

— Oui, s'il te plaît. Du moins, avait-elle ajouté en plissant le nez, si elle ne nécessite pas trop de travaux. »

Il s'était mis à rire.

« Je ne crois pas. En tout cas, pas à l'intérieur. A l'extérieur, la charpente a besoin de quelques couches de peinture et les murs de pierre devront être réparés. Mais papa disait que la structure était solide et il avait raison. »

La décision avait donc été prise au milieu de leur future salle de séjour. Trois semaines plus tard, la maison était à eux.

Evan contempla encore quelques-unes des photographies. L'intérieur avait été rénové, les murs et les portes repeints, les parquets restaurés et cirés, les cheminées ramonées, et toutes les vitres avaient été lavées.

Beck House était prête, elle les attendait. La semaine

suivante, tout en préparant le mariage, Gideon, sa mère et elle-même superviseraient la pose des rideaux, ainsi que la disposition des tapis et des meubles. La plupart de ces derniers, très anciens, leur venaient d'Emily et de Paula. Les deux femmes avaient fouillé leurs greniers et trouvé des pièces magnifiques.

Grâce à Internet, Evan avait pu envoyer à son père quelques photographies de meubles. Il lui avait aussitôt répondu pour lui dire combien il les trouvait beaux. Il avait hâte de les admirer.

Evan relut le dernier mail de son père, soulagée et heureuse qu'il lui manifeste la tendresse d'autrefois. Il était redevenu chaleureux et attentif, comme s'il n'y avait jamais eu de désaccord entre eux.

Quelqu'un frappa à la porte. Arrachée à ses photographies, Evan leva les yeux, mais, avant qu'elle prononce un mot, Ruth Snelling, sa nouvelle secrétaire, passa sa tête blonde dans l'embrasure.

— Vous n'avez besoin de rien, Evan ? demanda-t-elle d'une voix gaie.

Comme d'habitude, elle témoignait beaucoup de sollicitude à sa supérieure, ainsi qu'elle l'avait fait dès qu'elle avait pris son poste chez Harte.

— Tout va bien, merci, Ruth. Si cela ne vous dérange pas, pourriez-vous m'apporter une bouteille d'eau ? Plate, s'il vous plaît.

— Pas de problème. Je reviens dans une seconde.

— Attendez ! J'ai quelque chose pour Linnet. Vous pouvez le déposer dans son bureau ?

Tout en parlant, Evan s'était levée et avait traversé la pièce pour prendre la chemise cartonnée et la tendre à sa secrétaire.

Toujours souriante, Ruth la lui prit des mains.

— A tout de suite, dit-elle.

Et elle sortit du bureau presque en courant, tout à la tâche que l'on venait de lui confier.

Evan sourit. Cette jeune femme était désireuse de plaire et efficace. Rien ne la rebutait. Depuis son arrivée, quelques semaines auparavant, les choses allaient rondement et Evan se demandait comment elle avait pu se débrouiller sans elle.

J'étais toujours dans une situation impossible, se dit-elle, c'était mon problème.

Elle alla se rasseoir et jeta un coup d'œil à son ordinateur pour vérifier qu'elle n'avait pas de mails. Elle n'en avait pas reçu, ce matin. Le travail avait un peu perdu de son attrait pour elle, ces derniers temps. Tout ce à quoi elle aspirait, c'était de retrouver la paix et la quiétude de Pennistone Royal.

Paula avait insisté pour qu'elle vienne s'y installer dans une dizaine de jours et y reste jusqu'au mariage. Elle s'en réjouissait. Evan se sentait bien dans cette grande maison où elle passait la plupart de ses week-ends depuis un an. Son arrière-grand-mère l'avait achetée dans les années trente. Evan aimait s'y trouver, peut-être parce qu'elle y sentait la présence et l'esprit d'Emma Harte. En outre, la demeure lui était familière, maintenant, et elle l'adorait. Margaret, la gouvernante, l'entourait d'attentions. Elle se montrait bienveillante, maternelle et protectrice.

Emily ne s'était pas offusquée qu'elle préfère séjourner à Pennistone plutôt qu'à Allington Hall. Elle avait même répété qu'elle comprenait qu'Evan préfère un endroit familier. La mère de Gideon était l'une des femmes les plus gentilles qu'elle eût jamais connues. Elle était aussi très drôle, parfois, avec un franc-parler qui ressemblait à celui de Linnet.

Quand Evan avait mentionné cette similitude devant Paula, celle-ci avait ri et ses yeux violets avaient pétillé de malice.

« Elles ressemblent toutes les deux à Emma. Elle était franche, elle aussi, et Linnet a hérité de sa concision un peu brutale. Ma grand-mère disait toujours ce qu'elle pensait, Linnet en fait autant.

— On récolte ce que l'on sème », avait conclu Evan.

Et elles avaient ri ensemble.

Winston Harte, le père de Gideon, était aussi adorable qu'Emily. Dès l'instant où elle était sortie avec Gideon, tous deux, comme les autres membres de la famille, l'avaient accueillie aimablement ; mais en plus, ils lui avaient montré combien ils approuvaient le choix de leur fils. Elle n'aurait pas rêvé meilleurs beaux-parents, ou plus gentille belle-sœur que Natalie. C'était une jeune fille à la fois ravissante et charmante et elles s'étaient appréciées mutuellement dès leur première rencontre.

La seule personne qui se montrât réservée, voire distante, était Toby. Linnet avait confié à Evan que Toby était jaloux de Gideon.

« Son mariage avec une actrice a battu de l'aile presque tout de suite, alors je suppose que son nez s'allonge à l'idée que Gideon a trouvé une fille aussi jolie que toi. »

Ne voulant pas entrer dans une discussion au sujet de Toby, de peur d'être déloyale envers Gideon, Evan avait simplement hoché la tête. A son grand soulagement, Linnet s'était soudain rappelé qu'elle avait un rendez-vous et elle l'avait quittée très vite. Ce sujet n'avait plus jamais été évoqué.

Se levant péniblement, Evan retourna à sa table de travail, devant laquelle elle s'assit pour examiner les nombreuses photographies que Gideon avait prises de leurs cadeaux de mariage. Tout le monde avait rivalisé de générosité et envoyé des présents à la fois beaux et coûteux.

« Nous n'aurons pas à en reléguer au grenier pour les y oublier, avait constaté Gideon avec un petit rire. Nous pouvons tous les utiliser. »

Elle en avait convenu en souriant.

— Salut ! Comment vas-tu ?

Evan sursauta, car elle n'avait pas entendu la porte s'ouvrir. Mais elle la fixait maintenant avec incrédulité. Sa sœur de vingt-trois ans, Angharad, se tenait sur le seuil, vêtue de rouge, depuis sa longue écharpe de cachemire jusqu'à ses bottes de cuir à hauts talons. Pour comble, elle avait teint ses cheveux en blond platine.

Bouche bée, Evan mit quelques instants à retrouver sa voix.

— Je n'en reviens pas ! dit-elle enfin. Que fais-tu ici ?

Maman m'avait dit que tu n'arriverais à Londres que la semaine prochaine.

— J'ai décidé de venir plus tôt, pour flâner un peu en ville avant de monter vers le Nord.

Evan se leva et embrassa sa sœur sur la joue.

— Ne reste pas là, lui dit-elle avec affection. Entre et assieds-toi.

Angharad fit quelques pas nonchalants dans la pièce, non sans regarder autour d'elle de ses yeux bruns, avides et curieux.

— Ce bureau est fabuleux ! Mais tu as toujours réussi à te ménager un endroit sympa pour travailler. Plus sympa, en tout cas, que la plupart des gens.

Ignorant la pique, Evan murmura :

— Il fait chaud, ici. Tu devrais suspendre ton manteau et ton écharpe dans la penderie derrière toi.

Sur ces mots, elle retourna à sa table et rassembla les photographies, sachant qu'il valait mieux les ranger avant qu'Angharad les voie. Elle était extrêmement fouineuse. Mais trop tard, car sa sœur la suivait.

Se détournant de la table, Evan suggéra :

— Asseyons-nous sur le canapé, il est confortable. Tu veux quelque chose à boire ? Un thé ? Un café ?

Angharad secoua la tête. Pendant un instant, elle fixa sa sœur intensément.

— Je n'arrive pas à croire que tu sois aussi grosse ! s'exclama-t-elle. Tu es énorme !

Elle éclata d'un rire dénué de chaleur, dur et grossier.

— On dirait que tu vas accoucher de bébés éléphants.

Tressaillant sous l'insulte, Evan ne répondit pas et, d'un geste instinctif, posa ses mains sur son ventre, comme pour protéger ses petits garçons. Elle n'avait pas apprécié le ton d'Angharad, qu'elle ne connaissait que trop bien. Il était empreint de cette jalousie que sa cadette n'avait jamais réussi à cacher. Il révélait sa rivalité, son besoin absolu de rabaisser Evan chaque fois qu'elle le pouvait.

Prenant une profonde inspiration, Evan questionna :

— Je suppose que tu es descendue chez Georges, avec maman ?

— Oui. Elle ne va pas tarder à me rejoindre ici, d'ailleurs. Elle pensait que nous pourrions déjeuner ensemble. Qu'est-ce que tu en dis ?

— Très bonne idée, bien sûr, répondit Evan.

Mais elle aurait préféré que sa mère lui téléphone d'abord. Elle avait beaucoup à faire avant la fin de la journée, et un déjeuner familial n'entrait pas dans ses projets. Elle souhaitait terminer son programme avant de prendre son congé de maternité.

Angharad se dirigea vers la table de travail. Elle prit une photographie pour l'étudier plus attentivement, puis elle se tourna vers Evan.

— D'où vient ce meuble ?

— Des greniers de Pennistone Royal, qui fut autrefois la maison d'Emma Harte. Aujourd'hui, c'est sa petite-fille et ma patronne, Paula O'Neill, qui y habite. Elle nous a offert ce buffet, à Gideon et moi. Il avait été mis au rebut, dans le grenier.

— Au rebut ? Comment est-ce possible ? C'est une merveille. Tu l'as fait évaluer ?

— Non. Nous attendons papa. Je lui ai envoyé une série de photographies pour qu'il puisse les regarder à loisir. Après tout, c'est lui, le grand expert en la matière.

— Je le sais, puisque je travaille avec lui. Quand les lui as-tu envoyées ?

— Oh, il y a environ trois semaines.

— Je me demande pourquoi il ne me les a pas montrées.

Angharad fronça les sourcils et pinça les lèvres, ses yeux bruns emplis d'étonnement. Elle paraissait contrariée.

— Peut-être y a-t-il jeté un coup d'œil avant de les oublier dans un tiroir ? suggéra Evan.

Mais elle-même se demandait pourquoi il ne les avait pas montrées à la fille avec qui il travaillait, dans sa boutique d'antiquités du Connecticut.

— C'est ta maison ? demanda Angharad en éparpillant les autres instantanés.

— Oui. Beck House, la Maison du Ru.

— Très sympa... vraiment très sympa, murmura Angharad.

Elle semblait captivée par les photos des pièces, autant que par les clichés d'autres meubles, qu'Emily et Paula avaient dénichés à Allington Hall ou à Pennistone Royal pour les leur offrir.

Au bout d'un moment, elle se redressa avec une sorte de colère et braqua sur sa sœur des yeux froids et amers.

— Eh bien, on dirait que tu t'es encore bien débrouillée ! Mais tu as toujours eu les pieds sur terre, Evan. Aussi loin que je me souvienne, tu t'arrangeais pour entortiller les autres, à la maison. Maman, grand-mère Glynnis, et particulièrement papa et grand-père. Tu étais leur préférée. Elayne venait en second et moi en dernier.

— C'est faux, protesta Evan. Tu n'étais pas la dernière. Personne n'était la dernière... et je n'arrivais pas en première place. Papa nous traitait toutes les trois de la même façon.

— Tu veux rire ! C'est à moi que tu parles, Evan. Pas à Elayne. Je voyais très clairement les choses. J'avais été adoptée, je n'étais donc pas de son sang... Le sang des Hughes ne coulait pas dans mes veines. Pas comme toi. Oh, non, pas comme toi ! Tu étais la précieuse, la petite chérie.

— Je t'en prie, Angharad, ne réagis pas comme ça. Elayne a été adoptée, elle aussi, et papa vous aime toutes les deux autant qu'il m'aime ! s'exclama Evan.

— Si tu crois ça, tu te mets le doigt dans l'œil.

Secouant la tête, Evan se dirigea vers sa chaise. Soudain, elle ne se sentait pas très bien et avait besoin de s'asseoir. C'était une vieille histoire qui n'avait pas perdu les couleurs du drame, au fil des années. Depuis toujours, Angharad répétait la même chose. Elle était convaincue qu'elle était la dernière des dernières dans la hiérarchie familiale. Ces plaintes constantes, ces pleurnicheries avaient toujours agacé leur grand-mère. Leur père s'était contenté de les ignorer, tandis que leur mère avait câliné, couvé Angharad, la gâtant au point qu'Elayne s'était sentie négligée.

— Tu étais sa princesse ! cria Angharad. La plus belle, la plus intelligente, la plus brillante, la meilleure ! Tu nous as toujours été présentée comme la fille bénie des dieux. Tu étais le grand exemple et nous aurions dû étinceler comme toi.

— Tu es vraiment stupide, répliqua Evan qui s'efforçait de garder son calme. C'est totalement faux.

Mais sa protestation demeura lettre morte.

— Tu es encore un exemple aujourd'hui. Mais tu dois bien le savoir, maintenant. Evan la glorieuse. Evan, l'arrière-petite-fille de la fameuse Emma Harte. Suffisamment talentueuse et intelligente pour obtenir un poste important chez Harte. Et le tout en un clin d'œil. Evan, si belle et si ensorcelante qu'elle capture le prince charmant de la famille Harte. Le riche et beau Gideon. Et maintenant, elle accomplit le souhait de Gideon en lui donnant un héritier. Non, pas un héritier ! Oh, non, pas Evan ! Elle en fabrique deux. Et le père de Gideon est à son tour entortillé par la grande Evan, qui lui offre deux petits-fils d'un coup.

— Ne fais pas ça, je t'en prie, supplia Evan.

La contrariété que lui causaient les paroles de sa sœur la tendait à l'extrême. Il lui semblait que l'angoisse montait en elle et l'enveloppait de brouillard.

— Je fais quoi ? s'enquit Angharad d'une voix glaciale.

— Tu déclenches la bagarre, exactement comme quand tu étais petite. Mais à la fin, il n'y a pas de vainqueur.

— Je ne fais rien de ce genre, cria Angharad, le visage rouge de colère. Je te dis la vérité, c'est tout. Elayne et moi sommes fatiguées d'entendre parler de ton foutu mariage. Papa n'arrête pas d'évoquer le moment où tu remonteras l'allée centrale. Et il te porte aux nues, toi, la plus belle des mariées.

— Dans ce cas, pourquoi es-tu venue ? lança Evan, envahie par l'indignation. Si c'est ce que tu éprouves, pourquoi ne pas boycotter cette cérémonie ?

— Maman nous voulait tous ici.

Perdant son sang-froid, Evan explosa :

— Inutile de me faire cette faveur !

Elle recula d'un pas, la main tendue derrière elle pour saisir le bras de son fauteuil. Mais au moment où sa main le toucha, il roula un peu plus loin et elle tomba lourdement sur le sol. Poussant un hurlement, elle porta les mains à son ventre.

Effrayée, Angharad demeura sur place, incapable de bouger, les yeux écarquillés. Elle déglutit péniblement et murmura :

— Tu vas bien, Evan ? Evan ? Tu vas bien ?

Evan gémit et releva ses jambes pour se rouler en boule, tenant toujours son ventre. Pâle comme un linge, elle ne répondait pas.

— Je t'en prie, Evan, dis quelque chose, supplia Angharad en s'approchant. Tu t'es fait mal ?

— Je ne sais pas, répondit faiblement la jeune femme. Va chercher ma secrétaire… Ruth.

Mais Angharad n'eut pas à chercher de l'aide. A cet instant précis, Ruth entra dans le bureau, portant un verre et une bouteille d'eau, suivie de Linnet et de Marietta Hughes.

— Mon Dieu ! s'écria Marietta en voyant sa fille par terre.

Elle écarta Ruth et Linnet sans leur accorder un coup d'œil, et s'agenouilla auprès d'Evan, le cœur battant la chamade.

— Que s'est-il passé ? Mon Dieu, que t'est-il arrivé, Evan ?

Evan leva vers sa mère un visage ruisselant de larmes.

— Appelle mon médecin. Je ne peux pas perdre mes bébés, ce n'est pas possible ! gémit-elle.

4

Gideon poussa la porte de la salle d'attente de l'hôpital où Evan avait été admise, le Queen's Charlotte, situé dans Chelsea. Le visage crispé par l'angoisse, il se rua dans la pièce.

Trois paires d'yeux se tournèrent vers lui, et avant qu'il ait prononcé un mot, Linnet se leva d'un bond et se précipita vers lui.

— Elle va bien, Gid ! s'exclama-t-elle. Elle n'est pas blessée, précisa-t-elle en lui prenant le bras d'un geste de propriétaire.

Le soulagement le submergea aussitôt.

— Dieu merci ! J'ai été horriblement inquiet pendant tout le trajet.

Marietta rejoignit les deux jeunes gens et embrassa Gideon sur la joue. Il entoura d'un bras sa future belle-mère et demanda :

— Qu'est-il arrivé à Evan, Marietta ? Quand Linnet m'a téléphoné au journal, elle m'a dit que vous étiez dans le bureau d'Evan quand l'accident a eu lieu.

— Je n'étais pas dans la pièce, Gideon, répondit Marietta. Elle gisait déjà sur le sol quand je suis arrivée. Je n'avais aucune idée de ce qui s'était passé. J'ai couru jusqu'à elle, bien sûr, et lorsque je me suis agenouillée, elle m'a dit qu'elle avait eu un problème avec son fauteuil. Ensuite, elle m'a demandé d'appeler le médecin. Linnet, qui était avec moi, l'a fait aussitôt. Ensuite, nous l'avons amenée ici.

Gideon fronça les sourcils.

— Elle est tombée de son siège, c'est ce que vous voulez dire ?

— Pas exactement. Evan m'a dit qu'elle avait tendu la main derrière elle pour tirer le fauteuil, mais il semble qu'il se soit écarté, au contraire, si bien qu'en voulant s'asseoir elle est tombée par terre. Mais elle va bien, Gideon, ainsi que Linnet vous l'a dit. Elle a surtout eu peur, je crois.

— Je comprends ! A la réception, on m'a appris que le médecin était encore avec elle. Pourquoi ? Vous le savez, Marietta ? Et toi, Linnet ?

— Dès que nous sommes arrivées, le médecin a procédé à un examen complet. Un moment plus tard, il est revenu nous voir, pour nous dire qu'elle n'était pas blessée et que tout allait bien. Ensuite, il est retourné auprès d'elle. Mais nous ne savons pas pourquoi, conclut Marietta. Il ne nous l'a pas dit.

— J'espère qu'il n'en a pas pour longtemps.

Gideon jeta alors un coup d'œil de l'autre côté de la pièce, en direction de la jeune femme blonde et silencieuse assise dans un coin. Elle était entièrement vêtue de rouge, ce qui parut à Gideon quelque peu voyant. Ne l'ayant jamais rencontrée auparavant, il se demanda qui elle était.

Remarquant son regard curieux, Marietta s'exclama :

— Quelle impolitesse de ma part ! Je dois vous présenter ma plus jeune fille, Angharad, la sœur d'Evan.

Angharad se leva d'un bond.

— Bonjour, Gideon ! s'écria-t-elle en tendant la main. Je suis ravie de vous rencontrer.

Elle déplut immédiatement à Gideon, qui s'aperçut qu'il répugnait à s'approcher d'elle. Hélas, il n'avait pas d'autre choix que de saisir les doigts tendus. Ils étaient bizarrement froids et il les lâcha sitôt après les avoir serrés.

— Comment allez-vous ? demanda-t-il de sa voix la plus polie, avec une sorte de réserve indifférente.

Plantée devant lui, elle le toisa des pieds à la tête avec impudence. Il lui rendit son regard, enregistrant tout. Elle était indiscutablement jolie, avec des traits finement ciselés, un teint parfait et d'immenses yeux bruns. Pourtant, Gideon la

49

trouvait repoussante. Il recula d'un pas, tous ses sens en alerte, averti par son instinct qu'il fallait se méfier de cette fille. Les signaux de danger clignotèrent dans sa tête.

Elle ne peut apporter que des ennuis, pensa-t-il.

Il fut frappé par l'idée que la chevelure d'un blond platine n'éclairait en rien l'obscurité qu'il devinait tapie au fond d'elle. Et soudain, dans un éclair de lucidité froide, il la vit avec les yeux de l'esprit, telle qu'elle était : une petite créature sombre et furtive, se cachant dans les coins, regardant par les trous de serrure, épiant les gens, écoutant aux portes et cherchant toujours son propre intérêt. Sur le coup, ces associations d'idées le stupéfièrent, pourtant il était convaincu que son instinct ne le trompait pas. Il sentait, de façon presque palpable, la méchanceté qui habitait Angharad Hughes.

Il s'écarta d'elle, pressé de mettre une certaine distance entre eux. Il traversa la pièce et, la main sur la poignée de la porte, se tourna vers Linnet.

— Je vais parler à l'infirmière, à l'accueil. Il faut que je voie Evan tout de suite.

Mais à peine eut-il ouvert la porte qu'il se retrouva face à Charles Addney, l'obstétricien d'Evan.

— Vous voilà, monsieur Harte ! Je venais justement vous chercher. Allons voir Mlle Hughes, si vous le voulez bien.

Gideon le suivit dans le couloir, avant de refermer la porte derrière lui.

— On m'a dit qu'elle allait bien, commença-t-il. C'est vrai, n'est-ce pas ?

— Absolument. Sauf que son coccyx est un peu douloureux. Vous savez, c'est le dernier os de la colonne vertébrale. La chute a été rude, je le crains, mais il n'y a pas trop de mal et les bébés vont très bien.

Gideon laissa échapper un soupir de soulagement.

— Je peux donc la ramener à la maison ?

— Rien ne s'y oppose, mais elle doit garder le lit jusqu'à la fin de la journée. J'ai procédé à un examen complet et je répète que tout va bien, mais je pense qu'elle devrait cesser de travailler dès aujourd'hui.

— Je suis d'accord avec vous, répondit Gideon. Depuis plusieurs semaines, je tente de l'en persuader. Nous devions partir pour le Yorkshire samedi, mais peut-être allons-nous le faire dès demain. Le problème, c'est qu'elle est un bourreau de travail...

— Je le sais. Je viens d'avoir une longue conversation avec elle à ce propos, et je crois que vous la trouverez plus raisonnable. Bien sûr, ajouta le médecin, elle a précisé que, si elle acceptait de partir, elle emporterait son ordinateur portable.

— Evidemment ! s'exclama Gideon en riant avec lui.

— Nous y sommes, dit le médecin en s'arrêtant devant une porte.

Quelques secondes plus tard, il faisait entrer Gideon dans la chambre d'Evan. Le jeune homme se précipita vers le lit, soulagé qu'Evan soit exactement comme il l'avait quittée le matin même. Elle était assise sur son lit, soutenue par des oreillers.

— Gideon ! s'exclama-t-elle. N'aie pas l'air aussi bouleversé ! Je vais bien.

Levant vers lui ses yeux gris emplis d'amour, elle lui adressa un sourire radieux. Se penchant vers elle, il l'entoura de ses bras, l'embrassa sur la joue et caressa ses cheveux noirs.

— Je me suis fait tellement de souci ! souffla-t-il. Je n'aurais pas pu le supporter, s'il vous était arrivé quelque chose, à toi et aux jumeaux. Je t'aime tellement, Evan !

— Rien ne peut nous arriver, mon chéri. Nous sommes en pleine forme, tous les trois. Vraiment. Et je t'aime, moi aussi. Les garçons aussi t'aimeront, dès qu'ils seront nés.

A les regarder, Charles Addney ressentit une bouffée de plaisir. C'était merveilleux de contempler des êtres qui s'aimaient autant. Cela lui réchauffait le cœur de savoir que ces deux-là avaient pu se trouver, dans ce monde incertain et dangereux. Il se glissa dehors et referma doucement la porte derrière lui, les laissant au bonheur d'être ensemble.

— Comment t'y es-tu prise pour tomber ? demanda Gideon.

Il était assis sur le bord du lit, la main d'Evan dans la sienne, scrutant le visage qu'il avait appris à si bien connaître et qu'il aimait tant.

Elle émit un petit rire et secoua la tête.

— Je n'en sais rien, chéri. J'ai été maladroite, j'imagine.

— Maladroite ? Toi ? Jamais ! Tu es la personne la plus gracieuse que j'aie jamais connue. Ta mère m'a dit que c'était arrivé par hasard, mais explique-moi ce qui s'est exactement passé.

Evan pinça les lèvres et plissa les yeux, tout en cherchant les termes les mieux appropriés. En réalité, elle ne savait pas très bien elle-même comment elle s'était débrouillée pour tomber.

Elle toussota avant d'expliquer :

— J'étais debout derrière mon bureau, en train de discuter avec Angharad... Oh ! Tu as fait sa connaissance ? Elle est venue à l'hôpital, avec maman et Linnet.

— Oui, je l'ai rencontrée, murmura Gideon en la fixant. Tu veux dire qu'elle était dans la pièce, avec toi ?

— Oui. Elle est venue me voir au magasin. Je ne m'y attendais pas, je ne savais même pas qu'elle se trouvait en Angleterre.

Gideon sentit ses cheveux se hérisser. Se redressant un peu, il regarda Evan dans les yeux.

— Donc elle était dans la pièce. Tu lui parlais de derrière ton bureau. Et ensuite ?

— J'ai tendu la main derrière moi. J'ai tiré mon fauteuil, celui sur lequel je suis assise quand je travaille sur mon ordinateur. J'étais certaine qu'il était derrière moi et je me suis assise. Mais il a roulé plus loin et, naturellement, je me suis retrouvée par terre. Une chute un peu rude, je te l'accorde.

Gideon hocha la tête sans mot dire. Il ne pouvait s'empêcher de se demander si Angharad était à l'origine de l'accident. Mais comment était-ce possible, si elle se trouvait de l'autre côté du bureau ? N'importe ! Il lui semblait qu'elle était responsable de l'accident.

— Quand tu es tombée, est-ce qu'elle est venue t'aider ?

— Oui, elle s'est approchée de moi, mais elle paraissait terrifiée. Elle craignait sans doute que je ne me sois gravement blessée, alors elle est restée au-dessus de moi, à me demander si j'allais bien. J'avais mal au ventre et j'ai replié mes jambes, comme pour protéger les garçons. A cet instant, Ruth est arrivée avec l'eau que je lui avais demandé de m'apporter. Maman et Linnet étaient avec elle. Maman s'est précipitée, elle s'est agenouillée près de moi et je lui ai dit d'appeler le médecin.

Evan s'appuya contre les oreillers, le visage empreint de confusion.

— Je ne sais pas comment j'ai pu être aussi inattentive.

— Tu n'as pas été inattentive, mon cœur. C'était un incident, voilà tout. Grâce à Dieu, tu ne t'es pas blessée. Habille-toi, maintenant. Le Dr Addney a dit que je pouvais te ramener à la maison, mais tu devras te reposer toute la journée et toute la soirée. Demain soir, nous partons pour Pennistone Royal, au lieu de samedi.

— Mais je...

— Il n'y a pas de « mais », Evan, et pas de discussion. C'est comme ça. Le docteur m'a dit que ton congé de maternité devait commencer maintenant. Harte, c'est fini. Tu devras attendre la naissance des jumeaux.

— Oh non, ne dis pas cela ! J'espère qu'il y aura encore plein de Harte. Enfin... un, tout particulièrement.

— C'est à moi que tu fais allusion ?

— Evidemment, idiot ! Je n'aime personne d'autre que toi.

Des petites choses lui revenaient, des choses qu'elle avait oubliées depuis longtemps. Pourtant, elles avaient été significatives, sur l'instant. Elle les avait écartées, mais elles s'imposaient maintenant à elle, nettes et vivaces. Et tous ces souvenirs avaient un facteur commun... la jalousie d'Angharad, son envie maladive.

Evan était couchée sous la couette, dans l'appartement de

Gideon. Leur appartement, depuis qu'elle s'était installée chez lui, quelques mois auparavant. Ils avaient voulu vivre ensemble dès l'instant où elle avait été enceinte. En outre, puisque la sœur de Gideon, Natalie, était rentrée de Sydney, Evan devait quitter son appartement, qu'elle occupait jusqu'alors.

« Pourquoi ne pas vivre avec ton futur mari ? avait-il suggéré. "Viens avec moi, sois mon amour et nous goûterons tous les plaisirs."

— Quels mots charmants !

— Ils ne sont pas de moi, Evan, mais de Christopher Marlowe. Pourtant, ils reflètent ce que j'éprouve. »

Et ce que j'éprouve aussi, pensait-elle maintenant en remontant la couette sous son menton. Le Dr Addney et Gideon avaient tous deux insisté sur le fait qu'elle devait se reposer toute la journée, ainsi que la soirée. Elle savait qu'ils avaient raison. Bien sûr, le mal n'avait pas été grand, mais elle restait sous le choc. Comme ils le lui avaient dit, le repos était le meilleur des remèdes.

Angharad.

Le prénom flottait dans l'air, sous ses yeux.

Evan avait bien remarqué la répugnance, dans la voix de Gideon, lorsqu'il avait fait allusion à sa sœur. Et elle en comprenait la raison. Sa chevelure décolorée en blond platine et cette affreuse tenue rouge faisaient d'elle une créature voyante, vulgaire. Le contraste avec leur mère, parfaitement coiffée et vêtue de beige, était frappant. Sans parler de Linnet, qui portait un ensemble Chanel noir, sur lequel tranchaient les manchettes et le col blancs.

Evan se crispa au souvenir de cet affreux rouge. Angharad était pourtant une jolie fille, mais elle n'avait jamais été aussi mal attifée que ce jour-là. Il y avait les cheveux, aussi. Cette blondeur ne lui seyait pas. Une association d'idées farfelue s'imposa à elle. Avec ses cheveux blond platine et son ensemble rouge, Angharad ressemblait à la fiancée du père Noël. Dans d'autres circonstances, Evan aurait pu en rire, mais pas aujourd'hui ; en se présentant ainsi au magasin,

Angharad embarrassait tout le monde. Et comme elle s'était montrée mesquine !

En un éclair, un souvenir s'imposa à sa mémoire. Cela datait d'un Noël, des années auparavant. Elle devait avoir sept ans et Angharad trois ans et demi. A cette époque, déjà, elle avait l'esprit de compétition et se consumait de jalousie. Cette année-là, sa grand-mère avait offert à Evan un petit chien, un beau labrador chocolat aux yeux verts, une couleur inhabituelle. Elle l'avait appelé Hudson, comme la rivière.

Evan arriva en courant dans la cuisine, où sa grand-mère se tenait devant la longue table de chêne sur laquelle elle préparait le repas de Noël.

— Grand-mère, je ne trouve plus Hudson ! Il a disparu ! pleura-t-elle.

Glynnis confectionnait de la farce pour la dinde, de la sauce au jus de viande et aux pommes, ainsi que beaucoup d'autres bonnes choses à manger.

Jetant un coup d'œil à sa petite-fille, par-dessus son épaule, elle déclara :

— Je l'ai vu trotter derrière Angharad il y a quelques minutes. Va le chercher dans le solarium, ma chérie. Peut-être que tu les y trouveras, en train de jouer avec une balle de tennis.

Evan se mit à courir le long du couloir, en direction du solarium. Lorsqu'elle y parvint, elle eut la surprise de voir sa sœur en train de pousser le petit chien dehors, dans la neige, puis de refermer la porte.

— Qu'est-ce que tu fais, Angharad ? cria-t-elle.

Ses chaussures claquèrent sur les dalles du solarium tandis qu'elle courait vers la porte.

— Il gèle, dehors, dit-elle. Hudson va mourir ! Il fait bien trop froid pour un petit chien. Il n'a que neuf semaines ! Tu es méchante ! Très méchante !

Evan écarta Angharad de la porte et la foudroya du regard.

— Tu es vilaine ! répéta-t-elle. Très vilaine.

Elle déverrouilla fébrilement la porte et courut dans le jardin, regardant de tous côtés. Le chiot avait disparu, et les yeux de la fillette s'emplirent de larmes.

— Hudson ! Hudson ! Où es-tu ? cria-t-elle d'une voix tremblante.

Il ne pouvait pas être loin ! Ce n'était pas possible ! pensa-t-elle avec désespoir.

Angharad l'avait suivie dehors et elle se tenait sur le seuil du solarium.

— Je ne suis pas méchante ! hurla-t-elle. Je déteste ce chien. Je te déteste. C'est lui qui est méchant. Il a fait pipi dans ma chambre. Voilà, mademoiselle la princesse !

Sur ces mots, elle rentra dans la maison et referma la porte derrière elle en la verrouillant. Evan ne lui avait prêté aucune attention. Elle était bien trop inquiète pour son chien, qu'elle continuait de chercher. Soudain, elle vit des empreintes de petites pattes dans la neige et elle commença à les suivre en serrant son cardigan autour de son corps. Le vent glacé la fit grelotter et elle regretta de ne pas avoir enfilé son manteau.

Il ne lui fallut pas longtemps pour retrouver Hudson. Le chiot s'était enfoncé dans une congère, contre le mur de la terrasse, et il gémissait.

La fillette se pencha et faillit y tomber elle-même en tentant de l'attraper. Il était humide et glacé, il tremblait de froid et geignait encore lorsqu'elle le saisit et le souleva.

— Tout va bien, mon petit Hudson, je suis là, lui dit-elle doucement. Bientôt, je vais pouvoir te réchauffer.

Elle le glissa sous son cardigan, qu'elle referma sur lui, et le berça un instant contre son cœur. Le serrant bien fort pour le réchauffer, elle se hâta de regagner le solarium.

Mais, lorsqu'elle tourna la poignée de la porte, ce fut pour découvrir qu'elle avait été verrouillée de l'intérieur par Angharad. La petite fille se tenait de l'autre côté de la vitre et lui faisait des grimaces. Elle lui tira la langue, puis elle se mit à rire.

Très irritée, Evan frappa au panneau vitré. Il faisait froid dans le jardin !

— Ouvre !

— Non ! répliqua Angharad.

De nouveau, elle lui tira la langue puis, tournant les talons, elle s'éloigna en courant.

Evan contourna la maison le plus vite possible et parvint à la porte de derrière, celle qui donnait sur la cuisine. Elle entra en trébuchant, apportant une bouffée d'air froid avec elle. Glynnis se retourna et parut surprise.

— Tu vas attraper la mort, ma chérie, si tu sors sans manteau par ce temps, gronda-t-elle.

Elle s'interrompit à la vue du petit chien dans les bras de la fillette. Elle remarqua du même coup qu'Evan et Hudson tremblaient tous les deux.

— Mon Dieu, qu'est-il arrivé à Hudson ? Il a l'air très mouillé ! s'exclama-t-elle, les sourcils froncés. Donne-le-moi, Evan, je vais l'envelopper dans une serviette chaude. Quant à toi, ma chérie, ôte ce cardigan humide et mets-toi devant le feu. Tu seras sèche et réchauffée en un clin d'œil.

— Oui, grand-mère, acquiesça Evan en lui tendant le chiot.

Quand le petit chien fut installé confortablement dans son panier, sur un lit de serviettes bien épais, Glynnis demanda :

— Veux-tu me dire ce qui est arrivé, Evan ?

Evan laissa échapper un long soupir.

— Je ne suis pas une rapporteuse.

— Je le sais. Mais comment ce chien est-il sorti, pour commencer ?

— Je l'ai trouvé dans la neige, hasarda Evan.

— Je ne pense pas qu'Hudson puisse ouvrir les portes, donc quelqu'un a dû le mettre dehors. C'est une évidence, Evan. Peut-être une petite fille du nom d'Angharad, non ?

Evan ne répondit pas.

— C'était Angharad, articula Elayne, qui venait de les rejoindre. Je l'ai vue qui poussait Hudson dans la neige, grand-mère. Elle est toujours jalouse d'Evan, précisa-t-elle avec une grimace. Et de moi, aussi.

Glynnis hocha la tête.

— Je comprends. S'il te plaît, Elayne, va la chercher et ramène-la-moi. Immédiatement.

Elayne sortit de la cuisine en courant.

Glynnis lança à Evan un regard qui en disait long.

— Je sais que tu n'as jamais voulu affronter Angharad, mais cette fois, elle est allée trop loin.

Comme Evan ne répondait pas, Glynnis insista :

— Tu le comprends, n'est-ce pas ?

— Oui, grand-mère.

Quelques minutes plus tard, Elayne revint dans la cuisine, tirant Angharad par la main. A cinq ans, elle était plus grande et plus forte que sa petite sœur, aussi parvenait-elle à la maîtriser. La fillette paraissait furieuse.

Elles s'immobilisèrent devant Glynnis.

— Angharad, déclara celle-ci d'une voix douce, en mettant ce pauvre petit chien dehors, par un froid glacial, tu as commis un acte cruel. Hudson serait rapidement mort dans la neige, il n'y a aucun doute à ce sujet. Tu as été affreuse. Je n'utilise pas souvent de mots forts pour te qualifier, bien que tu te comportes souvent de façon très méchante. Mais cette fois, tu le mérites.

Elle se pencha pour regarder l'enfant droit dans les yeux.

— Et maintenant, explique-moi pourquoi tu as fait une chose aussi vilaine.

— Le chien a fait pipi dans ma chambre, marmonna Angharad.

— Vraiment ? C'est curieux, puisque tu fermes toujours la porte de ta chambre. Nous allons monter pour vérifier. Toutes les quatre.

Le visage sombre, Glynnis conduisit ses trois petites-filles au premier étage, puis dans la chambre que partageaient Angharad et Elayne.

— Maintenant, montre-moi à quel endroit le petit chien s'est laissé aller.

Angharad hésita une fraction de seconde, puis elle courut jusqu'à une petite tache d'humidité, à peine visible sur la moquette.

— Là ! dit-elle. C'est là !

— Cela ne ressemble pas à de l'urine, murmura Glynnis.

Elle s'agenouilla, renifla la tache, puis elle leva des yeux sévères vers Angharad.

— Cette tache n'a aucune odeur. Je pense que c'est de l'eau.

— C'est ça, grand-mère, renchérit Elayne. Elle en a renversé, cette nuit.

— Je pensais bien que c'était quelque chose comme ça, répliqua Glynnis en se relevant. Et maintenant, tu vas jusqu'à mentir, Angharad. Eh bien, il y a une seule chose à faire, avec une petite fille qui ment. On la laisse seule, pour qu'elle réfléchisse à ce que la vérité signifie, combien c'est important. Les petites menteuses ne méritent pas d'être en bonne compagnie.

— Je n'ai pas menti ! cria Angharad en jetant un regard furieux à Elayne.

— Je crois que si, au contraire. Et ce n'est pas la première fois. Tu vas rester ici, dans ta chambre, jusqu'à ce que tes parents reviennent de New York avec grand-père. Ensuite, nous verrons.

Sur ces mots, Glynnis traversa la chambre et fit signe aux deux autres fillettes de la suivre. Après les avoir fait sortir, elle se tourna vers Angharad.

— Je ne ferme pas cette porte, mais ne t'avise pas de sortir.

De retour dans la cuisine, Glynnis servit aux deux petites filles des bols de bouillon de volaille, puis elle leur donna des sandwiches au poulet. Elles mangèrent en silence, craignant de parler. Glynnis ne prononça pas un mot non plus.

Bien plus tard, dans l'après-midi, Evan jouait dans la cuisine avec son chien lorsqu'elle entendit sa grand-mère s'adresser à sa mère.

— Il y a quelque chose de mauvais en elle, Marietta. Angharad raconte des mensonges et elle est encline à la cruauté.

Comme Marietta protestait, Glynnis trancha :

— C'est une enfant abandonnée… Nous ne savons rien de son héritage génétique, admettez que c'est vrai, Marietta.

59

— Je ne le nie pas. Mais elle est jolie et elle peut être très douce, vous savez. Très aimante.

— Sans doute, quand vous entrez dans son jeu et que vous la gâtez, remarqua Glynnis.

Marietta ne répondit pas.

Evan, qui n'avait rien perdu de la discussion, resta cachée dans son coin pour que les deux femmes ne s'aperçoivent pas de sa présence.

Une fois de plus, Evan devait admettre qu'Angharad n'avait pas beaucoup changé. Elle était aussi malveillante qu'elle l'avait toujours été. Evan fut frappée par l'idée que sa sœur était venue au magasin dans le but de se quereller avec elle. Et si elles ne s'étaient pas disputées, elle ne serait pas tombée...

Evan frissonna et s'enfonça davantage sous la couette. Elle se réjouissait de ne pas avoir mentionné cette dispute devant Gideon. Elle était certaine qu'il avait déjà deviné en sa sœur quelque chose de déplaisant. Elle l'avait compris au ton de sa voix et avait conscience qu'Angharad ne trouverait jamais grâce aux yeux de Gideon.

5

India Standish se tenait devant la table de la salle à manger, à Niddersley House. Le diadème de diamants se détachait sur un carré de velours noir.

— Il est ravissant ! s'exclama-t-elle. Et je serais ravie de le porter le jour de mon mariage, mais...

Sa voix mourut et elle hésita un instant avant de demander :

— Tu ne trouves pas qu'il en jette un peu trop, grand-mère ?

Edwina, comtesse douairière de Dunvale, jeta un coup d'œil à sa petite-fille préférée par-dessus la table.

— Qu'est-ce que tu entends par « en jeter » ? demanda-t-elle. Tu veux dire « trop impressionnant », trop... « majestueux » ?

— Euh... oui, répliqua India. Ce n'est pas un peu excessif ? Je veux dire... de nos jours ?

Les yeux fixés sur sa grand-mère, elle dressait ses sourcils blonds d'un air interrogateur. Edwina ne répondit pas tout de suite ; elle regarda un long moment le diadème, la tête penchée sur le côté, l'air pensif.

— Non, il n'est pas trop majestueux, déclara-t-elle enfin. Il ne l'a jamais été, ma chérie, et il n'est pas sophistiqué. Ce ne sont que deux lignes de diamants, reliés par des cercles eux aussi en diamant et une petite étoile de diamant au milieu d'un cercle plus grand.

Hochant la tête pour elle-même, Edwina précisa :

— Il date de la reine Victoria, tu sais. Il appartenait à Adèle

Fairley, ma grand-mère, ton arrière-arrière-grand-mère. J'ai donc pensé qu'en une occasion aussi importante, tu pourrais le porter. Il fait partie de l'histoire familiale.

— Je comprends, grand-mère. Il est très beau. Je devrais peut-être l'essayer, pour voir quel effet cela fait.

— Tu as raison.

Elle désigna le mur du fond.

— Il y a un miroir, par ici. Il est très bien éclairé, grâce aux fenêtres qui se trouvent de chaque côté.

India se leva, se pencha vers la table et souleva le diadème de ses deux mains. La jeune femme se dirigea ensuite vers le miroir, avant de poser le bijou sur sa tête et regarder son reflet. Elle constata aussitôt qu'Edwina avait raison. Une fois sur elle, le diadème n'était plus aussi impressionnant, peut-être à cause de sa sobriété et du nuage de cheveux blonds. Et ce bijou lui allait bien, il n'y avait pas de doute. A sa grande surprise, il était agréable à porter. Pendant quelques secondes, India tenta de se visualiser, avec son voile de mariée et ce diadème ; l'image qui flottait dans sa tête lui plut. Se tournant vers Edwina, elle s'écria :

— Qu'est-ce que tu en penses, grand-mère ?

Edwina rayonnait.

— Il te va très bien, India, et il n'en jette pas trop, comme tu dis. Ton voile tiendra parfaitement en place. Et maintenant, raconte-moi à quoi ressemblera ta robe de mariage. Tu m'as dit que c'est Evan qui l'a conçue ?

— Oui. Pour l'instant, je n'ai que les premiers croquis, mais j'adore ce qu'elle fait. Nous avons déjà choisi le tissu : un taffetas ivoire léger, parce que, quand la robe sera terminée, elle devra être portée sur plusieurs couches de tulle, pour obtenir un effet bouffant, un peu comme une robe de bal à l'ancienne. La partie supérieure est très ajustée, avec des manches légèrement gonflées à partir des épaules. Maintenant que j'y pense, je crois qu'elle est de style victorien. J'ai demandé à Evan qu'elle soit simple et discrète, sans broderie.

— Cela devrait être ravissant, ma chérie, et je suis certaine que le diadème conviendra très bien, puisqu'il est de style victorien, comme la robe. Alors... est-ce que tu le porteras, le jour de ton mariage, pour satisfaire une vieille dame ?

India sourit à sa grand-mère, puis elle se tourna vers le miroir et contempla son reflet un bref instant.

— C'est d'accord, grand-mère ! s'exclama-t-elle. Je serai ravie de porter ton diadème et je te remercie d'y avoir pensé.

Edwina lui rendit son sourire affectueux.

— Dis plutôt le diadème d'Adèle. Du moins, c'est ainsi que je le considère. Tu veux l'emporter aujourd'hui, ou tu préfères le laisser ici, en sécurité ?

— Je crois que ça vaut mieux, pour l'instant. Ton coffre est énorme, alors que je n'en ai même pas un petit, dans mon appartement. D'ailleurs, nous ne sommes qu'en janvier et je me marie en juin. Alors, oui, il vaut mieux qu'il reste ici pendant les six prochains mois.

— Je comprends...

Edwina retourna s'asseoir et suivit des yeux sa petite-fille, qui s'approchait de la table pour y déposer le bijou. Quelle ravissante jeune femme ! songea-t-elle. Elle avait le maintien aristocratique, la peau claire et les cheveux blonds d'Adèle Fairley, tout comme sa cousine Tessa. De fait, on pouvait facilement les prendre pour des sœurs. C'était une erreur que commettaient souvent les gens qui ne les connaissaient pas.

— Je peux remettre le diadème dans la boîte, grand-mère ? Ou tu préfères que Frome s'en charge ?

— Il vaut mieux que tu le fasses toi-même. Il est bien trop lent, ces derniers temps. Il lui faudrait une demi-heure pour le ranger dans son écrin, et ne parlons pas du coffre.

— Tu es drôle, grand-mère, répliqua India avec un sourire. Tu parles de Frome comme s'il était très âgé, alors qu'il doit avoir une cinquantaine d'années.

— Exact, admit Edwina, mais il est devenu horriblement mou. Tu sais bien que je suis plus rapide que lui, bien que j'aie quatre-vingt-quinze ans.

— Tu es extraordinaire !

— Songe donc ! Emma n'avait que seize ans quand je suis

née. Elle m'a envoyée à Ripon, chez sa cousine Freda. C'est Freda qui m'a élevée, du moins quand j'étais encore bébé...

Edwina s'interrompit et regarda par la fenêtre, comme si elle se rappelait quelque chose qui remontait à très loin. Ses yeux exprimaient une étrange mélancolie.

Au bout d'un moment, India demanda doucement :

— Tu vas bien, grand-mère ?

— Très bien, ma chérie. Et j'espère que cela durera long-temps. Du moins jusqu'à ce que je t'aie vu bel et bien mariée avec Dusty. A ce propos, poursuivit Edwina en se levant, ne devrions-nous pas être en route pour Willows Hall, puisque nous déjeunons avec lui ?

— Oui, nous ferions mieux de partir, tu as raison.

India déposa le diadème dans son écrin de cuir noir, puis elle le recouvrit avec le carré de velours. Après l'avoir fermé, elle demanda à sa grand-mère :

— Dois-je le mettre dans le coffre ?

— Oui. Ce sera plus rapide, ainsi que je te le disais, si tu t'en charges. Allons, ma chérie, je vais te conduire au coffre et ensuite nous partirons. C'est gentil de ta part d'être venue me chercher, India. Rupert aurait pu me conduire chez Dusty, tu sais. Il n'a pas souvent l'occasion de sortir la voiture.

— J'avais envie de venir, grand-mère. Pour te voir et passer un peu de temps avec toi.

Elles traversèrent le hall et empruntèrent le couloir.

Tout en suivant la vieille dame, India suggéra :

— Il vaut mieux que tu prennes un manteau, grand-mère, le froid est plutôt mordant, ce matin, et il pourrait se remettre à neiger.

— Je vais suivre ton conseil, ma chérie, et prendre le manteau matelassé que Paula m'a apporté. Il vient des magasins Harte, bien entendu.

— Monsieur Rhodes, désolée de vous déranger, mais il y a une certaine Mme Roebotham qui est là, avec Atlanta, annonça Paddy Whitaker depuis le seuil de la pièce.

Dusty releva la tête, l'air très surpris.

— Atlanta ?

— Oui, monsieur Rhodes, confirma le domestique. Elles sont dans la cuisine. Atlanta aime beaucoup Angelina, comme vous le savez.

Bien que très inquiet, Russel Rhodes, l'un des plus grands artistes peintres du moment, demeura impassible. Dusty, comme on l'appelait d'ordinaire, posa son pinceau. Ses gestes étaient lents et précis, mais son esprit galopait tandis qu'il essayait d'imaginer ce qui avait pu arriver à la grand-mère de l'enfant. Car il s'était forcément passé quelque chose, puisque Atlanta était là.

Se détournant du chevalet, il demanda :

— Quel est le problème ? Mme Roebotham vous l'a dit ?

— Non, mais elle a apporté une valise. Celle d'Atlanta. Et cette femme semble nerveuse, soucieuse, dirai-je. Pourtant, elle ne m'a donné aucune explication. Elle a seulement répété plusieurs fois qu'elle devait vous parler, et seulement à vous.

— Je comprends. Je monte tout de suite à la maison avec vous, Paddy.

Dusty jeta un coup d'œil à sa montre.

— Tout est prêt, pour le déjeuner ?

Paddy, à l'entrée de l'atelier, hocha la tête.

— Angelina a fini de mettre la table dans la salle à manger et Valetta est en plein dans les préparatifs du repas. Cela sent délicieusement bon, comme d'habitude. Le vin blanc refroidit. Pouilly-fumé. Il n'y a pas de problème, du moins en ce qui concerne le déjeuner, monsieur.

— J'en suis sûr. Merci, Paddy. A ce propos, assurez-vous qu'il fait assez chaud dans la salle à manger. La comtesse est très sensible au froid, ces temps-ci, à ce que m'a dit lady India.

— Il y a un feu dans la cheminée et j'ai allumé le chauffage central voilà un bon moment.

— Parfait.

Dusty s'arrêta un instant devant la porte. Il y avait peu de chances pour qu'il revînt dans la journée, aussi éteignit-il toutes les lumières. Après avoir pris son manteau en peau de mouton suspendu à une patère, il verrouilla la porte et marcha avec Paddy en direction de la belle maison palladienne, en haut de la colline.

Une fois rentré, Dusty murmura :

— Il vaut mieux que je voie Mme Roebotham, avant d'embrasser Atlanta, pour savoir ce qui s'est passé. Donnez-moi deux minutes, le temps de me rafraîchir, puis conduisez-la dans la bibliothèque.

— Très bien, monsieur. Pendant ce temps, je lui préparerai une tasse de thé. Elle ne voulait rien prendre, mais peut-être acceptera-t-elle de se désaltérer quand je lui dirai que vous allez la recevoir.

— Bonne idée.

Dusty traversa le hall aux dalles de marbre, puis pénétra dans une bibliothèque spacieuse. Il se rendit aussitôt dans la salle de bains attenante, où il se lava les mains pour en ôter la peinture, avant de s'asperger le visage à l'eau fraîche et de peigner son épaisse chevelure noire.

Il resta un instant devant le miroir, songeant qu'il avait l'air fatigué, pour ne pas dire épuisé. Et soucieux, aussi. Il respira profondément, essayant de se calmer, après quoi il retourna dans la bibliothèque. Il se dirigea vers son bureau en tirant sur son sweater. Il prit ensuite sa veste de tweed, abandonnée sur une chaise, l'enfila et s'assit, l'esprit en ébullition.

Il devait être arrivé quelque chose à Molly Caldwell, sinon pourquoi une étrangère serait-elle ici, avec son enfant ? A moins que Melinda ait des ennuis et que sa mère soit allée la voir à la clinique. Mais, dans ce cas, pourquoi Mme Caldwell ne lui avait-elle pas téléphoné ? C'était ce qu'elle faisait, d'ordinaire, car elle tenait à ce qu'il soit informé de tout ce qui pouvait affecter l'enfant. C'était une brave femme.

Posant ses coudes sur la table, Dusty enfouit son visage dans ses mains. Pourquoi aujourd'hui, justement ? marmonna-t-il. Pourquoi fallait-il que cela arrivât aujourd'hui ? India devait déjà être en route, puisqu'elle venait déjeuner chez lui avec sa grand-mère, la comtesse douairière de Dunvale, et il voulait que tout soit parfait.

Il n'avait pas besoin de complications, mais il sentait qu'elles n'allaient pas tarder et, à cette idée, son estomac se nouait.

Il s'exhorta au calme. Les ennuis étaient là, il le savait d'instinct. Et il se fiait à son instinct.

— Parle-moi d'Emma, grand-mère, supplia India.

La voiture descendit l'allée et s'éloigna de Niddersley House. India tourna à gauche dans Knaresborough Road.

— Tu me l'as promis il y a longtemps, mais tu ne l'as jamais fait, insista-t-elle.

— Il y a tant de choses à dire que je me demande par où commencer, murmura Edwina en se redressant sur son siège. Tu aimes cette voiture, India ? Je l'ai donnée à ton père, tu le sais.

— Oui, il me l'a dit. J'adore mon Aston Martin... Tu es bien installée, grand-mère ?

— Très bien, merci.

— Pour en revenir à Emma Harte, si tu répondais à mes questions, tout simplement ?

— C'est une excellente idée, mais je suis sûre que ton père a dû énormément te parler d'elle. Il l'aimait beaucoup.

— Oui, bien sûr. Maman aussi, d'ailleurs. Papa disait toujours qu'il était l'un de ses gardes prétoriens.

Edwina éclata de rire.

— Il ne mentait pas. Lui, Paula, Emily et son dernier frère, Sandy, ainsi que Winston, estimaient qu'il était de leur devoir de l'entourer et de la protéger. Parfois, je me moquais de ton père, je l'avoue. Je lui demandais si lui et les autres étaient tentés de la supprimer, puisque les vrais gardes prétoriens ont souvent éprouvé le besoin de massacrer leur chef.

Edwina pouffa et India rit avec elle.

— Qu'est-ce qu'il te répondait ?

— Il était horrifié que je puisse formuler de telles énormités.

Ma plaisanterie tombait à plat. Ses cousins et lui étaient totalement dévoués à Emma.

— Mais pas toi, n'est-ce pas, grand-mère ?

Comme Edwina ne répondait pas, India reprit :

— Tu l'as méconnue pendant longtemps, je crois ? Je le sais parce que papa me l'a dit.

Edwina laissa échapper un soupir et resta silencieuse un long moment, avant de dire :

— C'est vrai. Je m'étais éloignée d'elle avant de partir pour la Suisse, où j'ai terminé mes études. Après cela, nous ne nous sommes pas rapprochées l'une de l'autre pendant des années.

— Mais pourquoi ? Pourquoi est-ce arrivé ?

— C'est une longue histoire, India chérie, et je suis bouleversée chaque fois que j'évoque cette période. Je t'en donnerai tous les détails une autre fois. Pour l'instant, sache seulement que je me trompais. Tout était ma faute, pas celle de ma mère. Quand je l'ai enfin compris, je me suis efforcée de faire amende honorable. Après cela, nous avons été longtemps très attachées l'une à l'autre.

— Tu sembles pleine de regrets, grand-mère, remarqua India avec sympathie.

— Je le suis encore aujourd'hui. Ce que je déplore le plus, sans doute, c'est de ne pas avoir suffisamment passé de temps auprès d'elle, de ne pas avoir pris la peine de la connaître quand j'étais une jeune femme. J'étais mariée avec ton grand-père, Jeremy, et je vivais avec lui à Clonloughlin. J'étais tellement heureuse, et je me consacrais tellement à ton père, notre seul enfant, que je n'accordais pas une pensée à ma mère. Cette situation a duré fort longtemps.

— Papa m'a raconté qu'il était allé la voir, mais qu'il ne te l'avait jamais dit.

— C'est exact. Et c'est mon oncle, le frère d'Emma, Winston, qui m'a dit combien l'instant de leur rencontre avait été mémorable. Selon lui, Anthony et Emma avaient instantanément éprouvé l'un pour l'autre un amour fou et absolu. Par la suite, ils se sont toujours voué une grande affection.

Se tournant vers India, Edwina ajouta d'une voix étouffée :

— Je suis contente que ton père ait eu le courage de me défier et de faire la connaissance de sa grand-mère. Ils sont devenus très proches et ils le sont demeurés. Cette relation leur a été profitable à tous les deux.

— Tu m'as dit qu'Emma t'avait envoyée vivre à Ripon, chez sa cousine Freda. Est-ce pour cette raison que tu lui en as voulu ?

De nouveau, Edwina se tut un long moment, comme si elle pesait les termes de sa réponse. Mais lorsqu'elle répondit, ce fut pour avouer la vérité :

— Non, pas vraiment. J'étais un bébé et j'ai reçu beaucoup de soins et d'amour. De plus, ma famille d'adoption vivait dans un endroit ravissant et paisible. Freda était une jeune femme aimante et, quand j'ai grandi, j'ai su, au plus profond de moi, qu'Emma avait fait ce qui était le mieux pour moi. Nous étions pauvres et elle devait travailler pour subvenir à nos besoins, aussi ne pouvait-elle s'occuper de moi. Et personne d'autre ne le pouvait, à Armley. Oui, c'était la bonne décision, même si plus tard il y a eu des moments où je lui en ai voulu. Mais j'étais trop jeune pour appréhender la situation. Plus tard, j'ai compris.

— Tu sais, grand-mère, je t'admire vraiment. J'admire la façon dont tu reconnais tes erreurs, dont tu acceptes ta responsabilité dans une situation que tu regrettes aujourd'hui. La plupart des gens n'en sont pas capables. Ils n'admettent jamais qu'ils ont eu tort.

— Ce n'est que trop vrai, India, murmura Edwina. Si tu le comprends à ton âge, c'est que tu es une jeune femme très intelligente. Je suis fière de toi, ma chérie. Maintenant, assez discuté du passé et d'Emma. Parle-moi de tes projets.

— Encore une question, grand-mère, ensuite j'arrêterai ! supplia India. Je t'exposerai mes projets d'avenir et j'aborderai avec toi tous les sujets qu'il te plaira.

— Très bien. Encore une question, alors. Qu'est-ce que tu veux savoir ?

— Tout le monde dit que Linnet est le clone d'Emma.

Est-ce vrai ? Tu le sais mieux que n'importe qui, dans la famille.

— Oh oui, elle est le portrait craché de ma mère. Elle ressemble exactement à l'Emma que j'ai connue quand je grandissais auprès d'elle. Mais ce n'est pas seulement une question d'apparence, tu sais. Linnet est comme elle à bien d'autres égards. Ce sont les gènes, je suppose. Elle a hérité des manières de ma mère et elle s'exprime souvent comme elle. En outre, sa personnalité est très proche de celle d'Emma. Linnet peut être brusque et franche, comme ma mère, et elle livre le fond de sa pensée. J'ai souvent dit à Paula qu'avec Linnet l'habit faisait le moine. Emma Harte était pareille.

Edwina se redressa sur son siège et regarda sa petite-fille.

— Tu le croiras si tu veux, mais quand je vois Linnet, il me semble être redevenue une enfant en face de sa mère. Les souvenirs me submergent et je suis emportée dans le passé. J'avoue que c'est assez bizarre.

— Sûrement, mais chaque fois que je passe devant le portrait d'Emma, au magasin, j'ai l'impression de regarder Linnet... enfin, la femme que Linnet sera lorsqu'elle sera plus âgée.

Un sourire erra sur les lèvres d'Edwina.

— Maintenant, tu m'as promis de me raconter tes projets. Les vôtres, plutôt, à toi et à Dusty. La petite fille viendra-t-elle vivre avec vous, quand vous serez mariés ?

— Je ne le pense pas, grand-mère... Dusty estime qu'elle doit rester chez Mme Caldwell, sa grand-mère. Il ne veut pas la déraciner en la faisant venir à Willows Hall avec nous. De toute façon, il a toujours promis à la mère d'Atlanta, Melinda, qu'il ne lui prendrait jamais son enfant.

— Je comprends ce raisonnement. C'est aussi bien, tu ne crois pas ? Elle est certainement mieux avec sa mère.

Mais en prononçant ces mots, Edwina éprouva une soudaine appréhension. Elle pressentait des ennuis à l'horizon.

DEUXIÈME PARTIE

TRIO

Les trois clans ne forment qu'une seule famille. Les Harte, les O'Neill et les Kallinski, tous unis contre l'ennemi.

Emma Harte, dans *L'Espace d'une vie*

6

Linnet aurait voulu monter dans la lande, mais elle savait que c'était impossible, ce matin-là. La neige était tombée pendant toute la nuit et les sommets des collines, à l'horizon, étaient d'un blanc étincelant.

Elle devait admettre qu'il ferait trop froid « en haut », ainsi que le disaient les gens du coin lorsqu'ils faisaient allusion à la partie supérieure de la lande et aux collines qui se dressaient parmi les vallons du Yorkshire. La neige rendait toute traversée impossible, et puis il y avait aussi le vent. Même lorsqu'il faisait beau, il soufflait toujours, là-haut. Et aujourd'hui, il était d'un froid mordant.

Aussi loin que remontaient ses souvenirs, Linnet avait toujours adoré les landes qui s'élevaient au-dessus de Pennistone Royal, la vieille demeure où elle était née et qui avait appartenu à son arrière-grand-mère, Emma Harte.

Un jour, le domaine serait à elle. Sa mère le lui avait confié dans le plus grand secret. Personne d'autre ne devait le savoir.

Quand elle était bébé, sa mère l'avait emmenée jouer parmi les bruyères et les fougères, sous un ciel aussi bleu que les minuscules véroniques qui croissaient dans les champs, un peu plus bas, là où la température était plus clémente.

La lande était pour Linnet le havre de paix où elle se réfugiait chaque fois qu'elle était contrariée. Longtemps auparavant, sa mère lui avait dit qu'elle avait hérité ce goût d'Emma.

« Tu es exactement comme elle, lui répétait Paula en lui souriant avec affection. Toutes les occasions sont bonnes pour te précipiter là-haut, surtout quand tu es soucieuse ou inquiète. Ton arrière-grand-mère se comportait de la même façon. »

Et justement, Linnet ressassait ses préoccupations, en ce samedi matin. Toutes sortes de pensées troublantes tourbillonnaient dans sa tête. En soupirant, elle descendit l'allée des Rhododendrons et s'efforça de classer ses soucis par ordre d'importance.

Jonathan Ainsley constituait l'inquiétude suprême. Peu de temps auparavant, Jack Figg lui avait téléphoné pour lui dire qu'Ainsley avait quitté Londres pour séjourner dans sa maison de Thirsk. A la seule pensée qu'il se trouvait dans le voisinage, elle se sentait mal à l'aise. Jack, qui considérait que Jonathan était imprévisible et ne se soumettait à aucune règle, l'avait toujours traité de « franc-tireur », ce qui en soi était effrayant.

Ensuite, il y avait le problème posé par la famille Hughes. Son oncle Robin leur avait offert l'hospitalité à tous, pour le mariage d'Evan. Or, cette perspective contrariait Jack. Il avait émis l'hypothèse qu'ils seraient des cibles faciles si Jonathan décidait de rendre une petite visite à son père, à Lackland Priory.

« Mais il ne peut tout de même pas les exterminer, Jack, avait-elle riposté. Tout ce qu'il pourra faire, c'est se montrer désagréable envers eux et son père. Oncle Robin y est habitué, maintenant.

— Ils ne pourraient pas être reçus ailleurs pendant la durée des festivités ? » avait demandé Jack.

Elle lui avait suggéré d'en parler à sa mère.

« J'imagine qu'ils pourraient habiter quelque temps à Pennistone Royal, avait-elle enchaîné, ou bien chez tante Emily et oncle Winston, à Middleham. Allington Hall est assez grand pour les accueillir tous. Maman saura quoi faire. Mais je doute qu'oncle Robin apprécie son intervention. »

Jack avait répondu que Paula était le chef du clan et qu'il allait l'appeler dès qu'il aurait raccroché.

« Ce qu'elle dit, on le fait », avait-il conclu dans un murmure.

En reposant le récepteur, Linnet avait pensé que Jack avait raison.

En dehors de Jonathan Ainsley, le cousin de Paula et l'ennemi juré de toute la famille, Linnet s'inquiétait un peu pour Evan. Par bonheur, elle allait bien, ainsi que les bébés, mais cette chute était troublante.

Evan était la personne la moins maladroite qu'elle connût. Elle se déplaçait avec une grâce et une élégance sans pareilles, si bien que Linnet ne parvenait pas à comprendre comment elle avait pu manquer sa chaise et tomber de cette façon.

Evan et Gideon étaient arrivés à Pennistone Royal le jeudi, c'est-à-dire plus tôt que prévu. La veille, quand le dîner familial les avait tous réunis, elle avait parlé à Evan de sa chute.

Evan s'était contentée de rire lorsque Linnet avait tâté le terrain, aussi avait-elle changé de sujet sans insister. Mais ce qui troublait le plus Linnet, c'était d'avoir vu Angharad debout près de sa sœur, les yeux baissés vers elle, ne faisant rien pour l'aider.

L'expression d'Angharad était bizarre… Les yeux de Linnet étaient allés d'une sœur à l'autre, pour se fixer sur la jeune femme. Elle avait été extrêmement déconcertée quand elle avait compris que la sœur adoptive d'Evan semblait contente. Linnet avait perçu la malveillance qui l'habitait et elle était restée très perturbée par le comportement d'Angharad, ainsi que par son apparition soudaine.

Angharad Hughes n'était pas attendue à Londres avant la semaine suivante.

Il faut la surveiller, songea Linnet en accélérant le pas. Je la crois capable de n'importe quoi. Cette fille va nous attirer des ennuis.

Quand Linnet était arrivée à Pennistone Royal, la veille au soir, sa mère lui avait demandé de rester une semaine pour l'aider à organiser le mariage d'Evan.

« Evan ne peut pas faire grand-chose, ma chérie, avait remarqué Paula. Elle est vraiment très alourdie par la grossesse et, après cette horrible chute dans son bureau, Emily et moi ne voulons plus qu'elle se fatigue. »

Linnet avait accepté d'aider sa mère. Elles avaient toujours été proches et, chaque fois que Linnet pouvait soulager Paula d'un fardeau, elle le faisait volontiers.

Un peu plus tôt, dans la semaine, Linnet avait hésité à parler à sa mère des changements qu'elle envisageait d'apporter au magasin de Knightsbridge. Elle comprenait maintenant que le moment était mal choisi pour une discussion aussi délicate. Cela aurait lieu après le mariage d'Evan et de Gideon, le samedi suivant, dans seulement une semaine...

Ces noces distrayaient Paula autant que la mère du marié, Emily. Comment aurait-elle pu soulever la question des vitrines désuètes qui avaient besoin d'être un peu rafraîchies pour suivre l'évolution du temps ? Comment aurait-elle pu expliquer l'importance d'un centre de soins esthétiques ou suggérer de consacrer un étage entier aux mariées et aux mariages ?

Ses idées tomberaient sans doute dans les oreilles d'une sourde, à moins qu'elles n'irritent sa mère. Paula semblait se scléroser un peu, ces temps-ci, et cela chagrinait Linnet, qui était avide de changements.

— Patience ! murmura-t-elle pour elle-même.

Elle continua son chemin. L'allée des Rhododendrons avait été créée par sa mère, environ trente-cinq ans auparavant, en souvenir d'Emma Harte. Elle s'était inspirée d'une allée du même nom, située à Temple Newsam, un grand manoir ancestral près de Leeds. Paula, en jardinière invétérée, en avait reproduit jusqu'au moindre détail.

En été, les feuilles lustrées des rhododendrons prenaient vie, grâce aux fleurs géantes et colorées. C'était un spectacle extraordinaire... Le blanc, le lilas et le rose pâle se muaient en rose sombre. A cette époque de l'année, la tonnelle fleurie coupait le souffle tant elle était belle. En hiver, les feuilles d'un vert brillant étaient parsemées de flocons et de minuscules glaçons.

Linnet s'immobilisa pour regarder le ciel, menaçant, figé et froid. Le vent commençait à chasser les nuages d'un gris acier, et soudain surgit un pâle soleil, astre argenté contre l'immensité bleue. Linnet, ayant grandi dans le Yorkshire, était habituée à ces brusques changements de temps. La pluie dominait toute l'année, mais ce ne serait pas une journée cafardeuse, finalement, et la jeune femme s'en réjouit.

La promenade devenait plaisante et elle se mit à chantonner ; tout en marchant à grandes enjambées, elle se concentra de nouveau sur la famille Hughes.

Elle savait que son oncle Robin serait déçu si Owen et sa famille ne séjournaient pas chez lui. Robin Ainsley avait renoué un pacte avec la vie depuis qu'il avait fait la connaissance d'Evan Hughes et de son père, ce fils qu'il avait eu de Glynnis Hughes et à peine connu. Il n'y avait pas de doute à ce sujet : il paraissait en meilleure forme qu'il ne l'avait été depuis des années.

D'un autre côté, la présence de la famille Hughes posait des problèmes, surtout parce que Jonathan Ainsley se trouvait dans le Yorkshire.

Jack Figg était convaincu qu'Ainsley était dangereux et elle devait le croire, parce que Jack se trompait rarement, surtout lorsqu'il s'agissait de leur sécurité physique, ou de celle de leurs maisons.

Peut-être sa mère pourrait-elle parler à Robin, l'amener à la raison, lui faire comprendre que sa toute nouvelle famille pouvait être en danger si Jonathan rôdait dans les parages. Mais Robin Ainsley était un homme têtu, qui se fiait entièrement à son propre jugement. Il avait été membre du Parlement pendant des années et il était aussi avocat, bien qu'il n'eût jamais exercé cette profession. En outre, c'était un homme brillant et intelligent, ainsi que sa carrière l'attestait. Prêterait-il attention aux propos de sa petite-nièce, la fille de sa demi-sœur Daisy, dont il était très proche ?

Non, attends une minute ! s'ordonna-t-elle à elle-même.

Une pensée inattendue venait de la frapper : la personne le plus susceptible de convaincre Robin était son autre demi-sœur, Edwina.

« Les deux doigts de la main », avait dit récemment Paula pour décrire leur relation. Sur ce, elle avait rappelé à Linnet que c'était Edwina qui avait facilité et protégé la longue liaison de Robin avec Glynnis Hughes.

Bien sûr ! songea Linnet, qui prit immédiatement une décision. Elle allait téléphoner à tante Edwina et lui expliquer en détail la situation. Paula était peut-être le chef du clan, mais Edwina était la plus âgée, puisqu'elle avait quatre-vingt-quinze ans. En outre, elle avait encore toute sa tête. Plus important encore, son influence sur son frère était énorme. Il l'écouterait et il accepterait son avis, Linnet en était convaincue.

Jetant un coup d'œil à sa montre, elle s'avisa que sa grand-tante n'était pas à Niddersley House à cette heure-là. Lorsqu'elle avait discuté avec India, la veille, au magasin de Leeds, sa cousine lui avait dit qu'elle emmenait sa grand-mère chez Dusty, pour y déjeuner.

A cet instant, India devait être dans sa voiture avec Edwina, et elles roulaient en direction de Willows Hall, près d'Harrogate.

Pressant le pas, elle forma un projet tout en marchant. Elle allait téléphoner à Willows Hall après le déjeuner. Elle parlerait à Edwina et elle était persuadée que sa grand-tante serait ravie de se jeter dans l'action. Elle avait toujours eu le comportement d'un général anglais, commandant ses troupes, et elle adorait mener son monde à la baguette, surtout ses frères et sœurs.

Debout devant la fenêtre de la chambre qu'il partageait avec Linnet à Pennistone Royal, Julian Kallinski contemplait les prés.

Par ce samedi glacial, les champs étaient recouverts de givre, et de longs glaçons pendaient aux branches sombres et squelettiques des arbres. L'ensemble évoquait un paysage de grisaille, avec ces noirs et ces blancs dont le contraste avec le ciel pâle était étonnamment beau.

A cette distance, il pouvait voir Linnet qui descendait l'allée des Rhododendrons en direction de la maison. Elle était emmitouflée dans sa cape préférée, d'un rouge vif. Il aurait été difficile de ne pas la remarquer, même de loin.

A la vue de sa femme, ses yeux étincelèrent et un sourire erra sur ses lèvres.

Ma femme, pensa-t-il, elle est ma femme.

Il se demanda brusquement ce qu'il aurait fait si Linnet n'était pas revenue à la raison, si elle n'avait pas mis fin à leur brouille.

Non, pas *leur* brouille, d'ailleurs, puisque cette séparation lui avait été imposée par elle. Lui n'avait jamais été brouillé avec elle. Seulement troublé par son comportement bizarre et douloureusement vulnérable.

Au bout de plusieurs mois, il avait mis fin à cette situation, il l'avait forcée à le revoir, il lui avait fait comprendre qu'il n'accepterait pas un refus.

Par bonheur, il avait choisi le bon moment et elle était revenue à lui de son plein gré, tendre et amoureuse. Et au moment de leurs retrouvailles, lorsqu'elle lui avait cédé affectivement et physiquement, elle lui avait avoué qu'elle n'aimait que lui et elle avait enfin accepté de l'épouser.

Mais que se serait-il passé s'il n'avait pas fait preuve de fermeté ? Si la frustration, l'ennui et la colère l'avaient emporté en lui ? Si rien n'avait changé ? Si aucun de ces mots n'avait été prononcé, tant par lui que par elle ? Qu'aurait-il fait, au bout du compte ? Comment aurait-il supporté de vivre sans elle à son côté ?

Cela aurait été difficile, même en y mettant du sien, car leurs deux familles étaient intimement liées. Même s'ils avaient rompu définitivement, ils se seraient revus.

Les clans Harte, O'Neill et Kallinski étaient unis depuis près d'un siècle, depuis le jour où Emma Harte, Blackie O'Neill et David Kallinski s'étaient rencontrés et étaient devenus amis. Cela se passait à Leeds, au début du XXᵉ siècle. Et ils étaient restés liés jusqu'à la mort.

Je n'aurais pas eu d'autre choix que l'exil, pensa Julian. Je serais parti pour New York, j'aurais dirigé la branche américaine de l'entreprise familiale. Cela aurait été la seule solution. Cette décision m'aurait brisé le cœur, j'aurais mené une existence misérable. Ma vie aurait été vide et banale sans elle, sans ma ravissante et rousse Linnet à mon côté.

Mais cet enfer lui avait été épargné. Ils étaient mariés depuis cinq semaines. Mariés ainsi qu'ils l'avaient projeté dès leur plus tendre enfance... Leur rêve de délices conjugales s'était finalement réalisé.

Souriant pour lui-même et empli de bonheur, Julian se détourna de la fenêtre pour se diriger vers le bureau, placé dans un coin de la pièce. Comme il passait devant la commode ancienne, datant de la reine Anne, ses yeux tombèrent sur la principale photographie de leur mariage, dans son cadre d'argent.

Il s'immobilisa pour la regarder. C'était une grande photo de famille. Linnet et lui y figuraient au centre, entourés par le reste de la famille. Il y avait les parents de Linnet, les siens, la grand-mère de Linnet, Daisy, ainsi que la grand-tante Edwina et les deux grands-pères O'Neill et Kallinski. Et puis, bien sûr, tous leurs frères et sœurs, cousins et cousines, oncles et tantes... Les trois clans, dans toute leur splendeur.

Julian se concentra sur son grand-père, sir Ronald Kallinski, qui avait réussi à retarder sa mort pour assister à leur mariage. Hélas, il s'était éteint pendant son sommeil trois jours après leurs noces, au moment précis où Linnet et lui arrivaient à la Barbade, où ils devaient passer leur lune de miel.

Son père, ainsi que les parents de Linnet, et tout particulièrement le grand-père O'Neill, avaient insisté pour qu'ils ne reviennent pas en Angleterre pour l'enterrement.

« Ce n'est pas ce qu'il aurait voulu, Julian, lui avait dit son père de sa voix la plus ferme. Il était aux anges de vous savoir mariés, Linnet et toi, ravi que les trois clans soient unis par ce mariage. "Tous mélangés dans un ravissant ragoût", m'a-t-il dit pendant la réception. Ensuite, il s'est enfin accordé le droit de partir. Il est mort paisiblement pendant son sommeil. Nous l'enterrerons tranquillement et plus tard, quand vous serez là, nous ferons célébrer une messe du souvenir. »

Julian avait informé son père qu'il tenait à préparer cette messe avec lui, ce que Michael Kallinski avait bien entendu accepté.

« Rappelle-toi qu'il avait plus de quatre-vingt-dix ans, avait-il ajouté. Il a eu une belle et longue vie. Il était prêt à s'en aller, il était malade. Et vraiment fatigué. Mais comme je te l'ai dit, il était heureux grâce à vous deux. Alors, profite de ta lune de miel et au revoir. »

Son père avait raccroché. Julian savait qu'il avait raison et qu'il aurait été stupide de rentrer en Angleterre étant donné les circonstances.

Linnet avait été tendre et aimante, elle lui avait prodigué des paroles sages et douces, elle l'avait aidé à surmonter cette épreuve. Après en avoir beaucoup discuté, ils avaient décidé de suivre l'avis de leurs familles et étaient restés à la Barbade.

Julian s'écarta de la commode et s'assit au bureau, tout en pensant à la semaine qui s'annonçait. Il la passerait en grande partie aux Industries Kallinski, à Leeds, où son grand-père allait énormément lui manquer. Pendant les six derniers mois, à peu près, sir Ronnie, comme tout le monde l'appelait, en avait fait son quartier général, car il n'était pas suffisamment en forme pour se rendre à Londres.

Son influence considérable était sensible dans tous les domaines, depuis les merveilleux tableaux post-impressionnistes jusqu'aux sculptures de Barbara Hepworth dans le hall, ou encore la fraîcheur qui régnait dans les étages. Sir Ronnie avait toujours insisté pour que la climatisation fût branchée toute l'année. Il aimait travailler dans le froid, raison pour laquelle beaucoup de ses employés surnommaient les bureaux Kallinski le « pôle Nord » ou l'« Islande ».

Les yeux de Julian se posèrent sur la porte, qu'on venait d'ouvrir à la volée. Son expression pensive fit place à un large sourire.

Elle était là, sa belle Linnet.

Se précipitant vers lui, rayonnante, elle l'enveloppa de ses bras et se serra contre lui.

— Tu vas bien ? Tu avais l'air si triste quand je suis entrée dans la chambre ! murmura-t-elle contre sa joue.

— Ne t'inquiète pas. Je pensais seulement à grand-père.

— Je sais...

Linnet s'écarta et plongea son regard dans les yeux bleu

foncé de son mari. Ils étaient presque violets, comme ceux de sa propre mère, Paula.

— N'oublie pas ce que les Harte ont toujours dit, quand l'un des leurs mourait, continua-t-elle. Dans mon cœur, pour toujours.

— Oui, murmura-t-il, je m'en souviens.

— Et c'est vrai, tu le sais.

— Oui, Linnet, je m'en aperçois. Je sens grand-père dans mon cœur... Ce dicton de ta famille est tout à fait exact.

Elle lui sourit et caressa son visage du bout du doigt.

— Il faut que je t'avoue quelque chose de bizarre. Je n'ai jamais connu Emma, pourtant je la sens aussi dans mon cœur. Parfois, il me semble qu'elle est près de moi, qu'elle m'aime, qu'elle me guide, qu'elle veille sur moi. C'est plutôt étrange, venant de moi, tu ne crois pas ?

— Bien sûr que non. Je ne saurais nier ce genre d'impressions. Il y a tant de choses que nous ignorons, à propos de ce monde ou de l'autre... Je suis content de penser qu'elle veille sur toi.

Comme il se levait, Linnet se dressa sur la pointe des pieds pour déposer un baiser sur ses lèvres.

— Tu as vu Gideon et Evan, ce matin ?

Julian entraîna sa femme jusqu'au canapé près de la fenêtre.

— Assieds-toi une minute. J'ai plusieurs choses à te dire. D'abord, Emily est passée. Gideon et moi avons pris le café avec elle, puis elle a emmené ta mère à Beck House, à West Tanfield. Gideon et Evan les ont rejointes en voiture. Ils nous invitent à prendre le thé et ensuite à visiter la maison. Qu'est-ce que tu en penses ?

— Fantastique ! Je serai ravie de voir comment ils l'ont aménagée. Cela signifie que nous déjeunons en tête à tête ?

— Pas exactement, répliqua Julian, les yeux pétillants de malice.

— Oh ! Qui donc se trouve en ces lieux, dont j'ignore la présence ?

— Ton bien-aimé frère, Lorne.

— Quel bonheur ! C'est merveilleux ! Oh, je suis désolée,

Julian, pour notre tête-à-tête. Cela ne t'ennuie pas trop, j'espère ?

— Pas du tout, ma chérie. J'ai toujours eu un petit faible pour Lorne. Mais ce n'est pas tout... Il est là avec sa jumelle et son ami français.

— Tessa et Jean-Claude sont là ? s'exclama Linnet avec surprise.

— Exactement, et Tessa a promis de préparer le dîner pour tout le monde. On va se régaler... D'autant qu'elle va faire sa spécialité.

— Seigneur ! Pas le coq au vin !

— Non ! Elle ne le fera plus jamais, du moins c'est ce qu'elle m'a dit. Nous allons déguster un ragoût d'agneau.

Linnet pouffa.

— Descendons dans la cuisine, pour voir ce qui s'y prépare. En même temps, je te parlerai du coup de fil que Jack Figg m'a passé, juste avant ma promenade.

— Il t'a dit quelque chose d'important ?

— Seulement que ce maudit Jonathan Ainsley se trouve dans sa maison de Thirsk. Cela inquiète un peu Jack.

— Je le comprends, marmonna Julian en suivant Linnet hors de la chambre. Cet homme constitue une menace.

7

Dusty quitta sa chaise derrière son bureau et alla se planter devant le feu pétillant. Le visage crispé, il fourra ses mains dans ses poches et se chauffa le dos à la chaleur des flammes.

Son esprit était en ébullition depuis que Paddy lui avait annoncé l'arrivée de sa fille avec Mme Roebotham. Le fait que cette femme avait apporté la valise d'Atlanta ne pouvait signifier qu'une seule chose : l'enfant allait rester auprès de lui. Il pouvait en déduire que c'était Molly Caldwell qui avait des ennuis, et non pas Melinda. Si cela avait été le cas, Mme Caldwell lui aurait téléphoné pour lui expliquer la situation.

Paddy ouvrit la porte de la bibliothèque et y fit entrer une femme.

— Mme Roebotham, monsieur, annonça-t-il.

Dusty se dirigea vers elle, la main tendue.

— Bonjour, madame, s'exclama-t-il en souriant. Je suis Russel Rhodes.

Elle prit sa main et la serra timidement.

— Je suis ravie de faire votre connaissance, monsieur Rhodes, murmura-t-elle.

Paddy se retira tandis que Dusty la conduisait jusqu'à la cheminée. Dès qu'elle était entrée dans la pièce, il avait tout su d'elle, bien qu'il ne l'eût jamais rencontrée auparavant. Elle devait avoir une quarantaine d'années et paraissait d'une propreté scrupuleuse. Sa peau nette était dépourvue du moindre maquillage, ses vêtements sombres, très soignés, étaient simples, ordinaires mais de bonne qualité. Son épaisse chevelure auburn était tirée en arrière et tordue en un chignon bien lisse sur la nuque, révélant un visage mince et plutôt séduisant, aux pommettes hautes. Elle avait des yeux clairs, d'un gris bleuté. De taille moyenne, elle paraissait mince et musclée, et il y avait quelque chose de saisissant, en elle : un mélange de détermination, d'honnêteté et de droiture. Il devina que c'était quelqu'un de bien.

Leeds, pensa-t-il. Classe ouvrière de Leeds. Le même milieu social que le mien. Elle a grandi dans une maison victorienne, comme la mienne.

Ils avaient beaucoup de choses en commun, bien qu'elle n'en eût certainement pas conscience.

— Asseyez-vous, madame Roebotham.

Elle prit place à l'endroit qu'il lui indiquait, croisa les pieds et posa les mains sur ses genoux, par-dessus son sac.

— Tout le monde m'appelle Gladys, monsieur Rhodes, dit-elle de sa voix paisible.

— Très bien. Gladys, alors. Vous voulez quelque chose à boire ? Un thé ? Un café ? Ou bien autre chose ? Vous avez peut-être faim ?

— Je vous remercie beaucoup, mais je ne veux rien. La cuisinière m'a offert une tasse de thé quand je suis arrivée.

Il acquiesça d'un signe de tête. Il aurait voulu lui proposer de l'appeler Dusty, mais il savait que cette suggestion l'aurait embarrassée. Elle était certainement très impressionnée par la maison, intimidée sans nul doute par sa renommée : le pauvre gars de Leeds qui avait fait fortune. Les journaux du Yorkshire ne cessaient de le porter aux nues. On parlait de son génie, on se répandait en louanges dithyrambiques à propos de ses tableaux.

Tout en s'asseyant en face d'elle, il demanda :

— Qu'est-il arrivé à Molly, madame Roebotham ?

— Elle a fait une crise cardiaque, répondit calmement Gladys.

Mais ses doigts, qui se tordaient sur ses genoux, trahissaient son extrême nervosité.

Consterné, Dusty se pencha vers elle et la regarda droit dans les yeux.

— C'est grave ? s'enquit-il.

Elle tenta de lui adresser un sourire rassurant.

— C'est sérieux, mais les médecins sont optimistes, murmura-t-elle.

— Quand est-ce arrivé ? Ce matin ?

— Non. Hier après-midi. Par bonheur, j'étais présente, puisque je viens chez elle trois fois par semaine pour l'aider. J'étais en train de repasser dans la cuisine lorsqu'elle est tombée. J'ai immédiatement téléphoné au Dr Bloom et c'est lui qui a appelé une ambulance. Elle se trouve à l'hôpital de Leeds.

— Et avant de tomber, elle vous a dit de m'amener Atlanta ?

— Oh non, elle était... Eh bien, elle avait tout prévu, expliqua Gladys. Je savais ce que j'avais à faire, monsieur Rhodes. Je devais vous amener Atlanta. Molly me l'avait mille fois répété. Elle disait que si elle tombait malade, il fallait vous confier la petite fille. Uniquement à vous et à personne d'autre. Il y avait une enveloppe, dans un tiroir de la cuisine, contenant votre adresse et l'argent du taxi.

— Je suis content qu'elle vous ait expliqué quoi faire en cas d'urgence, Gladys. Très content. Et vous avez bien accompli votre mission, soyez-en remerciée.

— J'aurais voulu venir hier soir, mais il était 19 heures quand ils ont transporté Molly à l'hôpital. Il était temps pour Atlanta d'aller se coucher. J'ai pensé qu'il valait mieux passer la nuit dans la maison de Molly, car je ne voulais pas inquiéter la petite. C'est pourquoi nous voici aujourd'hui. Avant de partir, j'ai appelé l'hôpital. On m'a affirmé que Molly allait bien.

— Que vous a dit le médecin ?

— Que la crise était sérieuse, mais que sa vie n'était pas menacée. Le Dr Bloom a l'air de penser qu'elle pourra rentrer chez elle dans une semaine environ.

Soulagé, Dusty sourit.

— C'est une bonne nouvelle !

— Actuellement, elle est aux Soins intensifs, précisa Gladys. Je passerai la voir en rentrant, même si je peux seulement lui faire un petit signe.

— C'est vraiment gentil de votre part. Je lui rendrai moi-même visite dans la semaine. A propos, ce Dr Bloom exerce bien à Meanwood ?

— Oh oui, c'est notre médecin local. Il est là depuis des années, il n'habite qu'à trois rues de chez Molly et pas très loin non plus de chez moi. Je vous ai copié son adresse et son numéro de téléphone, monsieur Rhodes. J'ai pensé que vous aimeriez le contacter.

Tout en parlant, elle avait fouillé dans son sac, d'où elle avait sorti un bout de papier, qu'elle lui tendit. Dusty y jeta un coup d'œil avant de le fourrer dans sa poche.

— Merci, Gladys. Et je vous suis reconnaissant de m'avoir amené Atlanta. A ce propos, comment lui avez-vous expliqué l'absence de sa grand-mère ?

— C'est Atlanta qui est venue dans la cuisine pour me dire que sa grand-mère était tombée et qu'elle s'était fait mal à la jambe, puisqu'elle ne se relevait pas. Alors, quand l'ambulance est arrivée, je lui ai dit qu'on l'emmenait pour guérir sa jambe. Elle l'a admis sans difficulté et, quand je lui ai promis que nous nous rendrions chez vous aujourd'hui, elle était si contente qu'elle ne pouvait guère penser à autre chose.

Dusty se leva.

— Je vous remercie pour tout ce que vous avez fait. Je dois aller voir Atlanta sans plus attendre, maintenant. J'ai pensé qu'il valait mieux que j'apprenne d'abord ce qui s'était passé de votre bouche avant de voir ma fille. Venez avec moi dans la cuisine, Gladys, et déjeunez avec elle. Ensuite, une voiture vous ramènera à Leeds. On vous déposera d'abord à l'hôpital, puis chez vous.

— Ce n'est pas la peine, je vous assure ! Je vais partir dès que j'aurai dit au revoir à Atlanta. C'est une bonne petite fille, vous savez. Par certains côtés, elle est très mûre.

— Oui, je sais. C'est une petite merveille, répondit Dusty

en sortant de la bibliothèque avec Gladys. Je vous suis très reconnaissant pour tout ce que vous avez fait et je ne vous laisserai pas vous en aller tant que vous ne vous serez pas un peu restaurée. Bien entendu, je tiens à ce que vous soyez raccompagnée en voiture. Pendant que j'y pense, vous me donnerez votre numéro de téléphone.

— Bien sûr. J'habite à deux rues de Mme Caldwell...

Gladys hésita avant d'ajouter d'une voix étouffée :

— Merci pour votre gentillesse.

Il lui sourit sans répondre, puis ils traversèrent l'entrée pour gagner la cuisine. Il vit qu'elle regardait ses tableaux, mais elle ne fit aucun commentaire et il s'en abstint aussi.

— Papa ! Papa ! Papa ! cria Atlanta dès qu'elle aperçut Dusty.

Elle se précipita vers lui en riant aux éclats. Elle était grande pour ses trois ans, élancée et gracieuse. « Mon petit germe de soja », l'appelait souvent Dusty.

Il la prit dans ses bras. A les voir ainsi, personne n'aurait pu douter du lien qui les unissait, tant leurs cheveux noirs et leurs yeux bleu clair étaient semblables. Il avait toujours semblé à Dusty qu'il n'y avait rien de Melinda chez sa fille. Après l'avoir embrassée sur la joue, il la reposa par terre et lui sourit.

— Nous allons passer un bon week-end ensemble, pendant que grand-mère soigne sa jambe.

— Est-ce que ça lui fait mal, papa ? demanda Atlanta, les yeux levés vers lui. Elle n'a pas pleuré, ajouta-t-elle en secouant la tête.

— Non, je ne pense pas qu'elle ait mal, ma chérie. Je vous en prie, ajouta-t-il à l'intention de Gladys, mangez quelque chose. Il est déjà midi et demi, vous devez être affamée.

Sans attendre la réponse de Gladys, Atlanta s'écria :

— Valetta a fait des spaghettis, Gladys. Avec de la sauce tomate !

— Je ne crois pas pouvoir déjeuner ici, Atlanta, mais...

— Oh, s'il te plaît ! S'il te plaît ! Papa, dis à Gladys de rester. S'il te plaît, papa !

— Aujourd'hui, je déjeune avec ton amie India, dit Dusty en souriant. Cet après-midi, elle sortira avec toi. Si tu veux, tu vas déjeuner dans la cuisine, avec Valetta. Ainsi, elle pourra préparer les plats que tu préfères, ensuite nous ferons tous une promenade.

Atlanta acquiesça vigoureusement du menton.

— Je peux aller voir Indi ? Je l'aime bien.

— Elle n'est pas encore arrivée, mais tu pourras lui dire bonjour. Elle amène sa grand-mère, qui veut me voir.

— Oh ! Elle est comme ma grand-mère à moi ?

Dusty réprima un rire.

— Non, je crois qu'elles ne se ressemblent pas beaucoup. En fait, il y a une grande différence. Mais sa grand-mère est aussi gentille que la tienne.

— Tant mieux !

Atlanta courut vers Gladys et lui prit la main.

— Tu vas aimer Indi ! affirma-t-elle. Elle est gentille. Elle me raconte des histoires, ou alors elle m'en lit dans des livres.

— Je sais combien tu aimes cela, mais il faut vraiment que je m'en aille, ma chérie. Je ferai la connaissance de ton amie India une autre fois.

— Oh, ne t'en va pas, Gladys ! supplia l'enfant en se suspendant à sa main.

— Je dois rendre visite à ta grand-mère, expliqua Gladys.

Mais lorsqu'elle vit les larmes perler dans les yeux de la petite fille, elle capitula :

— Très bien, je vais manger un petit quelque chose avec toi.

Elle réussit à produire un petit gloussement et ajouta en clignant de l'œil :

— Je crois que je picorerais bien quelques spaghettis.

— Comme les oiseaux ! s'exclama Atlanta. C'est toujours ce que tu dis, picorer comme les oiseaux !

— Eh bien, c'est arrangé ! intervint Dusty. Asseyez-vous toutes les deux et Valetta va vous servir un plat de ses délicieuses pâtes, ainsi que tout ce que vous pourrez désirer d'autre. N'est-ce pas, Valetta ?

— Tout à fait, monsieur Rhodes, dit la cuisinière, un rire au fond de ses yeux sombres.

Agitant sa cuillère de bois, elle se tourna vers ses casseroles, dont elle remua le contenu.

— C'est presque prêt, annonça-t-elle.

Tandis que Dusty installait Gladys et Atlanta à table, au fond de la vaste cuisine familiale, il entendit des bruits de pneus sur le gravier de l'allée.

Embrassant sa fille sur le crâne, il murmura :

— Bois un peu d'eau, mon cœur, je reviens dans une minute.

— Oui, papa, répondit-elle docilement en s'asseyant sur une chaise.

Elle prit son petit verre d'eau et en but un peu.

— Je prends une gorgée de canard, dit-elle en souriant à Gladys.

Dusty se dirigea vers la porte d'entrée à grandes enjambées, car il voulait accueillir India et sa grand-mère en haut des marches du perron. Comme il ouvrait la porte et sortait sur la terrasse, il les vit marcher lentement dans sa direction.

Il était trop avisé pour proposer son aide. La comtesse douairière de Dunvale était une sorte de tyran à la langue bien pendue et tout à fait décidée à s'occuper d'elle-même. Elle refusait tout secours et il la comprenait. Elle était indépendante, ne comptait que sur elle-même et il admirait son extraordinaire endurance, ainsi que son courage. En dépit de ses quatre-vingt-quinze ans, elle était loin d'être sénile. Pour rien au monde il n'aurait voulu miner la confiance qu'elle avait en elle-même.

India et lui échangèrent un signe de la main. Il se demanda comment elle allait réagir lorsqu'elle saurait qu'Atlanta était là pour au moins une semaine. Dès que l'apéritif serait servi dans le salon, il lui exposerait la situation. Edwina adorait prendre un verre avant le déjeuner. Elle insistait pour boire une « goutte de sherry », ce qui amusait beaucoup Dusty. Il parlerait immédiatement de Molly Caldwell à India, pour qu'il n'y ait aucun malentendu. Plusieurs mois auparavant, elle l'avait accusé de « mensonge par omission » et il ne souhaitait pas qu'elle réitère ce reproche.

Il sentait qu'India aimait la petite fille autant qu'Atlanta l'aimait et, pour autant qu'il le sût, sa présence ne poserait aucun problème. Angelina, la gouvernante, et Valetta, la cuisinière, garderaient un œil sur elle pendant qu'il travaillerait dans son atelier, le matin. En revanche, il passerait l'après-midi avec elle. De toute façon, India se rendait au magasin de Leeds pendant la semaine, et elle ne passait que les week-ends avec lui, puisqu'elle habitait à Pennistone. Non, l'enfant n'interférerait pas dans leur relation. Il lui vint alors à l'esprit que Gladys Roebotham pouvait s'avérer très utile. Il était évident qu'Atlanta lui était très attachée, ce qui paraissait réciproque. Peut-être accepterait-elle de passer une partie de la semaine à Willows Hall, pour s'occuper de la petite.

— Excusez-moi, monsieur Rhodes, dit Paddy depuis l'entrée.

Dusty pivota sur lui-même.

— Oui, Paddy ?

— J'ai placé une carafe d'amontillado dans le salon, et je me demandais si vous aviez besoin d'autre chose.

— Je ne pense pas, merci beaucoup. Faites servir le déjeuner dans une demi-heure. Oh, et faites raccompagner Mme Roebotham en voiture, je vous prie, avec un arrêt à l'hôpital de Leeds, pour qu'elle puisse voir Mme Caldwell. Dites-lui que je passerai lui parler dans quelques minutes.

— Très bien, monsieur, murmura Paddy avant de disparaître sans un bruit.

— Bonjour, comtesse, dit Dusty un instant plus tard, quand India et sa grand-mère parvinrent à lui.

— Bonjour, Dusty. Mais je trouve que ce titre de comtesse est bien trop cérémonieux. Appelez-moi Edwina.

91

— Vous savez bien que c'est impossible, répliqua-t-il en riant. Ce serait manquer de respect à votre égard.

Elle pouffa avec lui, avant de suggérer :

— Pourquoi ne pas m'appeler grand-tante Edwina ? Ou bien grand-mère ? Mais peut-être en avez-vous déjà une ?

— Non, elle est morte.

Dusty se tourna vers India, à qui il sourit amoureusement, puis il déposa un baiser sur sa joue.

— Bonjour, chérie, murmura-t-il.

Sur ces mots, il les fit entrer toutes les deux dans la maison. Quelques minutes plus tard, Edwina était confortablement installée sur une chaise, près de la cheminée. India s'assit sur le canapé pendant que Dusty versait l'amontillado dans des verres et les leur portait. Il s'assit ensuite près d'India et leva le sien.

— A votre santé, mesdames.

India le fixait avec attention.

— Tu as une expression bizarre, remarqua-t-elle. Que se passe-t-il ?

Sa nouvelle tactique étant de tout lui dire, sans artifices, il annonça à brûle-pourpoint :

— Mme Caldwell a fait une crise cardiaque hier après-midi et son aide-ménagère a amené Atlanta ici ce matin.

— C'est affreux ! s'exclama India. Comment va Mme Caldwell ?

— C'est sérieux, apparemment, mais sa vie n'est pas en danger. Elle devrait rester à l'hôpital pendant une semaine, à peu près, et d'après ce que m'a dit Mme Roebotham, le pronostic est favorable. J'appellerai le médecin, plus tard. Pendant tout le temps de l'hospitalisation, Atlanta restera avec moi. Cela devrait durer quelques jours, jusqu'à ce que sa grand-mère aille mieux.

India lui sourit.

— N'aie pas l'air aussi inquiet, Dusty, elle sera très bien avec nous. Quant à moi, je suis ravie ! C'est parfait, de l'avoir avec nous pour le week-end. On va beaucoup s'amuser. Où est-elle, en ce moment ?

— Elle déjeune avec Mme Roebotham dans la cuisine, mais elle est impatiente de te voir.

— Moi aussi. Grand-mère, tu vas faire la connaissance de la petite fille de Dusty. Elle est tout simplement adorable, tu verras.

Edwina se contenta de hocher la tête et d'avaler une gorgée de sherry. Elle ne doutait pas qu'Atlanta fût adorable et qu'India éprouvât pour elle une affection sincère. Par bonheur, pensa-t-elle, l'enfant n'avait que trois ans, elle était encore malléable. Dans l'esprit d'Edwina, il était clair que Dusty et India élèveraient la petite. La mère sortait tout juste d'un centre de désintoxication et elle avait été très dépendante de la drogue. Quant à la grand-mère, elle avait visiblement un cœur fragile. Elle pouvait ne plus vivre très longtemps et personne n'aurait su prédire ce qu'il allait advenir de sa fille, la drogue étant une substance dangereuse, dont il était difficile de se défaire...

8

Tessa Fairley se tenait dans sa chambre de Pennistone Royal, perdue dans ses pensées. Depuis quelque temps, elle se demandait souvent à quoi sa vie allait ressembler. Que lui réservait l'avenir ?

La seule certitude, le seul élément immuable, c'était son amour et son dévouement pour sa fille de trois ans, Adèle. Tout le reste était vague, suspendu dans l'air ou hors de sa portée, du moins c'était ce qu'il lui semblait.

Paula ferait-elle d'elle le P-DG des magasins Harte ? Les dirigerait-elle comme elle en avait toujours rêvé ? Ou bien sa mère déciderait-elle d'en confier la direction à elle et à sa sœur Linnet ? Ces derniers mois, le bruit avait couru que les responsabilités seraient partagées. Cette rumeur l'avait alarmée et déçue. Depuis, elle était sur ses gardes... Jamais elle n'avait voulu partager le pouvoir avec sa sœur.

Dans l'autre sens, une question se posait à elle : abandonnerait-elle sa carrière, ses ambitions et son rêve d'incarner la nouvelle Emma Harte pour épouser Jean-Claude Deléon ?

Elle sourit pour elle-même. Il y avait juste un petit problème, à ce sujet... Il ne lui avait jamais demandé sa main. Mais il le ferait et, si elle acceptait, sa vie et celle de sa fille en seraient bouleversées.

Puisqu'il vivait et travaillait à Paris, elle devrait s'y installer avec lui. Serait-elle heureuse en France ?

Tessa faillit éclater de rire. Bien sûr que oui ! Elle adorait Paris. Elle connaissait la Ville lumière aussi bien que Londres ou presque. Des années avant de rencontrer Jean-Claude, elle s'y rendait régulièrement, d'autant que son beau-père, Shane O'Neill, possédait l'un des hôtels les plus luxueux de Paris, avenue Montaigne, non loin des Champs-Elysées.

Et puis il y avait la petite propriété de Jean-Claude, où il passait souvent le week-end. Ce manoir pittoresque, appelé le « Clos-Fleuri », se trouvait près de Fontainebleau. Elle l'avait aimé dès qu'elle l'avait vu, l'été précédent, et elle s'y était sentie chez elle comme si elle y avait toujours vécu. Outre les magnifiques jardins, la maison était ravissante et pleine de charme. Elle avait l'impression d'être environnée de luxe tranquille et de confort. Elle chérissait l'atmosphère paisible qui y régnait.

En dehors de tout cela, Tessa était profondément amoureuse de Jean-Claude. Dès le début de leur liaison, elle avait compris qu'elle serait heureuse n'importe où avec lui.

Tessa n'avait jamais rencontré un homme comme lui. Il était aimant et chaleureux, il était bon avec elle et il adorait la petite Adèle. Toutes considérations affectives mises à part, elle le respectait et elle l'admirait. Il possédait une vive intelligence, il était brillant dans son travail. Pourtant il ne l'avait jamais écrasée de sa supériorité intellectuelle. Ils s'entendaient à merveille et elle ne s'était jamais sentie aussi bien auprès de son ex-mari, Mark Longden. Ce dernier ne cessait au contraire de la rabaisser, de l'humilier... verbalement et physiquement.

Jean-Claude Deléon, l'un des hommes les plus célèbres de France, sinon du monde, était tombé amoureux d'elle à la seconde même où il l'avait vue. Et elle de lui. Il appelait cela un *coup de foudre*.

« Nous avons été frappés par un éclair », disait-il parfois en lui souriant tendrement.

C'était en août. Depuis cinq mois, ils s'étaient arrangés pour passer beaucoup de temps ensemble, à Paris, à Londres, au Clos-Fleuri ou ici, dans le Yorkshire, dans la maison de sa mère, et étaient devenus de plus en plus proches ; ils avaient appris à se connaître intimement. Leur union était juste, elle était bonne, ils le savaient tous les deux.

Il y avait pourtant un hic. Que ferait-elle si elle l'épousait ? Elle n'avait jamais été oisive. Le goût du travail était inscrit dans les gènes de tous les Harte et elle ne faisait pas exception à la règle. Elle avait été élevée pour être disciplinée, dévouée, énergique et triomphante, tout comme le reste de la famille. Ne s'ennuierait-elle pas à mourir ?

Bien sûr que si ! D'autant que Jean-Claude travaillait lui-même comme un fou. Il passait son temps à écrire des livres, des scénarios, des pièces de théâtre, des articles pour les journaux et les magazines. Il produisait des documentaires et faisait des conférences. Il était toujours occupé.

De plus, il jouissait d'une grande notoriété en France : il appartenait à l'élite parisienne.

La renommée avait ses propres exigences, elle en était bien consciente. Son frère Lorne, son jumeau bien-aimé, était un acteur connu. Cette célébrité dévorait tout son temps, comme celui de Jean-Claude. Il y avait les apparitions publiques, l'attention accordée à la presse, les événements mondains auxquels il fallait participer. Elle savait que cela faisait partie de son travail.

Tessa laissa échapper un gros soupir et s'assit à son bureau. Tant de questions se pressaient dans sa tête, ce matin ! Et aucune réponse en vue !

Elle jeta un coup d'œil à son courrier, qu'elle avait apporté de Londres. Après avoir lu ses lettres et ses mails, elle les classa dans un dossier, qu'elle poussa à l'extrémité de la table, un vieux bureau français qu'elle adorait. Ses yeux balayèrent alors le petit salon attenant à sa chambre. Cet appartement avait toujours été le sien. Elle aimait les murs jaune jonquille, ainsi que les rideaux imprimés, façon toile de Jouy, rouge et jaune. Tous ses objets préférés se trouvaient dans cette pièce : bibelots, livres et tableaux qu'elle avait accumulés au cours des années. Ils conféraient à son domaine une personnalité et un charme certains, tout en témoignant de son goût et de ses préférences. C'était son décor à elle.

Jetant un coup d'œil à sa montre, Tessa réalisa qu'il était

temps de descendre pour retrouver Jean-Claude et les autres. Elle devait leur proposer un verre avant le déjeuner. Sa mère, qui était partie pour West Tanfield avec tante Emily, lui avait demandé de veiller au bien-être de chacun et de jouer les hôtesses.

Plus tôt, lorsqu'elle avait parlé à Margaret, la gouvernante avait insisté pour préparer le déjeuner :

« Vous serez suffisamment occupée avec le dîner du soir, mademoiselle Tessa. »

Elle avait donc abandonné les rênes à Margaret. Celle-ci était venue la voir peu auparavant pour lui donner le menu : un potage de poireaux et pommes de terre, une tourte au poulet, un hachis Parmentier et des croquettes de poisson pour ceux qui voulaient manger léger. Pour finir, elle servirait une salade verte et du fromage, ainsi que des fruits frais.

Margaret avait pensé à ajouter :

« Il n'y aurait pas une erreur, pour le ragoût d'agneau, mademoiselle Tessa ? Vous avez commandé bien trop de viande. A mon avis, il y a de quoi nourrir une armée ! »

Tessa lui avait répondu qu'il y avait beaucoup d'os dans l'épaule d'agneau. Par ailleurs, tout le monde aimait en reprendre le lendemain, parce que le goût en était encore meilleur.

Margaret n'avait pas insisté, mais elle était sortie en ronchonnant.

Peut-être m'en veut-elle parce que j'ai une fois de plus envahi son territoire, songea Tessa.

Elle haussa les épaules. Elle adorait cuisiner, et Margaret en bénéficiait, puisqu'elle pouvait prendre une soirée de congé. Mais la gouvernante ne voyait pas les choses de cette façon.

Tessa se leva, traversa la chambre et prit dans sa penderie une veste de laine vert sombre. Elle l'enfila, puis elle se retourna et fixa un instant le lit.

Personne n'avait jamais partagé ce lit avec elle. Aucun de ses frères et sœurs, lorsqu'ils étaient enfants, et certainement pas Mark Longden. Chaque fois qu'elle était venue avec lui à Pennistone Royal, elle avait demandé à sa mère de leur attribuer la suite blanc et bleu. En ces occasions, elle utilisait cette chambre pour s'isoler, travailler ou se reposer. C'était son havre de paix, pendant son mariage, tout comme il l'était depuis l'enfance. Son petit appartement jaune et rouge était son sanctuaire. Personne n'avait été autorisé à le partager avec elle.

Jusqu'à cette nuit. Quand la maisonnée avait été endormie, elle avait invité Jean-Claude à la rejoindre. Il s'était glissé dans son lit, il l'avait prise dans ses bras, il l'avait serrée contre lui. Ils s'étaient aimés avec beaucoup de tendresse, et elle avait adoré sa présence auprès d'elle. Il était son grand amour, son âme sœur, le seul homme qu'elle désirât. Où qu'elle se trouvât, elle le voulait avec elle. Elle lui avait ouvert son refuge avec la plus grande joie.

Elle ne s'inquiétait pas de leur différence d'âge, mais elle devinait qu'il n'en allait pas de même pour lui. Il avait vingt ans de plus qu'elle et cela le contrariait. Parfois, elle le taquinait, à ce sujet, en lui disant de ne pas être bête. Il souriait, hochait la tête et changeait de sujet. Elle souhaitait avoir un autre enfant, mais uniquement de lui. Elle le voulait même s'ils ne se mariaient pas, mais elle n'avait jamais osé aborder le sujet.

Le bourdonnement du téléphone intérieur l'arracha à ses rêveries.

— Allô ?

— C'est moi, chérie, fit la voix de Jean-Claude.

— Quelle coïncidence ! Je pensais justement à toi.

Il émit un petit rire.

— Rien que des choses gentilles, j'espère !

— Bien sûr ! Des choses très, très, très gentilles.

— Tu descends, ma Tess ? Je voudrais soulever avec toi… une certaine question.

— J'arrive tout de suite.

— Je t'attends dans la bibliothèque.

Elle raccrocha et jeta un coup d'œil à son reflet dans le miroir. Elle aimait cette veste vert sombre, qu'elle portait sur un pull crème et un pantalon en laine de la même couleur.

Tessa appréciait les couleurs claires, sachant combien elles seyaient à son teint de blonde, mais elle avait découvert que Jean-Claude les préférait plus foncées.

Se hâtant de traverser la chambre, elle sortit dans le couloir, puis elle descendit le large escalier et se dirigea vers la bibliothèque tout en se demandant ce qu'il pouvait bien avoir à lui dire.

Le hall était désert, mais un feu brûlait dans la cheminée et c'était une vision réconfortante, tout comme les grands pots remplis de chrysanthèmes jaunes, or et bronze. Sa mère entretenait toutes sortes de plantes, dans le hall, suivant en cela la tradition lancée par Emma des années auparavant. Le jardinage était le hobby de Paula ; c'était elle qui plantait et faisait pousser dans ses serres la plupart des fleurs de la maison.

Les bottes à talons hauts de Tessa claquaient sur les dalles du hall. Jean-Claude se retourna lorsqu'elle entra dans la bibliothèque et s'élança vers lui pour l'embrasser.

Notant combien sa peau était fraîche, elle s'exclama :

— Tu es sorti te promener, finalement ?

— Mais oui, chérie. J'avais besoin de prendre l'air et de m'éclaircir les idées, expliqua-t-il.

La prenant par la main, il lui fit traverser la pièce.

— Asseyons-nous près des fenêtres de la terrasse, murmura-t-il.

Une fois qu'ils furent installés, il la regarda droit dans les yeux, la scrutant comme s'il cherchait à déterminer son humeur.

Elle fronça les sourcils.

— Qu'est-ce qu'il y a ? Tu as l'air grave. Soucieux, même.

— Non, non, pas soucieux. Grave, peut-être. Tess, je vais me lancer. Te dire ce que j'ai sur le cœur. Je ne peux pas l'enrober dans une rhétorique de pacotille.

Elle se raidit, alarmée, et lui lança un regard plus dur, plus inquisiteur.

— Je ne comprends pas... Qu'est-ce que tu veux dire ? On

dirait que tu vas m'annoncer quelque chose de... désagréable. A propos de nous, peut-être ?

— Non, non, ma chérie. Ce que j'ai à te dire ne concerne que moi. Une chaîne de télévision française vient de me confier une mission importante et je voulais t'en parler... Je vais quitter Paris pendant un certain temps, peut-être plusieurs semaines. Un mois, tout au plus. Je vais devoir te quitter, Tessa, mais on m'offre là une occasion unique que je ne peux refuser.

Submergée par le soulagement, la jeune femme s'exclama :

— C'est formidable, Jean-Claude, et je comprends tout à fait.

Elle émit un petit rire et ajouta avec une grimace :

— J'ai cru que tu allais m'annoncer quelque chose d'affreux... par exemple, que tu voulais rompre avec moi... que c'était fini... que nous deux, c'était fini.

Dérouté par ce manque de confiance en lui, il la regarda avec désapprobation.

— Cela n'arrivera jamais... Tu ne dois pas t'inquiéter à ce sujet. A ce propos, j'ai quelque chose pour toi.

Tout en parlant, il avait sorti une petite boîte de sa poche. Il la lui tendit sans mot dire.

Tessa la prit, souleva le couvercle et ses yeux s'écarquillèrent à la vue d'une somptueuse bague de fiançailles, ornée d'un diamant.

— Jean-Claude ! Elle est magnifique !

Il lui fit un grand sourire.

— Elle te plaît ?

— Bien sûr qu'elle me plaît ! Je t'aime !

Il lui reprit l'écrin, en sortit la bague et la passa à son doigt.

— Tu crois que je dois demander ta main à Shane ? Ou est-ce un peu démodé ?

Amusée par la suggestion, elle éclata de rire.

— Tu n'as pas à faire une telle démarche auprès de lui ou de maman. Je suis une femme divorcée... enfin... pas tout à fait encore.

Il posa sur elle un regard intense.

— Et accepteras-tu d'être ma femme, Tessa, une fois que tu seras libre ? lui demanda-t-il d'une voix grave.

— Oh, oui, Jean-Claude. De tout cœur, oui.

Il se pencha pour déposer un baiser sur ses lèvres.

— Tu viens de faire de moi un homme heureux. Un homme très heureux, ma chérie.

— Et je suis une femme comblée, répliqua-t-elle en tendant la main pour admirer la bague. Elle est superbe, Jean-Claude. Merci beaucoup.

— C'est une bague ancienne que j'ai fait refaire. Elle te va bien, précisa-t-il avec un sourire. Je pense que les diamants sont les pierres qui te conviennent le mieux.

— Pourquoi pas ? dit-elle gaiement. Mais tu ne m'as pas dit où tu allais, ajouta-t-elle sur un ton plus sérieux. Où t'envoie-t-on, cette fois ?

— En Afghanistan.

Elle le fixa quelques secondes en silence, éberluée. Les mots lui manquèrent un instant, puis elle s'écria :

— Oh, non ! Pas là-bas ! Tu vas couvrir la guerre ! Tu pourrais être blessé... tué, peut-être !

— Non, je m'en sortirai sain et sauf. Rappelle-toi, chérie, j'ai fait cela des dizaines de fois, déjà. Je suis un correspondant de guerre, Tessa, tu ne dois pas l'oublier. J'ai appris depuis longtemps à ne pas prendre de risques.

— Quoi que tu en dises, c'est terriblement dangereux, protesta-t-elle.

— Je ne le nie pas. Il n'empêche que j'ai de l'expérience et que je ne suis pas une tête brûlée. Je n'ai pas l'intention de m'exposer et je suis déjà allé là-bas quand les Russes ont envahi l'Afghanistan. Je connais le terrain.

— Je vais mourir d'inquiétude ! cria-t-elle, pâle et tremblante.

— Je le sais, mais le temps passera vite. Je ne serai absent qu'un mois et les téléphones portables existent. Nous pourrons nous parler tous les jours.

— Je t'en prie, ne pars pas...

Il leva une main.

— Ma Tess, tu sais qui je suis et qui j'étais avant de te rencontrer. Je dois partir. Je n'ai pas le choix, dans ce domaine. C'est mon métier et tu dois apprendre à vivre avec cela.

Son ton n'admettait aucune discussion. Il s'exprimait en homme sûr de lui et déterminé.

— Tu *dois* partir ? Il le faut vraiment ? demanda-t-elle d'une voix faible.

— Il le faut.

— Alors, j'apprendrai à vivre avec cela, répliqua-t-elle, les yeux voilés par les larmes.

Jean-Claude remarqua immédiatement qu'elle pleurait. Il la prit dans ses bras et la serra très fort contre lui en murmurant :

— Rien ne m'arrivera, je te le promets. Je reviendrai sain et sauf auprès de toi. Nous nous marierons dès que ton divorce aura été prononcé et nous vivrons ensemble à jamais.

Trop secouée pour parler, Tessa ne répondit pas. Blottie contre lui, elle adressa au ciel une prière silencieuse.

9

— J'ai besoin de te parler.

Lorne acquiesça et regarda sa sœur jumelle. Il était assis sur une banquette, sous la fenêtre, là où ils s'étaient installés tant de fois lorsqu'ils étaient enfants, dans l'ancienne salle de jeu du dernier étage de Pennistone Royal, sous les combles.

Tessa se tenait près d'un vieux cheval à bascule, Gallant Lad, qui avait été monté par leur mère, leurs tantes, leurs oncles, cousins et cousines avant eux. Les peintures rouge vif, verte, jaune et blanc s'étaient fanées, elles étaient craquelées, et les lettres noires du nom s'étaient effacées avec le temps, mais une multitude d'enfants Harte avaient adoré, monté, embrassé, caressé ce cheval...

Lorne attendit que sa sœur parlât ; il était toujours tendre et patient avec elle ; il savait qu'elle n'était pas l'ogresse qu'elle paraissait aux yeux des autres membres de la famille. Il remarqua combien elle avait l'air pensive, il vit l'inquiétude qui assombrissait les prunelles d'un gris argenté, si semblables aux siennes. Immédiatement, il pensa à sa fripouille de mari. Bientôt son ex-mari, d'ailleurs, et il se demanda si Mark Longden lui avait encore causé des ennuis. Chaque fois qu'il pensait à lui, Lorne voyait rouge, il avait envie de le retrouver et de le massacrer. Longden avait maltraité Tessa et dans l'esprit de Lorne aucune punition n'était à la mesure de ce qu'il avait fait subir à sa sœur.

— Allons, raconte-moi tout, l'Ancienne !

C'était un surnom qu'il avait inventé pour elle lorsqu'ils

étaient enfants et que, à l'âge de cinq ans, elle lui avait annoncé qu'elle était son aînée de cinq minutes. Par conséquent, avait-elle affirmé, elle était l'héritière de leur mère. Au grand désagrément de Tessa, il ne lui avait jamais permis d'oublier cette petite vantardise enfantine.

Tessa lui adressa le sourire spécial qu'elle lui réservait, puis elle poussa le cheval, qui se mit à se balancer. Regardant alors son frère droit dans les yeux, elle murmura :

— Jean-Claude part pour l'Afghanistan. Il doit couvrir la guerre pour une chaîne de télévision française.

— Vraiment ! C'est formidable ! Il sera dans son élément. C'est un brillant correspondant de guerre, tu le sais...

Remarquant le chagrin qui crispait le visage de sa sœur, Lorne s'interrompit.

— Quel idiot je fais, Tessa ! Tu es soucieuse, évidemment, et tout le monde le serait à ta place ! Mais écoute...

Se penchant en avant, le visage grave et tendu, il ajouta très vite :

— Il a exercé ce métier pendant des années, il sait ce qu'il fait. Ce n'est pas un débutant. Je t'en prie, essaie de ne pas t'inquiéter.

— C'est facile à dire mais difficile à faire, petit frère... J'ai du mal à ne pas céder à la panique.

Il pinça les lèvres, devinant exactement ce qu'elle ressentait.

— Te connaissant, je suppose que tu lui as dit combien ce projet t'inquiétait ?

— Oui, Lorne, je l'ai fait. Je lui ai même demandé de ne pas partir.

— Et alors ?

— Il m'a expliqué qu'il n'avait pas le choix et que je devrais m'y habituer... plus ou moins dans ces termes. Il était inflexible et, naturellement, je ne l'ai pas contredit.

Tessa haussa ses épaules minces et conclut :

— Que pouvais-je faire d'autre ?

— Rien. En vérité, tu n'as pas non plus le choix et tu dois le soutenir. C'est un homme de cinquante-trois ans, qui a fait ce qu'il voulait pendant toute sa vie, notamment lorsqu'il s'agissait de sa carrière ou de son travail. Il est ainsi... un homme qui s'appartient. Je doute qu'on puisse le faire changer d'avis une fois qu'il a décidé quelque chose. Ni toi, ni moi, ni personne d'autre. Après tout, c'est aussi son point fort.

— Tu as raison. Ces dernières années, il est devenu un spécialiste du fanatisme et du militantisme qui sévissent au Moyen-Orient. Il m'a dit l'autre jour qu'il s'agissait d'une philosophie politique, là-bas, consistant à faire la guerre contre les démocraties de l'Occident. Il éprouve le besoin de comprendre ce phénomène et d'écrire à ce sujet. C'est l'une des raisons pour lesquelles il est si excité à l'idée de couvrir cette guerre.

— Je m'en rends compte. Il m'a d'ailleurs beaucoup parlé du Moyen-Orient, surtout cette année. Mais écoute, Tess, les nouvelles sont bonnes, elles le sont depuis le mois de décembre. La situation s'améliore, et n'oublions pas qu'il connaît le pays, puisqu'il s'y trouvait au moment où les Russes l'ont envahi.

— Je le sais. Il m'en a beaucoup parlé, à moi aussi, et de toute façon, j'ai lu son livre, *Les Guerriers*, qui relate cette expérience.

Tessa s'éloigna du cheval à bascule et se dirigea vers la fenêtre. Lorne lui fit de la place sur la banquette. Posant la tête sur l'épaule de son frère, elle murmura :

— J'ai tellement peur qu'il soit tué !

— Il pourrait l'être en traversant les Champs-Elysées, répliqua Lorne. Tout se passera bien, tu verras, ajouta-t-il en entourant d'un bras les épaules de la jeune femme, afin de la réconforter.

Tessa hocha la tête, puis elle se redressa et sortit de sa poche la bague de fiançailles.

Levant les yeux vers son frère, elle déclara en la lui montrant :

— Nous sommes fiancés.

Lorne fixa un instant le bijou, avant d'émettre un sifflement admiratif.

— Je suis ravi ! s'exclama-t-il, les yeux pétillants. Toutes mes félicitations. Rien ne pouvait me faire plus plaisir pour toi.

Il se mit à rire, puis il la fixa avec amusement.

— Qu'est-ce qu'il y a ? demanda Tessa, fronçant les sourcils.

— Quand je me suis arrangé pour que vous vous rencontriez, je ne me serais jamais douté que cette attirance mutuelle se muerait en… engagement permanent.

— Je le savais ! s'écria-t-elle en lui décochant un coup de poing dans le bras. Depuis le début ! Dès notre premier rendez-vous, j'ai dit à Jean-Claude que je te soupçonnais d'avoir souhaité que nous ayons une liaison.

— Tu n'es pas contente que j'aie organisé votre rencontre ?

— Tu parles !

En souriant, Tessa glissa la bague à son doigt et la lui montra de nouveau.

— Regarde, Lorne !

— Elle est stupéfiante ! Toi aussi, d'ailleurs ! s'exclama-t-il. C'est un homme bien, ajouta-t-il sur un ton plus pondéré. Il est parfait pour toi, tout comme tu es parfaite pour lui. Et quand comptez-vous vous marier ?

— Dès que possible. J'aimerais vraiment que ce soit avant le mois de juin. Je ne voudrais pas empiéter sur les somptueuses noces irlandaises d'India.

— Tu as raison. Puis-je espérer être votre témoin ?

Tessa fit une petite grimace.

— Nous n'en sommes pas encore là. Il ne m'a offert cette bague que ce matin. Mais je suis certaine qu'il te le proposera.

Lorne acquiesça d'un signe de tête.

— Quand doit-il partir ?

— Dans deux semaines. Mais il doit être à Paris lundi, aussi prendra-t-il l'avion directement pour le Yorkshire de là-bas, mardi. Il se dit décidé à assister à l'un de nos célèbres mariages.

— Je vois… Il se met au courant, si je comprends bien.

— Sans doute. Je te remercie de nous avoir réunis, Lorne.

Cela me touche au-delà des mots, que tu aies fait cela pour moi. C'est une grande preuve d'amour.

— Ne sois pas sentimentale, ma chérie. A propos, pourquoi ne portes-tu pas ta bague de fiançailles ? Tu risques de la perdre en la laissant traîner dans ta poche de cette façon.

— Je la porterai ce soir, une fois que nous aurons parlé à papa et maman. Ils ne sont pas encore au courant, puisqu'ils ne sont là ni l'un ni l'autre.

— Si je comprends bien, on va faire la fête, ce soir ?

— C'est une idée... Lorne ?

— Qu'est-ce qui t'arrive ? Tu me parais bien mélancolique, tout à coup.

— Je suis inquiète à l'idée de ne plus travailler, quand j'aurai épousé Jean-Claude. Cela implique que je devrai quitter le magasin.

Lorne gratifia sa sœur d'un long regard pensif, puis il fronça les sourcils et secoua la tête.

— C'est encore tellement important, à tes yeux, de travailler chez Harte ?

— Oui... Non... Je ne sais pas.

— Tu as trente-deux ans, ma chérie, et tu as réussi ce que tu entreprenais, au magasin. Mais n'oublions pas non plus ton parcours difficile auprès de Mark Longden. Ce fut une union désastreuse, qui t'a réduite à néant.

— J'ai eu Adèle.

— Oui, évidemment, et je sais que tu l'adores. Je n'ignore pas non plus ce qu'elle représente pour toi. Mais tu es une jeune femme, tu mérites de connaître le bonheur auprès d'un homme, d'être comblée par la vie. Et combien de chances avons-nous de rencontrer celui ou celle qui est fait pour nous ? L'homme ou la femme de notre vie ? Pour ma part, je n'ai pas eu ce bonheur. Mais toi, si. Jean-Claude est l'homme qu'il te fallait et ton existence sera bien remplie, quand tu seras sa femme et que tu continueras à élever Adèle. D'ailleurs, il n'est pas exclu que vous ayez d'autres enfants.

Les yeux au loin, Tessa répliqua doucement :

— Tu as raison, Lorne.

— Je te connais, Tessa, et je sais que tu penses à Linnet. L'idée qu'elle prendra la direction des magasins Harte te tue, n'est-ce pas ?

Tessa le regarda sans répondre, tout en se mordant la lèvre inférieure.

Il y eut un silence, que Lorne finit par rompre :

— Il faut que tu en finisses avec cette jalousie. Vous avez été rivales pendant des années, ce qui n'a fait qu'envenimer les choses entre vous. Sans compter que nous en avons tous pâti.

— Je sais... Mais elle veut désespérément occuper la première place.

— Et elle l'obtiendra sans doute. Regarde les choses en face, maintenant. Tu vas vivre à Paris avec ton nouveau mari, tandis qu'elle sera ici, sur le lieu stratégique. Bien sûr que maman lui confiera le poste !

— Je voudrais pouvoir faire la navette entre la France et l'Angleterre.

— Ne sois pas stupide ! Cela ne marcherait pas. Renonce plutôt à prendre la tête des magasins et songe à ton mariage. Je ne crois pas que tu puisses avoir les deux. Et selon moi, tu seras plus heureuse dans le rôle de Mme Deléon que dans celui de la nouvelle Emma Harte. Il convient davantage à Linnet, admets-le.

Tessa fixa son frère sans répondre.

— Je voudrais parler à la comtesse de Dunvale, s'il vous plaît, Paddy. Linnet O'Neill à l'appareil.

— Oh, bonjour, mademoiselle O'Neill, dit gaiement Paddy Whitaker. Je passe votre appel dans la salle à manger.

— Je ne veux pas interrompre le repas !

— Ne vous inquiétez pas, ils viennent juste de finir. Un moment, s'il vous plaît, mademoiselle O'Neill.

Ce fut India qui décrocha.

— Bonjour, Linnet. On m'a dit que tu voulais parler à grand-mère ?

— Pour une minute ou deux, India. J'espère que je n'ai pas choisi le mauvais moment.

— Non, c'est très bien. Nous avons terminé le déjeuner et nous attendons le café. Je te passe grand-mère.

Linnet patienta plusieurs minutes avant de reconnaître la fameuse voix sonore :

— Je suis là, Linnet. A quoi dois-je cet honneur ? Un coup de fil inattendu, venant de toi, c'est rare.

— Ne dis pas cela, tante Edwina ! Tu me culpabilises !

— Ne sois pas bête ! La culpabilité est une terrible perte de temps.

— Oui, tante Edwina. J'ai besoin de te parler d'oncle Robin et de la famille d'Evan, c'est urgent.

— Il y a un problème ?

— Non, mais il pourrait y en avoir un. Est-ce que je peux passer te voir demain ?

— Je préfère aujourd'hui, ma chérie. Si c'est urgent, cela vaut beaucoup mieux, tu ne crois pas ? A moins que tu ne puisses m'expliquer ce dont il s'agit au téléphone.

— Je préfère t'en parler de vive voix. J'ai une idée ! Pourquoi ne viendrais-tu pas dîner à la maison, ce soir ? Tessa nous mijote son fameux ragoût d'agneau.

— C'est très tentant, mais je ne suis pas certaine de pouvoir faire deux gros repas dans la journée, protesta Edwina.

Mais elle brûlait de curiosité.

— Tu n'as pas à manger beaucoup, tu sais. Tu pourras grignoter, à la manière des mannequins.

Edwina se mit à rire.

— Eh bien, je suis libre, ce soir, et...

— Je pourrais inviter Robin, ainsi nous ferions d'une pierre deux coups, l'interrompit Linnet. Je t'en prie, dis que tu viendras. C'est très important.

— De quoi s'agit-il ?

— C'est trop compliqué pour être exposé au téléphone, mais c'est... J'ai besoin que tu le ramènes à la raison. Il doit comprendre que la famille Hughes ne peut habiter chez lui. C'est impossible.

— Pourquoi ?

— Parce que Jonathan Ainsley se trouve dans le Yorkshire et qu'il peut nuire à n'importe qui, mais tout particulièrement à Owen Hughes.

— Tu as raison, Linnet.

Il y eut un bref silence, puis Edwina reprit de sa voix autoritaire :

— Je viendrai ce soir. De ton côté, assure-toi que Robin sera là. Ton jugement est juste, comme toujours et tout comme l'était celui de ton arrière-grand-mère. Il n'y a que moi qui puisse mettre un brin de bon sens dans le crâne de mon frère.

— Merci ! s'exclama Linnet avec chaleur. J'envoie quelqu'un te chercher ?

— C'est inutile, j'ai mon chauffeur. Dis-moi seulement à quelle heure je dois arriver.

— Viens pour l'apéritif, vers 18 h 30, si c'est possible. De cette façon, nous pourrons discuter en tête à tête. Oh, ce sera une soirée toute simple, sans chichis, tante Edwina.

— Sache que je ne néglige jamais ma mise. Je m'habillerai pour le dîner, comme d'habitude.

Dusty traversa la cuisine, où Gladys finissait de déjeuner en compagnie d'Atlanta.

— Je peux vous parler quelques minutes en privé, Gladys ?

Mme Roebotham se leva aussitôt.

— Bien sûr, monsieur Rhodes. Je reviens plus vite que l'éclair, ajouta-t-elle à l'intention d'Atlanta. Plus vite qu'un cheval au galop ! Illico presto !

En entendant ces mots, la petite fille se mit à rire. Dusty sourit affectueusement à l'enfant puis, se tournant vers Gladys, il déclara :

— Je n'avais pas entendu cette expression depuis des lustres. Ma mère l'employait souvent.

— Atlanta adore que j'utilise des mots qui sortent un peu de l'ordinaire.

— Je m'en doute !

Il conduisit la jeune femme hors de la cuisine, jusque dans un petit couloir qui menait au jardin, à l'arrière de la maison.

— De quoi voulez-vous me parler, monsieur Rhodes ? interrogea Gladys avec curiosité.

— Je me demandais si vous pourriez faire un peu de baby-sitting pour moi, Gladys. Vous voyez ce que je veux dire ? Vous viendriez ici pour vous occuper d'Atlanta. Elle vous semble très attachée et vous êtes très gentille avec elle.

L'air un peu contrarié, Gladys répliqua :

— J'en serais ravie, croyez-le, mais pour l'instant c'est assez difficile car j'ai une parente qui vit chez moi, en ce moment, et elle ne se porte pas très bien. Je ne peux pas m'absenter très longtemps dans la journée. J'en suis vraiment désolée.

— Moi aussi, répondit Dusty en se forçant à sourire.

Mais il était extrêmement déçu. Pendant le déjeuner, il s'était convaincu que Gladys serait disponible et qu'elle résoudrait une grande partie de ses problèmes.

Remarquant son expression accablée, Gladys ajouta :

— Mais peut-être pourrai-je vous aider un peu plus tard. Je veux dire… si Molly est encore à l'hôpital et qu'Atlanta reste auprès de vous.

— Vous me rendriez un grand service, Gladys. Je veux encore vous remercier d'avoir pris soin d'Atlanta et de vous être montrée si digne de confiance. Maintenant, laissez-moi vous raccompagner à la cuisine, où vous terminerez votre repas. Quand vous serez prête, Paddy préviendra le chauffeur. Il lui faudra cinq minutes pour passer vous prendre, avec la voiture, et il vous emmènera où vous le souhaiterez.

— Merci beaucoup, monsieur Rhodes, vous êtes vraiment très aimable. Vous avez un message pour Mme Caldwell, si je lui rends une petite visite ?

— Oui, bien sûr. Dites-lui que je lui souhaite une prompte guérison et qu'elle me fasse appeler par l'hôpital si elle a besoin de quoi que ce soit. Vous pouvez aussi la prévenir que je passerai la voir lundi.

— Elle s'en réjouira, j'en suis certaine, approuva Gladys Roebotham en levant vers Dusty un visage souriant.

C'était un homme bon, pensa-t-elle, pas du tout comme cette scélérate de Melinda le décrivait. En fait, c'était un vrai gentleman.

10

Paula était assise au bureau de sa grand-mère, dans le petit salon du premier étage. Elle établissait la liste des choses qu'il fallait faire pour le mariage lorsqu'on frappa à la porte.

— Entrez, dit-elle en jetant un coup d'œil dans cette direction.

Margaret parut sur le seuil de la pièce, portant un plateau.

— Vous ne pensiez pas que j'avais oublié votre thé, madame O'Neill ! s'exclama-t-elle.

Paula posa son stylo, se leva et s'approcha de la cheminée.

— Non, Margaret. Vous n'avez jamais rien oublié, à ma connaissance.

La gouvernante posa le plateau sur la table basse, puis elle se redressa. Regardant Paula, qui était maintenant assise sur le canapé, elle murmura :

— Je vous ai fait vos biscuits préférés, au gingembre, mademoiselle Paula.

Tout en parlant, elle avait déposé un morceau de citron dans la tasse de porcelaine.

— Je sers le thé, ou vous voulez attendre M. O'Neill ? demanda-t-elle.

— Vous pouvez servir, merci, Margaret, répliqua Paula en lui souriant.

La gouvernante avait grandi à Pennistone Royal et les deux femmes se connaissaient depuis toujours. Aux yeux de Paula, Margaret faisait partie de la famille et elle ne s'offusquait jamais de ses changements d'humeur ou des quelques familiarités qu'elle se permettait de temps à autre.

— Je suis contente que Tessa prépare le dîner, vous allez pouvoir vous reposer.

Margaret s'écria avec véhémence :

— J'ai été réquisitionnée, si j'ose dire, madame O'Neill. Tessa va avoir besoin d'un coup de main.

— Que voulez-vous dire ? D'ordinaire, elle prépare toute seule son ragoût d'agneau... Pourquoi a-t-elle besoin d'aide ?

— Vous devez savoir que vous donnez une réception, ce soir, mademoiselle Paula.

Paula leva des yeux étonnés vers la gouvernante.

— Moi ?

Margaret hocha gravement la tête.

— Neuf kilos de ragoût de viande, c'est ce que Tessa a commandé au boucher. Je trouvais que cela faisait beaucoup, mais quand je l'ai questionnée, elle a dit qu'il y avait plein d'os... Ce qui est vrai, bien sûr.

— Je le sais, dit Paula avec un brin d'impatience. Mais qui vient dîner à Pennistone ? Du moins, qui sont les invités dont je n'ai pas entendu parler ?

— Mlle Linnet a invité M. Robin et la comtesse. Et Tessa m'a dit qu'Emily et Winston venaient aussi, ainsi qu'India et M. Rhodes, probablement.

— Seigneur ! Combien serons-nous, en tout ? Seize ?

— Dix-sept, annonça Margaret. Le grand-père O'Neill dîne toujours avec vous, n'est-ce pas ?

— C'est vrai. Peut-être Tessa n'a-t-elle pas commandé trop d'agneau, finalement.

— D'habitude, je compte une demi-livre par personne, parce qu'il y a beaucoup de légumes, dans le ragoût. Tessa a exagéré.

La gouvernante eut un sourire suffisant. Elle voulait toujours avoir le dernier mot lorsqu'il s'agissait de ce qu'elle estimait être son domaine.

— Vous avez raison, bien entendu, approuva Paula. Je suis vraiment désolée que vous soyez obligée de travailler alors que vous auriez pu disposer de votre soirée. Je pourrais peut-être descendre dans la cuisine, pour aider.

Margaret reprit immédiatement un ton cérémonieux.

— Non, non, madame, ce n'est pas nécessaire ! Je vais assister Mlle Tessa lorsqu'elle farinera la viande et la fera dorer. D'ailleurs, les autres s'occupent des légumes, en ce moment.

— Les autres ? s'étonna Paula.

— Emsie émince les oignons, M. Julian gratte les carottes et Lorne épluche les pommes de terre, précisa-t-elle avec un sourire affectueux. C'est un amour, M. Lorne ! Il est si serviable, si obligeant ! Il n'y en a pas deux comme lui. La femme qui l'épousera aura bien de la chance.

Paula réprima un sourire. Toute la famille savait que Margaret adorait Lorne depuis le jour de sa naissance et qu'il incarnait à ses yeux la perfection. Le fait qu'il était maintenant un acteur connu ajoutait à son prestige. Margaret était sa plus grande admiratrice et elle le gâtait outrageusement lorsqu'il passait quelque temps à Pennistone.

— C'est vrai, murmura Paula en se laissant aller à sourire, Lorne est adorable. Mais vous n'avez pas mentionné M. Deléon et Linnet. Où sont-ils ?

Margaret s'épanouit.

— Oh, Mlle Linnet téléphone... Elle travaille, pour ne pas changer. Vous savez combien elle ressemble à Mme Harte ! Au boulot, vingt-quatre heures sur vingt-quatre et sept jours par semaine ! Elle est bien la fille de sa mère !

Cette fois, Paula éclata de rire.

— Et M. Deléon ?

— Il est assis dans la cuisine, à siroter un verre tout en bavardant avec Mlle Tessa. Il a l'air très amoureux, je dois dire.

— Ah ! Et j'imagine qu'Adèle est avec Elvira ?

— Oh, oui, madame O'Neill ! Elles prennent le thé dans la nursery.

Tout en s'éloignant de la cheminée, Margaret ne manqua pas d'ajouter :

— Vous savez, cela ne me gêne pas d'aider Mlle Tessa à faire dorer la viande. Après tout, elle a été mon élève. Une très bonne élève.

— En effet, Margaret. Vous lui avez appris tout ce qu'elle sait en matière de cuisine et je vous en remercie. C'est pourquoi il ne faut pas trop lui en vouloir lorsqu'elle envahit votre territoire.

— Je ne lui en veux pas, madame O'Neill. Et je me régalerai de son ragoût, ainsi que Joe, puisqu'il nous en restera énormément. De toute façon, c'est ma recette.

Sur ces mots, la gouvernante inclina la tête et sortit.

Un instant plus tard, Paula jeta un coup d'œil à la porte de la chambre, qui s'ouvrit. Shane entra en riant.

— Quel numéro ! dit-il en rejoignant son épouse près du feu. Parfois, c'est vraiment un tyran ! A d'autres moments, elle est tout miel. Elle ne ressemble à personne. Elle passe de la distance à la familiarité en quelques secondes et d'une façon absolument unique.

— Je ne m'en formalise pas, Shane. Je ne sais jamais ce qu'elle va m'annoncer, mais je m'en moque, car je la considère comme un membre de la famille. Ses parents ont travaillé pour ma grand-mère toute leur vie. Elle ressemble à ces serviteurs dévoués d'autrefois et elle a le sentiment d'être l'une des nôtres. Rappelle-toi qu'elle a grandi avec moi. En fait, elle n'a que quatre ans de plus que moi.

Shane acquiesça d'un mouvement de tête, puis il tendit la main vers le plateau et se servit une tasse de thé.

— Je crois quand même qu'elle se trompe à propos de Winston et d'Emily. Winston ne m'a pas dit qu'ils venaient dîner, quand nous avons déjeuné ensemble au Drum and Monkey.

— Pas plus qu'Emily ne m'en a parlé, quand nous travaillions à Beck House. Mais Emily est très entichée d'Evan, en ce moment, et plus encore préoccupée par sa grossesse. Elle attend avec impatience que les bébés soient nés.

— Mais ils ne vont pas naître ce soir, j'espère ?

— Oh, Shane, ne plaisante pas ! Ces temps-ci, Emily

préfère rester auprès d'Evan, et puis rappelle-toi que Gideon est son enfant préféré.

— Mieux vaut ne pas le répéter devant Toby et Natalie, remarqua Shane en prenant un biscuit au gingembre.

— Comme si j'allais...

Paula s'interrompit et fixa son mari, ses yeux violets soudain emplis de perplexité.

— Que se passe-t-il ? s'inquiéta Shane.

— Tessa m'a raconté une chose bizarre, l'autre jour. Elle prétend que Toby n'est plus son meilleur ami, qu'elle n'a presque plus de nouvelles de lui. Ou en tout cas, rarement. Elle avait l'air un peu triste, d'ailleurs.

— Ces deux-là sont comme larrons en foire depuis leur enfance, aussi je ne suis pas surpris qu'elle soit bouleversée s'il a pris ses distances. D'ailleurs, le fait en lui-même ne me surprend pas non plus, Paula. Ils sont tous les deux en train de divorcer, mais Toby est seul, tandis que Tessa file le parfait amour avec un autre homme avant même que la procédure ne soit terminée. Personnellement, je crois que Toby ne doit pas être très content. J'ai toujours pensé qu'il était amoureux d'elle. Pas toi ?

— Cela m'est arrivé, admit Paula. Mais je ne suis pas certaine que cela aurait marché, entre eux. Ils se ressemblent beaucoup trop.

Paula se pencha par-dessus la table basse et poursuivit :

— Je suis très favorable à Jean-Claude. Je suis persuadée que Tessa a besoin d'un homme plus âgé, qui lui offre amour et soutien, mais je ne crois pas qu'ils se marieront.

— Tu crois qu'elle privilégiera sa carrière ?

Comme Paula ne répondait pas, Shane insista :

— Allons, Paula, tu sais bien que c'est vrai ! Tessa est très ambitieuse et elle l'a toujours été. Elle veut diriger les magasins Harte et elle a bien l'intention d'y parvenir. Il est probable que Jean-Claude ne prendra que la seconde place dans ses priorités.

— Tout ce que tu dis est exact, mais c'est à lui que je pensais. Il ne voudra peut-être pas l'épouser.

— Tes intuitions sont aussi valables que les miennes, à ce propos, cependant il y a une chose que je sais. Tessa paraît fragile, voire délicate. On pourrait croire qu'elle a besoin d'être protégée, mais elle possède une grande force intérieure et je l'ai toujours sentie très solide, en réalité. Elle n'est pas une Harte pour rien.

— C'est vrai. J'ai d'ailleurs remarqué qu'elle se revendique en tant que telle, ces temps-ci. Il n'y a pas si longtemps, elle prétendait être une Fairley... Quelle volte-face !

— Je sais. D'un autre côté...

— Je vous dérange ? demanda Linnet depuis le seuil de la pièce.

Sans attendre la réponse de ses parents, elle entra et, après avoir embrassé sa mère sur la joue, elle se laissa tomber sur le canapé près de son père, qu'elle serra dans ses bras.

— Je ne suis là que pour quelques minutes, précisa-t-elle. Je sais combien vous appréciez ce moment d'intimité.

— Exact, répliqua Shane en la couvant d'un regard affectueux.

Il ne pouvait s'empêcher de penser qu'aujourd'hui elle ressemblait beaucoup à Emma Harte. Elle portait un pull et un pantalon rouge. Cette couleur, la préférée d'Emma, lui seyait autant qu'à son arrière-grand-mère.

— Je parie que Margaret vous a raconté que j'avais invité tante Edwina et oncle Robin à dîner... C'est une telle bavarde !

— Elle l'a mentionné en passant, répondit Paula. J'ignore pour quelle raison tu l'as fait, à moins que ce ne soit uniquement par gentillesse.

— Il y a bien une raison, maman. J'ai besoin de parler seule à seule avec Edwina, avant l'arrivée de Robin. Je dois lui expliquer pourquoi elle doit l'amener à la raison.

Paula parut étonnée.

— A quel sujet ?

— Au sujet du séjour de la famille Hughes à Lackland Priory, pendant les festivités du mariage. Ça risque d'amener plus d'ennuis qu'autre chose.

— Pourquoi ? demanda Shane.

Paula comprit en un éclair.

Jonathan, pensa-t-elle, c'est en rapport avec lui. D'une manière ou d'une autre.

La consternation lui infligea un choc dans la poitrine. Elle se pétrifia sur son siège, comme toujours bouleversée lorsqu'il s'agissait de son traître de cousin.

— Jack Figg m'a appelée ce matin pour me dire que Jonathan Ainsley se trouve dans sa maison de Thirsk, expliqua Linnet. Jack pense qu'il peut très bien passer voir son père et tomber sur Owen Hughes, c'est-à-dire son demi-frère. Jack estime que cette rencontre peut s'avérer dangereuse.

— Seigneur, c'est tout à fait possible ! s'exclama Shane, qui semblait alarmé.

Paula s'abstint de tout commentaire.

— Tu n'as pas discuté avec Jack, maman ? Il m'a dit qu'il comptait t'appeler.

Elle secoua la tête.

— J'ai été à Beck House toute la journée, avec tante Emily. Je crois que j'avais éteint mon portable, aussi Jack n'a-t-il pas pu me joindre, s'il a essayé. Mais j'aurais pu parler à oncle Robin, Linnet. D'ordinaire, il écoute mon avis.

— Mais tu as suffisamment à faire avec l'organisation du mariage et la réception. J'ai pensé qu'Edwina était l'autre personne la mieux placée pour le convaincre qu'il vaudrait mieux qu'ils habitent ailleurs.

— Je comprends.

— J'aurais dû passer à Beck House, aujourd'hui, mais Julian et moi avions d'autres choses à faire. J'aurais pu tout t'expliquer là-bas.

— Ce n'est pas grave, ma chérie.

— Mais où habiteront-ils, s'ils ne sont pas chez Robin ? demanda Shane.

— J'ai pensé qu'ils pourraient aller chez tante Emily et oncle Winston... Après tout, c'est leur fils qui épouse la fille d'Owen. Et il y a beaucoup de chambres, à Allington Hall. Il y a même de la place pour les adoptées.

— Les adoptées ! s'étrangla Shane. Quelle façon bizarre de désigner les sœurs d'Evan ! Puisque je suppose que c'est à elles que tu fais allusion ?

— Les sœurs *adoptives*, papa, rectifia Linnet.

— Fais attention aux mots que tu utilises, remarqua Paula. Tu ne dois pas te montrer désagréable envers elles.

— Tu n'as pas l'air de les apprécier, reprit Shane. D'ailleurs, j'ignorais qu'elles étaient déjà arrivées.

— Seule Angharad est arrivée, précisa Linnet. Je l'ai trouvée bizarre, papa.

— Je vois. Ta mère a raison, Linnet. Fais attention à la façon dont tu parles de ces jeunes filles en public. Et quand tu t'adresses à n'importe qui d'autre que nous, d'ailleurs.

— Oui, papa... J'espère que tu ne m'en veux pas d'avoir pris la direction des opérations, maman ?

— Bien sûr que non.

— Tu deviens une vraie Margaret Thatcher, Linnet ! railla Shane.

— Toutes les femmes du Yorkshire sont des Margaret Thatcher lorsqu'il le faut, papa. Autoritaires et tyranniques. Tu le sais forcément.

Shane éclata de rire.

— Tu es incorrigible !

Les yeux de Paula allèrent de son mari à sa fille et elle sourit. Elle ne devait plus penser à Jonathan Ainsley et aux ennuis qu'il pouvait susciter, songea-t-elle. Et elle n'avait pas non plus envie d'affronter Robin.

Plutôt soulagée, elle déclara d'une voix égale :

— Je suis sûre que Jack a raison de vouloir les loger ailleurs que chez Robin, Linnet, et je te remercie de t'en occuper. Puisque tu as commencé, je te laisse continuer. Charge-toi de parler à Edwina et à Robin, ce sera avec ma bénédiction.

— Oh, merci, maman ! Je suis contente que tu sois d'accord. Bon, eh bien, je ferais mieux d'aller me changer, si je veux être présentable pour le dîner.

Se levant d'un bond, elle envoya des baisers à ses parents et disparut.

Lorsqu'ils furent seuls, Shane se leva à son tour et se planta devant la cheminée.

— J'ai l'impression qu'elle ressemble à Emma chaque jour davantage, déclara-t-il. Elle est plutôt futée.

Paula rejoignit son mari, passa un bras autour de sa taille et posa sa tête sur son épaule.

— Je sais qu'elle est intelligente, vive et rapide, tu n'as pas à me le dire. Et oui, elle est comme grand-mère. Cela me fait tout drôle, quelquefois...

Paula se tut un instant, puis elle reprit doucement :

— Il me semble parfois que j'entends ma grand-mère. C'est comme si elle s'était réincarnée dans ma fille.

En Celte mystique qu'il était, Shane ne s'étonna pas de cette remarque.

— Peut-être est-ce le cas, répliqua-t-il.

— Le spectre de Jonathan Ainsley plane toujours au-dessus de nos têtes, murmura Paula.

Sa voix mourut et elle se serra contre lui.

— Efforçons-nous de ne pas dramatiser, répondit Shane. Il possède une maison dans le Yorkshire, il est donc assez logique qu'il y séjourne de temps à autre.

— Mais pourquoi juste au moment où nous célébrons un mariage ? Il veut nous faire du mal, tout comme il le voulait quand Linnet et Julian se sont mariés.

— Ce n'est qu'une coïncidence, dit Shane pour l'apaiser.

Mais il ne put s'empêcher de penser qu'il se trompait peut-être. A cet instant, un coup frappé à la porte l'arracha à ses pensées. Avant que Paula ou lui-même eussent répondu, Tessa entra, suivie de Jean-Claude.

Shane et Paula s'écartèrent vivement l'un de l'autre.

— On m'a dit que tu préparais un délicieux ragoût d'agneau pour le dîner, ma chérie, dit Paula.

Tout en parlant, elle leur sourit et leur fit signe d'approcher.

— Comment allez-vous, Jean-Claude ? demanda-t-elle en allant à sa rencontre.

Shane l'imita, tendant la main au Français. Une fois qu'ils eurent échangé les politesses d'usage, Tessa déclara :

— J'espère que nous ne vous avons pas dérangés ?

— Pas du tout, répliqua Paula. Approchons-nous du feu.

Une fois qu'ils furent assis, Tessa regarda sa mère, puis Shane.

— Nous sommes fiancés, dit-elle.

Paula parut surprise.

— C'est merveilleux ! Toutes mes félicitations à vous deux.

— Merci, dit Jean-Claude. Je suis content que vous approuviez notre projet.

— Bien sûr ! s'exclama Shane. Nous sommes ravis !

Tessa adressa un sourire radieux à ses parents, puis elle tendit la main pour leur faire admirer sa bague.

— Elle est magnifique, dit Paula. Eh bien... il semble que nous ayons quelque chose à fêter, ce soir. Nous allons avoir une agréable soirée, avec tous ces membres de notre famille qui viennent nous rendre visite. Je suis heureuse de vous souhaiter la bienvenue, Jean-Claude. Nous sommes ravis de vous accueillir parmi nous.

11

L'homme sortit la clef de sa poche, l'introduisit dans la serrure et la fit tourner. Il sourit lorsque la porte s'ouvrit facilement. Il la referma derrière lui après être entré dans la cuisine, qu'il balaya du regard.

L'après-midi était déjà bien avancé, aussi faisait-il assez sombre, mais il résista à l'envie d'allumer la lumière. Au lieu de cela, il gagna le hall d'entrée, ôta son manteau et le suspendit dans un placard, après quoi il traversa les pièces du rez-de-chaussée.

Parfois, il devait réprimer un éclat de rire, tandis qu'il se déplaçait, toujours aux aguets. Sa propre fourberie l'emplissait d'orgueil et de joie.

Paula O'Neill ferait une crise cardiaque si elle apprenait qu'il possédait une clef de la maison. Il en avait une au creux de la main et il la glissa dans sa poche, toujours souriant. Il possédait aussi une clef de la porte arrière de Pennistone Royal. Elle ferait une double crise cardiaque, si elle le savait. Son rire caverneux résonna dans la maison vide.

Comme il avait été malin, des années auparavant, lorsqu'il n'était encore qu'un adolescent ! A cette époque, il s'était fait faire des copies des clefs et personne ne s'en était aperçu, pas même sa rusée grand-mère. Et personne non plus n'avait jamais songé à changer les serrures de Pennistone Royal, ni celle de Heron's Nest, à Scarborough, où il se trouvait à cet instant.

Stupides, se dit-il, mes stupides cousins sont réellement

stupides. Paula O'Neill tout particulièrement. Elle devrait se montrer un peu plus avisée…

Il fallait changer les serrures de temps à autre, prendre des précautions contre les gens comme lui. Même Jack Figg était un imbécile. Comme s'il n'avait pas su que Jack Figg le faisait suivre ! Et il était si facile de déjouer une filature !

Dans toutes les pièces, les meubles étaient recouverts de draps, les rideaux tirés, ce qui conférait à l'endroit un charme spectral et mystérieux. Il n'en était pas troublé. Il ne croyait pas aux forces surnaturelles et, de toute façon, il possédait des nerfs d'acier. Rien ne pouvait l'effrayer.

En montant l'escalier, il remarqua une fois de plus combien la maison était propre, grâce aux bons soins de la gardienne, qui passait une fois par semaine pour vérifier le chauffage central et la plomberie. Bien que la maison fût peu utilisée par la famille, surtout en hiver, Paula O'Neill s'assurait qu'elle restait en excellent état. C'était sans doute une sorte de ridicule hommage envers Emma Harte, qui avait aimé cette demeure et l'avait préférée à toutes ses autres maisons de vacances.

En entrant dans la chambre qui avait été la sienne lorsqu'il était jeune garçon, il ne lui vint pas à l'idée que sa cousine aimait Heron's Nest autant que leur grand-mère et que cette maison recelait beaucoup de souvenirs chers à son cœur. Il était fort ignorant lorsqu'il s'agissait des sentiments.

Jonathan Ainsley écarta le rideau et se tint un instant devant la fenêtre, regardant les jardins et la mer, qui s'étendait à l'infini. Heron's Nest se situait en haut d'un petit promontoire et il avait toujours estimé que sa chambre offrait l'une des meilleures vues de la maison.

La mer scintillait sous le soleil pâle, cet après-midi-là. Elle était lisse, à peine ridée, et elle avait cette patine gris-vert qui lui rappelait la surface lustrée du jade ancien. Il enfonça machinalement la main dans sa poche. Ses longs doigts s'emparèrent d'un morceau de jade qu'il croyait lui avoir été envoyé par un dieu chinois : il avait été béni par une femme belle et charismatique, Jasmine Wu-Jen. Il évoquait son image, maintenant. Elle lui avait manqué pendant son séjour à Paris et à Londres.

Parfois, il avait envisagé de la faire venir de Hong Kong, mais il avait toujours changé d'avis à la dernière minute. Elle ne s'adapterait pas, ici. Elle était trop exotique, trop différente, trop dérangeante. Mieux valait qu'elle restât là où elle était : dans sa maison, sur le Peak, dominant la cité grouillante qu'il avait toujours aimée, une maison qu'il lui avait offerte lorsqu'elle était devenue sienne.

Se détournant de la fenêtre, il laissa ses yeux errer dans la pièce, reconnaître toutes les possessions de son enfance. Il ne les avait jamais reprises, préférant au contraire les laisser intactes ici, sur les étagères. Nombre d'entre elles étaient des objets insignifiants. Des galets aux formes étranges, des coquillages trouvés sur la plage, une vieille lampe de mineur en cuivre, un petit oiseau empaillé dans une cage de verre, une jarre remplie de billes et une pièce de monnaie romaine qu'il avait trouvée dans la lande, au-dessus de Scarborough. Adolescent, il la considérait comme la plus belle pièce de sa collection.

Il aimait encore marcher dans la lande ou longer la mer, comme lorsqu'il était enfant. Il adorait l'histoire, à cette époque, et il lui avait été facile d'imaginer les combats et les escarmouches qui avaient eu lieu parmi les collines ou sur la mer, ces affrontements sanglants qui faisaient partie de l'histoire de cette île sur laquelle il était né.

Se retournant vers la fenêtre, il regarda dehors, songeant au temps passé, quand tant de luttes avaient eu cette terre pour témoin. Souvent, d'ailleurs, des luttes familiales. Frère contre frère, cousin contre cousin, lorsque les enjeux étaient d'importance, comme le trône d'Angleterre. Les maisons de York et de Lancastre s'étaient affrontées en des combats mortels, les cousins s'étaient battus pour remporter le pouvoir ultime : la couronne d'Angleterre. Le trophée le plus étincelant.

Il n'y a rien de nouveau sous le soleil, songea-t-il soudain. Je suis prêt à combattre Paula O'Neill pour obtenir ce que je veux.

Il ne s'agissait plus pour lui de s'emparer des magasins Harte. Il savait que c'était impossible. Mais il pouvait encore se venger en détruisant les êtres qui étaient chers à Paula. Son mari Shane, autrefois ami de Jonathan, ses enfants, et bien entendu, ce joyau, Adèle Longden, sa seule petite-fille.

Une bouffée d'amertume lui monta dans la gorge lorsqu'il évoqua Mark Longden. Quel temps il lui avait fait perdre ! Il manquait de tripes. Jonathan était persuadé que c'était Mark qui l'avait trahi, en novembre. Il avait dû raconter à Jack Figg qu'une bande de loubards allaient se déverser dans le village de Pennistone Royal et faire des ravages le jour du mariage de Linnet O'Neill et de Julian Kallinski. Le plan avait failli réussir et il aurait été couronné de succès si Mark n'avait pas craqué.

La femme ralentit au bout de la vieille route, s'engagea dans un sentier poussiéreux et se gara sous un arbre centenaire. En sortant de sa voiture, elle jeta un coup d'œil à cet arbre, si ancien que ses racines émergeaient de terre comme des doigts noueux qui se seraient agrippés à la vie. Il n'avait pas changé, songea-t-elle, il était resté tel qu'elle l'avait vu dans son enfance, lorsqu'elle était venue là pour la première fois avec sa mère.

Elle s'éloigna de la voiture et traversa la route. L'endroit était désert, cet après-midi-là, mais il faisait froid et un vent mordant soufflait de la mer. Peu de gens s'aventuraient dehors par un temps comme celui-ci, même pas les propriétaires de chiens.

En montant la pente, la femme aperçut la maison, au loin, sur son petit promontoire. Elle marcha d'un bon pas dans cette direction, sur le sentier qui dominait la mer du Nord. Plus bas, les vagues s'abattaient sur les rochers, provoquant des tourbillons d'écume. Mais, au large, la mer était lisse et calme, elle étincelait comme du verre sous les pâles rayons du soleil. Sa surface d'un gris-vert reflétait le ciel sombre.

Le sentier menait au portail derrière la maison, et il lui fallut exactement neuf minutes pour y parvenir. Lorsqu'elle était enfant et trottait près de sa mère, elle mettait le double de temps.

C'était une femme grande et mince, avec une masse de cheveux noirs et bouclés, noués en queue-de-cheval. Ses yeux noirs comme le charbon brillaient, sous des sourcils à l'arc parfait. Elle avait un front large, un nez fin et un long cou. Bien qu'elle ne fût pas belle, au sens classique du terme, elle était séduisante et ne manquait pas d'attirer l'attention.

Lorsqu'elle était enfant, ses amis l'avaient surnommée la Gitane, à cause de son teint mat et de ses cheveux d'un noir de jais. Sa complexion évoquait les femmes tsiganes qui traversaient la région, allant de foire en foire, ces femmes qui vivaient dans des caravanes et vous disaient la bonne aventure en regardant la paume de votre main, prédisaient votre avenir grâce à une boule de cristal ou encore à des feuilles de thé.

Mais elle n'était pas gitane. Elle était mi-écossaise, mi-irlandaise. Sa mère lui avait souvent dit qu'elle était une pure Celte, descendant en droite ligne des premiers Irlandais, eux-mêmes issus des marins espagnols naufragés, quand la Grande Armada avait coulé près des côtes d'Irlande, au temps d'Elisabeth.

Ses vêtements étaient aussi stupéfiants que son allure : élégants, chers et très colorés. Refusant les couleurs ternes, elle choisissait d'ordinaire des teintes vibrantes qui lui seyaient et la flattaient, tout en la distinguant des autres femmes.

Cet après-midi-là, elle était vêtue de pourpre, depuis son manteau de laine à col de fourrure, serré par une ceinture, jusqu'à ses bottes et son pantalon. En revanche, elle portait des gants rouges et une écharpe de cachemire assortie, qui flottait au vent.

Cette femme se nommait Priscilla Marney et elle avait grandi près de Scarborough, mais ces derniers temps elle vivait à Harrogate, où elle dirigeait l'entreprise qu'elle avait fondée.

Elle y pensait, tout en marchant, et s'inquiétait d'avoir laissé sa petite équipe affronter un samedi chargé. D'un autre côté, elle n'avait pas vu Jonathan la dernière fois qu'il était venu dans le Yorkshire. Par la suite, elle avait amèrement regretté de ne pas avoir fait un effort pour se libérer.

La veille, lorsqu'il lui avait téléphoné, de façon inattendue, il s'était montré plus persuasif et elle avait accédé à sa requête, incapable de lui résister.

Jonathan Ainsley.

Elle pensait à lui, tout en marchant d'un bon pas.

Depuis combien de temps se connaissaient-ils ? Elle réfléchit un instant.

Cela devait bien faire quarante ans, cela semblait impossible, mais elle savait que c'était vrai. En fait, elle l'avait connu presque toute sa vie et, maintenant qu'elle y réfléchissait, elle trouvait cela extraordinaire.

Ils s'étaient rencontrés lorsqu'ils étaient enfants, quand sa mère avait accepté d'être la secrétaire d'Emma Harte, durant les chauds mois d'été où elle se trouvait à Heron's Nest. Dès que les grandes vacances commençaient, Mme Harte y amenait ses petits-enfants. Elle leur apprenait à se débrouiller seuls. La plupart d'entre eux appelaient d'ailleurs la propriété le « Camp d'entraînement d'Emma ». Chacun d'entre eux lui avait confié que leur grand-mère était dure, ou exigeante, ou encore excessivement sévère. Ils avaient tous un point de vue différent, mais ils adoraient tous « Grandy », comme ils l'appelaient.

A cette époque, Priscilla avait un béguin d'écolière pour Jonathan et il en éprouvait autant à son égard, si bien qu'elle avait perdu sa virginité dans ses bras, à l'âge de quatorze ans, quand lui-même n'était pas beaucoup plus âgé. Ils avaient découvert le plaisir ensemble et ils y mettaient tout leur cœur, ainsi qu'il le disait.

Par la suite, ils s'étaient vus de temps à autre et ils avaient fait l'amour. Il s'était marié avec Arabella Sutton, avait divorcé et ne s'était pas remarié. De son côté, elle avait convolé deux fois. Son premier époux, Conner Mallone, avait été tué par un bus, à Manchester, où il se rendait pour son travail. Elle était séparée du second, Roger Duffield, du moins pour le moment.

Roger la suppliait de reprendre la vie commune. Elle

repoussait ses avances, car elle n'avait pas été heureuse avec lui. Récemment, elle avait commencé à penser que la vie de célibataire lui convenait mieux. La fille qu'elle avait eue de Conner, Samantha, âgée d'une vingtaine d'années, était d'accord avec elle et l'encourageait à être une « femme libre », ainsi qu'elle le disait.

Priscilla avait bien conscience que sa relation avec Jonathan ne durerait pas éternellement, mais les vieilles habitudes sont tenaces et elle se réjouissait de le retrouver en secret pour connaître les plaisirs de la chair à Heron's Nest, où ils s'étaient aimés pour la première fois.

Elle en était tout émoustillée et elle savait que Jonathan était excité, lui aussi. Il y avait autre chose qu'ils appréciaient, tous les deux : le fait que leur liaison était la plus longue qu'ils eussent jamais connue.

A quelques mètres de la maison, Priscilla prit son portable et composa le numéro de Jonathan.

— Allô ? fit-il brièvement.

— C'est moi. Je suis tout près du portail de derrière.

— La porte de la cuisine est ouverte, je suis en haut, dit-il avant de raccrocher.

Priscilla referma la porte, traversa la cuisine et pénétra dans le hall d'entrée. Il y faisait presque sombre, mais elle n'osa pas allumer. La gardienne n'habitait pas très loin et Jonathan craignait constamment qu'elle ne vît les lumières, ce qui ne manquerait pas de l'étonner, puisque la maison était fermée en hiver.

Elle sortit une petite torche de sa poche, l'alluma et se dirigea vers l'escalier. Lorsqu'elle parvint sur le palier, elle vit Jonathan, dans le couloir, et elle lui adressa un sourire radieux.

Souriant aussi, il vint à sa rencontre, la fixa un instant, puis il la prit dans ses bras et la serra très fort contre lui. Ils s'agrippèrent l'un à l'autre pendant un long moment.

— C'est bon de te revoir, Priss chérie. Tu es ravissante.

Tout en parlant, il l'écarta de lui pour l'examiner encore.

C'était vrai, elle était dans une forme merveilleuse, bien habillée, bien maquillée. Il aimait les femmes élégantes.

— Merci, mais je te retourne le compliment, Jonny. Tu es éblouissant. Je t'ai toujours dit que Hong Kong te convenait parfaitement.

Sans répondre, il la prit par le bras et l'entraîna le long du couloir, jusqu'à sa chambre.

— On dînera ensemble, plus tard, tu veux bien ? demanda-t-il.

— Mon Dieu, Jonny, je ne sais pas... Mes employés sont seuls et nous sommes surchargés.

Il poussa la porte et la fit entrer.

— Tu ne peux pas leur passer un coup de fil ?

— Si.

— Alors, fais-le maintenant... Ensuite nous pourrons nous détendre, dit-il en lui jetant un coup d'œil significatif.

Docile, elle appela son bureau sur son portable.

— Tout va bien, Priscilla, lui déclara son assistante. Vous n'avez aucune raison de vous presser, nous nous débrouillerons.

Lorsqu'elle annonça la bonne nouvelle à Jonathan, ce dernier s'épanouit et s'écria :

— Devine où je vais t'emmener ! Au Grand Hôtel, à Scarborough.

— Seigneur ! Quelle drôle d'idée ! Comment cuisinent-ils, maintenant ?

— Je n'en sais rien, mais peu importe. Je veux t'y emmener en souvenir du bon vieux temps... Rappelle-toi comme nous avions l'habitude d'y faire des incursions, pour des petits thés un peu sophistiqués. Nous n'étions pas censés aller à l'hôtel seuls, mais nous adorions enfreindre les règles, n'est-ce pas ?

— C'est vrai, surtout quand nous y sommes retournés pour en enfreindre d'autres, répliqua Priscilla en lançant un coup d'œil plein d'envie en direction du lit.

Jonathan suivit la direction de son regard.

— Tu es pressée, hein ?

— Je suis toujours pressée quand il s'agit de toi, tout

comme tu l'es lorsqu'il s'agit de moi. Et pourquoi ne le serions-nous pas ? Cela fait longtemps que nous ne nous sommes pas vus.

S'approchant de lui, elle noua ses bras autour de son cou et l'embrassa sur la bouche.

Il répondit avec ardeur. Comme d'habitude, Priscilla l'enflammait au premier contact. Il se demanda si cette réaction était due au fait qu'elle était la première femme qu'il avait possédée. Il n'en était pas sûr, mais peu lui importait, car il n'avait pas le temps de s'attarder sur cette question. Il la voulait sous lui, dans ce lit étroit. Il voulait lui faire tout ce qu'il lui faisait du temps de leur adolescence, quand leurs hormones rugissaient et qu'ils s'arrachaient mutuellement leurs vêtements tant ils étaient pressés.

Il la déshabilla comme il l'avait fait tant de fois, jadis, l'aidant d'abord à ôter son manteau, puis son pull et ses bottes. Quelques instants plus tard, il était nu et la rejoignait sur le lit où elle l'attendait déjà.

Il s'étendit auprès d'elle et déposa un baiser sur sa joue, puis il la serra fort contre lui. Au bout d'un moment, il glissa une main entre eux, pour lui effleurer le ventre.

— Je me rappelle comme tu as sursauté, la première fois que je t'ai fait ça, lui murmura-t-il à l'oreille.

Ses doigts se glissèrent entre ses jambes et il se mit à la caresser doucement.

— Mais ensuite, continua-t-il, tu as gémi, tu m'as supplié de ne pas m'arrêter, n'est-ce pas ? Tout comme tu vas le faire dans un instant, n'est-ce pas, Prissy ?

— Oh, oui, oui, tu le sais bien !

Elle haleta, car il continuait de l'exciter. Il se pencha et embrassa l'un de ses seins, dont il lécha la pointe. Aussitôt, le corps de Priscilla s'embrasa.

J'ai cinquante ans, pensa-t-elle en un éclair, comment puis-je éprouver des sensations aussi fortes ? Je suis tellement chaude, tellement humide, tellement prête à le recevoir... C'est comme si j'avais quatorze ans, de nouveau !

131

Ouvrant les yeux, elle le regarda, tandis qu'il l'enjambait et glissait ses mains sous ses reins, pour la rapprocher de lui.

— Est-ce que c'est aussi bon que quand j'étais un jeune garçon ? lui demanda-t-il en la pénétrant.

— Oh, oui, Jonathan... oui...

Ils étaient assis au bar du Grand Hôtel, à Scarborough, et sirotaient des cocktails en se remémorant leur jeunesse. Ils n'avaient pas toujours eu l'occasion de boire ou de dîner ensemble, parce que d'autres engagements les appelaient le plus souvent. C'est pourquoi, par cette froide soirée de janvier, ils étaient heureux de pouvoir se détendre, prendre l'apéritif et partager un repas. Pour une fois, ils n'étaient pas obligés de se séparer après s'être passionnément donnés l'un à l'autre.

Ils parlèrent un moment d'eux-mêmes, de cette relation unique et de leurs vies en général.

Et puis, soudain, Priscilla déclara :

— Tes cousins étaient d'adorables gamins, autrefois, en particulier Shane et Paula.

Pris au dépourvu par cette allusion inattendue à sa famille, Jonathan répliqua sur un ton empreint d'amertume :

— Les femmes Harte ont toujours eu ce qu'elles voulaient.

Sa bouche se pinça, son regard se durcit. Priscilla lui lança un regard étonné.

— Tu t'exprimes bizarrement, Jonny. Qu'est-ce que tu as ? Tu désapprouvais le mariage d'Emily et de Winston ?

Comprenant qu'il avait failli se trahir, ce qui n'était pas souhaitable, il se força à émettre un rire chaleureux et dit d'une voix normale :

— Je m'en moque, Priss. Il semble que ce soit une habitude familiale, non ? Plusieurs de mes cousins se sont mariés entre eux.

Il haussa les épaules et, au prix d'un énorme effort, ajouta sur le ton le plus doux :

— Grâce à Dieu, ils ont tous trouvé le bonheur. Grandy serait contente si elle le savait.

— A propos de mariage, tu assisteras à celui de Gideon, samedi prochain ? questionna Priscilla avec curiosité.

— Malheureusement non. Je dois rencontrer mon associé français et sa femme, à Paris, le week-end prochain. Mais je reviendrai dans le Yorkshire et j'espère bien que nous aurons une autre occasion d'être ensemble.

Les yeux de Priscilla étincelèrent de bonheur.

— Oh, oui, Jonny, avec plaisir ! Quand reviendras-tu ?

— Le dimanche soir ou le lundi matin.

Tendant la main, elle s'empara de celle de Jonathan.

— On se retrouvera dans la maison ? demanda-t-elle avec empressement. J'adore te rencontrer à Heron's Nest... C'est si excitant, dans le noir, sans aucune lumière... Nous prenons des risques, parce que nous ne savons jamais si la gardienne passera. Mais surtout, c'est délicieux, à cause de nous et de notre jeunesse. Nous la retrouvons dans cette maison.

— Je comprends ce que tu veux dire... Et tu es une méchante fille, Priss, ajouta-t-il en se penchant pour murmurer à son oreille, bien plus vilaine et plus expérimentée que tu ne l'étais à cette époque... Oh, oui, une ravissante vilaine fille.

Rougissante, elle dit très bas :

— Et tu es très pervers... Un homme aux goûts pervers, mais j'aime ce que tu me fais.

Se redressant, Jonathan souffla :

— Ne nous retrouvons pas à la maison, la prochaine fois. C'est un peu dangereux. On ne sait jamais, la gardienne pourrait pointer le bout de son nez au mauvais moment. A propos de maisons, pourquoi ne viendrais-tu pas dans la mienne ? A Thirsk. Elle est presque terminée.

Prissy eut un sourire radieux.

— Oh, d'accord ! Ce serait merveilleux.

— Tu pourras venir dans l'après-midi. Le mercredi. Oui, fixons notre rendez-vous au mercredi, pour être sûrs que je serai revenu de France. Tu viendras de bonne heure et nous aurons le temps de nous livrer à nos petits jeux, avant d'aller dîner. Peut-être même aimerais-tu rester avec moi toute la nuit ?

Les yeux rivés à ceux de Jonathan, Priscilla s'appuya au dossier de sa chaise. Elle ne parvenait pas à croire à sa chance. Il l'invitait chez lui, il lui demandait de passer la nuit avec lui. Elle avait l'impression que leur relation prenait un tournant. Est-ce que cela les mènerait plus loin ? Elle le fixait avidement, comme pour graver chaque détail dans sa mémoire. Sa prestance, son beau visage, ses yeux étincelants d'intelligence... Et ses vêtements parfaitement coupés. Cette veste de sport en cachemire et ce pantalon de fine gabardine. Tout ce qu'il portait était cher, de première qualité. Lui-même était de première qualité. Il menait la belle vie. Pourrait-elle la partager avec lui ? Pourquoi pas ?

— Alors, Prissy ? Tu voudras bien passer la nuit avec moi ?

— Bien sûr, Jonny. J'adorerais ça.

— Je regrette de ne pouvoir assister au mariage, déclara-t-il, revenant soudain à leur conversation précédente. Malheureusement, je ne me trouverai pas dans le Yorkshire, ainsi que je te l'ai dit. De toute façon, je n'aime pas les cérémonies du matin.

— Tu fais erreur, Jonathan ! Gideon et Evan se marient dans l'après-midi. A 14 heures, très exactement.

— Comment ai-je pu l'oublier ? Mais de toute façon, je serai encore à Paris.

— Et tu manqueras aussi la réception, qui aura lieu à Pennistone Royal ? Ainsi que la fête qui se déroulera après le buffet ? Quel dommage !

— En effet.

Jonathan réprima un sourire satisfait. Grâce à Prissy, il savait maintenant que la réception et le buffet se tiendraient dans cette pile de pierres qui avaient appartenu à sa grand-mère, et non dans la maison de son père. Priss était une mine de renseignements. Il comptait bien la gaver encore d'alcool et de sexe, pour voir ce qu'il pourrait glaner d'autre.

12

Dès qu'elle aperçut le plus âgé et le plus important des membres de la famille, Linnet traversa le hall en courant.

— Tante Edwina ! Merci d'arriver si tôt !

Linnet saisit la main de la vieille dame, puis elle se pencha pour l'embrasser sur la joue.

— J'ai pensé qu'il valait mieux prendre l'avantage dès le début, c'est-à-dire que nous ayons une petite conversation seule à seule, toi et moi, dit Edwina en lançant à Linnet un coup d'œil entendu.

Souriante, Linnet glissa une main sous le coude de sa tante et la conduisit jusqu'à la cheminée.

— Tu es très belle, dans cet ensemble pantalon, tante Edwina. Ce bordeaux te va très bien.

Edwina parut contente.

— Merci, ma chérie. Il s'est trouvé que c'était le seul vêtement de toute ma garde-robe qui ne soit pas « chichiteux », hormis quelques pulls. Et comme tu m'avais dit qu'il s'agissait d'une soirée sans chichis…

— C'est ce que j'ai dit, en effet, et tu es parfaite. Tu veux quelque chose à boire ?

— J'apprécierais une goutte de champagne, si tu en as à portée de main.

Linnet lui sourit et s'approcha de la table sur laquelle étaient disposées les bouteilles d'alcool.

— Bien sûr ! s'exclama-t-elle. Du Pol Roger, ça te dit ?

— Tout à fait, merci.

Edwina s'était assise dans un fauteuil, près de la cheminée. Elle observait Linnet, qui remplissait deux coupes.

Nette et soignée, pensa-t-elle, décidément, elle sait s'habiller.

Ce soir, Linnet portait une chemise de soie blanche à manches longues, un pantalon de soie noire et un cardigan de laine noire, posé sur les épaules. Plusieurs rangs de perles pendaient à son cou.

Fausses, décida Edwina.

Mais elle savait que les boucles d'oreilles étaient vraies, puisqu'elle les lui avait offertes avant son mariage. Oui, c'était une jeune femme élégante. A tous points de vue.

Linnet revint près de la cheminée, portant deux flûtes de champagne, et elle en tendit une à sa grand-tante. Elles trinquèrent, puis Linnet prit place en face de la vieille dame.

Après avoir avalé une gorgée de champagne, Edwina déclara :

— Et maintenant, ma chérie, venons-en au fait. De quoi s'agit-il ?

— Il s'agit de Jonathan Ainsley, comme je te l'ai dit au téléphone. Jack Figg m'a appelée ce matin pour me dire qu'Ainsley se trouve dans le Yorkshire, à Thirsk. Son arrivée soudaine, juste avant le mariage d'Evan, rend Jack nerveux. Il pense que Jonathan est là pour nous causer des ennuis.

Edwina plissa légèrement les yeux.

— Il en est bien capable, répliqua-t-elle. Cependant, il ne fera rien de trop stupide... Ce n'est qu'une petite frappe, et comme toutes les petites frappes, il est lâche. Tu ne crois pas ?

— Je suis d'accord avec toi. Il est clair qu'il n'entreprendra rien lui-même, parce qu'il est lâche, effectivement. Mais il engagera quelqu'un d'autre...

Linnet se tut un instant, puis expliqua :

— Jack a découvert qu'il comptait semer la pagaille à mon propre mariage, en dépêchant une bande de loubards dans le village de Pennistone. Qui sait ce qu'il les avait chargés de faire ! Je ne l'ai appris que récemment, bien sûr, car Jack ne voulait pas m'effrayer.

— Et Jack pense que Jonathan pourrait tenter la même chose dimanche ? s'enquit Edwina d'une voix troublée.

— Peut-être pas exactement la même chose, mais il estime que Jonathan rendra certainement visite à son père, pendant qu'il est dans la région. Et il rencontrera inévitablement Owen Hughes et sa famille, s'ils se trouvent à Lackland Priory. C'est ce que je voulais t'expliquer, tante Edwina. Il ne faut pas qu'ils habitent chez oncle Robin. Ils doivent être reçus ailleurs, pour éviter une confrontation.

— Je crois que tu as raison, Linnet, dit Edwina en regardant sa petite-nièce droit dans les yeux, même si je ne vois pas très bien ce qu'il peut leur faire, sinon se montrer grossier envers eux. Il ne peut pas les tuer dans leurs lits... Je ne l'ai jamais apprécié. C'était un garçon bizarre, enclin au mal la plupart du temps, et ne va pas t'imaginer que ma mère l'ignorait. Emma a toujours su qui il était, c'est la raison pour laquelle elle a rédigé son testament comme elle l'a fait.

Dressant l'oreille, Linnet se pencha en avant, ses yeux verts braqués sur Edwina.

— Qu'est-ce que Grandy pensait de lui, exactement ?

— Elle disait que c'était un traître, et elle se trompait rarement à propos des gens. Mais revenons à nos moutons et élaborons un plan d'action avant l'arrivée de Robin. Si Lackland Priory n'est pas assez sûr pour Owen Hughes et sa famille, qu'est-ce que tu suggères ? Où peuvent-ils aller ?

— A Allington Hall. Emily et Winston seront ravis de les accueillir. Après tout, leur fils épouse la fille d'Owen... Je suis certaine qu'ils seront heureux de les recevoir. Et s'ils n'ont de place que pour Marietta et Owen, les adoptées peuvent rester chez Robin. Ou bien elles pourraient aller chez toi, à Niddersley. Qu'est-ce que tu en penses ?

— Seigneur, Linnet, je n'en pense rien pour l'instant ! Je suppose que, par ce terme « adoptées », tu désignes les sœurs d'Evan ?

— C'est ça. Je dois te faire une confidence : celle que j'ai rencontrée ne m'a pas plu du tout. C'est la plus jeune et elle est plutôt bizarre, à mon avis.

— Angharad... Un prénom à coucher dehors ! marmonna Edwina.

— C'est gallois.

Un sourire illumina le visage ridé d'Edwina, dont les yeux étincelèrent.

— Oui, je sais. Glynnis Hughes adorait les prénoms gallois. Elle était très galloise elle-même, d'ailleurs, très imprégnée des coutumes celtiques. A un certain moment, nous étions très proches, toutes les deux. Elle me plaisait et sans doute...

Edwina s'interrompit et secoua la tête.

— ... sans doute ai-je été la personne qui les a aidés à poursuivre leur histoire d'amour, conclut-elle.

— On m'a raconté l'histoire de Glynnis et de Robin. J'ai appris qu'ils ne s'étaient jamais vraiment quittés, qu'ils s'étaient aimés pendant cinquante ans. Evan me l'a dit quand je suis revenue de New York. Plutôt romantique, non ?

Edwina hocha la tête.

— Plutôt, en effet, mais difficile et risqué. Ils ont failli se faire prendre à plusieurs reprises.

— Ils auraient pu divorcer et se remarier, il me semble que c'était la meilleure chose, déclara Linnet.

Elle s'exprimait comme l'aurait fait la très pragmatique Emma Harte, pensa Edwina, qui lui confia :

— Glynnis ne voyait pas les choses de cette façon, ma chérie. C'est elle qui ne voulait rien bouleverser, en ce qui concernait leurs unions respectives du moins. Elle a exigé de Robin qu'il reste avec Valérie. Elle craignait de ruiner sa carrière politique, tu comprends ?

— Cette liaison aurait vraiment suscité un tel scandale ? demanda Linnet avec curiosité.

— Absolument. Il aurait dû abandonner son siège, quitter le Parlement.

— Eh bien ! Cela ne se produirait plus de nos jours ! Les politiciens mènent la vie qu'ils veulent et personne ne s'en soucie. Ils peuvent pratiquement commettre des meurtres sans être inquiétés.

— C'est ainsi maintenant. Mais autrefois, il en allait tout

autrement. C'étaient les années cinquante et les choses étaient très différentes. Les gens n'étaient pas aussi laxistes qu'aujourd'hui. Le fait le plus anodin pouvait tourner au scandale et causer d'énormes dégâts. Mais revenons à la famille Hughes... Je ne vois pas pourquoi Emily ne les recevrait pas tous. Mais s'il y a le moindre problème, tu sais que les deux jeunes femmes pourront venir chez moi, à Niddersley House.

— Merci, tante Edwina, tu es adorable !

Linnet s'appuya au dos de sa chaise et sirota son champagne, beaucoup plus détendue. Imaginant la rencontre d'Angharad et d'Edwina, elle réprima un éclat de rire. Edwina inspirerait à cette fille une terreur mortelle. Enfin... ce n'était pas certain. Il y avait quelque chose, chez la sœur d'Evan, qui troublait Linnet, mais elle ne parvenait pas à mettre le doigt dessus. Un mot s'imposa brusquement à elle : *intrigante*. Oui, c'était ce qu'elle était. Linnet devinait que cette fille était non seulement manipulatrice, mais aussi opportuniste et hypocrite.

Je dois parler d'elle avec Gideon, songea-t-elle. Je lui demanderai ce qu'il pense d'Angharad Hughes.

Elle avait le sentiment que son cousin n'avait pas beaucoup apprécié la sœur d'Evan.

Un bruit de pas, de l'autre côté du hall, attira son attention. Se penchant en avant, Linnet annonça à sa tante :

— C'est oncle Robin. Il est plutôt en avance.

Elle posa son verre, se leva et murmura encore, en insistant sur chaque mot :

— Tu dois lui faire comprendre qu'ils ne peuvent pas rester chez lui.

Edwina inclina la tête.

— Je sais ce que je vais lui dire, dit-elle très bas. Fais-moi confiance.

— Nous sommes là, oncle Robin ! s'exclama Linnet.

Souriante, elle alla à la rencontre du vieil homme. Ils se rejoignirent au milieu du hall et, après avoir embrassé son oncle sur sa joue, elle demanda :

— Qu'est-ce que tu veux boire ? Scotch ? Champagne ?

— Je boirais volontiers une coupe de champagne, merci. Je

suis content de te voir, Linnet, surtout en si bonne forme. Tu es rayonnante.

En approchant du feu, il interpella sa sœur :

— Bonsoir, Edwina, je vois que tu es arrivée avant moi. Comme toujours : « Rien ne sert de courir, il faut partir à point. »

Linnet les laissa seuls un instant et resta devant le bar, à verser du champagne dans la flûte de cristal de son oncle. Robin avait été le fils préféré d'Emma, tout comme il avait été le frère préféré d'Edwina. Longtemps auparavant, au temps où Paula lui racontait l'épopée familiale des Harte, elle lui avait rapporté qu'Edwina était toujours au côté de son frère lorsqu'il s'agissait de l'épauler. Linnet adorait écouter ces histoires, elle s'en délectait et elle était très fière d'être une Harte. Elle se réjouissait tout particulièrement d'être le portrait craché d'Emma, ainsi qu'on le lui répétait souvent.

La jeune femme remit la bouteille de Pol Roger dans le seau à glace, puis elle apporta la flûte à Robin, qui s'était assis sur le canapé pour discuter avec sa sœur.

— A votre santé ! dit-il en soulevant sa flûte, d'abord en direction d'Edwina, puis de Linnet.

— A ta santé, répliquèrent-elles en chœur.

— Cul sec ! ajouta Edwina de sa voix sonore.

Tout en avalant une bonne gorgée de Pol Roger, elle songea qu'elle n'en buvait que dans cette maison, à Pennistone Royal.

Jetant un regard à son frère, elle dit lentement :

— Je me demande pourquoi notre mère appréciait tant le Pol Roger. Je jurerais que cela avait un rapport avec son frère Frank.

— Non. Cela avait à voir avec Churchill, rectifia Robin. C'était son héros et, apparemment, le Pol Roger était son champagne favori, aussi est-il devenu aussi le préféré d'Emma.

Edwina prit un air triomphant.

— Exact, mais cette version est incomplète. Son frère connaissait Winston Churchill. Rappelle-toi, il était journaliste

140

et il écrivait constamment à son propos, bien avant que Churchill ne devienne Premier ministre. C'était à cause de son frère qu'Emma stockait du Pol Roger, parce qu'il lui avait dit que c'était le seul que Winston appréciait. Si je me souviens bien, Frank aimait aussi en boire.

— Je m'incline, Edwina, tu as une mémoire d'éléphant. Et tu as raison, pour ce qui concerne Churchill. Emma l'a rencontré pendant la guerre, dans un quartier détruit par les bombes allemandes. Elle ne nous a jamais laissés oublier qu'il lui avait serré la main et l'avait remerciée pour l'effort de guerre auquel elle contribuait.

— C'est vrai. J'habitais en Irlande, mais oncle Winston m'a raconté cette histoire.

Ils demeurèrent silencieux un instant, puis Robin s'éclaircit la gorge et dit :

— Quand tu m'as téléphoné pour m'inviter, Linnet, tu m'as demandé d'arriver de bonne heure. Je constate qu'Edwina a reçu la même consigne, aussi j'en déduis que tu as à nous communiquer une affaire concernant les Harte.

— Cela concerne les Hughes, oncle Robin. Et c'est avec toi que je souhaitais discuter. Je dois t'expliquer comment la situation évolue, et ensuite Edwina aura quelque chose à te dire.

L'air un peu surpris, Robin s'adossa aux coussins brodés. Les sourcils froncés, il regarda Linnet, puis Edwina. Comme ni l'une ni l'autre ne prenait la parole, il s'adressa à Linnet :

— Eh bien, venons-en au fait. Dis-moi ce que tu as derrière la tête.

— Sais-tu où se trouve Jonathan, en ce moment ?

— Il était à Londres, pour autant que je le sache, mais il doit se rendre à Paris avant de retourner à Hong Kong.

— Il se trouve dans le Yorkshire, oncle Robin, très exactement à Thirsk, dans sa nouvelle maison.

Il était manifeste que Robin l'ignorait et qu'il en était étonné.

— Je n'en avais aucune idée. D'habitude, il m'appelle à un moment ou à un autre, lorsqu'il est dans le Yorkshire, bien que nous ne soyons pas très proches. Depuis combien de temps est-il là ?

— Plusieurs jours. Jack Figg m'a téléphoné ce matin pour me le dire et il s'inquiétait, oncle Robin... Il pense que Jonathan peut agresser Owen ou Evan, s'il se trouve nez à nez avec eux.

— Cela ne peut pas se produire, voyons ! Comment les rencontrerait-il ?

— A Lackland Priory, dans ta maison. Tu insistes pour que les Hughes habitent chez toi et Jonathan peut très bien débarquer sans s'annoncer – pour te voir. Ou peut-être aura-t-il eu vent de leur présence, et ce tordu viendra exprès pour faire des histoires ou créer des ennuis. C'est sa nature et sa façon d'opérer.

— Tu as trop d'imagination, ma chérie ! Jonathan ne me rend pas souvent visite, je te l'ai déjà dit. D'autant plus que, maintenant, il sait que son héritage ne risque absolument rien. Il n'éprouve donc pas le besoin de me harceler. Quant à une confrontation avec Owen et Evan, il n'a rien à y gagner, alors pourquoi perdrait-il son temps ?

— Par jalousie, envie, perversité, ou tout simplement pour le plaisir de t'ennuyer, suggéra Linnet. Ou bien il peut souhaiter prendre sa revanche contre toi, parce que tu as eu l'audace d'avoir un autre fils. N'importe laquelle de ces hypothèses fera l'affaire, à mon avis.

— Je crois que tu dramatises un peu, Linnet, objecta-t-il de nouveau.

— Oncle Robin, est-ce que tu as oublié qu'Evan a failli être tuée dans un accident de voiture ? Une voiture qui t'appartenait. Une voiture qui a été sabotée, apparemment. Tu aurais pu perdre ta seule petite-fille, une femme qui porte tes arrière-petits-fils, au lieu de célébrer son mariage dans une semaine.

Robin se mordit la lèvre inférieure. L'espace de quelques instants, il demeura silencieux, semblant réfléchir.

Ce fut Edwina qui reprit la parole avec résolution :

— Tu ferais mieux d'écouter Linnet, Robin. Ce qu'elle te dit est sensé. Je soupçonne Jonathan de n'être dans le

142

Yorkshire que parce qu'il a appris le mariage de Gideon. Je n'ai pas confiance en ton fils, je n'ai jamais eu confiance en lui, pas plus que notre mère. Elle le considérait comme un traître démoniaque. En tant qu'aînée et membre le plus âgé de la maison, j'insiste pour que tu modifies tes projets à propos de la famille Hughes. Tu ne peux pas les recevoir, en tout cas durablement. C'est un jeu dangereux et, en agissant ainsi, tu tenterais le sort. Jonathan peut surgir en un éclair et la bombe exploserait.

— Mais comment saurait-il qu'ils sont chez moi ?

— Il le saura ! s'écria Linnet. J'ai toujours pensé qu'il avait un espion dans notre camp, bien que personne ne veuille me croire.

— Ce ne serait pas cette affreuse secrétaire, au magasin de Leeds ? demanda Robin, le visage crispé par l'horreur.

— Pas Eleanor, non. Ne prends pas cet air inquiet, oncle Robin. Jonathan ne va pas l'épouser, leur liaison est terminée depuis bien longtemps. Il y a quelqu'un d'autre, bien que j'ignore qui. Mais ce qui est sûr, c'est qu'il a trouvé quelqu'un pour lui fournir pas mal d'information, à notre propos. Je voudrais bien savoir qui c'est.

— Jack pourra-t-il le découvrir ? demanda Edwina.

— Non, parce que nous ne savons pas par où commencer. Et nous avons depuis bien longtemps fait la liste de tous les suspects possibles. Mais un jour ou l'autre, il ou elle se démasquera. Pour l'instant, oncle Robin, il est certain que Jonathan sait déjà qu'Owen, Marietta et les adoptées arrivent dans le Yorkshire lundi prochain et qu'ils seront tes hôtes.

— Le terme « adoptées » ne me semble pas une façon très gentille de désigner ces jeunes filles, Linnet, marmonna Robin avec réprobation. Glynnis les aimait beaucoup.

Edwina pouffa.

— Tu plaisantes ! Elle ne se souciait que d'Evan, elle n'avait d'yeux que pour sa petite-fille biologique, parce qu'elle était une part de toi, et tu le sais très bien. N'oublie pas que tu n'as plus à faire semblant, Robin. Toute la famille sait que ta liaison avec Glynnis s'est poursuivie jusqu'à sa mort. L'arrivée d'Evan ne t'a pas surpris, car tu connaissais son existence et celle d'Owen. En ce qui le concerne, tu étais au courant depuis son enfance. Et maintenant, écoute-moi, mon cher...

Edwina se pencha et continua, sur un ton qui n'admettait aucune réplique :

— La famille Hughes doit être logée à Allington Hall, chez Emily et Winston. Et s'ils n'ont pas de place pour les deux jeunes filles, Angharad et Elayne peuvent habiter chez moi, à Niddersley. Point final. Nous n'allons pas discuter plus long-temps cette question.

— Mais je me faisais une joie d'être avec Owen, Edwina ! N'oublie pas que j'ai été privé de lui durant toute ma vie... Mon fils, le fils de la seule femme que j'aie jamais aimée. Je me réjouissais tellement...

— Ne fais pas ton vieil idiot sentimental ! s'exclama Edwina, non sans affection. Tu passeras à Allington pour voir Owen autant que tu le voudras. Et après le mariage, quand Jonathan sera reparti pour Hong Kong, tu pourras rendre visite à Owen. Il t'est possible de séjourner chez lui, en Amérique. Je ne vois pas ce qui t'en empêcherait.

— Je ne me sens pas assez bien pour envisager un voyage à New York, protesta Robin.

— Je te trouve en pleine forme, affirma Edwina en tapo-tant la main de son frère. Faisons en sorte que la cérémonie se déroule au mieux, sans problème d'aucune sorte. Une fois qu'Evan et Gideon seront mariés, tu pourras agir comme tu l'entendras avec Owen. Mon principal souci, pour l'instant, est ta petite-fille. Elle est la seule à pouvoir perpétuer ta lignée, et tu ne dois pas l'oublier.

— Très bien, répliqua Robin d'une voix résignée. Sans doute as-tu raison, Edwina. Je ne me rappelle pas que tu te sois trompée une seule fois, sauf quand tu as chassé maman de ta vie pendant des années. Evan est ce qui m'importe le plus. Nous devons... je dois d'abord la protéger.

— Merci, Robin, murmura Edwina, soulagée, en s'appuyant au dossier de sa chaise.

Linnet lui sourit et se détendit pour la première fois de la journée.

Le maintien empreint de majesté, comtesse jusqu'au bout des ongles, Edwina était installée dans un fauteuil près de la cheminée. Elle souriait chaleureusement aux uns et aux autres et faisait profiter chacun de son charme bienveillant.

Tous les convives étaient arrivés. Tout en sirotant son champagne, elle observait la scène qui se jouait sous ses yeux dans le grand salon.

Ce soir, la salle était remplie de chrysanthèmes foncés et d'orchidées blanches. Avec le feu qui brûlait dans la cheminée, les chandelles et les lampes qui diffusaient une lumière douce, le salon avait repris son lustre d'antan.

Le son étouffé des conversations lui parvenait, tandis que les invités se déplaçaient autour d'elle afin d'échanger quelques mots. Cette atmosphère conviviale ravissait Edwina.

Ma mère aurait été fière, pensa-t-elle soudain. La plupart des personnes qui se trouvent ici sont ses descendants et ils sont exceptionnels, même si l'on peut me soupçonner de parti pris. Sans compter qu'ils sont beaux...

Elle sourit intérieurement. Quoi qu'on pût dire des Harte, personne ne pouvait nier qu'ils étaient beaux. Autrefois, elle s'était souvent montrée caustique à ce sujet, mais plus aujourd'hui. Après tout, elle était elle-même une Harte... tout autant qu'une Fairley.

Elle se concentra sur Tessa, puis sur Lorne. Les jumeaux étaient eux aussi des Fairley, et ils en avaient les caractéristiques physiques : le teint pâle, les yeux gris argent et les cheveux blonds de la fameuse beauté, Adèle Fairley, mère d'Edwin. Edwin qui était son père et de qui elle tenait son prénom.

Les yeux d'Edwina se posèrent sur le Français et elle se demanda où ils en étaient, Tessa et lui. Allait-il la demander en mariage ? Elle l'espérait. S'il l'épousait, ce serait ce qui pouvait arriver de mieux à Tessa.

Edwina appréciait le charismatique et brillant Jean-Claude. Elle savait, sans l'ombre d'un doute, qu'il serait un partenaire loyal et aimant, qu'il aurait aussi une influence positive sur sa nièce. Comme elle était belle, ce soir, Tessa ! Elle portait un pantalon étroit, un chemisier et une sorte de manteau serré de taffetas gris argent, qui lui arrivait aux genoux et ressemblait à une veste indienne, telle qu'en portait Nehru. Aux oreilles et au cou, la jeune femme arborait des perles tahitiennes dont la nuance rappelait celle du taffetas.

Elle est parfaite, pensa Edwina. On ne dirait jamais qu'elle a cuisiné toute la journée.

Pourtant, elle avait entièrement préparé le dîner, lui avait rapporté Linnet un peu plus tôt.

Les yeux d'Edwina balayèrent l'assistante, pour se poser finalement sur Bryan O'Neill, qui discutait avec son fils Shane. Elle était contente qu'il parût en aussi bonne forme, après son début de bronchite. Maintenant qu'il était guéri, il avait l'air plus solide que jamais. Grand, large d'épaules, les cheveux argentés et la langue bien pendue, il était le portrait craché de son père, Blackie O'Neill.

L'espace de quelques secondes, les années s'envolèrent. Aspirée dans le passé, elle évoqua Blackie avec affection. Il avait été l'ami le plus cher et le plus proche de sa mère, jusqu'au jour de sa mort. Quand Edwina était encore une enfant, il s'était montré bon envers elle, même lorsqu'elle l'avait traité durement.

La vieille dame laissa échapper un soupir. Elle avait été très injuste envers Blackie, qui l'avait pourtant aimée comme sa propre fille. Pendant quelque temps, d'ailleurs, après avoir obtenu son extrait de naissance, elle avait cru qu'il était vraiment son père, parce que son nom se trouvait sur le certificat. Mais elle avait fini par apprendre que son père était Edwin Fairley. Blackie lui avait seulement prêté son nom.

C'était un homme bon, Blackie O'Neill, tout comme son fils Bryan. Seigneur ! Bryan devait avoir au moins quatre-vingt-cinq ans, maintenant ! En tout cas, il ne les paraissait pas.

Pendant un long moment, les yeux d'Edwina restèrent fixés

sur Shane. Un Irlandais bon teint, tout comme son père et son grand-père. Lui aussi, c'était un homme bon. Lorsqu'il était jeune, Emma avait dit un jour qu'il possédait un charme particulier... Il l'avait encore.

Shane avait toujours été là pour Paula, même quand elle n'était qu'une enfant. Il était son rocher. Edwina se rappelait combien elle avait été bouleversée, lorsque son mariage avec Jim Fairley avait tourné à la catastrophe. A cette époque, elle-même avait rejeté presque toute la responsabilité sur Paula, pourtant ce n'était pas sa faute. C'était celle de Jim, en réalité. Il était un Fairley jusqu'au bout des ongles et il avait hérité d'Adèle un grand nombre de ses mauvaises habitudes, comme sa vanité et son alcoolisme. Il avait dû combattre ce penchant, tout comme Adèle et son oncle Gérald avant lui. C'était une histoire de gènes, pensa Edwina. On ne pouvait pas y échapper.

Emma avait laissé Paula épouser Jim, en dépit de ses réticences, parce qu'elle était honnête et ne voulait pas punir le petit-fils pour les fautes de son grand-père. Mais elle avait toujours dit que cela ne marcherait pas, et cette prédiction s'était révélée exacte. Jim n'était pas l'homme qu'il fallait pour Paula, d'autant qu'elle aimait profondément Shane, même si elle n'en avait pas eu conscience jusqu'alors.

Et puis un jour, longtemps après la mort de Jim au cours d'une avalanche à Chamonix, Paula avait épousé Shane et elle avait enfin connu la plénitude. Son bonheur auprès de Shane était manifeste dans tout ce qu'elle faisait et Edwina savait qu'elle était l'une des femmes au monde le plus en paix avec elle-même.

A peine cette pensée venait-elle de lui traverser l'esprit que Paula entra dans son champ de vision. Elle s'approcha de Shane et, glissant un bras sous celui de son époux, elle s'appuya à lui. Il baissa les yeux vers elle, lui sourit et l'attira tendrement contre lui.

Comme toujours, Paula était d'une élégance parfaite. Elle portait une robe de cachemire améthyste qui lui arrivait aux chevilles, ainsi que des bottines assorties. Cette couleur mettait en valeur ses yeux violets, son atout le plus saisissant.

Edwina se pencha en avant, observant très attentivement sa nièce.

Elle a l'air épuisé, pensa-t-elle, vidée, pâle. Elle est vraiment très pâle. Elle semble avoir perdu son énergie habituelle. Est-elle malade ? Ou soucieuse ? Peut-être à cause de ce maudit Jonathan ? Peut-être est-ce seulement l'inquiétude qui la met dans cet état, pas la maladie. Non, elle n'est pas malade. C'est impossible. Les Harte sont solides, robustes, et nous atteignons tous un âge avancé...

— Un penny pour tes pensées, tante Edwina, dit Lorne en s'approchant d'elle. Tu veux que je remplisse ta flûte ?

— Ce ne serait pas raisonnable, mon chéri, je ne veux pas être pompette.

Il se mit à rire, ses yeux clairs pétillants de malice, mais il lui prit sa flûte des mains et s'éloigna en direction de la table où se trouvaient les boissons. Edwina le suivit des yeux tout en se faisant la réflexion qu'il était temps qu'il se marie, lui aussi.

Quelques secondes plus tard, il était revenu auprès d'elle et lui tendait son champagne.

— A ta santé, murmura-t-il en heurtant la flûte de la vieille dame de la sienne.

Elle lui sourit.

— Cul sec ! s'exclama-t-elle avant d'avaler une longue gorgée.

— Je te proposais un penny pour tes pensées, tante Edwina.

— Je pensais à ta mère, admit-elle. Elle n'a pas l'air dans son assiette, Lorne... Ou est-ce un effet de mon imagination ?

— Non, je suis d'accord avec toi...

Posant une main sur le bras du fauteuil, il se pencha vers elle et poursuivit d'une voix étouffée :

— Je trouve maman mal fichue, et j'y pense depuis un moment. Elle paraît vidée, c'est le seul mot qui me vienne à l'esprit. Je lui ai demandé, ainsi qu'à papa, s'il y avait un problème, mais ils l'ont nié tous les deux. Ils ont paru tous les deux stupéfaits que je pose une telle question.

— Tu ne crois pas qu'elle se fait du souci parce que Jonathan Ainsley est dans le Yorkshire ? suggéra Edwina en scrutant le visage de son petit-neveu.

— Tu sais quoi ? Je pense que tout le monde a tendance à exagérer les choses à son propos, à lui donner trop d'importance. Je pense qu'il ne constitue pas une menace véritable. Mais pour répondre à ta question : oui, je pense qu'elle se fait beaucoup de souci à cause de lui. Trop, à mon avis.

Edwina hocha la tête et s'exclama :

— Oh ! Voici l'adorable Jack ! Linnet ne m'avait pas dit qu'il était invité à dîner ! Tu sais qu'il fait partie de mes favoris, Lorne.

— Il est le favori de tout le monde, répliqua Lorne en riant. Spécialement des femmes, d'ailleurs. Je crois que je devrais lui demander de m'enseigner quelques-uns de ses tours.

— Je suis certaine que tu es aussi populaire que lui, le corrigea Edwina. Je vois qu'Emsie est ici, continua-t-elle, mais où est Desmond ?

— En pension, tante Edwina.

— Oui, bien sûr ! Et ta mère te fait signe de la rejoindre ! Dieu du ciel, on dirait qu'elle va nous annoncer quelque chose.

Quand Paula traversa le salon en direction du grand escalier, toute l'assistance comprit qu'elle avait quelque chose à dire. Toutes les nouvelles familiales étaient proclamées depuis cet escalier – tradition lancée par Emma.

Shane se tenait derrière Paula. Comme elle faisait signe à Lorne d'approcher, le jeune homme tapota le bras d'Edwina et se hâta de rejoindre ses parents. Linnet et Emsie en firent autant et prirent place près d'eux et de leur frère.

Paula saisit la main de son mari et l'attira plus près d'elle.

— Nous avons une merveilleuse nouvelle à vous annoncer ! dit-elle. Shane et moi sommes heureux de vous apprendre que Tessa et Jean-Claude sont désormais fiancés.

Dès que Paula se tut, Tessa et Jean-Claude se dirigèrent à leur tour vers l'escalier. Ils sourirent à l'assistance, qui les acclamait.

— Levons nos verres en l'honneur de Tessa et de Jean-Claude, dit Shane, surmontant le vacarme. Souhaitons-leur tout le bonheur possible.

Dès qu'on eut fini de trinquer, Tessa gravit quelques marches, entraînant Jean-Claude avec elle.

— Merci à tous, dit-elle. Si vous êtes surpris par cette nouvelle inattendue, sachez que je le suis aussi. C'est juste avant le déjeuner, aujourd'hui, que Jean-Claude m'a demandé de l'épouser. Je dois admettre qu'il m'a prise au dépourvu. Mais seulement momentanément. Je lui ai dit oui. Immédiatement.

Se tournant vers Jean-Claude, qui la tenait toujours par le bras, elle ajouta :

— Je crois que je suis la femme la plus heureuse du monde.

Jean-Claude l'enlaça, puis il l'attira à lui et déposa un baiser sur sa joue. Regardant ensuite le groupe familial réuni un peu plus bas, il déclara :

— Je vous remercie pour tous vos bons souhaits. C'est moi qui ai de la chance.

Se tournant vers Shane et Paula, il poursuivit :

— Je vous promets de la chérir et de prendre soin d'elle à jamais. Je veux que vous sachiez tous les deux qu'elle sera en sécurité auprès de moi.

— Oui, nous le savons ! répliqua Paula, tandis que Shane serrait la main de son futur gendre.

Après cela, tout le monde s'embrassa. Linnet et Emsie entourèrent Tessa de leurs bras, puis elles s'approchèrent de Jean-Claude pour lui serrer la main. Tous les autres se pressaient aussi autour du couple, pour le congratuler et lui adresser des vœux de bonheur.

Ce fut Tessa qui déclara finalement :

— Merci à vous tous, mais je vais devoir vous quitter pour me rendre dans la cuisine… ou bien nous ne mangerons pas ce soir.

— Je t'accompagne, chérie, s'empressa Jean-Claude.

— Non, non. Je peux me débrouiller et Margaret m'aidera. D'ailleurs, mieux vaut que tu fasses connaissance avec ma famille, Jean-Claude, du moins ceux qui sont là ce soir. J'ai peur de te dire combien nous sommes en réalité !

Bryan O'Neill traversait lentement la pièce pour rejoindre sa petite-fille préférée, Linnet.

Lorsqu'elle le vit, elle adressa un sourire d'excuse à Lorne, puis elle se hâta de le rejoindre.

— Tu me cherchais, grand-père ? Tu as besoin de quelque chose ?

— Seulement de quelques années de plus sur cette terre, pour pouvoir faire sauter tes bébés sur mes genoux, murmura-t-il.

Lui prenant le bras, il l'entraîna dans un coin écarté du hall de pierre, ainsi qu'on l'appelait. Ils s'assirent l'un près de l'autre, et Bryan, se penchant en avant, dit à mi-voix :

— Elle ne sacrifiera pas ses ambitions sous prétexte qu'elle se marie. Connaissant Tessa comme je la connais, je suis certain qu'elle espère vivre à Paris *et* à Londres. D'une façon ou d'une autre, elle pense pouvoir faire la navette entre les deux villes, de manière à diriger les magasins Harte. Elle a toujours voulu occuper ce poste, Linnet, tu le sais bien.

— Oui, grand-père, tu as raison. Tessa s'imagine peut-être qu'elle peut maîtriser la situation depuis Paris. Mais n'oublions pas que maman est toujours la patronne et qu'elle n'a absolument pas l'intention de prendre sa retraite. Elle est bien trop jeune pour cela !

Bryan sourit à la jeune femme et prit ses mains dans les siennes.

— Des petites mains tellement capables, murmura-t-il. Tout comme celles d'Emma. Je me rappelle très bien ses mains. Elle s'en servait pour prendre soin de moi, quand j'étais bébé, puis petit garçon. Mais tu le sais déjà ! Tu dois rester sur le qui-vive, Linnet, et garder l'œil. Aussi douce et adorable que puisse paraître Tessa à ton égard, elle est encore ta rivale. Ne l'oublie jamais.

151

— Je ne l'oublierai pas, grand-père, je te le promets. Nous savons tous qu'elle est ainsi parce qu'elle est la plus âgée.

— C'est exact. Mais Emma n'entrait pas dans ce genre de considérations lorsqu'il s'agissait de transmettre le pouvoir. C'était la personne la plus compétente pour le poste qui devait l'obtenir. Et je suis bien certain que ta mère pense la même chose. Après tout, elle a été formée par Emma Harte.

Linnet hocha la tête et reprit sur un ton confidentiel :

— J'ai plusieurs idées pour moderniser le magasin. Il faut des innovations et j'ai l'intention de proposer à maman quelques changements, après le mariage.

— Oui, mais attends un peu, je t'en prie, répliqua doucement Bryan. Elle est sous pression depuis un certain temps. Cela date d'avant Noël, très exactement, alors sois patiente. D'accord ?

— Oui. Oh, grand-père, Evan nous cherche. Viens, allons voir ce qu'elle veut. Elle semble un peu préoccupée.

— Et on dirait qu'elle va accoucher d'une minute à l'autre, murmura Bryan. Tu crois qu'elle pourra tenir encore une semaine, jusqu'au mariage ?

Linnet éclata de rire.

— Il le faudra bien !

Bryan se contenta de sourire, mais il s'abstint de tout commentaire. Ensemble, ils traversèrent le salon pour rejoindre Evan, qui leur faisait signe. Les yeux de Bryan se posèrent sur Robin Ainsley, qui n'allait pas tarder à être arrière-grand-père.

Cela ne doit pas réjouir beaucoup Jonathan, pensa-t-il.

Il se demanda si la brebis galeuse de la famille élaborait un plan diabolique pour le samedi suivant. Il priait Dieu qu'il n'en fût rien.

— J'ai dû m'arrêter pour reprendre haleine, leur dit Evan. Tante Edwina veut te parler, Linnet, si tu veux bien te rendre auprès d'elle.

— Bien sûr. Mais elle va bien ?

— Tout à fait bien. Elle prétend avoir eu une idée de génie.

Linnet rejoignit la vieille dame, dont le visage s'éclaira à sa vue.

— Quelle est cette idée de génie, tante Edwina ? demanda-t-elle en s'accroupissant à côté du fauteuil.

Attirant la jeune femme plus près d'elle, Edwina déclara :

— Je crois que j'ai résolu le problème de Jonathan Ainsley. Gideon et Evan doivent s'enfuir. Et tout de suite.

— Ce n'est pas une mauvaise idée, répliqua Linnet en riant.

Mais elle savait que c'était impossible, étant donné l'état d'Evan. Les bébés pouvaient naître à n'importe quel moment et elle le rappela à Edwina, qui avait tout l'air du chat qui vient de laper une jatte de crème.

— Oh, oui, tu as raison ! J'avais oublié ce détail. Nous devons tenir compte des bébés, bien entendu. Mmmm... Eh bien, ils auraient dû s'éclipser depuis bien longtemps. S'ils l'avaient fait, personne ne s'inquiéterait de savoir si Jonathan va nous jouer un de ses tours, samedi prochain.

Linnet ne répondit pas. Elle venait tout juste d'avoir une illumination, elle aussi.

— Je reviens dans une seconde, tante Edwina, murmura-t-elle.

Et elle se mit en quête de Jack Figg, pressée de lui confier son idée. Un véritable éclair de génie, pensa-t-elle. Jamais elle n'avait ressenti une telle certitude.

Linnet trouva Jack en train de discuter avec Julian. Les deux hommes l'accueillirent avec empressement. Julian passa un bras autour de la taille de sa femme et l'attira à lui, tandis que Jack lui souriait.

— A ce que je vois, tu es plus ravissante que jamais, ce soir, Beauté. Tu es un heureux homme, ajouta-t-il à l'intention de Julian.

— J'en ai parfaitement conscience, répliqua ce dernier en souriant à cet homme plus âgé que lui, qu'il connaissait depuis toujours.

— Merci pour ce gracieux compliment, Jack, dit Linnet. Mais écoutez-moi, tous les deux, je viens d'avoir une idée sensationnelle. Mettons-nous à l'écart, pour que je puisse vous la confier sans que personne nous entende.

Jack hocha la tête. Tous trois se dirigèrent vers la porte de la bibliothèque, près de laquelle ils pourraient s'entretenir, puisque les autres étaient regroupés autour de la cheminée.

— On ferait mieux de ne pas entrer dans la bibliothèque, dit Linnet. De cette façon, on ne nous cherchera pas. Restons là, je n'en ai que pour une minute.

— Je suis tout ouïe, murmura Julian.

— Vas-y, petite, renchérit Jack.

— Il y a quelques minutes, tante Edwina a brusquement déclaré que Gideon et Evan devraient s'enfuir, pour éviter les ennuis que l'affreux Jonathan pourrait susciter. Je lui ai expliqué que c'était impossible, puisque les bébés pouvaient naître prématurément. Bien sûr, elle s'est aussitôt rangée à mon avis.

Linnet s'interrompit. Ses yeux allèrent de Julian à Jack, puis elle dit :

— C'est alors que j'ai eu… comme une inspiration. Une idée fantastique.

— Eh bien ? Dis-la-nous ! la pressa Julian.

Les yeux fixés sur Jack Figg, elle leur expliqua à voix basse le plan qu'elle venait d'élaborer.

Lorsqu'elle eut terminé, Jack hocha la tête, l'air pensif. Au bout d'un instant, il demanda :

— Tu es certaine qu'ils feront ce que tu veux ?

— Honnêtement, Jack, je n'en sais rien. Mais Gideon et moi sommes amis depuis l'enfance et je crois qu'il comprendra que j'ai raison.

— Espérons-le ! s'exclama Jack, arborant soudain un large sourire. Tu es une gamine futée, Linnet. Très futée.

— Tout à fait exact, confirma son mari. Connaissant Gideon, je crois qu'il marchera et qu'il saura convaincre les autres que c'est la bonne solution.

— Rejoignons-les, murmura Linnet en désignant le centre

du salon. On se reverra demain pour en discuter, Jack. Tu passes la nuit ici, n'est-ce pas ?

— Ta mère et ton père ont insisté pour que j'accepte leur invitation. Ils ne voulaient pas que je conduise la nuit si je buvais quelques verres.

— Et tu vas devoir trinquer à la santé de Tessa et de Jean-Claude, répliqua Linnet.

Jack regarda Julian, puis Linnet.

— En effet. Encore une autre histoire en train de se construire.

Linnet ne dit rien. Son expression était indéchiffrable, comme l'avait été celle d'Emma en certaines occasions, lorsqu'elle estimait plus sage de dissimuler ses pensées et ses sentiments.

La bouche cousue et l'esprit en alerte, telle était la devise d'Emma, que Linnet avait reprise à son compte.

13

Sans l'ombre d'un doute, Molly Caldwell était une femme très malade. Bien plus malade que ne l'avait laissé entendre Gladys Roebotham le samedi précédent.

En ce lundi après-midi, Dusty se tenait près de son lit, aux Soins intensifs de l'hôpital, à Leeds. Comme elle levait ses yeux sombres vers lui, il se força à sourire. Elle était extrêmement pâle et sous perfusion, mais l'infirmière avait retiré le tuyau qui se trouvait dans sa bouche pour qu'elle pût parler.

« Vous ne pouvez rester que deux minutes », avait-elle dit à Dusty avant de sortir de la chambre pour les laisser seuls.

— Atlanta ? souffla Molly.

Il eut l'impression qu'elle voulait lui dire autre chose. Lui prenant la main, il répondit :

— Ne vous fatiguez pas, Molly, s'il vous plaît. C'est moi qui parlerai... Atlanta va bien, rassurez-vous. Elle est avec moi, en sécurité, à Willows Hall. Gladys me l'a amenée, comme vous le lui aviez demandé.

Les prunelles de Molly s'éclairèrent. Battant des paupières, elle articula d'une voix ténue :

— C'est une brave femme. Est-ce qu'Atlanta... me réclame ?

— Oui, mais Gladys lui a raconté que vous vous étiez fait mal à la jambe, aussi en sommes-nous restés là. Elle pense que vous attendez que votre jambe soit guérie et que vous rentrerez bientôt. Et c'est vrai, Molly. J'ai parlé à votre médecin, ce matin, il m'a promis que vous vous rétabliriez complètement.

Un faible sourire erra sur les lèvres de Molly, qui chuchota d'une voix presque inaudible :

— Melinda ne doit jamais l'avoir, Dusty. *Jamais.*

L'espace de quelques instants, elle parut lutter pour retrouver sa respiration, puis elle souffla :

— Promettez-le-moi.

— Bien sûr, dit-il très vite. Je vous le promets. Melinda est incapable de prendre soin d'elle, même si elle semble aller mieux, dans sa clinique de désintoxication.

Ignorant ce commentaire, Molly reprit :

— Atlanta doit à tout prix rester auprès de vous. C'est vous qui devez l'élever.

Durant une fraction de seconde, il scruta son visage, puis il hocha la tête et tenta de la rassurer :

— C'est moi qui l'élèverai, je vous le promets. Elle restera dans ma maison jusqu'à ce qu'elle aille en pension. Je veillerai sur elle. Mais écoutez, Molly, vous allez vous en tirer. Vous m'entendez ? Vous sortirez d'ici dans quelques jours, vous retrouverez votre maison et Atlanta. J'engagerai une infirmière pour veiller sur vous. Vous aurez toute l'aide dont vous aurez besoin.

Molly ne répondit pas. Elle se contenta de le fixer pendant un long moment, les yeux soudain remplis de larmes.

Il le remarqua aussitôt et s'en inquiéta. Pour rien au monde il ne voulait qu'elle fût bouleversée ou qu'elle s'agitât. Le médecin lui avait bien dit qu'elle avait besoin de tranquillité et de repos.

— Ne vous inquiétez pas. Je prendrai soin de vous et d'Atlanta, ainsi que de Melinda.

— Elle ne vous mérite pas, marmonna Molly. Et elle ne doit pas avoir l'enfant.

Dusty la regarda, à la fois saisi et perturbé par ces mots. Prenant la main de Molly, il la pressa légèrement.

— Je reviendrai demain.

Elle lui sourit faiblement. Sa confiance en lui éclaira brièvement ses yeux sombres.

Une fois dans le couloir, Dusty s'immobilisa un instant, prit une profonde inspiration et s'appuya au mur. Il s'inquiétait pour Molly. Il devinait qu'elle était très malade et qu'elle pouvait être affectée par des troubles cardiaques tout le reste de sa vie. Malgré les affirmations du médecin, selon lesquelles elle pourrait rentrer chez elle une semaine plus tard, il avait des doutes. Elle paraissait épuisée. Et au moment où il l'avait quittée, elle lui avait paru complètement exténuée.

Mais c'était un peu normal, puisqu'elle avait eu une crise cardiaque le vendredi précédent. Comment aurait-elle pu ressembler à ce qu'elle était d'ordinaire ? Tâchant de se rassurer, il regarda autour de lui dans l'espoir d'apercevoir le cardiologue qui s'occupait de Molly, le Dr William Larchmont. Ajouterait-il quelque chose à ce qu'il avait déjà dit une demi-heure plus tôt ? Dusty n'en était pas persuadé. Et le Dr Bloom s'était montré plutôt évasif, le matin, quand Dusty lui avait téléphoné à son cabinet de Meanwood.

« Elle s'en sortira. Tout va bien se passer », avait-il dit sans donner de précisions.

Haussant les épaules sous son manteau en peau de mouton, Dusty traversa le service, adressa un signe de tête à l'infirmière derrière le bureau, puis il prit l'ascenseur et descendit au rez-de-chaussée. Lorsqu'il se retrouva dans la rue, il regretta d'avoir renvoyé Paddy Whitaker et la voiture à Harrogate. Le temps avait empiré pendant l'heure qu'il avait passée à l'hôpital.

Cet après-midi-là, il faisait un froid à vous glacer jusqu'à la moelle. L'atmosphère était chargée de cette humidité septentrionale qui semblait pénétrer le corps tout entier, s'y infiltrer. Il leva la tête et regarda le ciel, qui avait la couleur du plomb et paraissait immobile, sans le moindre nuage pour lui insuffler un peu de vie. Il pendait au-dessus des têtes comme un linceul, songea-t-il en frissonnant. Dusty remonta le col de son vêtement et enfonça ses mains dans ses poches tout en marchant aussi vite qu'il le pouvait, sans pour autant courir.

Leeds n'avait jamais figuré parmi ses endroits préférés. Cette ville industrielle du Nord, à la fois rude, affairée et froide, l'avait toujours intimidé du temps de son enfance. Il s'était réjoui de la quitter lorsqu'il s'était vu attribuer une bourse qui lui avait permis de s'inscrire au Royal College of Art, à Londres. Sans un regret, il s'était installé dans une chambre meublée, à Belsize Park, à la limite de Hampstead. A Londres, en revanche, il n'avait jamais éprouvé aucune crainte. Pour quelle raison ? Etait-ce parce qu'il était plus âgé ? Il n'en était pas certain. Si, bien sûr, il savait pourquoi. Londres était une belle cité sur le plan architectural, et la beauté, quelle qu'elle fût, l'avait toujours transporté, suscitant en lui une joie immense, ainsi que l'expectative, l'anticipation, l'espoir d'un avenir meilleur.

Ecartant ces pensées, il se demanda où il pourrait s'offrir une boisson chaude. Il avait du temps à gaspiller avant de retrouver India au magasin Harte. Ils devaient retourner ensemble à Willows Hall, où elle passerait la nuit avec lui. Il savait combien elle aimait Atlanta, et cette affection était réciproque. Pourtant, il répugnait à les encourager dans cette voie et s'inquiétait du lien qu'elles nouaient. Il ne voulait pas charger India d'une responsabilité qui n'était pas la sienne. Bien entendu, elle protestait, affirmant constamment qu'Atlanta ne constituait en aucun cas un fardeau.

Il devait s'efforcer de lui faire confiance, de mieux la comprendre. C'était ce manque de compréhension de sa part qui avait failli causer leur rupture. India était bonne, brillante, intelligente et... Oh, combien il l'aimait ! Il aimait sa beauté, sa sensualité, ses manières. Sa courtoisie, aussi, la façon dont elle s'adressait de la même façon à la cuisinière, à la gouvernante, à Atlanta, à lui-même ou à sa grand-mère, la comtesse douairière.

Un sourire erra sur les lèvres de Dusty. Il avait un faible pour la grand-mère d'India, Edwina. Elle avait une sacrée personnalité ! Sans aucun doute, elle possédait toute sa tête et pouvait se révéler impitoyable. Mais en même temps, elle était aimable, attentive. C'était elle qui avait réussi à dissiper ses réticences concernant les parents d'India, dont les titres de noblesse le gênaient.

Un soir, elle avait entamé la discussion :

« Bêtises ! Balivernes ! Tout cela n'existe que dans votre tête ! »

Elle s'était interrompue lorsqu'il avait levé la main.

« Ecoutez-moi ! s'était-il exclamé. Je n'ai pas honte de mon passé ou de mes origines sociales. Je suis issu de la classe ouvrière, né dans les faubourgs de Leeds. Je n'ai jamais prétendu être autre chose et j'en suis fier. Je suis fier de ce que j'ai fait de moi-même. Je ne suis pas le moins du monde impressionné par les titres ou les aristocrates. Ce serait en effet... bêtises et balivernes, pour utiliser vos propres mots. »

Edwina lui avait lancé un regard perçant, au-dessus de la table de la salle à manger. Ils se trouvaient à Willows Hall, dans la maison palladienne dont il s'enorgueillissait tant... Son propre manoir ancestral.

« Qu'est-ce qui vous chagrine, dans ce cas ?

— A mes yeux, les aristocrates et leurs titres appartiennent à un lointain passé. Un passé où régnaient les injustices sociales. Il y a des siècles, en fait. Cette Angleterre-là n'existe plus. Tout le monde respecte le talent, aujourd'hui, depuis Tony Blair jusqu'à l'homme de la rue. Nous entamons un siècle nouveau. »

Edwina le comprenait parfaitement. La plupart des paroles qu'il prononçait provenaient de son éducation, même s'il ne l'admettait pas. Quoi qu'il en pensât, son passé pesait dans la balance, et elle lui dit carrément ce qu'elle pensait. Il l'écouta patiemment, tandis qu'elle s'efforçait de lui exposer son point de vue.

« Peut-être avez-vous raison », avait-il dit lorsqu'elle avait fini.

Visiblement, il voulait clore une discussion qui ne l'intéressait pas.

Edwina, comtesse de Dunvale, première née d'Emma Harte, n'avait pas lâché prise :

« Et maintenant, mon jeune ami, vous allez m'écouter. Ma mère, Emma Harte, est née pauvre dans un village ouvrier, au milieu de la lande, dans le Yorkshire. Lorsqu'elle a su qu'elle était enceinte, elle s'est rendue à Leeds, où elle a été aidée par son vieil ami, Blackie O'Neill, terrassier et maçon, et par Abraham Kallinski, juif, fabricant de vêtements, qui avait fui les pogroms de Russie. Ce bébé qu'elle portait, alors qu'elle n'avait guère plus de seize ans, c'était moi. J'étais une enfant illégitime. Edwin Fairley, le fils du squire Fairley, de Fairley Hall, où elle était servante, l'avait engrossée. Quand j'ai eu six mois, ma mère m'a confiée à sa cousine Frida, à Ripon, ce qui lui a permis de travailler, de gagner de l'argent tout en assurant ma protection. Emma disait que l'argent garantissait la sécurité, qu'il donnait le pouvoir, et elle avait raison. Cela a toujours été ainsi. Par la suite, j'ai été envoyée dans une très bonne pension et plus tard j'ai terminé mes études en Suisse. A cette époque, je suis retournée à Londres, pour y faire mes débuts dans le monde, car entre-temps ma mère était devenue quelqu'un d'important. Elle était Emma Harte. Elle avait une position sociale et une fortune qui lui permettaient de me faire entrer dans la bonne société. J'ai fait presque aussitôt la connaissance de Jeremy Standish, comte de Dunvale, et il est tombé amoureux de moi. Il avait la tête à l'envers, ainsi qu'il le disait lui-même. Et nous nous sommes mariés. Nous avons eu un fils, Anthony, le père d'India. Si vous cherchez des origines aristocratiques, Dusty, vous les trouverez uniquement du côté des Dunvale, pas chez les Harte. ».

Elle s'était mise à rire et il avait ri avec elle. Il s'était carré dans son fauteuil et l'avait observée attentivement, se demandant si elle avait aimé ce comte autant qu'il l'avait aimée. C'est alors qu'à sa propre surprise il lui avait posé la question, aussi crûment que cela. Elle n'avait pas hésité une minute à lui répondre.

« Je l'adorais, Dusty. Jeremy incarnait mon idéal. Dans un sens, je le vénérais. J'avais peut-être tort, mais c'était ainsi. Il était plus âgé que moi d'une vingtaine d'années et c'était sans doute l'une des raisons pour lesquelles je l'aimais tant. Quand j'étais une jeune femme, il y a eu des moments où j'ai vraiment éprouvé le besoin d'avoir un père. Jeremy était très protecteur, indulgent, bon et, d'une certaine façon, plutôt paternel. Ne vous méprenez pas, Dusty, c'était un mariage d'amour, où la sexualité avait une place extrêmement importante. Nous étions fous l'un de l'autre. En fait, je suis même surprise que nous n'ayons pas eu davantage d'enfants. Nous ne cessions de faire l'amour. »

L'espace de quelques instants, ce franc-parler avait surpris Dusty. Il lui avait semblé comique que cette vieille dame de quatre-vingt-quinze ans lui parlât de sexe. Et puis il l'avait fixée intensément, il avait posé sur elle des yeux d'artiste et il l'avait vue telle qu'elle avait dû être, au-delà des rides et du grand âge. Une grande beauté.

Tout en marchant et en évoquant ainsi ses souvenirs, il pensa soudain à aller boire une tasse de thé au magasin. Mais, au lieu de cela, il poussa la porte du premier café venu.

Il s'installa dans un box, commanda une théière, puis il se carra dans le fond et attendit d'être servi.

Il mit quelques secondes à réaliser à quel point le lieu où il se trouvait était maussade et triste. Il était assailli par des odeurs à la fois anciennes et familières, des odeurs troublantes, associées à sa jeunesse : casseroles brûlées, choux en train de cuire, bacon frit, gaz, et, dominant le tout, l'humidité, la lessive. Et la pourriture. La pauvreté. La misère.

Il ne pouvait pas le supporter... Trop de souvenirs malheureux, des mauvais souvenirs, affluaient dans sa mémoire. Il se leva d'un bond, d'une façon si énergique que la serveuse se retourna pour le regarder. Sans un mot, il déposa trois billets de cinq livres sur la table et se précipita dehors sans un coup d'œil en arrière. Il étouffait. Il lui fallait de l'air frais.

Il se dirigea vers City Square. Il marchait d'un pas rapide et respirait profondément, refoulant le passé, cette enfance qui le faisait tellement souffrir et qu'il souhaitait oublier. Se souvenir était un supplice.

Ce fut avec un profond soulagement qu'il se retrouva dans l'air glacé et humide.

En un rien de temps, Dusty eut traversé la rue et atteint City Square. Lorsqu'il parvint devant les statues, au centre de la place, il s'arrêta. Comme elles lui paraissaient banales, aujourd'hui ! Lorsqu'il était enfant, il les trouvait magnifiques, plus grandes que nature, le dominant de toute leur haute taille. Maintenant, elles avaient l'air d'avoir rapetissé.

Les nymphes en tenue légère qui brandissaient des torches, du haut de leurs socles, lui parurent ridicules. Elles entouraient Edouard, le Prince Noir, vêtu de son armure et assis sur son cheval noir. Fils bien-aimé d'Edouard III, guerrier digne de son père, il avait été l'un des plus grands rois d'Angleterre. Que faisaient ces nymphes autour de lui ?

Indifférent au vent glacial qui s'était mis à souffler, Dusty se tenait immobile, fasciné par cette statue qui l'avait tant émerveillé lorsqu'il était enfant.

Le temps explosa.

Le présent s'évanouit.

Le passé s'imposa.

Les souvenirs affluèrent dans sa mémoire, des souvenirs anciens longtemps réprimés, chassés de son esprit. Il les revivait maintenant, ici, dans la ville où il était né.

« Qui c'est, le monsieur sur le cheval, papa ? » demanda Dusty en levant les yeux vers son père.

Comme Will Rhodes ne lui répondait pas, il le tira par la manche. Baissant les yeux vers son seul enfant, son fils adoré, Will sourit :

« C'est une statue qui représente Edouard, le Prince Noir. C'était un prince courageux.

— Pourquoi on l'a appelé comme ça, alors ?

— A cause de son armure noire. Du moins, je crois que c'est pour ça, Russel.

— C'est un très gros cheval, hein, papa ?

— Oui, fiston, et aussi noir que le charbon. »

Le charbon.

La poussière noire.

La poussière noire inhalée pendant des années.

Silicose.

Mort.

Dusty se détourna de la statue d'Edouard, le Prince Noir, sur son cheval couleur de charbon. Il traversa la rue principale et gagna l'hôtel de la Reine.

Tout en marchant, il pensait à son père. Will Rhodes était mineur, il était descendu dans les fosses de Castleford pendant des années. Pendant toute sa vie, en réalité. Il avait commencé très jeune.

Et c'étaient les fosses qui l'avaient tué. Ses poumons avaient été détruits par le travail qu'il faisait pour entretenir sa petite famille : sa ravissante femme, Alice, et son fils bien-aimé, Russel. L'enfant qui ne descendrait jamais dans la mine. Will ne le permettrait pas. Le garçon qui deviendrait un artiste. Un grand artiste. Le garçon dont le talent « étincelait comme la plus brillante des lunes en pleine été », ainsi qu'il disait.

Will Rhodes était mort jeune. A seulement quarante ans. C'était un miracle qu'il ait tenu aussi longtemps.

Quand son père avait été sur le point de mourir, Dusty l'avait su. Il en avait été informé parce que son père se comportait bizarrement.

« Prends soin de ta maman, fiston, lui avait-il dit, veille sur mon Alice. »

Will paraissait en pleine forme lorsqu'il avait prononcé ces paroles, il n'avait pas l'air triste non plus, mais il devait savoir que la mort ne tarderait pas à frapper. Dans le mois qui suivit, il était mort et enterré. Et cette nuit-là, quand il avait dit ces mots bizarres à son fils, Dusty avait compris que quelque chose de mauvais allait arriver. Une sorte de prémonition.

La silicose. Elle avait causé sa mort. La poussière noire avait dérobé la vie de Will Rhodes. Un homme bien trop jeune pour mourir.

Dusty déglutit péniblement en approchant de l'hôtel. Il avait toujours une boule dans la gorge quand il évoquait son père. Il l'avait passionnément aimé, mais il ne le lui avait jamais dit, et c'était l'un des grands regrets de sa vie. On devrait toujours dire aux gens qu'on aime qu'on les aime. Il ne l'avait jamais fait. Il ne l'avait jamais dit à personne, jusqu'à sa rencontre avec India Standish. Il le lui avait dit, à elle, celle qui était sa fiancée et allait bientôt devenir sa femme. En juin. En Irlande. A Clonloughlin. Lady India Standish, la femme de sa vie.

Lorsqu'il pénétra dans le hall de l'hôtel, le meilleur de Leeds, il fut aussitôt entouré et traité avec respect. Chacun voulait l'aider, lui complaire. Il était un héros, l'enfant du pays devenu célèbre. Renommé. Riche. Une célébrité. Peu importait ce que cela signifiait.

Il sourit et remercia tout le monde. Tout en restant scrupuleusement poli, il parvint à s'échapper et à se réfugier dans le salon, où il ôta son manteau.

Le serveur se présenta aussitôt, prit sa commande et repartit. Dusty s'installa sur le canapé, tout en regardant autour de lui. Il n'était pas entré dans cet hôtel depuis des années et il remarqua aussitôt qu'il avait été restauré et remeublé avec goût. La décoration était agréable et une chaleur bienvenue régnait dans la pièce. Il se détendit et s'aperçut combien il s'était gelé, durant cette station debout sur la place, bien qu'il fût trop perdu dans ses pensées à cet instant pour en prendre conscience.

Le passé était immuable.

Il était toujours là. On l'emportait partout avec soi. Certaines personnes en parlaient comme d'un bagage. Pas lui. Le passé le constituait tout entier.

Les pensées de Dusty se tournèrent vers son père.

Il avait seize ans quand celui-ci était mort. Il commençait

juste à fréquenter l'école des Beaux-Arts, à Leeds. Du moins son père avait-il eu le temps de s'en réjouir, d'en être fier.

« Pas de mine pour toi, fiston, avait-il dit en souriant quand Dusty était rentré de l'école, le premier jour. Tu iras loin, tu verras. »

Et sa mère, Alice, toujours prompte à la repartie, s'était exclamée :

« Il ira au Royal College of Art, à Londres. Quand il aura dix-huit ans. » Dusty se rappelait bien le large sourire de son père, sa fierté, cette étincelle inhabituelle dans ses yeux bleus. Il avait hérité les yeux bleus et les cheveux noirs de son père, mais la ressemblance s'arrêtait là. Sa carrure était bien plus imposante et il avait un visage rude, taillé à la serpe, tandis que Will Rhodes était frêle, mince et possédait des traits délicats. Il ressemblait davantage aux frères de sa mère, les jumeaux Ron et Ray. Il avait leur corps musclé, leurs larges épaules, et tout comme eux, il était extraordinairement séduisant.

S'appuyant au dossier du canapé, Dusty ferma les yeux pendant un instant. Derrière ses paupières baissées, il revoyait le visage de son père.

Will souriait, il était heureux parce que son fils unique avait obtenu une bourse pour aller à l'école des Beaux-Arts de Leeds. Dans son esprit, ainsi que dans celui d'Alice, il n'y avait aucune raison pour que ce fils brillant et talentueux n'en obtînt pas une autre, pour le Royal College of Art de Londres. En fait, ils en étaient persuadés. Et il avait réussi. Mais son père était mort et enterré, à cette époque.

Le bruit de la porcelaine l'arracha à ses pensées. Ouvrant les yeux, il sursauta et adressa un signe de tête au serveur, qui lui demandait s'il pouvait servir le thé.

Tout en sirotant sa boisson, qu'il trouva chaude et rafraîchissante à la fois, Dusty se demanda si les gens qui savaient leur mort prochaine s'efforçaient de prévenir leurs proches, ceux qui allaient souffrir de leur départ. Ou de *les préparer*, sinon de les avertir ?

Son père lui avait demandé de veiller sur sa mère, un mois

avant de mourir. Et sa grand-mère, la mère de son père, en avait fait autant à peine un an plus tard.

En même temps, et de façon assez inattendue, elle avait dit à Dusty qu'il ne devait jamais oublier qui il était et d'où il venait.

« Et reste toujours proche de ta maman, mon petit. Sois là pour elle, prends soin d'elle. C'est la femme la plus brave, la plus gentille que j'aie jamais connue. Souviens-t'en, Dusty. Reste auprès d'elle. »

Les gens savaient-ils qu'ils allaient mourir ?

Sa mère l'avait su, certainement, puisqu'elle le lui avait dit.

« Je suis en train de mourir, Dusty », avait-elle murmuré, il y avait de cela dix ans.

Le voyant pâlir et trébucher en traversant la pièce pour la rejoindre, elle lui avait souri courageusement et ajouté :

« On ne peut plus rien faire, mon chéri. C'est un cancer. Cela vous grignote et je m'affaiblis de jour en jour. C'est mieux que tu le saches, je n'aurai plus à faire semblant ou à te mentir, Dusty. »

Il était allé s'asseoir auprès d'elle, sur le canapé. Il lui avait pris la main, avait regardé son visage, puis il avait plongé dans ses yeux bleu-gris, incapable de prononcer un mot. Elle avait travaillé dur, elle s'était sacrifiée pour qu'il puisse fréquenter le Royal College of Art, à Londres. Bien qu'il eût obtenu cette bourse tant convoitée, il restait tous ces extras à payer. Il avait beau travailler le week-end, il avait toujours besoin d'argent. Sa mère le lui procurait, sans un murmure ou une plainte. Dieu seul savait comment elle avait fait. Par bonheur, il avait connu le succès presque immédiatement après avoir quitté le College. Il avait pu prendre soin d'elle, lui donner le bien-être et le luxe qu'elle méritait, une fois qu'il avait été célèbre. Il lui avait acheté une petite maison, à Leeds, insisté pour qu'elle cessât de travailler. Elle l'avait récompensé par son bonheur évident et par la joie qu'elle trouvait dans sa toute nouvelle sécurité financière. Mais, par-dessus tout, elle était fière de lui et il était heureux de savoir qu'il avait exaucé ses rêves.

« Tu es le meilleur, Dusty, lui avait-elle dit pendant des

années, les yeux remplis d'amour. Et n'oublie jamais qui tu es. Tu es le fils bien-aimé d'Alice et de Will Rhodes. Rappelle-toi que tu possèdes tout : le talent, l'intelligence et la Beauté avec un B majuscule. Ne néglige jamais ce détail, Dusty. La beauté est importante, dans ce monde, ne laisse jamais personne te dire le contraire. »

Il s'était souvenu de tout ce qu'ils lui avaient dit : Will, sa grand-mère et sa mère. C'étaient leur amour, leur dévotion et leur sacrifice qui avaient fait ce qu'il était aujourd'hui. Cela et leur foi en lui, leur foi en son talent. Ce talent qui, parfois, le confondait lui-même. Il ne savait pas d'où il lui venait et il lui arrivait de secouer la tête et de s'en émerveiller. Il constituait l'essence de son être. C'était ce qu'il avait fini par comprendre.

Il avait quarante-deux ans, aujourd'hui, et toute la maturité de son âge. Il était sur le point de se marier. Il devait la rendre heureuse, être un bon époux. Et il devait lui faire confiance, se fier son jugement et à son bon sens. Depuis qu'elle lui était revenue, après la douloureuse querelle qui les avait séparés, il s'y était efforcé. Et il lui avait même dit qu'il l'aimait... c'était la première fois, pour lui.

Il y avait l'enfant. Son enfant et celui de Melinda. Molly lui avait fait promettre de l'élever. Elle l'avait averti qu'il ne devait pas la laisser à Melinda. Parce que Melinda était droguée ? Ou pour une autre raison ? Il n'en savait rien.

Molly l'avait averti, elle l'avait préparé. *Parce qu'elle savait qu'elle allait mourir.*

Elle le savait, tout comme son père, sa grand-mère et sa mère. Ils l'avaient préparé, pour qu'il ne soit pas traumatisé lorsque cela arriverait. Pourtant, c'est toujours un choc quand quelqu'un qu'on aime meurt, même si on s'y attendait.

Molly Caldwell allait mourir. Elle le savait. Et maintenant, il le savait aussi.

Dusty s'appuya au dossier du canapé et respira profondément. Submergé par la tristesse, il sentit sa gorge se serrer, sous l'effet de l'émotion. Molly Caldwell avait été une bonne mère et une bonne grand-mère. Elle n'avait pas mérité de souffrir comme elle avait souffert à cause de sa fille. Melinda lui avait donné du fil à retordre, au cours des années...

Dusty se redressa d'un coup. Si Molly mourait, il faudrait affronter Melinda. Elle refuserait de lui accorder la garde d'Atlanta. Elle voudrait l'enfant pour elle, afin de l'utiliser comme une arme contre lui. Il pensa à Tessa Fairley, au combat qu'elle avait dû mener contre son ex-mari, Mark Longden. Allait-il devoir subir la même épreuve ?

Mais il y avait toujours un moyen de résoudre les problèmes de cette nature. L'argent. Et Melinda n'avait pas une très bonne réputation, ces temps-ci. Alcoolique. Droguée. Elle passait par tous les lits, ne cessait d'entrer dans des cliniques de désintoxication. Une mère inapte ? Sans aucun doute.

Dusty demeura assis pendant une demi-heure de plus, tournant et retournant les faits dans sa tête, envisageant les pires possibilités auxquelles il devrait faire face. Comme il ressassait la situation, une chose devint aussi claire que le cristal, pour lui : il devait se confier à India le soir même, lui exposer ses sentiments et ses doutes, lui parler de son passé avec Melinda. Et lui raconter son enfance. Elle avait toujours souhaité en savoir davantage sur ses jeunes années, et il avait toujours refusé d'aborder la question avec elle.

Ce soir, il le ferait. Il le lui devait. Elle allait être son épouse. Il n'y aurait plus de secrets entre eux.

14

En haut du clocher de l'église, l'horloge se mit à sonner.

A l'intérieur, le bruit était assourdissant. Arrachée à sa rêverie, Evan se redressa en sursaut. Le vacarme se prolongea encore quelques secondes, puis, à son grand soulagement, le calme se rétablit. Plongée soudain dans le silence, l'église fut de nouveau paisible.

Assise sur le banc de bois, Evan se détendit. Elle attendait le retour de Gideon et des autres. Ils l'avaient laissée là, tandis qu'ils se rendaient au presbytère pour voir le curé. Elle savait qu'ils allaient revenir d'un instant à l'autre, mais pour l'instant, elle profitait avec plaisir de cette solitude temporaire. L'autel était magnifique, ainsi que les trois vitraux qui le surplombaient. Leurs couleurs étaient celles des joyaux. Ils étincelaient au soleil et projetaient des arcs-en-ciel sur les murs de pierre vieux de neuf cents ans, puisqu'ils dataient des Normands. Elle savait que cette église était considérée comme un chef-d'œuvre.

Regardant autour d'elle, la jeune femme éprouva un plaisir mêlé de joie. La veille, les fleuristes avaient travaillé toute la journée et jusque tard dans la soirée, sous la houlette de Paula et d'Emily. Ils avaient créé de ravissants arrangements floraux pour son mariage. L'église en débordait. Les alcôves, les recoins, les marches de l'autel et les rebords des fenêtres disparaissaient sous les orchidées roses et blanches. Une multitude d'œillets de la même couleur emplissaient l'air de leurs effluves, tandis que de grands lis blancs et des plantes vertes hivernales ajoutaient une touche de saison. L'ensemble était à couper le souffle. Paula et Emily avaient accompli des merveilles.

S'appuyant au dossier de bois, Evan laissa ses pensées dériver jusqu'à son arrière-grand-mère, Emma Harte. C'était elle qui avait maintenu cette vieille église normande en l'état. Elle l'avait même dotée du chauffage central.

« Tu auras bien chaud », lui avait dit Gideon l'autre soir.

Il voulait la rassurer, car il savait combien elle avait souffert de la température glaciale, ces derniers temps.

Ce matin, elle se sentait bien, dans son manteau usé gris pâle qui lui descendait jusqu'aux chevilles. En dessous, elle portait un pantalon et un pull assortis. Elle était en pleine forme, même si elle se savait énorme. Elle serait heureuse et soulagée à la fois quand les bébés seraient nés. Tout comme leur père, elle était impatiente de voir ses jumeaux.

Evan sourit pour elle-même en pensant à leurs gènes, à Gideon et à elle. Dans la famille Harte, les femmes donnaient souvent naissance à des jumeaux. Apparemment, elle avait respecté cette tradition.

Elle se demanda s'il neigerait dans la journée. Wiggs, le jardinier en chef de Pennistone Royal, avait annoncé que ce serait le cas durant le week-end. Il n'y avait rien de plus romantique et de plus pittoresque que des noces sous la neige, spécialement dans cette région, qui se transformait alors en un étincelant pays des merveilles. Sa mère était d'accord avec elle à ce sujet.

Evan pensa à la conversation qu'elle avait eue avec Marietta le mercredi précédent. Dans l'après-midi, sa mère lui avait paru troublée lorsqu'elle lui avait rapporté une étrange histoire. Quelque chose s'était produit, dans la matinée, qui l'avait tellement contrariée qu'elle s'était sentie obligée d'en parler à sa fille. Et quand Marietta lui avait tout raconté, Evan avait à son tour éprouvé un fort malaise.

A ce qu'elle lui avait dit, sa mère s'était rendue en voiture au village de Pennistone, avec Angharad, dans l'intention d'y faire quelques emplettes.

« Nous étions en train de choisir des cartes postales et quelques autres articles, avait-elle expliqué, quand un bel homme est entré dans la boutique. Il a feuilleté quelques magazines jusqu'à ce que soudain ses yeux se posent sur Angharad. Je n'en croyais pas mes yeux ! Ils se sont mis à bavarder comme s'ils se connaissaient bien. Angharad flirtait avec lui. Je lui en voulais de son comportement vulgaire face à un inconnu, si bien que j'ai aussitôt payé et que nous sommes sorties. A peine avais-je fait quelques pas que je me suis aperçue que j'avais oublié mes lunettes, aussi ai-je rebroussé chemin. Je franchissais la porte de la boutique quand j'ai entendu la vendeuse s'adresser à cet homme, qu'elle appelait M. Ainsley. J'ai été très choquée, Evan. J'ai pris mes lunettes et je me suis enfuie sans demander mon reste. »

Sa mère s'était tue un instant pour scruter Evan avec inquiétude.

« Tu crois que c'était *Jonathan*, Evan ? » avait-elle demandé.

Malgré son malaise grandissant, Evan avait répondu tranquillement :

« C'est très probable, maman. Il n'y a pas d'autre M. Ainsley, en dehors de Robin. »

Evan se rappelait combien sa propre réponse l'avait consternée. Par quel malheur avait-il fallu que ce soit justement Angharad qui rencontre Jonathan Ainsley ? Elle était non seulement coquette, mais impulsive et dotée de peu de jugement. Depuis l'âge de quatorze ans, elle couchait à droite et à gauche, sans discrimination. Evan avait hâte que sa famille reparte pour Londres, après le mariage, et ensuite pour New York. Elle aimait ses parents et Elayne, mais elle se méfiait depuis très longtemps d'Angharad, dont la conduite laissait à désirer. En outre, elle savait que Gideon ne la supportait pas et qu'elle déplaisait souverainement à Linnet.

Mais ce mercredi après-midi, parce qu'elle souhaitait avant tout rassurer sa mère, elle avait dit d'une voix ferme et égale :

« Je suis certaine qu'Angharad et Jonathan n'auront plus jamais l'occasion de se rencontrer. »

Marietta avait acquiescé, l'air soulagé.

172

Evan, pourtant, s'était tellement inquiétée à propos de cette étrange rencontre qu'elle en avait finalement parlé à Gideon. Plus tard, quand Linnet était revenue d'une visite au magasin d'Harrogate, ils s'étaient confiés à elle et avaient exprimé leurs craintes.

Linnet les avait écoutés attentivement, très troublée elle-même.

« Je vais tout de suite avertir Jack, avait-elle dit. Ainsley savait peut-être parfaitement qui était Angharad. Le hasard n'est peut-être pour rien dans leur rencontre, mais, en ce cas, elle aurait été arrangée de façon à paraître fortuite. Par Ainsley, évidemment. Ce type est rusé, comme le dit Jack, et quelqu'un lui fournit des renseignements, j'en suis certaine. Dites-moi, vous n'êtes pas contents d'avoir accepté de suivre mon plan, tous les deux ? »

Ils avaient acquiescé à l'unisson. Le Plan de Linnet, avec un P majuscule, ainsi qu'elle l'appelait, était déjà en cours de réalisation. Evan s'en réjouissait. Si elle se sentait si bien, ce matin, c'était grâce à Linnet.

Alertée par un bruit, Evan jeta un coup d'œil par-dessus son épaule. Elle vit Linnet, Julian et Gideon entrer dans l'église avec le curé de Pennistone Village, le révérend Henry Thorpe. Son visage s'illumina et elle leur adressa un signe de la main.

Ce fut le jeune et sémillant curé qui remonta le premier l'allée centrale, jusqu'au banc sur lequel Evan était assise, face à l'autel. Elle se leva et lui sourit, tandis qu'il la saluait chaleureusement. Ils bavardèrent quelques instants, jusqu'à ce que Gideon déclare d'une voix basse, mais ferme :

— Si nous commencions, monsieur le curé ?

— Vous avez raison, Gideon. Nous sommes ici pour cela.

Et c'est ainsi que dans cette paisible et vieille église remplie de fleurs, sous le soleil matinal, en présence d'un curé et de deux témoins, Evan Hughes épousa Gideon Harte. Il était exactement 8 h 15, ce samedi matin, lorsqu'ils échangèrent leurs vœux à haute et intelligible voix, ainsi que leurs alliances.

Ce mariage matinal, célébré dans le secret total bien avant l'heure prévue, avait été le coup de génie de Linnet, une

173

semaine auparavant. Et c'était Linnet qui avait insisté sur la nécessité d'une discrétion absolue.

« Personne ne doit savoir », avait-elle dit à Jack huit jours auparavant.

Cependant, il avait insisté pour que Paula soit mise au courant.

« Elle doit être avertie, avait-il déclaré avec une certaine emphase. Ainsi que Shane, Emily et Winston. Tous les quatre, ils sont à la tête des familles, des clans. Ils s'occupent de tout, ils gèrent tout. Ils se tairont, je peux vous le garantir. Mais ils doivent faire partie du tableau. Cependant, je suis d'accord avec toi, Linnet, personne d'autre ne sera au courant, en dehors d'eux. Pour des raisons de sécurité. Pas même les parents d'Evan, ou Robin. On le leur dira après. Toute la famille ne sera informée qu'après la cérémonie. »

Linnet avait acquiescé, puis elle avait précisé :

« Personne n'y assistera, sauf Julian et moi, qui sommes les témoins. La cérémonie sera si discrète qu'elle passera inaperçue. »

C'était bien ce qui se passait.

Après le mariage, les quatre jeunes gens suivirent le curé dans la sacristie, pour signer le registre. Cela fait, ils remercièrent le prêtre pour sa collaboration au plan de Linnet.

Lorsqu'ils quittèrent l'église, Jack Figg les attendait dehors avec plusieurs de ses hommes. Il vint à leur rencontre pour féliciter les mariés, puis il les conduisit jusqu'à sa Land Rover, ainsi que Linnet et Julian. Une fois qu'ils furent installés dans la voiture, il se retourna vers le curé, qui se tenait sur les marches de l'église.

— Merci, révérend. Nous n'aurions pas pu réussir sans vous.

Le prêtre sourit.

— En effet, pas si vous vouliez que tout soit fait dans les règles. J'ai été heureux de vous aider et je verrai tout le monde à l'occasion de la réception.

Jack lui adressa un signe de tête et un sourire, puis il courut vers la voiture, s'installa au volant et démarra. Bientôt, la Land

Rover sortit du village endormi et désert. Jack était soulagé que tout se soit bien passé, que Gideon et Evan soient désormais mariés. Il avait œuvré dans le but qu'aucun nuage n'assombrisse la cérémonie.

Lorsqu'ils rentrèrent, il régnait une atmosphère particulière à Pennistone Royal. Durant le trajet, Gideon avait appelé Paula, sur son portable, et il s'était exclamé :

« C'est fait ! Nous sommes mariés ! Et personne n'en a rien su. »

Lorsqu'ils parvinrent devant la maison, une dizaine de minutes plus tard, Paula et Shane les accueillirent sur le perron.

Ils embrassèrent et félicitèrent les jeunes mariés, puis Paula les fit entrer dans la maison et les conduisit dans la salle à manger.

— Margaret a préparé le petit déjeuner pour nous tous, expliqua-t-elle, mais elle ne sait pas où vous étiez. Personne n'est au courant.

Jetant un coup d'œil à sa fille, elle ajouta avec un sourire affectueux :

— Je suis contente que tu aies eu cette inspiration, Linnet, et que tu aies fait en sorte que ton plan se réalise. Tu es une fille intelligente.

— Merci, maman, mais je me sens affreusement... J'ai privé Evan de son beau mariage, dit-elle en adressant un sourire d'excuse à son amie.

— Je ne me sens pas le moins du monde frustrée ! s'exclama cette dernière. Je me sens privilégiée d'être un membre de la famille et, de toute façon, c'était un beau mariage, avec Julian et toi pour témoins.

— Elle a raison, Linny, intervint Gideon. Le principal est que nous soyons mariés et que, grâce à toi, Evan n'ait pas constitué une cible.

Ils s'assirent autour de la table ronde, près de la baie vitrée. Quelques secondes plus tard, Margaret s'affairait autour d'eux, servant le jambon et les œufs brouillés, des tartines grillées et de gros pots remplis de thé ou de café, ainsi que des récipients pleins de confiture et de beurre.

Dès que Margaret se fut retirée, Jack dit doucement à Paula et à Shane :

— Le village était à moitié endormi et complètement désert. J'ai parlé au curé comme vous me l'aviez demandé, Paula. Il va téléphoner à quelques notables et leur dire que la cérémonie a eu lieu en privé, ce matin, en raison de l'état de santé d'Evan. Il s'arrange aussi pour que le Cercle des femmes organise une réception demain, dans le presbytère, afin de compenser la déception des villageois. Vous savez combien ils apprécient les mariages des Harte.

— C'est gentil de sa part, dit Shane. Nous devrions leur envoyer une caisse de champagne pour cette réception. Qu'en penses-tu, Paula ?

— C'est une très bonne idée, mon chéri. Joe la déposera au presbytère dès demain matin.

Gideon sourit à Paula.

— Je parie que tu as eu du mal à empêcher mes parents de participer à ce petit déjeuner. Je me trompe ?

Paula se mit à rire.

— Pas vraiment. C'est surtout Emily qui souhaitait vous féliciter, Evan. Mais, pour être franche, elle a fini par reconnaître qu'il serait plus correct de rester à Allington Hall avec vos parents. La seule autre possibilité était de les amener ici, mais j'ai pensé qu'il valait mieux en rester à ce que nous avions dit. Evan pourra se reposer et se préparer pour la réception sans subir aucun stress. Dès que j'aurai téléphoné à Emily, elle préviendra M. et Mme Hughes que la cérémonie a eu lieu de bonne heure, ce matin.

— D'ailleurs, intervint Shane, nous avons du pain sur la planche. Dès que nous aurons fini de déjeuner, Paula et moi devrons téléphoner aux membres de la famille pour leur dire de venir ici et non à l'église, à 14 heures, pour un mariage qui n'aura pas lieu.

— Vous comptez donner à tous la même explication ? demanda Julian.

— Bien sûr, répliqua Shane. C'est tout à fait logique. Nous aurions très bien pu craindre que les jumeaux naissent prématurément. Je pense que tout le monde avalera notre histoire.

— Et si ce n'est pas le cas, tant pis ! déclara Linnet. De toute façon, il ne servirait à rien de leur donner les vraies raisons, sinon à apparaître comme des paranoïaques.

— Vous êtes paranoïaques, lança Lorne depuis le seuil de la pièce.

Il entra, l'air très décontracté, avec son pull à col roulé et son pantalon d'équitation.

Souriant largement à tous, il ajouta :

— J'imagine que tu faisais allusion à Jonathan Ainsley quand tu as prononcé le terme « paranoïaque », Linnet. Je pense que vous lui accordez trop d'importance et que c'est un spectre plutôt qu'une véritable menace.

— Peut-être as-tu raison, répliqua Linnet en lui rendant son sourire. Mais il se trouve qu'il a failli gâcher mon mariage. Raconte-le-lui, Jack.

Jack Figg hocha la tête et regarda Lorne, qui venait d'écarter une chaise de la table pour s'asseoir près de Shane.

— Ce jour-là, mes hommes et moi avons écarté une bande de loubards qui s'apprêtaient à entrer dans Pennistone Village pour y faire des dégâts. L'église aurait pu être sérieusement endommagée et tous ceux qui s'y trouvaient blessés, ou pire encore. Par bonheur, ce désastre a pu être évité.

— Comment l'avez-vous su ? demanda Lorne.

— Nous avons eu l'information à la source, si j'ose dire, marmonna Jack. Je préfère ne pas nommer notre indicateur.

Gideon se pencha par-dessus la table, et regarda Paula et Shane.

— Voulez-vous que je passe quelques coups de fil à votre place ? Je pense qu'Evan a besoin de se reposer pendant plusieurs heures, car la journée va être longue, mais pour ma part je suis totalement libre.

— Justement, tu ne l'es plus, se moqua Linnet. Désormais, te voilà prisonnier.

— En effet, dit Gideon, hilare, et je suis fou de joie.

15

Aussi loin que Paula remontât dans ses souvenirs, le coffret de bois orné de volutes d'argent avait toujours été sur le buffet. Maintes et maintes fois, elle avait demandé à sa grand-mère où se trouvait la clef et Emma lui avait toujours répondu qu'elle était perdue. Ce coffret intriguait tout le monde, parce que Emma n'avait jamais révélé à personne ce qu'il contenait.

Mais l'énigme était résolue, aujourd'hui. Non seulement la clef d'argent était là, dans sa serrure d'argent, mais la famille tout entière savait ce que contenait le mystérieux coffret : des lettres que Glynnis Hughes, la grand-mère d'Evan, avait envoyées ici, à Pennistone Royal, durant les années cinquante, à Emma Harte. Et c'étaient ces lettres qui avaient éclairé la famille sur les origines d'Evan. Lorsque Paula avait trouvé la clef et ouvert le coffret, elle avait découvert que Robin Ainsley, le fils préféré d'Emma, était le père d'Owen Hughes, le fils de Glynnis. Evan était donc l'arrière-petite-fille d'Emma.

Tout en pensant à Evan, Paula traversa le petit salon et entra dans sa chambre. Elle ferma le fameux coffret, le porta sur son bureau ovale, près de la fenêtre, et en caressa le couvercle du plat de la main. On y voyait une petite plaque en argent sur laquelle étaient gravées les initiales E.H. Elles signifiaient Emma Harte, mais elles auraient pu tout aussi bien vouloir dire Evan Harte. Ce ravissant coffret revenait à Evan plus qu'à aucun autre membre de la famille. Après tout, il avait contenu de nombreux secrets qui concernaient sa grand-mère Glynnis et donc elle, indirectement.

Je vais le lui offrir, songea Paula.

Soulevant de nouveau le couvercle, elle regarda le revêtement de velours d'un rouge passé. Le coffret était vide, puisque, l'année précédente, Paula avait donné à Evan les lettres de Glynnis à Emma, nouées avec un ruban bleu. L'étoile de diamant lui revenait aussi, pensa soudain Paula, puisqu'elle était assortie aux boucles d'oreilles que lui avait offertes Emily en cadeau de mariage.

Riant presque, Paula se leva, courut dans sa chambre et ouvrit sa boîte à bijoux posée sur sa coiffeuse. Elle en sortit la broche victorienne en forme d'étoile. Elle était très ancienne, elle aussi, et avait été donnée à Emma, ainsi que les boucles d'oreilles assorties, par la mère d'Arthur Ainsley, quand Emma avait épousé Arthur, en 1920. Paula riait intérieurement, car elle pensait à sa cousine Emily qui, bien des années auparavant, avait demandé à Emma si elle pouvait lui emprunter « ses vieilles boucles d'oreilles en diamant ».

Emma avait secoué la tête :

« J'ignorais que les diamants vieillissaient, Emily, mais bien sûr, tu peux me les emprunter. »

Plus tard, elle les lui avait données parce que sa mère, Elizabeth, avait été une Ainsley.

Evan en était une aussi par Robin, du moins pour une part. Elle méritait donc la broche qui allait avec les boucles d'oreilles. De cette façon, tout serait clair et net. Paula se rappelait combien sa grand-mère aimait que les choses soient claires dans sa tête, dans son travail et dans sa vie.

Elle entendit une porte s'ouvrir, puis la voix de Lorne retentit :

— Tu es là, maman ?

Paula se précipita dans le petit salon, la broche toujours à la main.

— Que se passe-t-il, mon chéri ?

— Je peux te parler cinq minutes ? demanda son fils aîné en s'asseyant près d'elle sur le canapé.

— Bien sûr. Tu as l'air inquiet, Lorne. Tout va bien, j'espère ?

— Tout à fait, maman, sauf que je me fais du souci pour toi, ces temps-ci. Je t'ai trouvée plutôt fatiguée, récemment.

— C'est le cas, Lorne. J'ai eu beaucoup de choses à organiser, avec Emily. Elle voulait que le mariage se déroule à la perfection et, d'une certaine façon, elle a été frustrée, ce matin. Cela me désole pour elle.

— Parce qu'elle n'a pas vu Evan remonter l'allée centrale, puis se tenir devant l'autel avec Gideon, c'est cela ?

— Oui. Mais Emily a compris la nécessité de cette cérémonie secrète dès que je lui en ai parlé. En outre, la réception va être superbe. Je lui ai dit qu'elle verrait Gideon et Evan enlacés pour la première danse. Elle sait que cet instant la dédommagera de ne pas avoir été présente lors du mariage.

Lorne secoua la tête et, fixant sa mère, s'enquit d'une voix tranquille :

— Tu penses qu'Ainsley peut être dangereux ?

— Je le crains, oui, même si ce sont d'autres personnes qui agissent à sa place. Il est bien trop malin pour se faire prendre la main dans le sac. N'oublie pas que c'est un Harte, en dépit de tout le reste.

— Dommage, marmonna Lorne. Il y a peu de temps, Jack m'a demandé de rester très vigilant. Il pense que je pourrais moi-même être sa victime, parce que je suis ton fils. Selon lui, ma profession d'acteur fait de moi une cible idéale.

— Tu dois suivre les conseils de Jack ! s'exclama Paula, dont la voix monta d'un cran. Peut-être devrais-tu avoir des gardes du corps. Tu sais bien que de nombreux acteurs et actrices en ont.

— Merci bien, maman, mais ce n'est pas pour moi. Je garderai les yeux ouverts et les sens en éveil, comme me l'a suggéré Jack.

Lorne aperçut alors la broche de diamant.

— Qu'est-ce que c'est ? La célèbre broche des Ainsley ?

Paula sourit.

— Je vais l'offrir à Evan, aujourd'hui, parce qu'elle est une descendante d'Arthur Ainsley et qu'Emily lui a déjà donné les boucles d'oreilles assorties, celles que grand-mère lui avait elle-même offertes il y a des années... Elles vont avec la broche, puisqu'elles constituent un ensemble. Désormais, il ne sera plus dépareillé.

— C'est très gentil de votre part, à Emily et à toi. Cette transmission aux héritiers est une tradition charmante. Je voulais te demander le détail des opérations, cet après-midi, puisque tout va se dérouler ici.

— Rien n'a changé, Lorne. A 15 heures, au lieu d'arriver de l'église, Evan et Gideon descendront... de l'étage.

Paula, qui ne perdait jamais son sens de l'humour, se mit à rire. Lorne se joignit à elle et ajouta :

— On servira donc le champagne dans les salons pêche et gris, puis une collation tardive à 16 h 30, dans le hall. Après le repas, on dansera et on fera la fête.

— Exactement, mon chéri. De fait, maintenant qu'ils sont mariés, je suis plus détendue. Je vais pouvoir m'amuser. J'ai l'impression qu'on m'a ôté un lourd fardeau des épaules.

— J'en suis heureux, maman. Tu t'inquiètes trop et tout le temps. Je vais te quitter pour mendier un sandwich à Margaret, ensuite je m'esquiverai et j'irai me reposer dans mes appartements bleu nuit, mais je descendrai de bonne heure, pour voir si je peux me rendre utile.

— Tu seras le plus bel homme de l'assemblée, mon chéri.

— Après papa, rectifia Lorne en se levant.

Il se dirigea vers la porte, mais avant de quitter le petit salon, il jeta un coup d'œil à sa mère.

— Tu n'as pas besoin d'aide ?

— Pas vraiment, Lorne, mais je te remercie d'y avoir pensé.

— Si tu me cherches, tu n'as qu'à pousser un grand cri.

— Attends ! Peux-tu t'assurer que Desmond s'habille correctement, s'il te plaît ? Auparavant, il était toujours très soigné, mais ces derniers temps, il est un peu débraillé.

— C'est de son âge, mais je m'en occupe, ne t'inquiète pas, promit Lorne, qui referma doucement la porte derrière lui.

Paula resta assise un instant, pensant à Lorne et à la chance qu'elle avait. Son fils ne lui avait jamais causé le moindre souci. Jamais. Il était presque trop parfait et elle s'inquiétait fréquemment à l'idée qu'on puisse en profiter, surtout les femmes. Elle se leva en soupirant, gagna son bureau et remit la broche dans le coffret, dont elle referma le couvercle. Plus tard, elle s'occuperait de trouver le petit écrin de velours, pour y mettre le bijou, puis elle déposerait son cadeau dans la chambre d'Evan. Elle y ajouterait une lettre, pour lui raconter son histoire.

— Tu sais bien que tu peux obtenir ce que tu veux de moi, mon chéri, dit Margaret en souriant à son favori.

Appuyé à la fenêtre de la cuisine, Lorne était incroyablement beau.

— Nous sommes très occupés, ici, comme tu peux le constater, mais je vais te préparer un sandwich au poulet. Malheureusement, mon petit, tu devras le manger ailleurs, car cette cuisine fourmille d'employés du traiteur. Mais je suis contente que ta mère ait fait appel à eux, pour le déjeuner, parce que je ne m'en serais jamais tirée toute seule.

— C'est sûr, Margaret chérie, rétorqua Lorne.

Se penchant vers elle, il déposa un baiser sur son front et poursuivit :

— Tu dois prendre soin de toi. Parfois, je trouve que tu travailles trop.

Margaret lui sourit.

— Toute la famille est victime de cette malédiction, tu le sais bien. Ta grand-mère en a établi les fondations, ici, et parce qu'elle était elle-même un bourreau de travail, ou je ne sais comment vous appelez ça, elle s'attendait à ce que tout le monde soit comme elle. Emma abusait un peu, tu sais.

Lorne éclata d'un rire sonore, puis il pivota sur lui-même en s'entendant appeler par son prénom. Il se retrouva face à celle qui avait livré le repas, une femme qu'il connaissait depuis toujours : Priscilla Marney, qui organisait souvent les réceptions et les grands repas de sa mère.

— Salut, Prissy ! Comment vas-tu ? Et comment va Samantha ?

— Très bien, et moi aussi. Tu as l'air en pleine forme, Lorne. J'attends avec impatience de voir ton prochain film.

— Il sort dans quelques mois et, en mars, je commencerai à répéter une pièce dans le West End.

— Dès qu'elle sera à l'affiche, nous viendrons la voir. Sam et moi, nous sommes tes plus grandes fans.

Lorne sourit à Priscilla, notant au passage que sa mise était moins exubérante qu'autrefois. D'ordinaire, Prissy portait des vêtements voyants, d'un pourpre intense, ou rouges. Il y avait en elle un aspect théâtral qu'il appréciait en connaisseur. Avec son teint, ses cheveux de gitane, ainsi que sa taille, il la trouvait saisissante. Mais aujourd'hui, elle était étonnamment discrète... Sa luxuriante chevelure noire, tirée en arrière, formait un chignon sévère et elle portait une tenue de travail, constituée d'un ensemble pantalon noir et d'une chemise blanche.

— Si tu m'appelles quand nous commencerons à jouer, je ferai en sorte que vous soyez bien placées, Priscilla.

— Merci, Lorne, c'est très gentil de ta part.

Jetant un coup d'œil à l'horloge murale, elle ajouta :

— Tu ne devrais pas aller te changer ? Tu devras bientôt partir pour l'église, tu sais.

— Tu as raison, je ferais bien d'y aller ! s'exclama Lorne en s'éloignant.

Il était certain qu'elle ne savait rien de la cérémonie secrète qui avait eu lieu le matin. Lui-même ne l'avait appris qu'en rejoignant ses parents pour le petit déjeuner.

Très affairée, Margaret s'approcha et posa une assiette dans ses mains.

— Débrouille-toi avec ça, mon garçon, dit-elle très vite, et savoure ton sandwich au poulet. On se voit plus tard.

Sur ces mots, elle le poussa quasiment hors de la cuisine, dans sa hâte de se débarrasser de lui.

Lorne se retrouva dans le couloir et gagna la salle du petit déjeuner. Sa mère pensait que Margaret ignorait que la cérémonie avait été avancée, mais il n'en était pas si sûr. Il trouvait que Paula sous-estimait souvent la gouvernante, qui était bien plus perspicace qu'elle ne l'imaginait. La façon dont Margaret s'était ruée sur lui, quand Priscilla et lui parlaient de l'heure, en disait long. Non que cela eût une importance quelconque, d'ailleurs, si Priscilla Marney avait été mise au courant. Elle le serait à 15 heures, de toute façon. Et elle travaillait pour la famille depuis des années. Tout le monde appréciait Priscilla. En outre, elle préparait les meilleurs plats de la région.

Il trouva son demi-frère, Desmond, en train de manger une salade de fruits.

— Salut, Des, où étais-tu, ce matin ? Je ne t'ai pas vu dans le coin ! observa Lorne en s'asseyant auprès du jeune homme.

— Je faisais mes devoirs, grogna Desmond. Papa ne me lâche pas, avec ça.

— Tu as besoin d'aide ?

— Non, mais merci de le proposer. J'imagine qu'il va falloir s'habiller pour le mariage. Quelle plaie !

Lorne se mit à rire.

— C'est vraiment aussi dur que ça, Des ? Après tout, ce n'est pas une telle corvée que de porter une veste et une cravate pendant quelques heures. Par bonheur, nous n'avons pas à nous mettre en habit. Je déteste avoir un chapeau haut de forme et une redingote.

— Moi aussi ! s'écria l'adolescent de dix-sept ans. Maman veut que je porte mon costume neuf bleu marine. Et toi, Lorne, qu'est-ce que tu vas mettre ?

— La même chose que toi, selon les désirs de maman. Papa et grand-père doivent en faire autant.

— Je voudrais ne pas avoir à y aller. Je déteste les mariages.

— Je te comprends. Tous les membres de la famille réunis... Tout ce tintouin, sans compter les querelles de toutes sortes. C'est une corvée, dans un sens, tu as raison. Mais pense à une chose. Tu es revenu de la pension à cause de cela.

Desmond eut la bonne grâce de sourire à ce frère qu'il adorait.

— Exact... Tu n'as toujours pas de copine, Lorne ?

En prononçant ces mots, il dressa ses sourcils noirs, plus irlandais que jamais, et sourit avec impertinence.

— Je parie que maman ne te lâche pas avec ça. Elle doit te harceler pour que tu te maries.

— En effet. Mais d'un autre côté, je ne peux pas me marier tant que je n'ai pas de femme dans ma vie.

Le jeune homme hocha la tête puis, se penchant en avant, il demanda :

— Est-ce que je peux rester avec toi pendant la cérémonie ? Si je ne fais pas attention, je risque de me faire bouffer tout cru par les tantes et les cousines.

De nouveau, Lorne se mit à rire. Il riait encore lorsqu'ils terminèrent leur déjeuner. Il avait subi les mêmes assauts lorsqu'il avait l'âge de Desmond, et il comprenait ce que son frère éprouvait.

Jack Figg ouvrit la porte du salon pêche, à Pennistone Royal. Il se tint un instant sur le seuil, contemplant la pièce, l'une de ses préférées, dans la grande et vieille demeure. Regardant autour de lui, il s'émerveilla qu'elle eût aussi peu changé en quarante ans.

A cet instant, elle était vide, puisque tous les membres de la famille se trouvaient dans leurs chambres, où ils s'habillaient, et qu'aucun invité n'était encore arrivé pour la réception, qui ne devait commencer qu'une heure plus tard environ.

Il marcha lentement sur le parquet ciré, en direction de la cheminée de marbre blanc. A cet instant, le soleil hivernal qui filtrait par les hautes fenêtres parait les murs d'un éclat doré et emplissait le salon d'une lumière nébuleuse. Il avait toujours pensé que cette pièce était la plus ravissante de toutes, avec ses teintes pêche et crème, ses élégants meubles Regency et ses tableaux impressionnistes, absolument exquis.

Planté devant la cheminée, il leva les yeux vers le paysage de Sisley qu'Emma avait suspendu là une cinquantaine d'années auparavant, puis il se déplaça pour contempler deux autres peintures de Sisley et les deux Monet qui ornaient les murs. Ces cinq tableaux seraient toujours au même endroit, ainsi qu'Emma l'avait décrété dans son testament.

Jack remarqua, en regardant autour de lui, que Paula n'avait rien changé ; elle se contentait de faire restaurer les choses lorsqu'elles étaient usées ou abîmées, de façon à respecter la décoration originelle voulue par Emma.

Il y avait des fleurs partout. Plusieurs vases de cristal étaient remplis de lis, de lilas et de branches de mimosa. Des coupes de porcelaine regorgeaient d'œillets ou de tulipes et, signature de Paula, des orchidées étaient disposées dans de splendides baquets de porcelaine. Mais pas de roses. Là encore, il s'agissait d'une loi édictée par Emma, et Paula s'y conformait.

Les pensées de Jack se tournèrent vers Paula, tandis qu'il gagnait les fenêtres pour regarder la terrasse recouverte de neige, ainsi que les jardins qui s'étendaient plus bas. Elle lui avait paru exténuée, ces temps-ci, mais aujourd'hui, lorsqu'il avait arpenté le grand salon avec elle pour l'aider à placer les cartons sur les tables, elle semblait aller mieux. La raison en était qu'elle avait l'air plus détendu, comme soulagée d'un souci. Il était certain que c'était parce que le mariage secret avait eu lieu à 8 h 15.

Jack était conscient du fait que Jonathan inspirait à Paula une peur mortelle. Il aurait voulu pouvoir alléger ses soucis, mais il se sentait impuissant. A moins, évidemment, qu'il ne tuât Ainsley. Alors, seulement, elle trouverait la paix. Mais bien entendu, c'était impossible. Jack décida qu'il trouverait le moyen de stopper l'individu dans son élan. Il y avait forcément quelque chose à faire. Il devait élaborer un plan.

Jack faisait partie de cette famille depuis des années. Il la considérait comme la sienne, ses membres le considéraient comme l'un d'entre eux. En raison de l'affection qu'il leur portait, il voulait les soulager de leurs fardeaux chaque fois qu'il le pouvait. Surtout lorsqu'il s'agissait de Paula, dont il était proche depuis des années.

Jack laissa échapper un soupir. Il lui fallait trouver une idée sur-le-champ... Renforcer la sécurité serait une bonne initiative. Il pensait proposer à Lorne d'engager un ancien policier pour chauffeur. De cette façon, le jeune homme serait correctement protégé. C'était un acteur célèbre, un Harte, même s'il s'appelait Fairley, il était jeune et beau. De ce fait, il constituait une cible idéale, Jack le lui avait déjà dit. Mais il devait agir, car il savait que Lorne ne le ferait pas.

Comme il pivotait sur lui-même et gagnait la porte à double battant, Linnet parut sur le seuil. Elle lui adressa un signe et le rejoignit en hâte.

— Je suis venue chercher mon matériel, dit-elle.

Jack hocha la tête, fourra la main dans sa poche et en sortit une enveloppe épaisse. Elle la lui prit des mains.

— C'est un micro et un écouteur ?

— Oui. Prends garde que le son ne soit pas étouffé par la fleur que tu comptes piquer sur ton revers. Et tu dois accrocher le boîtier à ta taille, puis y mettre le fil.

Tout en parlant, il se retourna et releva sa veste, pour que Linnet puisse voir le boîtier, accroché à la ceinture de son pantalon.

— D'accord ?

— Oui, j'ai tout compris. Pour l'écouteur aussi.

— Quelle tenue porteras-tu, Linnet ?

— Une jupe longue avec un haut et un manteau de soie. Je me suis habillée en conséquence, précisa la jeune femme en désignant l'enveloppe.

— Brave petite ! Personne ne t'arrive à la cheville, Linnet.

— J'espère bien ! répliqua-t-elle en l'examinant avec approbation. Tu es vraiment très élégant, Jack.

— Merci du compliment. Où est Julian ?

— En haut, dans notre chambre. Il se change et je ferais bien de monter aussi. J'ai promis à Evan de l'aider.

La jeune femme jeta un coup d'œil à la pendulette sur le manteau de la cheminée.

— Dieu du ciel, il est déjà plus de 14 heures ! Il faut que je me dépêche.

— Exact, Beauté…

Jack s'interrompit, car son portable venait de sonner. Il le sortit de sa poche et le porta à son oreille.

— Allô ?

— Jack, c'est Peter.

Son employé paraissait tendu, hors de lui.

— Qu'est-ce qui ne va pas ? s'inquiéta Jack.

— Une partie du mur ouest de l'église de Pennistone Village vient d'être soufflée. Heureusement qu'il n'y avait personne, autrement ç'aurait été un carnage.

— Mon Dieu !

Jack s'était exprimé à voix basse, mais Linnet avait entendu son exclamation et elle voyait son visage crispé. Immobile, elle tendit l'oreille sans mot dire, pendant qu'il poursuivait la discussion.

— Quelqu'un a déposé des explosifs, reprit Peter, ou bien une petite bombe. Des gens auraient été tués, Jack, s'ils s'étaient trouvés dans l'église.

— Je m'en doute. Tu as prévenu la police ?

— Le curé s'en est chargé.

— Tu vas bien, Peter ? Je sais que tu étais garé en face de l'église.

— Je suis indemne, ainsi que Chuck, qui se trouvait en bas de la rue.

— Où est Al ?

— En haut de la colline. Il guettait l'arrivée d'éventuels voyous, mais il n'y en a aucun en vue.

— Tu sais où est le curé ?

— A quelques pas de moi, en train d'examiner les dégâts avec le sacristain. Tu veux lui parler ?

— Oui. Passe-le-moi.

— Tout de suite.

Un instant plus tard, la voix du révérend Henry Thorpe retentit à l'oreille de Jack.

— Vous savez ce qui se passe, monsieur Figg ?

— Non, monsieur le curé, mais je pense que c'est l'œuvre de quelqu'un qui déteste la famille. Par bonheur, personne n'a été blessé.

— Par bonheur. Que voulez-vous que je fasse ?

— J'ai cru comprendre que la police était sur les lieux. Dès

189

que les policiers auront procédé à une fouille minutieuse, pour s'assurer qu'il n'y a rien d'autre de suspect, il faudra nettoyer et boucher le trou avec des planches et des bâches, pour qu'aucun animal ne puisse entrer.

— Je m'en assurerai.

— Quelqu'un pourra-t-il vous remplacer, monsieur le curé ? On trouverait cela étrange, si vous n'assistiez pas à la réception.

— Bien entendu. Je comprends bien que je dois venir.

— Monsieur le curé ?

— Oui, monsieur Figg...

— Je crois que nous serions fort avisés de ne pas mentionner cet accident pendant la réception. Mme O'Neill en serait bouleversée, sans compter les mariés, s'ils savaient qu'ils ont failli être victimes d'un attentat.

— Je n'en dirai pas un mot. Cependant, l'explosion a fait beaucoup de bruit et quelques villageois sont venus aux nouvelles. Que dois-je leur répondre ?

— Rien. Dites-leur que vous ignorez ce qui s'est passé. Restez très vague. Prenez un air étonné. Moins on en dira, mieux ce sera.

— Il vaut mieux que je m'adresse au sergent Lyons, mais je ne ferai aucune allusion à d'éventuelles inimitiés.

— Cela me paraît tout à fait sensé, en effet. Nous nous revoyons plus tard. En attendant, certains de mes hommes sont postés dans le village. Si vous me repassez Peter, je lui dirai de vous aider de toutes les façons possibles. Et rappelez-vous : pas un mot de tout ceci à quiconque quand vous serez ici.

— Ne vous inquiétez pas, monsieur Figg, dit le prêtre. Je vous repasse Peter.

Un instant plus tard, la voix de ce dernier retentit dans l'écouteur :

— Je suis là, Jack. Je pense qu'il s'agit probablement d'une bombe. Elle a dû être placée pendant la nuit et programmée de façon à éclater vers 14 h 10.

— Ça semble assez logique. A cette heure-là, l'église devait être remplie par les membres de la famille Harte, si nous n'avions pas modifié nos plans. Ne lâche pas les policiers d'une semelle et fais-leur savoir que tu es à leur disposition, au cas où ils auraient besoin de ton aide. Je suis persuadé que ce ne sera pas le cas, mais garde le contact.

— Très bien.

Jack raccrocha et regarda Linnet, qui n'avait pas bougé.

— Une partie du mur ouest de l'église a été soufflée par une explosion, lui dit-il doucement. Je suis sûr que tu l'avais compris. L'un de mes hommes, Peter, pense qu'une bombe a été placée pendant la nuit et programmée de façon à exploser au début de la cérémonie, du moins à l'heure où elle était supposée commencer. Vers 14 h 10.

Linnet était devenue très pâle.

— Ça ne peut-être qu'Ainsley, chuchota-t-elle avec véhémence. Il n'y a pas d'autre explication.

— Mais nous ne pouvons pas le prouver. Et la police ne trouvera rien d'autre que les restes de la bombe.

— Que pouvons-nous faire ?

— Rien, Linnet. La police examinera tout, elle fouillera l'église pour s'assurer qu'il n'y a plus de danger et rédigera un rapport. Quoi qu'il en soit, il ne se passera plus rien au village, sois-en sûre.

— Mais Ainsley peut encore tenter de s'en prendre à Evan et à Gideon.

— Pas tout de suite. Il va faire profil bas, pour l'instant. Il est probable qu'il quittera le Yorkshire et repartira pour Paris ou Hong Kong. Il est suffisamment malin pour savoir que nous nous tiendrons au courant de ses faits et gestes. Il n'est pas idiot. Il est conscient que nos soupçons vont se porter sur lui.

— Maman ne doit rien savoir !

— Tu as raison. Personne n'en saura rien, du moins jusqu'à la fin des festivités. Tenons-nous cois jusqu'à demain. D'accord ?

Linnet se mordit la lèvre.

— Tu es très pâle, Beauté. Tu vas devoir plaquer sur ton

visage le fameux masque d'impassibilité d'Emma Harte, avant la réception. Pendant que nous y sommes, ne dis rien non plus à Evan et à Gideon.

— Je n'y aurais pas songé ! Mais je peux en parler à Julian ?

— D'accord, mais à personne d'autre. Pas question de gâcher leur mariage !

— Bien sûr ! Je les ai déjà frustrés en insistant pour qu'ils se marient secrètement.

— Tu leur as sauvé la vie, Linnet, murmura Jack. Ne l'oublie jamais.

16

Gideon Harte était furieux. Les paroles de colère se pressaient sur ses lèvres, mais avant qu'il prononce un seul mot, sa mère lui jeta un coup d'œil sévère. Il connaissait bien cette expression et, s'efforçant de réprimer sa mauvaise humeur, il s'approcha d'Evan, lui prit la main et la serra légèrement, plein d'amour pour elle.

Comme il cherchait quoi répondre à Owen Hughes, sa femme le devança.

— S'il te plaît, papa, dit Evan. Ne le prends pas comme ça. Nous sommes tous aussi déçus que toi. Mais Gid et moi sommes mariés, maintenant, c'est ainsi.

— Mais nous aurions pu être là. Nous aurions dû être là ! Nous sommes tes parents. Pourquoi ne nous as-tu pas invités ce matin ?

Ignorant la question, la jeune femme répliqua d'une voix un peu lasse :

— Après ma chute, je ne me sentais pas très bien et le médecin m'a recommandé de ralentir le rythme, de...

— J'ignorais que tu étais tombée ! Pourquoi n'ai-je pas été averti ?

De nouveau, elle ne répondit pas directement :

— Ecoute, papa, Gideon et moi avons décidé à la dernière minute de nous montrer prudents. Une petite cérémonie, pas d'invités, juste deux témoins. Pas d'excitation. Pas d'agitation. Nous savions que nous fêterions l'événement ensemble ici, à

Pennistone Royal. Dans un endroit où je peux me réfugier dans mon lit si je me sens trop fatiguée.

Jetant un coup d'œil à son beau-père, Gideon vit son expression mécontente et songea : Pauvre type. Il ne pense qu'à lui, pas à Evan.

Depuis longtemps, Gideon avait jugé qu'Owen avait peu de points communs avec les Harte. Probablement n'appréciait-il aucun d'entre eux. Il n'était intéressé que par lui-même, aussi toute la sympathie de Gideon allait-elle à Marietta. Comme il se tournait vers sa belle-mère, celle-ci lui adressa un faible sourire d'excuse. Il vit son malaise dans ses yeux. Elle était sensible, tout comme Evan.

— Eh bien, dit Owen, j'avoue être déçu...

— Je le sais bien, papa ! s'exclama Evan avec un peu d'impatience. Tout comme maman, Emily et Winston. Mais eux, ils comprennent.

Marietta traversa le salon et posa la main sur le bras de son mari.

— Ne sois pas ridicule, Owen. L'important est qu'Evan et Gideon soient mariés. Tu peux encore avoir le plaisir d'entrer dans la salle de réception au bras de ta fille, au son de la marche nuptiale. Fais-le maintenant. S'il te plaît.

Owen lui lança un regard bizarre, mais il ne répondit pas et se contenta d'écarter la main de sa femme.

Quel couple étrange ! songea Gideon.

Aussi agacé que lui, Winston Harte décida de s'en mêler. Après avoir jeté un coup d'œil à son fils, il se tourna vers Owen.

— Je crois que nous devrions laisser ces dames vaquer à leurs occupations si nous voulons qu'Evan soit prête à temps.

Owen hocha la tête et dit à Evan :

— Je vais demander à Elayne et à Angharad de venir t'aider, chérie.

— Non, non ! Surtout pas ! s'exclama Evan sans réfléchir.

Elle poursuivit d'une voix plus douce :

— J'ai maman et Emily, cela suffira. Vraiment, papa, je n'ai besoin de personne d'autre.

— Traditionnellement, les sœurs de la mariée l'aident à se préparer.

— Je ne le souhaite pas et je ne suis pas une mariée normale, papa. Après tout, je suis sur le point d'accoucher. En fait, je ne supporte pas que les gens tournent autour de moi, à faire des manières.

— Comme tu veux, répliqua sèchement Owen.

Sur ces mots, il gagna la porte, l'air plus énervé que jamais. Winston sourit affectueusement à Evan et lui pressa légèrement l'épaule en passant auprès d'elle.

— On se revoit en bas, ma chérie. Et quand tu seras prête. Prends ton temps. Les invités doivent passer la soirée ici, tu n'as donc pas à te presser.

— Merci, Winston, répondit-elle.

Elle sourit à son beau-père, un homme qu'elle avait appris à aimer, à respecter et à admirer. C'était sans doute la personne la plus prévenante qu'elle eût jamais rencontrée.

— Je te rejoins dans une minute, papa, dit Gideon. Viens, ma chérie, poursuivit-il en regardant sa femme. Allons dans la chambre, je voudrais te parler.

Dès qu'ils furent seuls dans la chambre de la suite verte qu'ils occupaient durant ce week-end de réception, Gideon prit sa femme dans ses bras et l'attira à lui.

— Ne te laisse pas bouleverser par ton père, murmura-t-il dans ses cheveux. Il s'en remettra.

— Je le sais bien et je ne suis pas bouleversée, juste contrariée.

— Allez, Evan, ne sois contrariée par personne... C'est notre réception de mariage. J'ai tellement de chance...

Il s'écarta d'elle pour scruter le visage de la jeune femme. Jamais elle ne lui avait paru aussi délicate qu'aujourd'hui. Il y avait une fragilité, en elle, qui soudain l'inquiétait. Il remarqua combien elle était pâle. Sa peau était presque transparente... Il vit une petite veine bleue qui battait sur sa tempe et sa bouche qui tremblait légèrement, la faisant paraître enfantine et très vulnérable. Son cœur se serra. Il ne supportait pas de la voir bouleversée et il maudit intérieurement son père.

Se penchant, il l'embrassa sur le front.

— Je suis l'homme le plus heureux de la terre. Je t'aime énormément, Evan, et je te promets une fois de plus de te chérir et de protéger tous les jours de ta vie.

— Oh, Gideon, Gid chéri... Je te fais la même promesse.

Doucement, amoureusement, elle lui caressa la joue.

— Je vais bien. Je suis si contente que nous ayons suivi le conseil de Linnet et que nous soyons mariés sans tambour ni trompette ! Je sais bien que c'était à cause de la peur que vous inspire Jonathan, mais c'était sage, vraiment, parce que j'ai un peu mal au cœur... J'ai eu une légère nausée toute la matinée. J'étais contente de pouvoir me reposer après le déjeuner.

Le visage de Gideon s'assombrit.

— Mais tu viens de dire que tu allais très bien ! Tu es sûre que tu n'as pas besoin du médecin ?

— Non. Bien sûr que non ! La nausée va et vient, et je te promets que je ne vais pas lâcher les jumeaux sur tes genoux, dit-elle en souriant, mais je supporte mal l'agitation et l'excitation, ces temps-ci.

— En ce cas, ne te presse pas, comme papa te l'a recommandé. Prends ton temps pour t'habiller. Tu as besoin que j'aille te chercher quelque chose ?

Elle secoua la tête.

— Non. Je vais me maquiller, et ensuite maman et Emily m'aideront à passer ma robe.

— Viens par ici.

Il l'entraîna jusqu'à la coiffeuse, près de la baie vitrée. Une fois qu'elle fut assise sur le tabouret, il déposa un baiser dans ses cheveux.

— Je vais dire à nos mères d'entrer, d'accord ?

Levant les yeux vers lui, Evan répondit doucement :

— Pas avant un quart d'heure, s'il te plaît. J'ai besoin de rassembler un peu mes esprits, de me coiffer et de me maquiller. Je veux juste un peu de tranquillité pendant quelques instants, Gid.

Il acquiesça et lui caressa la tête.

— Vos désirs sont des ordres, madame.

Souriant, il traversa la pièce, s'arrêta un instant sur le seuil, lui envoya un baiser et s'en alla.

Dès qu'il entra dans le petit salon de la suite, Marietta demanda :

— Evan est malade ?

— Non, pas vraiment. Elle est un peu nauséeuse, d'après ce qu'elle m'a dit, mais elle assure qu'elle va bien. Ne vous inquiétez pas.

— J'ai eu des envies de meurtre. Son père ne sait pas quand il doit s'arrêter.

Marietta secoua la tête, l'air exaspéré.

Gideon lui sourit chaleureusement. Il appréciait cette femme et la trouvait bien plus sympathique que son mari.

— Il radotait un peu, admit-il, mais Evan n'a pas prêté trop d'attention à ses propos. Elle est occupée par la réception, entre autres choses...

Emily sourit.

— Oui, nous sommes tous un peu préoccupés par la future expansion de la famille, Gid. C'est pourquoi nous devons excuser Owen de s'être légèrement emballé. Après tout, il est déçu.

— Pas plus que toi, papa ou Marietta, ne put s'empêcher de remarquer Gideon. Mais tu as raison, maman, nous ne lui en garderons pas rancune. Evan a besoin d'un peu de temps pour se coiffer et se maquiller, aussi souhaite-t-elle rester seule pendant vingt minutes. Dès qu'elle sera prête, elle vous fera entrer. D'accord ?

— C'est parfait, répondit Emily. Dans quelques instants, nous nous retrouverons tous dans la bibliothèque. Les fleurs destinées aux boutonnières des hommes sont sur la table à jeu. Ce sont des œillets blancs. Il y a aussi des orchidées pour les dames. Mais je suis certaine que Linnet a la situation en main.

— Je m'assurerai que les messieurs ont bien mis leurs œillets à leurs boutonnières et je laisserai à Linnet le soin de s'occuper des dames. A ce propos, vous êtes resplendissantes, toutes les deux, maman, Marietta. Très élégantes, vraiment.

— Merci, Gideon, répondit Marietta.

Elle appréciait énormément son beau-fils, homme de grande qualité, selon elle. Evan avait de la chance d'épouser l'homme de ses rêves. Et peu importait quand et comment ils se mariaient, aussi longtemps qu'ils étaient heureux ensemble. Quel imbécile était Owen, parfois ! Elle le soupçonnait de se sentir éclipsé par les Harte. Pas à sa place, peut-être ? Elle n'en était pas certaine, mais elle pensait qu'il voudrait repartir pour les Etats-Unis le plus tôt possible, après le week-end. Quant à elle, elle resterait en Angleterre. Ce n'était pas tous les jours qu'une femme devenait grand-mère de jumeaux.

Emily s'approcha de son fils et glissa un bras sous le sien avant de l'attirer vers la fenêtre.

— Elle n'est pas bouleversée, n'est-ce pas ?

— Non, maman. Contrariée, plutôt. Je lui ai dit de ne pas l'être. Après tout, c'est notre mariage et je souhaite que rien ne vienne le gâcher.

— Rien ne le gâchera, mon chéri...

Puisque Evan allait bien, Emily ne souhaitait plus parler d'Owen, aussi poursuivit-elle :

— Je suis contente que tu me trouves élégante. C'est Evan qui a conçu ma tenue. Quelle jeune femme talentueuse !

Gideon acquiesça puis, examinant de plus près le vêtement de sa mère, il remarqua :

— C'est très beau. On dirait une tapisserie ancienne... C'en est une ?

— Bien sûr ! Evan l'a découverte dans les greniers, ici. Grand-mère devait l'avoir achetée, il y a des années, dans l'intention d'en faire quelque chose. Mais elle n'a jamais mis son projet à exécution.

Emily s'écarta de son fils et tourna lentement sur elle-même, pour qu'il pût voir les motifs qui ornaient le dos de son manteau. Le fond était gris-bleu, avec des motifs brodés en

198

rouge, violet, jaune, orange pâle et vert. Une étroite bande de renard brun ornait les bords du manteau de soirée, et les manchettes étaient elles aussi en renard.

— Je reconnais la dame à la licorne ! s'exclama Gideon. Et la coupe est superbe, maman. Tu dis que c'est Evan qui a dessiné ta robe ?

— Oui. Je voulais quelque chose de simple, en gris pâle, et elle m'a proposé ce long fourreau de soie, dit Emily en riant. C'est comme un long pull, à la fois ravissant, confortable et facile à porter.

— Je n'ai pas eu votre chance, murmura Marietta. Je regrette qu'Evan n'ait pas dessiné ma tenue.

— Mais vous êtes superbe ! s'écria Emily. Seule une blonde comme vous peut porter ces teintes dorées et brunes. Et je suis ravie que vous ayez choisi un pantalon et une veste longue, Marietta. Malgré le chauffage central et les feux qui brûlent dans les cheminées, Pennistone Royal est plutôt glacial, en hiver.

— Eh bien, mesdames, je crois que je vais vous quitter, annonça Gideon. Papa doit se demander où je suis et je souhaite aussi parler à Jack Figg. A tout à l'heure.

Dès que la porte se fut refermée derrière Gideon, Marietta dit calmement :

— Je suis navrée qu'Owen ait fait des difficultés, Emily...

— Ne vous excusez pas, je vous en prie ! l'interrompit Emily. Il est déçu parce qu'il n'a pas conduit sa fille à l'autel. Vous savez comment sont les pères.

Marietta inclina la tête, puis elle s'approcha de la cheminée et fixa un instant les flammes. Le visage pensif, l'air ailleurs, elle demeura silencieuse. Comprenant soudain qu'elle devait se sentir encore gênée par le comportement puéril de son mari, Emily décida de garder le silence. Tout commentaire aurait risqué d'embarrasser davantage Marietta.

Emily traversa le salon vert et blanc, pour s'arrêter devant le miroir au cadre doré et regarder son reflet. Elle aimait bien son apparence, ce soir. Sa nouvelle coupe de cheveux lui plaisait, ainsi que ce blond doré, concocté par son coiffeur.

Blonde aux yeux verts, claire de peau, Emily était typiquement Harte, mais la blondeur éclatante de sa jeunesse avait terni, ces dernières années, et quelques mèches argentées parsemaient sa chevelure. La solution résidait dans ce ton de miel chaud qu'elle trouvait plutôt flatteur.

— Je pense qu'Evan a eu de la chance de rencontrer et d'épouser Gideon, déclara soudain Marietta, arrachant ainsi Emily à sa rêverie.

Cette dernière pivota sur elle-même et hocha la tête.

— Gideon a de la chance, lui aussi. Evan est une ravissante jeune femme, qui nous a plu à tous dès le début.

Marietta prit un air pensif et parut sur le point de dire quelque chose, mais elle se ravisa.

Emily l'observa un instant avant de lancer :

— Vous vouliez me dire quelque chose, Marietta ? Vous semblez un peu troublée.

— Non. Mais Owen... eh bien, il ne cesse de me rappeler que Gideon et Evan sont des parents proches, puisqu'ils sont cousins. Je ne m'en soucie guère, mais je voudrais le faire taire. Aussi... je me demandais... pourriez-vous m'expliquer...

Elle se tut, incapable de continuer.

— Il est parfaitement légal, dans le pays, d'épouser son cousin, vous savez, Marietta. Même les cousins germains le peuvent. Mais il se trouve qu'Evan et Gideon ne sont pas cousins germains. Emma Harte, ma grand-mère, avait un frère, Winston. Nous l'appelons Winston Ier, dans la famille.

Emily se mit à rire et continua :

— Winston Ier a eu un fils, Randolph. Ce dernier a eu un fils qu'il a appelé Winston, comme son père. Ce Winston, Winston II, est mon mari, celui qui vient de quitter cette pièce... le père de Gideon. Je suis claire ?

— Oui, bien sûr.

— Venons-en à Evan, maintenant. Son arrière-grand-mère est Emma Harte, puisque Robin Ainsley, le fils d'Emma, est son grand-père. C'est Robin qui a aimé Glynnis, votre belle-mère, pendant la guerre. Glynnis a donné naissance à Owen Hughes, le père d'Evan. Vous voyez qu'Evan descend en droite ligne d'Emma Harte.

— Je comprends, mais Evan m'a dit qu'Emma était l'arrière-grand-mère de Gideon. Elle devrait être son arrière-grand-tante, non ?

— Elle est les deux... Par son arrière-grand-père, Winston Ier, Gideon est l'arrière-petit-neveu d'Emma. Mais elle est aussi son arrière-grand-mère, puisque ma mère est la fille d'Emma, qui était donc ma grand-mère...

— Dieu du ciel ! Comment parvenez-vous à vous y retrouver ? demanda Marietta en riant. J'en serais incapable !

— Vous le pourriez aussi, si vous aviez été nourrie de tout cela pendant votre enfance, comme nous tous. Mais vous n'avez pas à vous inquiéter en ce qui concerne les jumeaux. Ils se porteront parfaitement bien et il n'y aura pas de tares génétiques du fait que Gideon et Evan sont parents.

— Je le sais bien et, de toute façon, les examens qu'Evan a subis montrent que tout est normal. C'est juste que...

Marietta s'interrompit.

— Owen est un casse-pieds professionnel, conclut-elle. Parfois, il me rend folle.

— Je l'imagine, dit Emily avec sympathie.

Se reprochant aussitôt de n'avoir pas su tenir sa langue, elle rougit jusqu'à la racine des cheveux.

Marietta éclata de rire.

— C'est bien pour cette raison que je me réjouis de ne pas rentrer avec lui aux Etats-Unis la semaine prochaine, avoua-t-elle. Pour ma part, je reste en Angleterre. Je veux être là quand mes petits-enfants naîtront.

Souriant affectueusement à Marietta, Emily traversa la pièce et lui prit le bras.

— Je suis heureuse que vous soyez avec nous pour fêter l'arrivée des jumeaux, murmura-t-elle. Sachez que vous êtes la bienvenue à Allington Hall, chaque fois qu'il vous prendra l'envie de venir nous voir.

L'espace de quelques secondes, Marietta resta sans voix.

— C'est très gentil de votre part, dit-elle enfin. Merci beaucoup. Gideon et Evan m'ont appris hier qu'ils ne s'installeraient pas à Beck House avant la naissance des jumeaux. Il reste encore pas mal de travaux à faire.

— C'est exact, acquiesça Emily. De toute façon, il vaut mieux qu'Evan reste à Londres, tant que le climat ne s'est pas amélioré, à mon avis. J'ignore pourquoi ils pensaient pouvoir se rendre à Beck House tous les week-ends. Evan semble souffrir du froid, tout comme ma grand-mère. Emma se plaignait toujours d'être gelée jusqu'aux os. Et la température est nettement plus rude ici que dans le Sud. J'espère cependant qu'ils passeront quelques week-ends à Pennistone Royal, en attendant que Beck House soit prête à les recevoir. Winston les aidera volontiers.

— Je le sais. C'est un homme si sympathique !

Emily se contenta de sourire sans répondre.

— Vous avez grandi ensemble, n'est-ce pas ? demanda Marietta.

— En effet. A l'âge de seize ans, j'étais follement amoureuse de lui, mais c'est à peine s'il me remarquait. Shane et luit ne cessaient de pourchasser les filles. Cela me brisait le cœur.

— Qu'est-ce qui vous a réunis, finalement ?

— C'était le jour du baptême de Tessa et de Lorne, à l'église de Fairley, il y a une trentaine d'années... Mon Dieu ! Si longtemps que cela ? Comme le temps file ! Ce jour-là, Shane avait fait des siennes et ma grand-mère nous a passé un savon, à Winston et à moi, à ce sujet. Ensuite, nous sommes sortis nous promener et nous nous sommes apitoyés sur notre triste sort... Et je ne saurais vous dire comment c'est arrivé, mais il s'est mis à m'embrasser. Et... waouh ! C'était quelque chose ! Je n'arrivais pas à le croire. Je ne pouvais pas croire que nous étions subitement dans les bras l'un de l'autre... et nous y sommes restés depuis.

— Quelle belle histoire ! murmura Marietta.

Elle se détourna, le visage assombri.

— Vous allez bien ? demanda Emily.

— Oh, oui. Je me rappelais seulement... quelque chose de

semblable m'est arrivé, il y a de cela des années... la fin n'a pas été aussi heureuse.

— Je suis navrée. Vous souhaitez en parler ?

— Je ne sais pas... peut-être. Eh bien, pourquoi pas ?

Marietta s'assit sur le canapé et Emily la rejoignit. Elle l'écouta attentivement, tandis que Marietta lui confiait la plus triste histoire qu'elle eût jamais entendue.

Elle voulait qu'ils partent... son père et ses sœurs.

Sa mère allait rester jusqu'à la naissance des jumeaux et Evan s'en réjouissait. Sa mère lui prodiguait réconfort, apaisement et amour. Son père et ses sœurs l'irritaient.

Enfin, non... pas Elayne, qui était aussi discrète qu'une souris, douce, simple et aimante. Mais Angharad constituait une présence dangereuse et il tardait à Evan qu'elle s'en aille.

Pour ce qui était de son père, il était difficile et hostile, ces derniers temps, enclin à exploser s'il n'appréciait pas quelque chose. Son premier grief était Allington Hall. Il était contrarié parce qu'il y avait une écurie de courses, l'une des meilleures d'Angleterre. Elle fourmillait d'activité, était remplie de chevaux, de palefreniers, sans compter tous les autres employés et les jockeys. Evan aimait l'animation qui régnait à Allington Hall, surtout pendant la semaine, quand tout s'emballait et prenait de la vitesse. En outre, elle partageait l'orgueil de Gideon lorsqu'un de leurs chevaux remportait une victoire.

Cette atmosphère déplaisait à son père. Les palefreniers le gênaient et il le lui avait dit, la première fois qu'ils s'étaient rendus ensemble à Allington, pour y rencontrer Winston et Emily, en septembre. Elle n'avait donc pas été surprise par sa déception lorsqu'il avait appris que Marietta et lui seraient hébergés là pendant la période du mariage, et non pas à Lackland Priory, chez Robin.

Evan avait tenté de l'apaiser :

« Ecoute, papa, Jonathan est de retour dans le Yorkshire et tout le monde pense qu'il est plus sage que maman et toi séjourniez à Allington. Imagine que Jonathan passe voir son père et tombe sur toi... La rencontre pourrait être des plus déplaisantes.

— Et alors ? Je suis tout à fait capable de gérer la situation », avait fanfaronné son père.

Elle avait esquivé la discussion, en précisant seulement que la décision était déjà prise et qu'il n'y avait rien à ajouter. Elle n'y pouvait rien et lui non plus, avait-elle dit, à moins qu'il préférât aller à l'hôtel, à Harrogate.

« C'est à toi de voir », avait-elle conclu.

A un moment, elle avait tenté d'éveiller son intérêt en lui racontant l'histoire des écuries, qui avaient été créées par le grand-père de Gideon, Randolph Harte, lequel était devenu un entraîneur et un éleveur renommé. C'était à lui que Blackie O'Neill avait confié ses chevaux de course, parmi lesquels se trouvait la fameuse jument Nœud d'Emeraude. Emma Harte en avait fait cadeau à Blackie, et Randolph l'avait entraînée pour le Grand National, à Aintree. C'était la plus grande course d'obstacles au monde : difficile et parsemée de dangereux pièges, comme le fameux ruisseau de Beecher, qu'on devait sauter deux fois pendant l'épreuve.

Quand Nœud d'Emeraude avait remporté le Grand National, les trois clans avaient exulté, transportés d'enthousiasme et de fierté par la courageuse jument, qui avait très aisément franchi, et par deux fois, le ruisseau de Beecher, prouvant ainsi qu'elle était la meilleure.

Maintenant que Randolph était mort, les écuries avaient été confiées au Colonel, ainsi qu'on l'appelait. Le colonel Humphrey Swale, qui avait servi dans l'armée britannique, était un entraîneur extraordinaire. Il avait travaillé avec Randolph pendant la dernière année de sa vie et avait été formé par lui pour prendre sa succession.

Winston, Toby et Gideon adoraient les écuries autant que Randolph les avait aimées autrefois, mais ils étaient absorbés par leur travail au sein du groupe de presse familial. Ils étaient donc soulagés de confier les écuries au Colonel. Ce dernier obtenait le succès et la rentabilité qu'avaient connus les écuries pendant les années où Randolph les avait dirigées.

Evan se rappelait le jour où elle avait emmené son père dans le cabinet de travail d'Allington Hall, un après-midi de la semaine précédente. C'était la pièce qu'elle préférait : charmante, avec ses murs verts, son tapis de tartan assorti, ses canapés confortable, au cuir usé, ses fauteuils et sa collection d'objets anciens. Les coupes étincelantes et les rubans qui proclamaient que les écuries figuraient parmi les meilleures d'Angleterre prenaient beaucoup de place. Mais il n'avait manifesté aucun intérêt pour le bureau ou la décoration, pas plus que pour les tableaux de Stubbs, les antiquités ou les trophées. A peine avait-il marmonné que les chevaux l'ennuyaient.

Evan laissa échapper un long soupir. Son père avait énormément changé, récemment. Ou peut-être non... peut-être le voyait-elle avec des yeux différents, désormais... peut-être était-elle plus perspicace.

Se redressant sur son tabouret, elle s'efforça d'écarter ces pensées. Gideon avait eu raison, un peu plus tôt, lorsqu'il lui avait dit que c'était le jour de leur mariage et qu'elle ne devait pas se laisser contrarier. Ce devait être une journée de bonheur et d'allégresse. Après tout, c'était aussi le jour le plus important de sa vie, elle n'allait pas le gâcher. Pas plus qu'elle ne le permettrait à son père ou à Angharad.

Se penchant en avant, Evan étudia son reflet dans le miroir. Elle était blême, elle avait l'air épuisé. Elle devait se faire belle pour son mari. Armée de fond de teint, de poudre, de rouge à joues et de mascara, elle entreprit de rendre couleurs et vie à son visage. Ensuite, elle brossa en arrière sa chevelure sombre, avant d'en ramener la masse soyeuse et lisse sur ses oreilles.

Un instant plus tard, elle se leva et ouvrit la porte du petit salon.

— Maman, Emily, annonça-t-elle, je suis prête. Vous pouvez m'aider à mettre ma robe ?

Les deux femmes se levèrent d'un bond et s'exclamèrent, presque à l'unisson :

— Tu es ravissante !

En l'espace de quelques secondes, elle enfila sa robe, dont la fermeture Eclair fut prestement remontée. Elle tourna lentement sur elle-même pour montrer à Marietta et à Emily l'effet que produisait sa création. Elles laissèrent échapper un cri de surprise.

De style Empire, la robe avait un décolleté carré, d'étroites manches longues, et s'évasait juste en dessous de la poitrine. Elle était constituée de plusieurs épaisseurs de mousseline, qui partaient des seins pour frôler les pieds, camouflant habilement sa grossesse.

La ligne était ravissante, mais c'était la couleur qui stupéfiait. Ce n'était pas une seule couleur, en fait, mais toutes les nuances du bleu, chacune se fondant dans l'autre... Bleu paon intense se muant en bleu ciel, ce dernier passant au bleu turquoise, le turquoise se transformant en opale. L'effet était sensationnel.

Comme Evan tournait de nouveau sur elle-même, très lentement, les mousselines se soulevèrent pour former un mélange extraordinaire de toutes les couleurs de la mer.

— On dirait cette merveilleuse robe de cocktail ornée de perles qui a appartenu à grand-mère, murmura Emily. Celle que Linnet et toi avez exposée lors de la rétrospective l'année dernière... Tu t'en es inspirée, n'est-ce pas ?

— Oui, Emily, reconnut la jeune femme en souriant. J'adorais les nuances de cette robe et j'ai eu la chance de tomber sur ces mousselines bleues, au magasin de tissu Renaud Brantes. J'ai eu beaucoup de chance, je crois.

— C'est exceptionnel, Evan, intervint Marietta. Toutes les couleurs de l'océan...

Elle parlait d'une voix presque inaudible, fixant sa fille avec respect, s'émerveillant de sa beauté.

— Ce sont aussi les couleurs que l'on trouve sur la queue d'un paon, n'est-ce pas ? s'exclama-t-elle.

— Bien sûr, confirma Emily tandis qu'Evan acquiesçait.

— Tu n'as pas de manteau ? s'enquit Marietta, soudain inquiète.

— J'en ai un.

Evan s'approcha de son armoire, l'ouvrit et en sortit un cintre.

— Il est coupé dans la même mousseline, expliqua-t-elle. Trois épaisseurs. Tu veux bien me le tenir un instant, maman ?

Marietta aida sa fille à enfiler le manteau, après quoi Evan s'approcha du miroir et l'arrangea sur ses épaules. La coupe était simple, avec deux panneaux droits devant et beaucoup de fluidité derrière. Les bords du manteau étaient ornés de perles qui reprenaient toutes les nuances de bleu et de vert de la robe.

— C'est absolument ravissant, ma chérie, murmura Marietta, mais j'espère que tu auras assez chaud. Emily dit que la maison est froide.

— Tout ira bien, assura la jeune femme. La mousseline de soie se révèle assez chaude, quand on en superpose plusieurs épaisseurs. Il ne me manque plus, pour être prête, que les boucles d'oreilles d'Emily et la broche de Paula.

— *Tes* boucles d'oreilles et *ta* broche, rectifia Emily.

Elle s'approcha d'Evan et déposa un baiser sur sa joue.

— Tu es vraiment la plus jolie des mariées, Evan. Je suis fière et heureuse que tu sois ma nouvelle fille.

17

Enervé par ce qu'il percevait comme l'extrême indifférence de sa fille à son égard, encore offensé de ne pas avoir été invité à la cérémonie matinale, Owen Hughes errait dans le salon, malheureux.

En regardant autour de lui, il oublia un instant son infortune, tant il était impressionné par la beauté de l'endroit, cet après-midi-là. Il avait été transformé en l'espace de quelques heures. Malgré lui, il devait rendre hommage à Paula et à Emily. A elles deux, elles avaient créé quelque chose de spectaculaire. Le salon était fantastique et il y régnait une atmosphère de conte de fées.

Le grand orgueil de Paula, et sa joie, c'étaient les serres où elle faisait pousser des orchidées, dont beaucoup étaient rares. Elle les lui avait fait visiter, l'autre jour, et il avait été ébahi par l'étendue de sa collection, ainsi que sa variété, puisqu'elle comptait plusieurs centaines d'espèces.

Une soixantaine de ces orchidées, disposées dans des pots de céramique, ornaient le hall. Il y en avait d'une blancheur de neige, des blanches teintées de rose, d'autres dont le centre était d'un rose foncé. Toutes sortes d'orchidées d'un rose soutenu, ou bien mouchetées ou veinées de blanc. Il y en avait des assortiments sur la cheminée, sur les coffres et les tables. Ou dans les coins, sur des présentoirs de différentes tailles. Les autres étaient disposées au milieu des tables rondes qu'on avait dressées pour le repas de mariage. Ces dernières disparaissaient sous des nappes de soie rose qui tombaient jusqu'au sol ; il y avait des coussins assortis sur de petites chaises dorées, garnies de larges nœuds de satin rose. Ces tables et ces chaises entouraient la petite piste de danse, au milieu, non loin de la cheminée. Les lampes étaient déjà allumées, un énorme feu flambait dans le grand foyer de pierre. L'ensemble était à la fois ravissant, chaleureux et accueillant.

Satisfait de constater que Paula et Emily avaient déployé tant d'efforts pour sa fille, Owen sentit sa mauvaise humeur se dissiper en partie. Comme il circulait parmi les tables, en direction de la bibliothèque, il remarqua que le carton qui portait son nom se trouvait sur l'une des plus grandes tables. Il vit aussitôt qu'il serait assis entre Emily et Paula, ce qui l'adoucit encore un peu plus. C'était une place d'honneur, qui convenait au père de la mariée.

Marietta serait entre Robin et Shane, ce qui lui plairait. Elle appréciait les deux hommes et en particulier Shane, avec qui elle flirtait de façon éhontée. Il s'en était aperçu, à son grand désagrément.

Fronçant les sourcils, Owen songea à la manière dont Marietta avait écourté ses plaintes, un peu plus tôt. Elle ne semblait pas affectée par le fait qu'Evan s'était éclipsée pour épouser Gideon hors de leur présence. Mais Marietta était comme Evan, ces derniers temps… Il ne les reconnaissait plus. Sa femme avait énormément changé, elle était devenue indépendante. C'était à cause de son héritage. Le testament de sa tante avait fait d'elle une femme riche, lui avait redonné le goût de la vie et modifié son comportement. Et il n'appréciait pas trop cela.

Il était irrité parce qu'elle avait choisi de rester à Londres et qu'il n'avait pu la convaincre de partir avec lui, la semaine suivante. Il était clair qu'elle avait l'intention d'être en Angleterre quand les jumeaux naîtraient. Evénement qui n'était pas attendu avant le mois de février…

Qu'elle fasse ce qu'elle veut, pensa-t-il.

Il s'arrêta, car il venait d'entendre son nom.

Pivotant sur lui-même, il se retrouva presque nez à nez avec la femme qui organisait le repas et dont il avait fait la connaissance dans la semaine.

— Bonjour, mademoiselle Marney, dit-il avec un sourire.

— Bon après-midi, monsieur Hughes. Vous pouvez m'appeler Priscilla, ou mieux encore, Prissy, comme tout le monde. Puis-je vous apporter quelque chose ? Une boisson, peut-être ? Les serveurs vont arriver dans une vingtaine de minutes, mais je peux aller à la cuisine et vous rapporter un verre de vin.

— Non, non, Priscilla, mais je vous remercie. Je me promenais et j'admirais le salon.

— C'est charmant, n'est-ce pas ? Paula et Emily ont fait du beau travail.

Il lui jeta un regard curieux, étonné qu'elle les appelle par leurs prénoms.

— En effet.

Semblant lire dans ses pensées, Prissy s'exclama :

— Vous devez être surpris que je les désigne par leurs prénoms, mais...

— Pas du tout ! la coupa-t-il en souriant.

Elle lui plaisait.

— Vous comprenez, nous avons tous grandi ensemble. Ma mère était la secrétaire de Mme Harte, pendant l'été, lorsqu'elle était dans sa maison du bord de mer, à Scarborough. Elle prenait toujours ses petits-enfants avec elle. Il y avait Paula et Philip, Emily et son frère Sandy, qui est mort, Sarah et Jonathan, ainsi que son petit-neveu, Winston. Shane venait toujours, lui aussi, et parfois Michael Kallinski. Nous jouions ensemble pendant tout l'été, quand nous étions enfants.

— Vous avez dû bien vous amuser.

— En effet. Nous étions de grands amis. Paula et Emily ont été bonnes à mon égard, ajouta Priscilla avec un sourire. Elles ont choisi de faire appel à moi pour organiser leurs réceptions.

— Vous êtes très compétente, Priscilla. Vos dîners sont absolument délicieux.

— Merci, c'est très gentil.

— Si je comprends bien, vous connaissez mon demi-frère, Jonathan...

Ne voulant pas trop s'avancer, Owen laissa la phrase en suspens.

— Oui, bien sûr. Nous sommes de bons amis.

Priscilla prit conscience qu'elle en avait trop dit et rectifia immédiatement :

— Je veux dire que nous étions de bons amis, il y a long-temps. Je ne l'ai pas revu depuis des années.

Elle éprouvait toujours le besoin de protéger Jonny et leur relation si particulière. Il lui avait dit qu'elle ne devait en parler à personne dans la famille. Ou à quiconque, d'ailleurs, et elle ne le trahirait jamais, pas plus qu'elle ne le laisserait tomber. Elle pensa à leur rendez-vous, le mercredi suivant, et un petit frisson courut le long de sa colonne vertébrale.

— Je dois vous quitter, monsieur Hughes ! J'ai beaucoup de choses à faire aujourd'hui.

— Je comprends. Appelez-moi Owen, lança-t-il dans son dos.

Elayne Hughes se tenait dans la grande salle à manger de Pennistone Royal. Tous les cadeaux de mariage étaient exposés sur la longue table d'acajou, ainsi que sur d'autres tables dressées pour l'occasion. Elle regardait le tableau qu'elle avait peint pour l'offrir à Evan et à Gideon.

Il avait été placé sur un chevalet, lui-même posé sur un coffre du XVIIIe siècle. Elle hocha la tête, plus satisfaite encore de son œuvre qu'au moment où elle l'avait achevée. Elle avait choisi de représenter un endroit qu'Evan aimait, un champ proche de la ferme familiale du Connecticut. Des maïs dorés, ployés par le vent, se détachaient sur le vert sombre des collines de Litchfield ; un ciel d'un bleu étincelant, parsemé de nuages blancs et gonflés, et deux gros silos, typiques de la région où elles avaient grandi. Elle était heureuse, maintenant, d'avoir fait encadrer son tableau. Le cadre doré donnait plus d'importance à la peinture. C'était ce qui lui plaisait.

Elayne savait que Gideon et Evan apprécieraient son cadeau, surtout Evan, puisqu'il lui rappellerait sa maison. *Sa maison.* Non, le Connecticut n'était plus son foyer, désormais, aux yeux d'Evan. Le Yorkshire occupait désormais cette place dans son cœur. Et Londres, bien entendu, où se trouvait son bien-aimé magasin Harte, dans Knightsbridge. Elayne avait le sentiment qu'Evan était devenue elle-même ici, dans ce beau pays, dans cette maison magnifique. Elle en était heureuse pour sa sœur, qui s'était toujours montrée affectueuse et protectrice à son égard lorsqu'elles étaient enfants. Contrairement à Angharad. Leur sœur cadette avait toujours été mesquine, elle leur jouait constamment de mauvais tours, racontait des mensonges sur elles à leur grand-mère, Glynnis, ainsi qu'à leur mère. Au plus profond d'elle-même, Elayne détestait Angharad, bien qu'elle s'efforçât de n'en rien laisser voir. Angharad n'était pas le genre de personne qu'elle désirait contrarier ou mettre en colère.

S'écartant du tableau, Elayne tourna autour de la table, admirant les autres cadeaux. Leurs parents avaient offert aux jeunes mariés un magnifique service à thé en argent. Se penchant pour examiner la carte appuyée à la théière, elle remarqua que le prénom d'Angharad y figurait aussi. Ainsi, leur sœur n'avait pas souhaité offrir un cadeau séparé à Evan, finalement. C'était tout à fait son genre. Elayne savait qu'Angharad était jalouse d'Evan et d'elle. Depuis toujours, Angharad s'imaginait qu'elles avaient été favorisées à son détriment. Elle se désignait elle-même comme « celle qu'on a placée en bas du mât totémique ». Elle pouvait être ridicule, parfois. Et comme elle était grotesque, avec ses cheveux décolorés, d'un blond platine, sans compter cet épais maquillage et ces vêtements tapageurs !

Du moins, aujourd'hui, Angharad était-elle vêtue décemment. Elle était même élégante, puisqu'elle portait sa tenue de demoiselle d'honneur, conçue par Evan : une robe toute simple tombant jusqu'au sol, avec un haut ajusté, une jupe évasée et de longues manches. Elle était pourvue d'un col montant, ressemblant un peu à une petite collerette. La coupe et le style étaient élisabéthains. Coupée dans un taffetas luxueux et moiré, d'un gris perle, elle se portait par-dessus un jupon amidonné, qui donnait à la jupe son allure. Angharad était belle, ainsi vêtue, mais toutes les autres demoiselles d'honneur l'étaient aussi. Elle-même, Natalie, la sœur de Gideon, ainsi qu'Emsie formaient le groupe des grandes demoiselles d'honneur. Adèle, la fille de Tessa, portait un panier rempli de pétales de fleurs. Elle portait la même robe, mais en miniature. Elayne pensa qu'elle était adorable et que ce gris doux leur seyait à toutes.

Le cadeau de Robin, grand-père d'Evan et grand-oncle de Gideon, était spectaculaire : une énorme boîte de cuir rouge tapissée de velours noir, dans laquelle se trouvaient vingt gobelets à vin en argent ciselé. Elayne pensa aussitôt à Jonathan. Angharad était convaincue qu'il assisterait à la réception et elle brûlait de le rencontrer à nouveau, après avoir fait sa connaissance dans la librairie du village. Mais il ne viendrait pas. Il n'avait pas été invité parce qu'il était la brebis galeuse de la famille et le pire ennemi de Paula. Evan le lui avait confié l'autre jour, mais elle ne l'avait pas répété à Angharad. Pourquoi lui rapporterait-elle une confidence ? De toute façon, mieux valait laisser Angharad le chercher et être déçue. Il était assez âgé pour être son père, ce qui n'avait pas empêché Angharad de flirter avec lui dans cette boutique. Elle était plus que ridicule, elle était folle et immorale.

— Te voilà ! s'écria Owen depuis le seuil de la pièce. Je te cherchais, ma chérie.

Elayne se retourna et sourit à son père.

— Tu es magnifique, papa. Très beau, dans ton costume bleu, avec cet œillet à la boutonnière. Viens voir mon tableau, comme il a été joliment exposé. Tu ne trouves pas qu'il est mis en valeur ?

— Certainement, Ellie.

Owen rendit son sourire à la jeune fille. Il la trouvait ravissante, ainsi vêtue de gris, avec ses cheveux noirs et ses immenses yeux bleus. Ceux qui ne savaient pas qu'elle avait été adoptée disaient souvent qu'elle lui ressemblait et c'était vrai. Marietta avait observé un jour que leurs similitudes ne cessaient de s'accentuer, mais il trouvait cette réflexion stupide…

Il fixa longuement le tableau.

— C'est l'un de tes meilleurs, dit-il avec un grand sourire.

A cet instant, Angharad fit irruption dans la salle à manger.

— Papa ! Papa ! Tu as vu maman ? Ton père la cherche.

Elle se précipita dans leur direction, trébuchant presque, un peu rouge, l'air excité.

— Calme-toi, Angharad ! fit Owen, étonné par cette impétuosité. Elle ne peut être bien loin… Peut-être est-elle encore en haut, avec Evan.

Angharad parut aussitôt oublier qu'elle cherchait Marietta.

— Tiens, oui, c'est vrai ! Pourquoi ne sommes-nous pas autorisées à aider notre sœur ? C'est une tradition, pourtant.

— Je sais, mais les circonstances ne sont pas habituelles, tu ne crois pas ? La grossesse d'Evan est plutôt avancée et elle ne se sent pas très bien, répliqua Owen. A dire vrai, je suis surpris qu'elle n'ait pas encore accouché, tant elle est grosse.

Angharad acquiesça, sourit, et remarqua avec une fausse compassion :

— On dirait qu'elle va nous pondre quatre bébés baleines, et non des jumeaux.

Owen ignora le commentaire, mais Elayne ne put s'empêcher de s'exclamer :

— Pourquoi es-tu toujours aussi garce envers Evan ? Tu es mesquine et ingrate. Elle a toujours été gentille avec toi, et tout ce que tu trouves à faire, ce sont des remarques dégoûtantes.

— Tut tut, Elayne, évite de perdre ton sang-froid, en ce jour de mariage. Evan est devenue tellement snob qu'elle serait très contrariée si elle t'entendait. Elle pourrait penser que tu es vulgaire.

— Elle n'est pas snob ! Elle n'a pas changé et tu le sais très bien.

— S'il vous plaît, les filles, ne vous disputez pas aujourd'hui. Et en particulier ici. Pourquoi mon père souhaite-t-il voir ta mère, Angharad ?

— Comment le saurais-je ? Il a dit quelque chose à propos du fait qu'il souhaitait être assis près de toi pendant le repas. Il voulait qu'elle s'en assure.

— Oh, je vois. Je ne crois pas que ce soit possible. Il est placé près de Marietta. J'ai vu les cartons, quand j'étais dans le hall. Va le lui dire, ma chérie, nous te rejoindrons dans quelques minutes. Je voudrais jeter un œil aux autres cadeaux. Je ne savais pas qu'ils étaient exposés, jusqu'à ce que Gideon me l'apprenne.

— D'accord, mais dépêche-toi. Je n'ai pas envie de me retrouver coincée avec Robin.

Owen regarda sa fille s'éloigner en se demandant pourquoi il commençait à se méfier d'elle.

Elayne a raison, pensa-t-il, c'est une peste. Et ce n'est pas tout. Elle est sournoise, comme le disait ma mère. Glynnis avait raison, comme d'habitude.

Dès qu'elle entra dans la bibliothèque, Linnet devina que Jack avait parlé de l'explosion à Shane. Etant très proche de son père, elle connaissait ses expressions, toutes gravées dans son cœur. Il était troublé et inquiet, elle en était certaine. Il se tenait près de la cheminée, avec Winston et Jack.

Elle se hâta de les rejoindre et ne perdit pas de temps :

— Jack t'a parlé de l'explosion qui avait eu lieu à l'église, n'est-ce pas ?

Shane la regarda et inclina la tête.

— Oui. Je ne peux que bénir Dieu pour ta prévoyance. Grâce à ton coup de génie, parce que tu as eu l'idée de modifier l'heure de la cérémonie, personne n'a été tué.

— C'est l'œuvre de Jonathan, mais nous ne pourrons jamais le prouver. C'est bien malheureux.

— Tout à fait exact, mais je crois que nous n'avons plus à

nous inquiéter à son sujet, pour l'instant. Il est parvenu à son but, qui était de nous bouleverser et de nous faire peur.

Linnet fixa son père :

— Mais il avait bien l'intention de nous tuer, non ?

— Oui, je suppose. D'un autre côté, il a la satisfaction de savoir qu'il nous effraie, et je suis certain qu'il en tire du plaisir. Contrarier les Harte est devenu son passe-temps préféré.

— Il ne reviendra pas de sitôt, intervint Jack en regardant Linnet.

La jeune femme fronça les sourcils.

— Tu veux dire qu'il n'est pas dans le Yorkshire ? demanda-t-elle en levant vers lui des yeux troublés.

— Il est retourné à Londres et, à mon avis, il y restera. Ou du moins, il ne reviendra pas dans le Yorkshire. Il peut se rendre à Paris, évidemment.

Jack s'interrompit et secoua la tête avant de poursuivre :

— J'ai d'autres nouvelles qui vont te surprendre, Linnet. Il a eu une visiteuse, hier.

— Qui est-ce ?

Sans répondre, il lui jeta un coup d'œil significatif.

— Pas Angharad ! s'écria-t-elle. Ne me dis pas qu'elle a eu le culot d'aller chez lui, à Thirsk, pour le relancer !

— C'est pourtant ce qu'elle a fait.

— Quand l'as-tu su ?

— Il y a peu de temps. Hier, l'un de mes hommes, qui filait Jonathan, m'a rapporté qu'une femme lui avait rendu visite. Elle portait un foulard et ses yeux étaient dissimulés derrière des lunettes noires. Il a relevé son numéro d'immatriculation et a décidé de vérifier l'identité du propriétaire de la voiture, un peu plus tard. Mais quand il a entendu parler de cette explosion, à l'église, il a pensé qu'il valait mieux me parler d'elle. La voiture appartient à Winston.

Tout en parlant, Jack s'était tourné vers Winston, qui acquiesça.

— Si je comprends bien, elle t'a emprunté ta voiture ? demanda Linnet.

216

— L'une des voitures de l'écurie, en réalité, répondit Winston. Apparemment, elle a téléphoné à Emily de chez Edwina et lui a demandé si elle pouvait venir prendre une voiture, afin de visiter la région. Emily a accepté, bien entendu. C'est le chauffeur d'Edwina qui l'a déposée chez nous.

— Eh bien ! Elle ne perd pas de temps ! s'exclama Linnet. Il y a des chances pour qu'elle le revoie à Londres. Du moins, s'il est intéressé. Qu'en pensez-vous ? Vous le connaissez, tous les trois.

Les yeux de Linnet allèrent de Jack à son père, puis à Winston.

— Bien entendu, elle peut l'intéresser, en tant que femme, hasarda Winston.

— C'est exact, marmonna Shane. Il a toujours eu un faible pour les femmes. Plus elles sont jeunes, mieux c'est.

— Tu ferais bien de la faire suivre, Jack, dit Linnet.

— J'y ai déjà pensé, Beauté. C'est fait.

Shane prit sa fille par les épaules et l'attira à lui.

— Ne t'inquiète pas, ma chérie. Du moins, pas ce week-end. Jonathan Ainsley est hors circuit, pour l'instant, et je suis certain qu'il n'arrivera rien d'autre.

— Parfois, les événements se produisent alors qu'il n'est pas dans les parages. C'est même ce qui arrive la plupart du temps... Ce n'est pas vrai, papa ?

— Si, murmura Shane en la serrant plus fort, mais comme je le faisais remarquer tout à l'heure, il nous a mis des bâtons dans les roues, et pour l'instant, ça lui suffit.

— J'espère que tu as raison, papa.

Elle semblait si déprimée, elle qui était toujours gaie, optimiste et courageuse, que Shane, baissant les yeux vers elle, passa un doigt sous son menton. Scrutant le visage de sa fille, il tenta de la rassurer :

— Reprends-toi, Linnet. Tu es une Harte et une O'Neill. De plus, tu es mariée avec un Kallinski. Tu es l'incarnation des trois clans et tu dois jouer ce rôle, aujourd'hui. Rien de moins que cela, ma chérie. Tu es la meilleure de nous tous.

Elle hocha la tête et prit une profonde inspiration. Shane se pencha pour déposer un baiser sur son front.

— Je retrouve ma fille...

— Nous y sommes, les amis, annonça Winston en se redressant de toute sa taille. Les troupes débarquent... Les demoiselles d'honneur et le marié.

— Excusez-moi, mais je dois les aider à ajuster les petits bouquets, dit Linnet en souriant à son père avant de traverser la bibliothèque.

— Bonjour, Adèle chérie, lança-t-elle lorsqu'elle repéra la petite fille. Tu es bien jolie, dis-moi !

— Merci, tatie Linnet, répliqua l'enfant. Maman dit que je dois porter des fleurs.

— C'est exact, mon cœur, les voici, dit Linnet en plaçant le bouquet miniature dans les mains de sa nièce.

Elle déposait un baiser dans les cheveux blond cendré quand Angharad se faufila jusqu'à elle, une gerbe de petites orchidées vertes à la main.

— Où suis-je censée épingler ceci, exactement ? demanda-t-elle.

Adèle se rapprocha de Linnet, l'air étonné et un peu effrayé. Linnet prit la petite main dans la sienne et montra à Angharad son propre bouquet.

— Juste en dessous de l'épaule gauche, précisa-t-elle. Un peu plus haut que moi, peut-être.

Angharad regarda autour d'elle et s'exclama :

— Oh ! Il y a un miroir sur le mur. Viens, Elayne !

Elles traversèrent la pièce en toute hâte. Emsie s'approcha de sa sœur et murmura à son oreille :

— Décidément, cette adoptée est vulgaire.

— Chut... Quelqu'un pourrait t'entendre et c'est toi qui écoperas !

— Peut-être, mais c'est toi qui as commencé, répliqua Emsie. A quoi est-ce que je ressemble ? poursuivit-elle en faisant la grimace.

Linnet ne put s'empêcher de rire.

— Tu deviens terriblement consciente de ton apparence,

ces temps-ci. Toi qui ne t'en étais jamais souciée, qu'on trouvait toujours à la sellerie ou à panser les chevaux ! Que se passe-t-il ?

Emsie jeta un coup d'œil par-dessus son épaule, en direction de Natalie, la sœur de Gideon.

— J'ai pris une décision. Je vais travailler pour l'un de nos journaux, comme Natty.

— Vraiment ? plaisanta Linnet. Je croyais que tu voulais être jockey.

L'adolescente de dix-sept ans protesta, rougissante :

— Je n'ai jamais dit ça ! Et tu le sais très bien !

Linnet se contenta de sourire, puis elle s'adressa à Natalie.

— Prends ton bouquet, ma chérie, je le fixerai sur ta robe. Toi aussi, Emsie, si tu veux.

Natalie rejoignit très vite sa cousine et l'embrassa. Toutes deux étaient de grandes amies. Elles étaient liées depuis l'enfance et avaient bien plus l'air de sœurs que de cousines. Natalie avait hérité des cheveux roux d'Emma, tout comme Linnet, ainsi que de ses yeux verts et de son joli teint.

S'écartant de Linnet, Natalie déclara :

— J'imagine que maman se trouve avec Evan et Marietta ?

— Oui. Elles sont encore en haut et ne descendront que vers 14 h 55. J'ai pensé que nous pourrions prendre une ou deux photos des mariés et de leurs demoiselles d'honneur, avant la réception. Qu'en penses-tu ?

— Les trois photographes sont à leur poste, Linnet, ainsi que tu le souhaitais. J'en ai mis un dans le salon crème et or, un autre dans le salon gris. En revanche, il n'y en a pas dans le salon pêche. Le troisième est installé dans le jardin. De cette façon, les invités peuvent se déplacer d'une pièce à l'autre, ou même sortir, les photos seront prises rapidement.

— Je te remercie d'avoir tout organisé, Natalie.

Pendant un instant, Natalie fixa sa cousine sans parler, puis elle chuchota :

— Tu portes un micro ?

— Parle plus bas. Oui, pour garder le contact avec Jack.

— Je vois ça, mais pourquoi ? s'enquit Natalie, dévorée par la curiosité.

— Pour m'assurer que tout se déroule bien, c'est tout, mentit Linnet en se tournant vers Emsie. Regarde-toi, Emsie, tu es vraiment une petite oie ! Tes orchidées ont la tête en bas ! Viens ici, que je les ajuste.

— Oh ! J'aperçois tante Edwina et oncle Robin ! s'exclama soudain Natalie, l'air très excité. Linnet, tu peux t'occuper de mes orchidées, s'il te plaît, pour que je puisse aller voir tante Edwina ? Je l'adore et elle a besoin qu'on veille sur elle.

— Tout autant que le duc de Warwick, revêtu de son armure et perché sur son fier destrier, railla Linnet. Elle aurait bien pu être son second, je te jure ! Elle semble sur le point de commander l'assaut contre les hordes de Lancastre.

Emsie gloussa et il fallut à Natalie tout son sang-froid pour rester impassible. Linnet pouvait être très amusante, parfois.

— Ouh, là ! Elle vient de ce côté, marmonna Emsie. Vite, Linnet, fixe-moi mon orchidée.

Sentant qu'on tirait sur sa robe, la jeune fille baissa les yeux.

— Qu'est-ce qu'il y a, Adèle ?

— Où est maman ?

— Je crois qu'elle se trouve dans le salon, avec ta grand-mère, dit Emsie en prenant la main de la petite fille. Viens, nous allons les chercher.

Adèle sourit et s'accrocha aux doigts de la jeune fille.

— D'accord, Emsie.

— Ah, Adèle ! s'exclama Edwina. Tu ressembles à une image, aujourd'hui. Une très jolie image, en vérité.

— Merci, tante Edwina, toi aussi.

Cette réponse inattendue arracha un gloussement à la vieille dame.

— La vérité sort de la bouche des enfants, murmura-t-elle. Bonjour, mesdames. Vous êtes ravissantes, ainsi vêtues. Quant à toi, Linnet, tu devrais toujours porter du bleu pâle.

— Tout comme tu devrais toujours porter du pourpre, tante Edwina, rétorqua Linnet.

Il lui semblait qu'il faisait partie de la famille et ils le consi-déraient comme tel, bien qu'il ne le fût pas.

Jack Figg en était bien conscient, mais cela ne le contrariait pas le moins du monde. Il les aimait tous de façons diffé-rentes, en appréciait certains plus que d'autres. Dans un sens, ils constituaient sa seule famille, puisque ceux qui lui étaient liés par le sang étaient morts et enterrés.

Il était presque 15 heures et il se tenait dans le salon gris, observant avec amusement ses deux têtes rousses favorites, Linnet et Natalie, qui s'activaient comme des sergents-majors, alignant les membres de la famille pour la grande photo de mariage, que le photographe était impatient de réaliser.

Ses yeux suivaient les deux jeunes femmes. Tout en remar-quant leur habileté à déplacer les gens, il comprit qu'elles étaient en train d'associer les couleurs des vêtements. Elles portaient toutes deux des petits panneaux grâce auxquels elles communiquaient, se reculant de temps à autre pour mieux apprécier leur œuvre.

C'était habile. Quelqu'un avait imaginé cette alliance de coloris, sans doute en pensant aux photos. Il était probable que c'était Evan, qui possédait le sens des couleurs et un goût très sûr en matière de vêtements. Comme il continuait d'observer la scène avec le plus grand intérêt, il constata que les choses se mettaient en place. Brillant, songea-t-il. Très brillant.

Tous les hommes de la famille, sans exception, portaient des costumes bleu nuit, ainsi que des chemises blanches et des cravates bleu pâle. Chacun arborait un œillet blanc au revers de sa veste, tout comme lui. Il était d'ailleurs vêtu d'un costume bleu nuit, comme les autres. On lui avait dit, ainsi qu'à tous les autres, de porter ces couleurs.

Les quatre demoiselles d'honneur adultes, Natalie, Emsie, Elayne et Angharad, étaient belles dans leurs longues robes de taffetas gris perle ; la petite Adèle, leur réplique miniature, offrait une vision enchanteresse. Les jeunes femmes portaient

221

à l'épaule des orchidées vertes, la petite tenait à la main un bouquet de ces mêmes orchidées.

Linnet était vêtue d'un ensemble de soie bleu pâle, constitué d'une longue jupe et d'une veste admirablement coupée. Sa sœur, Tessa, portait un caftan gris-bleu orné de pierres bleues autour du cou. Leur cousine India avait choisi une longue tunique, style Nehru, et un pantalon étroit coupés dans une soie épaisse gris-bleu, comme la tenue de Tessa.

Bigre ! pensa Jack. Les hommes en bleu marine, les demoiselles d'honneur en gris, ces trois-là en bleu pâle ou en gris-bleu... C'est ce que j'appelle une alliance de couleurs.

Les yeux de Jack balayèrent les autres femmes de l'assistance. Paula, sa préférée, portait une longue veste de velours violet sur une robe de mousseline de la même couleur. Emily avait choisi une veste en tissu du genre tapisserie, où dominait le gris-bleu, avec de petites touches de couleurs pastel. La mère d'Evan, Marietta, portait du brocart d'or sur de la soie brune.

Comme il continuait de scruter l'assemblée, il remarqua une autre femme qui portait du brocart d'or. C'était Elizabeth, la seconde fille d'Emma Harte. Daisy, la fille qu'Emma avait eue de Paul McGill, se distinguait par sa tenue rouge magenta.

Edwina, la fille aînée d'Emma, arborait sa teinte préférée, le pourpre. Jack sourit largement.

Que Dieu la bénisse, pensa-t-il, elle fend les flots comme un vieux navire de guerre.

Il adorait Edwina, qu'il considérait comme le personnage le plus imposant qu'il eût jamais rencontré.

Il finit par repérer une autre tache de pourpre. Sally, comtesse de Dunvale, la mère d'India, portait une longue veste de brocart sur un pantalon large en soie dorée. Sa sœur, Vivienne, avait choisi une veste de velours pourpre et une robe de la même nuance que celle d'Edwina.

On nous a concocté un mélange où le bleu marine, le gris perle et le gris-bleu prédominent, comprit Jack, avec quelques couleurs qui ressortent, comme le violet, le pourpre et le rouge foncé, équilibrées par le brocart doré.

222

Et au centre de cette harmonie, il y avait la mariée, vêtue d'une mousseline bleue ondoyante, qui rappelait toutes les nuances de la mer. Elle était ravissante.

Jack sourit. La photo de famille va être spectaculaire, pensa-t-il, félicitant intérieurement Evan pour son goût. Elle devait avoir guidé les femmes dans leur choix de couleurs.

Tout le monde semblait avoir pris sa place. Linnet et Natalie rejoignirent le groupe, au grand soulagement du photographe, qui s'apprêtait à prendre sa photo, quand Shane fit un pas en avant.

— Non, non, stop ! Attendez une minute, cria-t-il.

Ses yeux balayèrent l'assistance et se posèrent sur Jack.

— Qu'est-ce que vous faites, Jack ? Vous êtes censé vous trouver parmi nous.

— Mais je...

— Pas de « mais », Jack. Vous faites partie de la famille. Venez par ici, avec Paula et moi.

Incapable de prononcer un mot, Jack obtempéra, submergé par l'émotion.

TROISIÈME PARTIE

DUO

Le sort ne se contente pas d'infliger une seule catastrophe.

Publius Syrus, maxime 274

18

Linnet était en proie à une telle exaltation qu'elle décrocha son téléphone et, sans réfléchir, forma le numéro d'Evan. Il lui fallait partager sur-le-champ son plaisir avec elle. La sonnerie retentit plusieurs fois et elle s'apprêtait à raccrocher quand la voix de son amie retentit à son oreille :

— Allô ?

— C'est Linnet ! cria-t-elle. Tes croquis de robes de mariées sont fantastiques ! J'en n'en reviens pas ! Où as-tu trouvé le temps de faire cinquante dessins ?

Evan se mit à rire.

— Je suis ravie qu'ils te plaisent, Linnet. Il y en a douze que j'ai imaginés pour toi, quand je réfléchissais à ta robe de mariée, l'an dernier. Mais finalement, je me suis fixée sur le genre princesse Tudor, si bien que je les ai abandonnés. Les autres, je les ai dessinés ces dernières années, pendant mon temps libre. Je les aimais presque tous, alors je les ai gardés, mais j'en ai aussi jeté quelques-uns. Ceux que je ne trouvais pas bons.

— Tu n'as pas fait ça ! C'est un crime. S'il te plaît, conserve tous tes croquis, désormais, et laisse-moi juge. Tu es bien trop sévère envers toi-même.

— Je te promets de ne plus rien jeter, pas même un brouillon. Ça te va ?

— C'est parfait. J'espère pouvoir faire réaliser certains de tes croquis très bientôt. Il faut nous préparer pour les nombreux mariages qui ont lieu au mois de juin.

— Nous parviendrons à faire face, j'en suis sûre. Je vais t'envoyer par mail les noms de quelques couturières que j'ai employées. Pour chacune, je te dirai quelles robes elles devraient le mieux réussir. Qu'est-ce que tu en penses ?

— Tu veux dire que tu ne pourras pas venir au magasin ? s'enquit Linnet. Tu ne pourras pas discuter avec moi au sujet des robes ?

— Oh, Linnet, je voudrais bien en être capable ! Mais le Dr Addney me l'a formellement interdit, murmura Evan.

Elle comprenait la déception de Linnet, le besoin qu'elle avait d'elle au magasin.

— Il a dit que je devais ralentir le rythme, reprit-elle, rester à la maison et me reposer. Je dois éviter toute fatigue, toute agitation. Mais pourquoi ne viendrais-tu pas chez moi ? Nous pourrions examiner les croquis ici, faire des projets, choisir les couturières.

— Excellente idée. Malheureusement, je suis vraiment coincée au magasin, aujourd'hui.

— Ce n'est pas grave. Tu pourras venir plus tard dans la semaine. N'importe quand... A vrai dire, maman est là. J'ai rendez-vous avec Emily, pour visiter un appartement à Belgrave Square, et elle doit m'accompagner. Tu te rappelles ? Cet appartement qui appartient à une amie d'Emily, Lavinia Constable, qui est partie pour Los Angeles. Je pensais que Gideon t'en avait parlé...

— Il y a fait allusion, l'autre jour. Tu ne trouves pas que c'est une drôle de coïncidence qu'il soit situé tout près de la maison d'Emma ?

— C'est ce qu'il y a de bien, justement ! Etre si près de Shane et de Paula ! Tu sais que cet appartement n'est à louer que pour un an, Linnet. Mais le gros avantage, c'est qu'il a été restauré. Il est flambant neuf et, surtout, il est vide. De cette façon, nous pourrons apporter nos meubles. Gid est très excité depuis qu'il l'a vu. S'il me plaît, c'est une affaire conclue, parce qu'il le trouve très bien adapté à nos besoins.

— S'il plaît à Gid, je suis sûre qu'il te plaira aussi, surtout si le loyer est correct. Vous ne pourrez pas continuer à vivre dans la garçonnière de Gideon quand les jumeaux seront là. Vous serez serrés comme des sardines.

— Je sais. J'ai pensé que nous arriverions à meubler rapidement l'appartement. Peut-être trouverons-nous ce dont nous avons besoin au magasin.

— Oui, et je t'aiderai, ainsi qu'Emily. Nous le rendrons habitable avant la naissance des bébés, je l'espère.

— En ce cas, il va falloir se dépêcher, répliqua Evan en riant.

— Tu te sens bien, n'est-ce pas ? s'inquiéta Linnet.

— Je te jure que je suis en pleine forme. Et je suis certaine d'accoucher en février, à la date prévue.

Evan hésita un instant et continua :

— Je suis désolée que tu n'aies qu'India pour t'aider en ce moment. J'imagine à quel point ce doit être dur, au magasin. Quand Tessa revient-elle de Paris ?

— Dans quelque jours, dès que Jean-Claude sera parti pour l'Afghanistan. Il souhaitait qu'elle passe quelque temps avec lui, dans sa maison. Est-ce qu'elle t'a dit qu'elle allait faire la connaissance de son fils ?

— Non, mais je trouve cela très bien, surtout maintenant qu'ils sont fiancés.

— Oui. Hier soir, maman m'a dit que le divorce de Tessa devrait être prononcé à la fin de la semaine. Ils pourront se marier très bientôt.

Il y eut un silence.

— Tu es là, Evan ? finit par demander Linnet.

— Oui... Je suis seulement étonnée par ces nouvelles. Tessa compte-t-elle quitter Harte et s'installer à Paris ? s'enquit Evan d'une voix étouffée.

— Je n'en sais rien... avoua Linnet, qui toussota. Je ne pense pas qu'elle en ait parlé à Paula.

Une lumière clignota sur le socle du téléphone, avertissant Linnet qu'elle avait un autre appel.

— Je te laisse, Evan ! s'écria-t-elle. Il faut que je réponde. On discutera plus tard.

— Je te téléphonerai dès que j'aurai visité l'appartement, répondit Evan avant de raccrocher.

Linnet pressa aussitôt sur un bouton.

— Allô ? Linnet O'Neill, à l'appareil.

— C'est India. Tu as un instant à me consacrer ?

— Oui, bien sûr. Tu as une drôle de voix.

— Je crois que j'ai un problème... enfin, une sorte de problème en voie d'expansion.

— Il s'agit du magasin de Leeds, ou c'est personnel ?

— C'est personnel, annonça India avec un soupir. L'état de Mme Caldwell, la grand-mère d'Atlanta, s'est aggravé. Dusty vient de m'appeler et il m'a posé un certain nombre de questions embarrassantes. Je ne sais comment lui répondre. Je voudrais avoir ton avis, Linnet. Je peux passer te voir ?

— Bien entendu. Je suis libre.

Quelques secondes plus tard, India entra dans le bureau de Linnet. Elle s'assit en face d'elle et souffla un baiser en direction de sa cousine.

— Excuse-moi de te déranger à 10 heures du matin, mais je ne sais pas quoi répondre à Dusty. Je suis perdue.

Se penchant sur sa table de travail, Linnet suggéra :

— Commence par me dire de quoi il s'agit.

— Dusty pense que Molly Caldwell va mourir. Il a ce pressentiment depuis une semaine, maintenant, et son dilemme est le suivant : il se demande s'il doit ou non emmener sa fille à l'hôpital, pour qu'elle voie sa grand-mère une dernière fois.

— Eh bien ! Ce n'est pas facile, en effet !

— Ne m'en parle pas. Je me torture la cervelle à ce sujet depuis près d'une heure.

Pensive, Linnet s'appuya au dossier de sa chaise. Elle ferma les yeux et se concentra pendant quelques instants. Enfin, elle ouvrit les yeux et se redressa sur son siège.

— Analysons la situation... Voyons-la de ton point de vue. Par exemple, si Paula mourait, est-ce que tu dirais à Tessa de lui amener Adèle ?

India se mordit la lèvre inférieure.

— Je ne sais pas.

— Très bien, on va s'y prendre autrement. Si tante Edwina, ta grand-mère, était mourante, et si tu avais un enfant. Si cet enfant avait été proche d'elle, que ferais-tu ?

— Je crois que je l'amènerais auprès d'Edwina. Pour le bien d'Edwina autant que pour le sien.

— C'est aussi ce que je ferais. De toute façon, India, on n'est pas obligé de dire à Atlanta que sa grand-mère va s'en aller, tu ne crois pas ?

— Non, tu as raison, admit India. Mais je crois que Dusty s'inquiète de l'état de Molly, il se demande si elle sera sous perfusion, par exemple. Il ne veut pas qu'Atlanta soit effrayée. A mon avis, il pense qu'Atlanta devrait peut-être se rappeler sa grand-mère telle qu'elle était la dernière fois qu'elle l'a vue.

— Tu veux retourner dans le Yorkshire pour aider Dusty à prendre une décision ?

— Oui. Je crois qu'il en serait heureux et que les choses en seraient facilitées pour tout le monde. D'un autre côté, nous sommes jeudi et je ne suis revenue ici que depuis trois jours. Mon bureau disparaît sous les piles de dossiers à traiter.

— Je sais. Le mien aussi. Tu as quelque chose d'urgent à terminer, India ?

— Pas vraiment. Mais je dois m'occuper des vêtements et des accessoires que nous avons commandés pour le printemps. Evidemment, ce n'est pas à un jour près. Je pourrais m'en aller demain de bonne heure et retrouver Dusty à Leeds.

— Mme Caldwell est aux portes de la mort ?

— Pas exactement, pour autant que je le sache. Pourtant, la dame qui l'aide à domicile a dit à Dusty qu'elle s'affaiblit de jour en jour. Et aussi qu'elle se fait beaucoup de souci pour Atlanta.

— En ce cas, pars aujourd'hui. Vas-y, India ! ordonna Linnet. Tu peux être à Leeds dans quelques heures. Pourquoi perdre du temps et tenter le sort ? Il est très important que cette enfant embrasse sa grand-mère une dernière fois. On doit lui expliquer de façon appropriée pourquoi la vieille dame est à l'hôpital. Il est très important aussi que Molly Caldwell voie sa petite-fille, qu'elle puisse mourir en paix. Et tu dois assister Dusty, parce que tu es sa fiancée.

— J'ai projeté de l'accompagner s'il décide d'emmener Atlanta à l'hôpital.

— C'est très bien de ta part.

— Je te remercie de m'avoir aidée, Linnet. Je sais que Dusty se conformera à mon avis, ajouta India avec un sourire.

Après le départ d'India, Linnet rassembla les croquis d'Evan, éparpillés sur sa table. Elle les rangea dans leur carton, tout en pensant au prochain mariage d'India et de Dusty. Evan avait conçu pour India une robe à crinoline en taffetas ivoire. Quel talent elle avait !

Tout en nouant les rubans du carton, elle laissa échapper un soupir, puis elle alla le poser sur la table à dessin et revint à son bureau.

Une fois assise, elle resta un instant immobile, les yeux perdus dans le vide. Elle pensait aux problèmes que Dusty Rhodes devrait affronter après la mort de Molly Caldwell. Linnet disposait de quelques informations à propos de Melinda Caldwell. Gideon s'était fait un devoir de rassembler le plus de renseignements possible à son sujet, pour assurer la protection d'India.

Cette femme était dangereuse, indéniablement. C'était une toxicomane, elle pouvait être violente et, apparemment, elle était difficile à maîtriser. Linnet était certaine qu'elle lutterait pour obtenir la garde de l'enfant. C'était aussi ce que pensait tante Edwina, qui avait exprimé tout haut devant Linnet ses craintes à propos d'India, pendant la réception de mariage à Pennistone Royal.

« Ce sera la même situation qu'entre Mark Longden et Tessa, avait-elle prédit sombrement. Tu verras. Rappelle-toi mes paroles : Dusty va au-devant de bien des ennuis.

— Que pouvons-nous faire ? » avait demandé Linnet.

Prenant le bras de sa grand-tante, elle l'avait éloignée de l'endroit où elle se tenait avec ses sœurs : Elizabeth, la mère d'Emily, et Daisy, la mère de Paula et la grand-mère de Linnet. Toutes deux étaient aux aguets lorsqu'il s'agissait de la famille. Elles adoraient l'intrigue et les commérages. Edwina, qui avait l'œil, avait lancé à Linnet un regard amusé.

« Oui. Mieux vaut trouver un coin tranquille pour bavarder. Mes sœurs sont très curieuses. »

Tout en riant, Linnet avait entraîné la vieille dame de l'autre côté du salon.

« Je vais conseiller à Dusty d'engager un bon avocat, capable de gérer la situation, avait dit Edwina. Peut-être pourrons-nous éviter le procès. Mieux vaut s'adresser à l'avocat de tes parents. Oui, c'est une bonne idée. Et puis il y a l'argent. Ce pourrait bien être la solution. »

Tout cela avait été formulé sur un ton très décidé. A mesure qu'elle parlait, l'humeur d'Edwina avait paru s'améliorer.

« L'argent n'est pas toujours le meilleur levier », avait remarqué Linnet.

Edwina lui avait lancé un coup d'œil admiratif.

« Tu parles comme une vraie Harte, ma chère Linnet. Pendant que j'y pense, je dois te dire ceci : je compte sur toi pour soutenir India, à ta façon intelligente et affectueuse, au cas où je ne serais pas là.

— Tu comptes aller quelque part, Edwina ? » avait vivement demandé Linnet, en l'appelant par son prénom, ainsi qu'elle le faisait souvent.

Edwina avait éclaté de rire.

« Non, je ne projette aucun voyage. Mais on ne sait jamais. Je pourrais passer l'arme à gauche, et ce serait bien contrariant. J'ai beaucoup à faire en ce moment. J'ai beaucoup d'engagements. »

Linnet avait jeté ses bras autour du cou de sa grand-tante et elle l'avait embrassée très fort. Tout en riant avec elle, elle s'était une fois de plus fait la réflexion que la vieille dame était extraordinaire. Une personnalité tellement originale !

Edwina avait raison, pensait Linnet. Dusty devait s'adresser au meilleur des cabinets d'avocats. C'était absolument nécessaire. Elle décida d'en parler à Paula, un peu plus tard dans la journée. Elle lui demanderait de présenter Dusty à ses avocats, Crawford, Creighton, Phipps et associés. Des avocats de premier ordre, dont Dusty aurait besoin pour lutter contre Melinda s'il fallait en arriver à cette extrémité.

A cet instant, le téléphone sonna. Elle décrocha aussitôt.

— Allô ? Ici Linnet O'Neill.

Elle reconnut aussitôt la voix de sa mère :

— Bonjour, Linnet chérie. Tu es très occupée, en ce moment ?

— Non, maman. Je viens juste d'examiner quelques croquis de robes de mariées. Ils sont absolument ravissants et c'est Evan qui les a dessinés. J'aimerais te les montrer, si tu as une minute.

Soudain, il lui vint à l'esprit qu'elle tenait peut-être une merveilleuse occasion de parler à sa mère d'un rayon entièrement consacré aux jeunes mariées. L'un des projets qu'elle tenait sur le feu.

— Je serais ravie de les voir, mais pas maintenant. Nous avons un problème. Un gros problème. Tu peux venir dans mon bureau ?

— Tu veux dire maintenant ?

— Sur-le-champ, Linnet.

— Qu'est-ce qui se passe ?

— Viens dans mon bureau, Linnet. S'il te plaît.

— Tout de suite, maman.

Linnet raccrocha, se leva d'un bond et sortit de la pièce. En partant, elle avertit sa secrétaire qu'elle se rendait chez sa mère, puis elle se dirigea vers les bureaux de la présidente. De plus en plus nerveuse, elle se mit presque à courir dans les couloirs.

Son esprit était en ébullition lorsqu'elle poussa la porte du domaine de sa mère et annonça à Jonelle, l'une de ses secrétaires :

— La patronne m'a appelée.

Jonelle lui sourit :

— Entrez, Linnet.

En pénétrant dans la belle pièce spacieuse dont Paula avait

fait son bureau le jour de l'ouverture du magasin, Linnet sentit son sang se glacer à la vue de Jack Figg, assis sur une chaise près de sa mère. Paula était installée sur le canapé, incarnation de l'élégance, dans son tailleur noir bien coupé. Mais elle était tendue et crispée.

L'appréhension submergea Linnet, mais elle se maîtrisa et fit quelques pas dans leur direction.

— Maman... Que se passe-t-il ?

— Bonjour, Linnet, dit Jack, qui paraissait un peu soucieux.

Il s'exprimait sur un ton bourru et Linnet le trouva extrêmement fatigué. Des cernes violets soulignaient ses yeux.

Elle fixa sa mère.

Paula lui rendit son regard et lui adressa un sourire quelque peu tremblant, puis elle tapota le canapé.

— Viens près de moi, chérie. Jack a des nouvelles. Des nouvelles plutôt mauvaises, à mon avis, si ce n'est désastreuses.

Sans un mot, Linnet obtempéra et vint s'asseoir à côté de sa mère.

— Vous voulez bien mettre Linnet au courant, Jack ? suggéra Paula avec un soupir.

Jack hocha la tête mais, durant quelques instants, il ne prononça pas un mot. Il était assis, regardant ces deux femmes, la mère et la fille, héritières d'Emma Harte, qui avaient toujours porté son uniforme, au propre et au figuré. Aujourd'hui, elles portaient le même genre de tailleur noir que celui que privilégiait Emma, visiblement de haute couture, ainsi qu'un chemisier blanc. Toutes deux avaient des talons hauts, mais pas de bijoux, hormis des perles aux oreilles, des montres aux poignets et une alliance en or à la main gauche. Tout comme Emma. C'était son style, jusque dans le moindre détail. Des femmes intelligentes, brillantes. Des femmes bonnes et aimantes. Il ne pourrait pas supporter qu'il leur arrive malheur, à l'une comme à l'autre. Frustré et bouillant de colère, il proféra quelques jurons en son for intérieur.

Prenant une profonde inspiration, Jack se tourna vers Linnet et dit calmement :

— J'ai d'excellentes raisons de croire qu'Angharad Hughes est en relation avec Jonathan Ainsley.

Linnet hocha la tête.

— Je ne dirai pas que je suis surprise, Jack, parce que ce n'est pas le cas. Nous en avons parlé, l'autre jour. Le jour du mariage, très précisément.

— C'est exact, et Shane a même prévu que cela pourrait bien arriver, en rappelant que Jonathan a toujours eu un faible pour les femmes, en particulier les jeunes.

Linnet éprouva une soudaine tension dans sa poitrine.

— Qu'est-ce que tu as découvert ?

— Comme tu le sais, Angharad est allée le voir le matin, vendredi dernier, dans sa maison de Thirsk. Nous n'avons aucun moyen de savoir ce qui s'est passé entre eux, lors de cette visite, mais elle est restée chez lui trente minutes, pas plus. Ensuite, Ainsley est parti pour Londres. Angharad était à la réception, comme nous le savons, mais elle a quitté le Yorkshire dès le lundi matin. Elle a pris le premier train pour King's Cross, puis elle s'est rendue à l'hôtel que tient le vieil ami de son père, Georges Thomas.

— Son père et sa mère sont repartis aussi pour Londres, avec leur fille Elayne, remarqua Linnet. Je crois qu'Owen Hughes et Elayne se sont envolés pour New York hier. C'est cela ?

— En effet, confirma Jack. Marietta est encore à l'hôtel. Elle restera à Londres jusqu'à l'accouchement d'Evan, d'après ce qu'elle m'a dit le jour du mariage. Je suis sûr que vous le savez déjà.

Linnet jeta un coup d'œil à sa montre.

— C'est exact. Et en ce moment, elle doit être avec Evan. Je crois qu'elles sont en route pour visiter un appartement, à Belgrave Square. C'est une visite arrangée par Emily.

— Tout à fait, confirma Paula. Une vieille amie d'Emily, Lavinia Constable, l'a fait rénover. Elle vient d'accepter de créer les décors d'un film important, à Los Angeles. Elle est partie pour un an.

— Nous savons donc où se trouvent tous les Hughes, remarqua Jack sur un ton acide, y compris Angharad.

— Elle est à Londres avec *lui* ? avança Linnet.

— A vrai dire, elle est à Paris. Mais il s'y trouve aussi, répondit Jack en lui lançant un regard appuyé. L'un de mes gars, à Londres, l'a suivie depuis le moment où elle est descendue du train à King's Cross. Nous savons tout ce qu'elle a fait lundi. Elle est allée à l'hôtel des Thomas, à Cadogan Square, puis elle s'est rendue chez le coiffeur au coin de la rue et ensuite, a passé une heure à faire des emplettes chez Harvey Nichols. Ce soir-là, elle est arrivée à l'appartement de Jonathan Ainsley, à Grosvenor Square, vers 19 heures. Elle y est restée jusqu'à 22 h 30. Il l'a visiblement invitée à dîner. Elle est retournée le voir chez lui mardi après-midi, pour une heure environ. Ensuite, elle a dîné avec ses parents, ainsi que Georges et Arlette Thomas, à leur hôtel. Elayne était présente, elle aussi. Mercredi après-midi, Angharad a de nouveau fait des courses, elle a dîné avec sa mère le soir et elle s'est envolée pour Paris ce matin. Très tôt. En arrivant à Paris, elle s'est rendue à l'hôtel George V. Mes hommes la surveillent en permanence.

— Si je comprends bien, Jonathan Ainsley se trouvait déjà à Paris, c'est cela ?

— En effet, Linnet. Mercredi matin, il a gagné la capitale française en jet privé. Depuis, il n'a pas quitté son appartement de l'avenue Foch.

— Il est clair qu'il se passe quelque chose entre eux, observa Linnet. Je pense qu'ils ont projeté de se retrouver à Londres, lorsqu'elle lui a rendu visite à Thirsk, vendredi. Sans doute ne pouvait-il pas lui consacrer davantage de temps, aussi ont-ils fixé un rendez-vous.

— Tout à fait probable, répliqua Jack. Il venait de mettre ses bagages dans le coffre de sa voiture et il s'apprêtait à quitter sa maison lorsqu'elle est arrivée. Il est retourné à l'intérieur avec elle, mais l'entrevue n'a pas duré très longtemps, ainsi que je te l'ai dit : une demi-heure, peut-être.

— Quoi qu'il en soit, intervint Paula, ils ont souhaité se

revoir. Ils se sont découvert des atomes crochus, d'une façon ou d'une autre, du moins c'est ce qu'il me semble. Il était pressé de regagner Londres et elle savait qu'elle n'allait pas tarder à y retourner, elle aussi, alors ils ont décidé de se revoir. C'est à l'occasion de ces rencontres à Londres qu'il l'a invitée à Paris, et elle était probablement ravie de l'y rejoindre.

Paula s'interrompit pour fixer un instant Jack.

— C'est ainsi que je vois les choses, pas vous ?

— Je pense que vous êtes très près de la vérité, Paula, répondit Jack, dont les yeux allèrent de la mère à la fille. J'ai une question un peu délicate à vous poser, à toutes les deux... Vous croyez qu'ils ont une liaison ? Ou bien qu'il utilise Angharad pour obtenir des informations sur Gideon et Evan ? Ou bien sur Owen et Marietta ? Ou encore sur la famille Harte tout entière ? En d'autres termes, je me demande ce qu'il nous mijote.

— Peut-être recherche-t-il les deux : le plaisir et les renseignements, marmonna Linnet. Elle peut certainement lui être très utile. C'est comme s'il disposait d'une espionne au sein même de notre famille et de celle d'Owen. N'oublions pas qu'il nous hait tous.

Linnet s'appuya au dossier de sa chaise. Elle détestait Angharad plus que jamais. C'était une femme grossière, extravertie, vulgaire et elle ne pouvait pas la supporter. Tessa et India partageaient son point de vue. Pendant la brève période où elle avait été dans le Yorkshire, Angharad avait tenté de se lier d'amitié avec elles, de s'insinuer dans leurs bonnes grâces, de s'intégrer dans leur groupe, mais en vain. Toutes deux la trouvaient insupportable. Evan elle-même l'avait tenue à distance. Cette fille avait l'art de se mettre les gens à dos, pensa Linnet, qui avait remarqué qu'elle déplaisait aussi à Natalie et à Emsie, qui fuyaient systématiquement à son approche.

— Elle lui est utile, commenta Paula, et elle est dangereuse pour nous, Jack. Voyons les choses en face : elle sait tout ce qui concerne sa propre famille et vraisemblablement la nôtre. Evan et Marietta sont constamment en relation, et, sans aucun doute, les bavardages vont bon train, comme c'est le cas dans toutes les familles.

— Maman, Evan ne ressemble pas à Angharad ! Elle m'a confié qu'elles ne sont pas proches, qu'elles ne l'ont en réalité jamais été, même quand elles étaient petites. Si tu veux mon avis, Evan la déteste. Je sais que le mot est fort, mais je suis certaine de ne pas me tromper. Quant à Gideon, il ne la supporte pas non plus. Je suis persuadée qu'il la tient pour responsable de la chute d'Evan. Il me l'a dit.

— Gideon pense qu'elle a poussé Evan ? demanda Paula en plissant les yeux.

— Non, parce que Evan dit qu'Angharad ne l'a pas touchée. Pourtant, Gideon croit qu'elle a réussi à bouleverser Evan, à la rendre si nerveuse qu'elle a manqué la chaise lorsqu'elle a voulu s'asseoir. Il est convaincu que, si Evan avait été seule dans la pièce, l'accident ne serait jamais arrivé. Il a dans l'idée que, d'une façon ou d'une autre, Angharad a asticoté Evan et provoqué la chute.

— Donc, pour autant que nous le sachions, ces deux personnes dangereuses sont maintenant réunies... Mais pour quelle raison ? se demanda tout haut Jack. Nous devons le découvrir. Mais comment ? Qui pourra nous aider ?

Sur ces mots, il se frotta le menton d'une main, l'air pensif.

— Il n'y a qu'une seule personne susceptible de nous fournir cette aide, remarqua Paula. *Marietta.* Apparemment, ni l'une ni l'autre de ses sœurs n'apprécient Angharad, aussi ne nous reste-t-il que sa mère. C'est la seule personne à qui Angharad se confierait.

— Tu ne crois pas qu'elle peut se méfier de sa mère, étant donné les circonstances ? demanda Linnet. De toute façon, jamais elle n'admettra qu'elle complote avec Jonathan Ainsley. Vous ne croyez pas ?

— Bien sûr que non ! s'exclama Jack. Mais vous avez raison en ce qui concerne Marietta, Paula. Angharad mettra vraisemblablement son point d'honneur à rester en contact avec elle, surtout si elle a une liaison avec Ainsley. Elle voudra le faire savoir. C'est un bel homme d'un âge plus mûr, beau, très riche et sophistiqué. En outre, il appartient lui aussi à la famille Harte. Elle voudra sans doute se vanter de l'avoir harponné, parce qu'elle voit en lui une bonne prise.

Jack se leva d'un bond et s'approcha de la fenêtre. Pendant un instant, il resta là, les yeux baissés vers les voitures qui circulaient dans Knightsbridge. Mais il ne voyait rien. Son esprit travaillait à la façon particulière qui était la sienne. Il s'efforçait de prévoir ce qu'Angharad allait faire, ce qui pourrait l'inciter à se vanter auprès de sa mère. Le dépit ? L'envie ? La jalousie par rapport à Evan ?

Au bout de quelques secondes, il se tourna vers Paula et Linnet.

— Ecoutez-moi. Elle ne se confiera pas à Marietta, si Jonathan complote quelque chose de vraiment méchant. Mais elle se confiera sans doute à sa mère si elle a une liaison avec lui. Elle ne pourra pas s'en empêcher. Plus que jamais, cela lui permettra d'entrer en concurrence avec Evan.

— Que pouvons-nous faire, en attendant ? demanda Linnet.

— Attirer Marietta dans notre camp, suggéra Paula.

Jack sourit pour la première fois de la matinée.

— Je ne pense pas que cela vous sera très difficile, Paula. Tout ce que nous avons à faire, c'est lui expliquer la situation, et lui dire qu'Evan et les jumeaux peuvent être en danger. Elle ne veut certainement pas qu'il arrive quelque chose à sa fille et à ses petits-enfants ?

— Aucune femme ne prendrait un tel risque, répliqua Paula.

— Marietta doit savoir à quel point Angharad peut être dangereuse, dit Linnet, du moins si elle a une liaison avec Jonathan. Sachant cela, elle nous aidera, j'en suis certaine. Peut-être sait-elle qu'Angharad est à Paris. Peut-être même compte-t-elle s'y rendre pour la retrouver.

— Marietta est la seule à pouvoir découvrir le fin mot de cette histoire, murmura Jack. Il nous faut savoir ce qui se trame.

— On doit aussi mettre Evan et Gideon au courant, à

propos d'Angharad et de Jonathan, intervint Paula. On ne peut pas les laisser dans l'ignorance. Nous pourrions les inviter à boire un verre, ce soir, ainsi que Marietta.

Linnet hocha la tête. Elle préférait ne pas parler. Elle était soudain envahie par un pressentiment si néfaste qu'elle se sentait incapable de prononcer le moindre mot.

19

Linnet et Jack quittèrent le bureau, tandis que Paula retournait à son travail. Elle prit une chemise cartonnée sur une pile et entreprit de lire la première page du bilan financier, mais elle découvrit qu'elle avait du mal à se concentrer. L'image de Jonathan s'imposait à elle. Une pensée soudaine la frappa et elle se redressa sur sa chaise. D'une façon inattendue, son esprit venait de se focaliser sur sa cousine Sarah. Elle avait été proche d'Ainsley, mais elle penchait maintenant de leur côté. N'était-elle pas plus à même d'apprécier la situation que Marietta Hughes ? La jeune fille dirait-elle la vérité à sa mère ?

Peut-être que oui. Mais d'un autre côté, elle n'était pas forcément au courant de tout. Toutes sortes d'éléments pesaient dans la balance, et selon Paula, Angharad Hughes n'était pas de taille, face au redoutable Jonathan Ainsley. Tout démon qu'il était, c'était aussi un homme brillant, à l'intelligence acérée, passé maître dans l'art de la tromperie et de la dissimulation.

Aux yeux de Paula, Sarah Lowther Pascal, qu'elle pensait sincèrement de leur côté, était la seule personne à savoir exactement ce qui se passait. L'année précédente, Sarah avait persuadé Paula qu'elle n'était plus d'accord avec Jonathan, parce qu'elle avait compris à quel point il pouvait être dangereux et qu'il avait l'intention de faire le plus de mal possible aux Harte.

Tendant la main vers le petit livre rouge qui contenait tous les numéros de téléphone de la famille, Paula trouva celui de Sarah, ou plus exactement celui de son bureau parisien.

Sarah décrocha au bout de quelques secondes.

— Bonjour, Sarah, dit aussitôt Paula. C'est Paula, à l'appareil.

— Paula ? Bonjour ! s'exclama Sarah. Comment vas-tu ?

Sa voix mélodieuse était amicale et très chaleureuse.

— Bien, merci. Nous avons tous regretté ton absence au mariage, surtout Emily, mais nous avons compris tes problèmes. Chloé va-t-elle mieux ?

— Oui, c'est gentil de me le demander. Le lit et les antibiotiques ont fait leur effet. Sa bronchite est guérie. Elle ne se portait pas assez bien pour aller dans le Yorkshire et, franchement, je n'envisageais pas de la quitter. Par ailleurs, Yves était submergé de travail. Il prépare une nouvelle exposition et il s'implique toujours à fond dans son travail. Quoi qu'il en soit, je suis certaine que la fête était réussie et que tout s'est bien passé.

— En effet, mais c'est grâce à Linnet...

Paula inspira profondément, puis elle se lança dans le récit détaillé des événements. Elle raconta la cérémonie secrète, célébrée de bon matin, en exposa les raisons, pour finir par l'explosion survenue dans l'église.

— Grâce à Dieu, nul n'a été blessé, conclut-elle, puisqu'il n'y avait personne dans l'église.

A l'autre bout du fil, Sarah était consternée.

— Mais il est devenu fou ! s'écria-t-elle. Pour quelle raison est-il aussi destructeur ? Si déterminé à frapper la famille ? C'est absurde.

— C'est à cause du passé, Sarah. Il a le sentiment d'avoir été dépouillé de ce qui lui était dû... Cela ne changera jamais. Il est obsédé.

— Notre grand-mère a fait ce qu'elle pensait juste, ce qu'elle croyait le mieux. Aucun de ses enfants ou de ses petits-enfants n'est intervenu dans la rédaction de son testament. Pourquoi n'arrive-t-il pas à se l'enfoncer dans le crâne ?

— Je n'en sais rien et, très franchement, je le crois

243

paranoïaque. A mon avis, c'est un malade mental. En outre, il est très injuste : il touche encore sa part des bénéfices réalisés par Harte, comme nous tous. Emily y veille. Il a les fonds en fidéicommis que lui a laissés grand-mère. Il est riche, aussi, grâce à ses propres talents. C'est un homme d'affaires habile, qui a gagné des millions, grâce à l'héritage d'Emma. Alors, pourquoi cette vengeance ?

— Tu l'as dit toi-même, Paula, il est malade.

— Il agit aussi en franc-tireur. Jack Figg détient la preuve qu'il a une liaison avec la sœur d'Evan, Angharad Hughes. Apparemment, elle l'a rencontré dans la librairie de Pennistone Village. Selon la mère d'Evan, qui était là, ils ont flirté. Depuis, Angharad est allée le voir dans sa maison de Thirsk et elle l'a rencontré deux fois à Londres. Et maintenant, ils sont tous les deux à Paris. Ils ont voyagé séparément et elle a pris une chambre au George V, mais elle est visiblement là pour lui. Il n'y a pas de doute à ce sujet, dans mon esprit. Jack Figg est d'accord.

Il y eut un silence à l'autre bout du fil.

— Je comprends, maintenant... dit enfin Sarah.

— De quoi parles-tu ?

— Il m'a téléphoné de bonne heure, ce matin, et m'a proposé de dîner avec lui samedi prochain. Il a dit qu'il voulait me présenter sa protégée. Je n'étais pas certaine de bien comprendre ce qu'il entendait par ce mot, mais de toute façon, j'ai décliné l'invitation, parce qu'Yves est très occupé par son exposition.

— Tu voudrais bien accepter ? Pour moi ? Pour la famille, Sarah ? Nous avons seulement besoin de savoir s'il l'utilise, s'il lui arrache des informations dans le but de nous surveiller. Ou s'il s'agit seulement du désir éprouvé par un homme vieillissant pour une femme plus jeune. Une blonde platine de vingt-trois ans, au joli visage et au corps voluptueux.

— Vingt-trois ans ! Seigneur ! Il les prend au berceau !

— On le dirait, du moins s'il n'est mû que par l'attrait sexuel. Mais il agit peut-être ainsi par calcul. Linnet pense qu'Angharad est l'une de ces femmes qui sont prêtes à dévorer tout ce qui passe à leur portée : hommes, argent, vie agréable. Il est possible que Jonathan passe avec elle un accord. Elle envie Evan. D'après ce que m'a dit Linnet, elles n'éprouvent aucune affection l'une pour l'autre. Rien n'est pire que l'envie, tu ne crois pas ?

De façon inattendue, Sarah songea combien elle avait été éprise de Shane et combien elle avait été jalouse de Paula, bien longtemps auparavant.

— La jalousie, peut-être, murmura-t-elle.

— Eh bien, Sarah, qu'est-ce que tu en dis ? Est-ce que tu envisagerais de dîner avec lui, samedi ? Juste dans le but d'évaluer la nature de leur relation ?

— Je ne l'envisage pas, je vais le faire ! s'exclama Sarah avec une soudaine véhémence. J'ai besoin de savoir ce qui se passe, ne serait-ce que pour moi-même.

Après avoir passé trois jours à Paris, Tessa était heureuse de se retrouver au Clos-Fleuri avec Jean-Claude. Elle s'était prise d'affection pour cette ravissante maison de campagne. La propriété constituait un terrain de jeux parfait pour Adèle, qui pouvait la parcourir en tous sens. Elle contenait de multiples recoins étranges et des cachettes qui ne pouvaient que charmer un enfant. Elvira s'y plaisait, elle aussi, et elle adorait se promener dans la propriété, Adèle dans son sillage.

Assise devant sa coiffeuse, dans sa chambre, Tessa se maquillait tout en pensant aux prochains jours. Le fils unique de Jean-Claude devait passer le week-end avec eux, juste avant le départ de Jean-Claude pour l'Afghanistan et son propre retour à Londres.

Tessa avait hâte de rencontrer Philippe Deléon. Agé de trente et un ans, il était artiste, vivait dans le sud de la France, n'était pas marié et menait une existence quelque peu solitaire. Selon son père, c'était un peintre de talent et il avait finalement acquis la renommée qu'il méritait. Elle lui avait parlé plusieurs fois, au téléphone, et il lui avait paru sympathique. Elle s'était aperçue qu'elle espérait lui plaire.

La veille, lorsqu'elle en avait parlé à Jean-Claude, il s'était mis à rire et avait répondu :

« Mais voyons, chérie, comment ne lui plairais-tu pas ? Ne t'inquiète pas tant, je t'en prie. »

Après cela, ils n'avaient plus parlé du fils de Jean-Claude. Elle savait qu'il avait été élevé par sa mère, dans le sud de la France, dans une petite ville du nom de Beaulieu-sur-Mer, entre Nice et Monte-Carlo. Etant enfant, il voyait son père pendant les vacances scolaires.

Tessa prit un peigne et le passa dans sa chevelure d'un blond cendré, puis elle se leva et alla ouvrir son armoire. En quelques secondes, elle revêtit un chemisier de soie blanche, un pantalon de laine blanche et une veste de cachemire blanc, dont les pans étaient brodés à la main. Après avoir enfilé des chaussures à hauts talons de daim beige, elle s'approcha de la fenêtre et écarta les rideaux pour regarder dehors.

La nuit était très claire, grâce à une énorme pleine lune flottant dans un ciel noir comme de l'encre. Elle jetait un éclat argenté sur les pelouses givrées et les arbres dénudés, noirs et squelettiques.

Désespéré, pensa-t-elle. Le jardin a l'air triste, désespéré et il prend des aspects étranges, ainsi illuminé.

Un frisson la parcourut des pieds à la tête, tandis qu'elle s'attardait devant la fenêtre, à contempler ce paysage fantomatique. Laissant retomber les rideaux, elle regagna sa coiffeuse. Après s'être parfumée, elle mit des perles à ses oreilles et glissa sa bague de fiançailles à son doigt. Elle la regarda un instant, tout en pensant au départ de Jean-Claude pour l'Afghanistan, la semaine suivante.

Comme cette mission l'inquiétait ! Les images qu'elle avait de ce pays, c'étaient les canons, la destruction et la mort. Elle n'osait pas avouer à Jean-Claude à quel point elle était effrayée, parce que pour rien au monde elle n'aurait voulu lui infliger la moindre contrariété. Elle souhaitait qu'il parte l'esprit dégagé ; il ne fallait pas qu'il se fasse du souci à son propos, pendant qu'il était au loin. Il avait besoin de se concentrer. Mais il y avait des moments où elle était en proie à la panique. Elle avait déjà subi tant de pertes, dans sa vie, à différentes époques... Elle ne supporterait pas d'en vivre une autre.

Jim Fairley, son père, lui avait été arraché alors qu'elle était toute petite. Tué tragiquement lors du crash d'un avion. Un avion qu'il pilotait lui-même. David Armory, son grand-père, se trouvait à bord de l'avion et avait été tué, lui aussi. Et puis il y avait eu son demi-frère, Patrick, un garçon adorable, mort des suites d'une maladie du sang extrêmement rare alors qu'il n'était qu'un adolescent. Même son mariage avec Mark Longden constituait une perte, en un sens, parce que, à ses yeux, tout échec en était une.

Elle devait se maîtriser, se montrer forte et courageuse. Il n'allait rien arriver à Jean-Claude. Il ne serait absent que pendant un mois et il était un correspondant de guerre expérimenté, habitué à revenir sain et sauf. Il lui avait affirmé qu'il ne prenait jamais de risques, qu'il portait un gilet pare-balles, comme la plupart de ses confrères, et qu'il avait bien l'intention de rester en vie, de façon à rentrer au pays et à l'épouser.

Le mariage. Le mot s'imposa brutalement à elle. Son divorce avec Mark Longden n'était même pas prononcé qu'elle était déjà fiancée à un autre homme, se préparait au mariage et entamait une nouvelle vie. Mais elle était sûre de Jean-Claude Deléon, sûre de l'amour qu'il éprouvait pour elle, autant que du sien pour lui, puisqu'elle l'aimait de tout son cœur. Et elle savait que cette fois, son mariage serait une réussite, à cause de ce qu'il était. Jean-Claude était un homme brillant, d'une grande intelligence. C'était un journaliste de renom. Il était bon, tendre, généreux, compatissant et courageux. Une âme noble et aimante.

Mark Longden avait tué toute vie en elle, il avait détruit son esprit tout comme il l'avait blessée physiquement. Elle était soulagée qu'il soit sorti de son existence. Grâce à l'extraordinaire contrat que sa mère avait imaginé avec ses avocats, il était en Australie et ne pouvait revenir en Angleterre avant très longtemps, s'il voulait conserver l'argent que Paula lui avait offert au moment où les clauses du divorce avaient été établies.

Et ce divorce allait être prononcé dans les quinze jours à venir. Elle pourrait épouser Jean-Claude quand elle le souhaiterait. Il voulait que ce soit le plus vite possible et elle éprouvait la même chose. La perspective de vivre avec lui en permanence la remplit de bonheur. S'écartant de la coiffeuse, elle traversa en hâte sa chambre, qui lui servait de boudoir, entra dans celle de Jean-Claude, qu'elle partageait avec lui, et regarda autour d'elle.

A cet instant, Jean-Claude sortit de son propre dressing-room, se battant contre une veste de sport qu'il tentait d'enfiler. Son visage s'éclaira à la vue de la jeune femme et il s'écria :

— Tessa ! Tu es ravissante, ma chérie.

— Merci beaucoup, monsieur.

Comme il venait auprès d'elle, elle déposa un baiser sur sa joue et ajouta :

— Je vais voir ce que fait Adèle.

Jean-Claude rit, ses yeux bruns et chaleureux étincelèrent.

— Il y a un instant, elle était assise dans la cuisine avec Elvira.

Souriante, Tessa se dirigea vers la porte.

— Je descends un instant. Elle doit être fatiguée. La journée a été bien chargée, pour une si petite fille.

— Je te rejoins dans quelques minutes, murmura Jean-Claude en gagnant le petit bureau qui se trouvait dans un coin de la pièce. J'ai quelques coups de fil à passer, pour le travail, mais je n'en ai pas pour longtemps.

Adèle avait presque quatre ans. Elle avait fait une brusque poussée de croissance, ces dernières semaines, et paraissait grande pour son âge. Avec son petit visage exquis, ses yeux gris et ses cheveux d'un blond pâle, elle était la réplique en miniature de sa mère, une belle enfant d'une nature douce et docile.

Tout le monde en tombait amoureux, et Lourdes, la

cuisinière de Jean-Claude, ne faisait pas exception. Pour ce long week-end à la campagne et parce que Jean-Claude avait des invités, elle était venue de Paris pour faire la cuisine, et Hakim l'avait accompagnée. Bien que Gérard fût le domestique du Clos-Fleuri, Jean-Claude avait décidé qu'un peu d'aide ne nuirait pas, et Hakim s'était porté volontaire.

Quand Tessa entra dans cette merveilleuse cuisine à l'ancienne, Adèle mangeait un dîner léger tout en parlant à Elvira avec animation. Tessa remarqua aussitôt que Lourdes et Hakim la couvaient d'un regard affectueux et souriaient. Elle se réjouissait que les employés de Jean-Claude aient aimé son enfant dès la première minute où ils l'avaient vue. Tous, que ce fût à Paris ou à la campagne, s'étaient efforcés de rendre son séjour confortable et avaient fait en sorte qu'elle se sente chaleureusement accueillie, par leurs sourires et leurs mots gentils. Aucun d'entre eux ne parlait anglais, mais quelques douces paroles, en français, avaient été explicites et Adèle avait compris qu'on lui disait des choses gentilles, grâce au ton de leur voix et à leurs expressions.

— Maman ! cria l'enfant en apercevant Tessa.

Elle allait sauter de sa chaise, mais Elvira la retint en posant la main sur son bras.

— Tu dois finir ton dîner, Adèle, dit-elle doucement.

Tessa adressa un signe de tête à Lourdes et à Hakim, puis elle s'assit auprès de la petite fille.

— Bonjour, ma chérie. Qu'est-ce que tu manges, ce soir ?

— Du poisson, maman. Un minuscule petit poisson avec de la purée et des... *petits pois.*

— Si je comprends bien, tu apprends à parler français ? demanda Tessa en souriant.

Adèle acquiesça du menton.

— Lourdes m'apprend le nom de... la nourriture. C'est un début, elle m'a dit. Je connais les *pommes de terre*, la *viande* et la *crème caramel.* C'est de la crème anglaise et c'est fait avec du...

— Du lait, l'interrompit Elvira. Allons, Adèle, termine ton dîner comme une bonne petite fille.

— Oh, j'ai fini, merci. Vous, les grands, vous n'avez pas de poisson, ce soir, ajouta-t-elle à l'adresse de sa mère. Vous avez de la *viande*. De l'agneau. Jean-Claude aime l'agneau, c'est Lourdes qui me l'a dit. Où est Jean-Claude, maman ?

— Ici, *ma petite*, annonça Jean-Claude depuis le seuil.

Il entra dans la cuisine, posa une main affectueuse sur la tête d'Adèle, puis il se pencha pour l'embrasser et s'assit près de Tessa. Jetant un coup d'œil à Hakim, qui remplissait un seau de glaçons, il demanda :

— Mon fils est-il arrivé ?

— Il y a un quart d'heure, monsieur. Gérard a porté sa valise dans sa chambre.

— *Bien*. Et maintenant, *mon petit chou à la crème*, ajouta-t-il en entourant les épaules d'Adèle d'un bras, comment était le dîner ?

Elle leva vers lui un visage souriant.

— Très bon, *merci*.

Il lui rendit son sourire et, jetant un regard amoureux à Tessa, il déclara :

— Si je comprends bien, elle apprend le français. Je trouve cela charmant.

— Quand est-ce que je rencontrerai Philippe ? demanda Adèle, les yeux fixés sur Jean-Claude.

— Bientôt, je pense. Je suis certain qu'il descendra dans une quinzaine de minutes, environ. Nous prendrons l'apéritif avant le dîner.

— Super ! Maman a dit qu'il allait être mon grand frère.

— Bien sûr. Ta maman a dit vrai.

Adèle glissa de sa chaise et posa fermement les pieds par terre.

— Tu ne vas pas avoir de dessert, dit tranquillement Elvira.

— Je n'en veux pas, merci, Elvira.

Prenant la main de Jean-Claude, l'enfant continua :

— On peut aller dans la petite pièce, pour que je puisse regarder ma cassette de *Cendrillon* ? S'il te plaît, Jean-Claude !

Il se leva et adressa un clin d'œil à Tessa, avant de prendre la main de la petite fille dans la sienne.

— Pourquoi pas ?
Adèle tourna la tête et s'exclama de sa voix haut perchée :
— Merci, Lourdes... *Merci beaucoup.*
Puis Jean-Claude et elle sortirent de la cuisine.

20

Quoi qu'on ait dit à son propos, personne ne pouvait l'accuser de ne pas être consciencieux. Il avait été formé par Emma Harte, qui avait instillé en lui la nécessité de prêter attention au moindre détail et, plus important encore, de ne rien laisser au hasard.

Ce perfectionnisme l'avait amené dans son bureau à 18 h 30. Il s'assit à sa table de travail et ouvrit le classeur à couverture de cuir noir, dans lequel il avait réuni toutes les informations dont il disposait sur la famille Hughes.

Dès l'instant où Evan Hughes avait été reconnue en tant qu'arrière-petite-fille d'Emma Harte, Jonathan Ainsley avait loué les services de détectives privés américains et anglais. Ils devaient trouver tout ce qu'il avait besoin de savoir sur chacun des membres de la famille Hughes.

Ses yeux s'arrêtèrent sur le nom d'Angharad Hughes et il parcourut la page qui contenait un certain nombre d'informations à son sujet. Une enfant abandonnée qui avait été adoptée par Marietta et Owen Hughes lorsqu'elle n'avait que quelques mois. Relativement cultivée. Experte en meubles de la période georgienne, formée dans ce domaine par son père. Adolescente rebelle, selon son entourage. Attrait sexuel indéniable, exercé sur les hommes de tous âges.

Eh bien, il était bien placé pour le dire, n'est-ce pas ?
Belle.
Il en était bien conscient aussi.
Pas très proche de ses sœurs, Evan et Elayne ; plutôt

solitaire, en réalité. Plus proche de sa mère que de son père. Jamais vraiment appréciée par sa grand-mère, Glynnis Hughes, etc.

Avec un soupir, Jonathan referma le classeur. Il disposait de toutes ces informations depuis des mois ; il était clair qu'il n'y avait rien de nouveau sur elle, ou sur n'importe quel autre membre de la famille. En outre, ce qu'il avait besoin de savoir n'apparaîtrait jamais dans une enquête.

Pourquoi le poursuivait-elle ainsi de ses assiduités ?

Que lui voulait-elle ?

Les Harte l'avaient-ils chargée de l'espionner ?

Il avait formulé l'une de ces questions, à Londres.

« Que me voulez-vous ? lui avait-il demandé le soir où il l'avait invitée à boire un verre dans son appartement de Grosvenor Square.

— Rien, avait-elle répondu. Vous voir, tout simplement. Quand nous nous sommes rencontrés, au village, j'ai pensé que vous étiez le plus bel homme que j'aie jamais vu. Mais je vous l'ai déjà dit, quand je vous ai rendu visite, à Thirsk. »

Elle avait haussé les épaules et ajouté :

« J'ai supposé que vous flirtiez avec moi... que je... vous savez... que je vous attirais. »

Elle avait encore haussé les épaules, puis elle l'avait regardé d'une certaine façon... Une œillade, avait-il pensé. Elle lui lançait une œillade. Et il s'était demandé d'où lui venait cette expression désuète. Plus tard, dans la soirée, elle lui avait fait nettement comprendre qu'elle était libre, disponible, partante, experte... et qu'elle comptait rester en Europe un certain temps. Aussi longtemps qu'il le voudrait, à vrai dire.

Il avait su, avec une absolue certitude, qu'il pouvait la mettre dans son lit sur-le-champ. Et c'était exactement ce qu'elle souhaitait. Mais bien qu'il fût très tenté, il avait écouté la petite voix qui l'avertissait d'être prudent. La dernière chose dont il eût besoin, c'était d'avoir pour maîtresse une femme qui se précipiterait chez les Harte afin de leur faire son rapport sur sa vie sexuelle, ses affaires, ses associés et tout ce qu'elle pourrait glaner si elle restait dans sa vie un certain temps.

C'était pourquoi il l'avait renvoyée chez elle, ce soir-là. Le lendemain après-midi, elle était venue chez lui pour prendre le thé. Contre toute prudence, il lui avait proposé de le rejoindre à Paris.

Elle avait saisi l'occasion et accepté l'invitation. A son expression, il avait compris qu'elle aurait tout accepté pour se retrouver avec lui... dans un lit. Il se demandait ce qu'elle ferait d'autre, pour lui, s'il en émettait le désir.

S'appuyant au dossier de sa chaise, Jonathan regarda autour de lui. La bibliothèque était la pièce qu'il préférait dans son appartement parisien. Elle était élégante, mais sans prétention, et éminemment confortable. Décorée par l'un des architectes d'intérieur les plus célèbres, elle était lambrissée de chêne blanchi et remplie de meubles anciens d'une valeur inestimable, tels deux beaux coffres Louis XV, une belle horloge Le Roy, des canapés moelleux et des fauteuils profonds tapissés de velours rouge. Le tapis venait de la manufacture royale de la Savonnerie et les tableaux dataient de l'époque impressionniste : il y avait deux Degas, représentant des danseuses de ballet, et un extraordinaire Sisley, au-dessus de la cheminée sculptée. Lorsqu'il le regardait, Jonathan pensait à celui de sa grand-mère, qui se trouvait à Pennistone, et il avait un sourire mauvais. Le sien était bien meilleur, c'était l'un des plus beaux Sisley, un vrai chef-d'œuvre. Une possession dont il pouvait être fier, qu'il pouvait chérir.

Il se leva et, gagnant la cheminée, il offrit un instant son dos aux flammes qui s'élevaient dans l'âtre. De nouveau, ses pensées se tournèrent vers Angharad Hughes. Il l'avait invitée plusieurs fois à boire un verre, mais ce soir, elle devait dîner avec lui. Il n'avait nullement l'intention de l'emmener dans l'un de ses lieux de prédilection, car il ne souhaitait pas être vu en sa compagnie.

Elle était belle, sous toutes les saletés qu'elle appliquait sur son visage, mais ses cheveux étaient immondes. Pourtant, il avait voulu, il avait eu besoin de la revoir, d'explorer les possibilités qu'elle lui offrait, par exemple de la mettre dans son lit, ne serait-ce qu'une seule fois. Ce soir. Il savait qu'elle ne lui résisterait pas. Mais il devait s'assurer qu'ils étaient bien sur la même longueur d'onde, qu'elle était uniquement tentée par une liaison avec lui et non pas chargée de récolter des informations.

Lorsqu'elle arriverait, il la sonderait de nouveau et il prendrait une décision à son sujet. Quoi qu'il en fût, ils dîneraient ensemble, puis il la renverrait dans son hôtel si nécessaire, mais seulement après avoir joui de sa compagnie dans la chambre à coucher.

On frappa à la porte. Gaston, son domestique, l'ouvrit et resta discrètement sur le seuil de la pièce.

— Marie-Claire voudrait savoir si vous souhaitez du caviar avec les apéritifs, monsieur.

— Pas ce soir, Gaston, merci.

Le domestique hocha la tête et se retira. Refermant la porte derrière lui, il gagna l'office du grand appartement.

Jonathan ne raffolait pas particulièrement du caviar, dont il n'appréciait pas la saveur un peu forte. En tout cas, il n'avait pas du tout envie qu'Angharad Hughes eût ce goût sur les lèvres. La dernière fois qu'il en avait mangé, il se trouvait avec Priscilla, lors d'un rendez-vous passionné, à Scarborough, et le goût avait mis du temps à disparaître.

Priscilla Marney. Evidemment. Elle pourrait peut-être l'aider à faire une juste estimation de la fille Hughes. Prissy se trouvait à la réception de mariage, la semaine précédente. Et elle était observatrice. Peut-être pourrait-elle l'éclairer, mais sans le savoir. Prissy était jalouse des autres femmes et elle lui en voulait d'avoir annulé leur dernier rendez-vous à Thirsk, la veille. Mais s'il lui téléphonait maintenant, s'il lui parlait gentiment, lui laissait croire qu'il était malheureux de ne pas l'avoir vue, il pourrait peut-être glaner quelques potins utiles.

Retournant à son bureau, il s'assit, prit le combiné et composa le numéro de Priscilla à Harrogate. Elle décrocha au bout de quelques secondes.

— Bonjour, Prissy chérie, dit-il doucement. C'est Jonathan.

— Je sais, répliqua-t-elle.

A sa voix, il ne pouvait deviner dans quel état d'esprit elle se trouvait.

— Je t'appelle pour te dire à quel point tu me manques, en ce moment précis, mon cœur. J'aurais vraiment voulu te voir, hier, t'avoir tout à moi, dans ma maison de Thirsk.

— Moi aussi, répondit-elle sans pour autant s'adoucir.

— Je sais que tu es furieuse contre moi, Prissy, mais tu as tort. Je vais me faire pardonner, tu verras. Je reviens dans le Yorkshire la semaine prochaine et c'est pour cela que je t'appelle. Je voudrais que tu viennes chez moi, à Thirsk, pour y passer une journée et une nuit, comme nous l'avions projeté hier.

Comme elle ne répondait pas, il ajouta d'une voix rauque :

— Tu sais que je ne peux pas te résister, ma chérie, et il faut que je te voie avant de partir pour Hong Kong. Dis oui, je t'en prie, tu me rendras tellement heureux !

Tout en prononçant ces mots, il espérait lui paraître suffisamment sincère.

— Très bien, dit-elle lentement, presque à regret. Mais tu n'as pas précisé quand, la semaine prochaine, Jonny. J'espère pouvoir venir.

— Je pensais à mardi prochain. Je m'envolerai de bonne heure pour Yeadon, aussi pourrons-nous déjeuner ensemble. Ensuite, nous aurons l'après-midi et la nuit. Qu'en penses-tu, mon cœur ? Allez, dis oui, Prissy. Tu sais ce que j'éprouve pour toi.

Soudain, l'humeur froide et quelque peu maussade de Priscilla sembla s'améliorer à l'autre bout du fil.

— Oh, c'est merveilleux, Jonny ! Oui, c'est le jour idéal, en ce qui me concerne. Et tu me manques, j'ai hâte de te voir. J'étais tellement pressée de te retrouver, hier, que j'ai été abattue quand tu as annulé notre rendez-vous. J'avais le moral au plus bas, si tu veux le savoir.

— Il ne faut pas. Ecoute ce que j'ai projeté, pour toi... pour nous. Je vais congédier les domestiques. Il n'y aura que toi et moi, à Thirsk. Rien que nous deux... Nous passerons une longue journée et toute la nuit à faire l'amour... pense à cela, Prissy !

— Oh, Jonny, oui, ce sera fantastique !

— Bon sang, Prissy, ta voix est si amoureuse et si sexy que je te voudrais près de moi maintenant... tout ce que je ferais avec toi...

— Oh, Jonny ! Cela me plairait, à moi aussi !

Il se mit à rire, satisfait d'avoir remporté cette victoire. S'il le voulait, elle mangerait au creux de sa main.

— Il vaut mieux changer de sujet, reprit-il. Dis-moi plutôt ce qui s'est passé à la réception. Tu n'étais pas très disponible, l'autre jour.

— Oh, je sais, pardonne-moi. Mais j'étais très énervée quand tu m'as dit qu'on ne pourrait pas se voir.

— Comment c'était ? J'ai manqué quelque chose ?

— Tu as manqué les feux d'artifice, en tout cas. Et puis, Linnet a modifié l'heure de la cérémonie. Evan et Gideon se sont mariés en secret, à 8 h 30.

— Ah bon ? Et pourquoi donc ?

— Evan ne se sentait pas bien. Les jumeaux ne sont attendus qu'au mois de mars, mais on dirait qu'elle va accoucher d'une minute à l'autre. De toute façon, elle n'était pas en forme et cette décision a été prise par précaution. D'après Margaret, tout le monde craignait que la présence de toute la famille, à l'église, ne la surexcite et ne déclenche les contractions.

— Je comprends. Et comment s'est passée la réception ?

— Très bien, et je dois dire que tout le monde était très élégant. Tu aurais apprécié d'être avec tes cousins et ton père, Jonny.

— J'en suis persuadé, répliqua Jonathan d'une voix neutre. Tu as vu mon père ?

— Oui. Il était très beau. Marietta Hughes veillait sur lui d'une façon merveilleuse.

— Et les filles adoptées ? A quoi ressemblent-elles ? Elles sont aussi belles qu'Evan ?

— Pas vraiment. Elayne, celle du milieu, est une brunette

257

plutôt sympathique. Mais la plus jeune, Angharad, est abominable.

— Vraiment ? C'est la sœur la plus laide, alors ?

— Pas laide, répliqua Prissy sur un ton qui laissait entendre à quel point la jeune femme lui déplaisait. Mais elle est vulgaire. Elle a d'horribles cheveux blond platine. J'imagine que son visage est mignon... sous les tonnes de maquillage. En revanche, elle est merveilleusement bien faite et j'admets qu'elle est plutôt sexy. Pendant un moment, j'ai cru que Lorne pourrait se rapprocher d'elle, mais je me trompais. Il ne peut pas la supporter. C'est incroyable, mais elle ne plaît à personne.

— Pourquoi cela ? demanda Jonathan, dont l'intérêt s'était enflammé.

— Je n'en sais rien. Je n'ai pas cherché à bavarder avec elle. J'étais très occupée, tu sais. Mais plus tard, en prenant le thé à la cuisine, avec Margaret, j'ai appris qu'aucune des filles Harte ne l'aimait. Elle a tenté de se lier d'amitié avec elles, mais elles l'ont tenue à distance. Elles l'ont snobée. Margaret prétend qu'Evan elle-même ne la supporte pas, pas plus que Gideon. La rumeur dit que Gideon la croit responsable de l'accident d'Evan.

— Tiens donc ! J'ignorais qu'Evan avait eu un accident, s'écria Jonathan en serrant plus fort le récepteur. Raconte !

— Apparemment, Evan a fait une chute dans son bureau, avant de venir dans le Yorkshire pour le mariage. Elle aurait manqué sa chaise et serait tombée par terre. Tout le monde craignait une fausse couche et elle a dû être hospitalisée.

— Mais pourquoi Gideon Harte s'imaginait-il que la sœur était fautive ?

— Parce qu'elle a rendu une visite inattendue à Evan, au magasin, et qu'elles se sont disputées. Ils croient tous qu'elle était venue exprès pour chercher querelle à sa sœur. Pour la bouleverser. Margaret a entendu Marietta raconter à Emily qu'Angharad avait toujours été jalouse d'Evan, et aujourd'hui plus que jamais. A cause de Gideon, des Harte, tout ça.

— Oh, ne me dis pas que le loup est dans la bergerie, murmura Jonathan.

— C'est une possibilité, en tout cas. Le père et la sœur d'Evan sont repartis pour New York, mais ton père t'a sûrement averti qu'ils s'en allaient plus tôt que prévu.

— Bien sûr, répondit Jonathan.

Il le savait, mais ce n'était pas son père qui l'avait si bien informé. Bien entendu, il ne comptait pas le faire savoir à Priscilla.

— Et qu'est-il advenu de la méchante sœur ? enchaîna-t-il. Où est-elle ?

— Elle est à Londres, avec sa mère, mais je ne pense pas qu'elle soit la bienvenue, du moins en ce qui concerne Gideon et Evan. Selon Wiggs, le jardinier, Gideon aimerait qu'elle reparte pour les Etats-Unis, elle aussi. Oh, pendant que j'y pense, Jonny, j'ai une autre nouvelle : Tessa est fiancée à son écrivain.

Reconnaissant que les informations fournies par Angharad étaient exactes, Jonathan réprima un rire.

— J'en ai entendu parler. Je suis vraiment désolé d'avoir manqué cette réception. Quand je pense que nous aurions pu voler quelques heures et les passer ensemble, pendant le week-end !

— Oh, Jonny, ne te moque pas de moi... Tu m'excites, en parlant ainsi.

— Pas maintenant, Priscilla, et sois sage jusqu'au prochain week-end.

Un long soupir lui répondit.

— Je t'appellerai lundi, ma chérie, murmura-t-il avant de raccrocher.

Jonathan se leva et se planta devant la cheminée pour contempler son Sisley. De nouveau, un sourire mauvais erra sur ses lèvres. Ce n'était pas le tableau, qu'il voyait, mais Angharad Hughes. Il la voyait en pensée. Ainsi, ils ne l'aimaient pas, hein ? Aucun d'entre eux, à ce qu'il semblait. Peut-être était-elle sincère, finalement. Elle n'était qu'une petite fille qui voulait se remplir les poches. Elle cherchait l'homme riche qui deviendrait son papa gâteau et prendrait soin d'elle. Eh bien, pourquoi pas ? Il n'y voyait pas d'objection.

Il fut parcouru par un frisson d'excitation. Il avait hâte qu'elle arrive, maintenant. Il voulait l'observer encore, savoir ce qu'elle pensait des Hughes et des Harte. Ce serait certainement très significatif et intéressant. Son meilleur champagne lui délierait la langue, sans nul doute. Elle avait l'air d'une fille selon son cœur. Elle pourrait même se révéler très utile, surtout s'il posait les bonnes questions. C'était la clef de tout… poser les bonnes questions. De cette façon, on obtenait d'ordinaire les bonnes réponses.

Quand Angharad entra dans la bibliothèque, une heure plus tard, Jonathan fut agréablement surpris. Lors de leurs précédentes rencontres, elle était mal habillée. Mais ce soir, elle était presque élégante, avec sa robe de laine noire, ses chaussures noires à hauts talons et ses bas noirs à résille. Les bas constituaient une erreur, la robe était un peu trop décolletée, mais il y avait une amélioration. Elle avait fait un effort pour lui, apparemment.

Une fois que Gaston l'eut introduite et fut reparti prestement, Jonathan se leva pour accueillir la jeune femme.

— Bonjour, lui dit-elle lorsqu'ils se rejoignirent au milieu de la pièce.

— Je suis content de vous revoir, dit-il d'une voix neutre en lui tendant la main.

Elle la prit, la serra, puis, se rapprochant de lui, elle se dressa sur la pointe des pieds et l'embrassa sur la joue.

— J'en avais envie ! s'écria-t-elle en lui lançant un regard provocant. Je suis sûre que vous me trouvez effrontée.

— Pas vraiment, répliqua-t-il avec un sourire. Un peu audacieuse, peut-être. En tout cas, vous savez ce que vous voulez. J'espère que vous aimez le champagne, ou désirez-vous autre chose ?

— Je veux beaucoup de choses, mais pour l'instant, le

champagne sera parfait, dit Angharad en s'installant sur un canapé. Pourquoi ne pas vous asseoir près de moi ? ajouta-t-elle en tapotant le coussin le plus proche.

Préférant garder ses distances pour le moment, Jonathan secoua la tête.

— Je vais prendre place en face de vous... De cette façon, je pourrai vous regarder, ma chère enfant.

— Vous aimez ce que vous voyez, alors ?

— J'aime la façon dont vous êtes habillée ce soir, Angharad. Vous êtes très élégante.

— Je sais ce que vous appréciez... l'élégance, la classe. Je ne suis pas trop sûre de moi, quand il s'agit de vêtements... Il faudra que vous m'aidiez. Vous voulez bien, n'est-ce pas ? Etre mon professeur, je veux dire.

— A propos des vêtements ?

Elle lui lança un long regard appréciateur.

— Oui, dit-elle. Vous pensiez que je parlais d'autre chose ?

Il se demandait ce qu'il allait répondre et s'il lui donnerait quelques faux espoirs, quand la porte s'ouvrit devant Gaston, ce qui lui épargna ce souci.

Le domestique déposa le plateau sur une table dressée à cet effet puis, après avoir débouché la bouteille, il servit le Dom Pérignon dans des flûtes de cristal, qu'il apporta près de la cheminée sur un plateau d'argent.

— Merci, Gaston, dit Jonathan. Je sonnerai quand j'aurai besoin de vous.

— Oui, monsieur.

Dès qu'ils furent seuls, Jonathan se leva, s'approcha du canapé et heurta la flûte d'Angharad avec la sienne.

— A vos jours heureux ! dit-il avant de s'écarter aussitôt pour regagner sa place.

— Et à nos nuits heureuses, enchaîna-t-elle.

Il lui fallut tout son sang-froid pour demeurer impassible. Il se rappela qu'il avait vu en elle une petite allumeuse lorsqu'elle lui avait rendu visite, à Thirsk. Elle avait eu les mêmes attitudes aguichantes, elle s'était montrée tout aussi effrontée. Elle n'avait que vingt-trois ans, après tout. Etait-ce ainsi que les jeunes se comportaient, maintenant ? Il évoqua Jasmine Wu-Jen, son élégance superbe et sa sophistication, mais il écarta aussitôt cette image. Il ne voulait pas être alourdi par *ces* souvenirs ce soir.

— Je vous l'ai déjà dit à Londres, reprit Angharad, j'ai été déçue que vous ne veniez pas au mariage. Je vous ai cherché. Pourquoi n'êtes-vous pas venu ?

— J'ai eu une urgence à Londres, malheureusement, répliqua-t-il avec un froncement de sourcils. Je croyais l'avoir précisé lundi, quand nous avons bu un verre ensemble.

— Vous n'avez pas parlé d'urgence, mais d'un rendez-vous important. C'était une femme ?

— Cela ne vous regarde pas.

— Je le sais, mais c'en était une ?

Légèrement contrarié, il secoua la tête avec exaspération. Pourtant, à sa grande surprise, il s'entendit répondre :

— Non. Il s'agissait d'affaires.

— Tant mieux !

Elle lui sourit, croisa les jambes et but une gorgée de champagne. Entrouvrant les lèvres, sur le bord de la coupe, elle lui lança une œillade.

— Si vous étiez venu au mariage, je comptais vous entraîner dans un endroit tranquille, juste pour... vous comprenez, être proche de vous... peut-être même vous faire un câlin. Vous m'auriez rendu mes baisers ?

Pris au dépourvu, il leva sa flûte et but à son tour, non sans la gratifier d'un regard pensif. Elle avait des jambes extraordinaires, longues, bien faites, et cette robe moulante révélait sa poitrine voluptueuse, ainsi que son beau corps. Elle s'enfonça brusquement dans les coussins, ce qui eut pour effet de remonter sa jupe. Il retint son souffle lorsqu'il s'aperçut qu'elle ne portait rien en dessous... ou du moins pas grand-chose.

Jonathan se leva, s'approcha de la table et se servit une seconde fois du champagne, puis il retourna s'asseoir.

— Etait-ce un beau mariage ? demanda-t-il. Vous vous êtes amusée ?

Elle se redressa et lissa sa jupe.

— Non, répliqua-t-elle sèchement.

Il remarqua que son expression avait aussitôt changé. Son visage était crispé, tendu, et ses yeux bruns exprimaient une dureté inattendue.

— Parce que je n'y étais pas ? hasarda-t-il pour l'appâter et découvrir ses vrais sentiments.

— Non, pas vraiment. J'étais déçue parce que vous n'étiez pas là, mais je savais que je vous retrouverais à Londres. Vous m'aviez promis de m'inviter à boire un verre. Je ne me suis pas plu, au mariage, parce que... mes parents étaient uniquement absorbés par Evan, Elayne était mesquine avec moi, tous les autres étaient froids à mon égard et... arrogants. Ils sont tous snobs.

Jonathan plissa les yeux.

— C'est votre opinion sur ma famille ?

— C'est aussi la vôtre, non ? répliqua-t-elle vivement.

Il se tut, la fixant avec un intérêt croissant.

— J'ai entendu des rumeurs à votre sujet, dit-elle. J'ai appris que vous étiez la brebis galeuse. C'est vrai ?

Un lent sourire étira les lèvres de Jonathan, éclairant son beau visage mince. Ses yeux bleu-gris étincelèrent.

— Je connais cette rumeur, Angharad, mais il ne faut pas croire tout ce qu'on raconte, vous savez.

Elle se mit à rire, tout en s'enfonçant de nouveau dans les coussins. Cette fois encore, sa jupe remonta sur ses cuisses. Apercevant un porte-jarretelles rouge, il détourna les yeux.

— J'espère que vous êtes une brebis galeuse, insista-t-elle. J'adore les brebis galeuses.

Posant sa flûte, il se pencha en avant et la regarda droit dans les yeux.

— Vraiment ? Et pourquoi cela ?

Angharad se redressa en riant doucement. Soutenant son regard, elle passa la langue sur sa lèvre inférieure avec provocation et dit très bas :

— Parce que moi-même je suis la brebis galeuse de ma famille. Bien sûr, ils n'emploient pas ce mot. Mais ils ont toujours dit que je suis... une vilaine fille.

— Et c'est vrai ?

— A votre avis ? Bien sûr que oui, et j'aime ça. J'aime être une vilaine fille qui joue à des vilains jeux.

— Quels sont-ils ? demanda-t-il d'une voix amusée.

Elle tapota un coussin près d'elle.

— Venez ici, je vous le chuchoterai à l'oreille. Mieux encore, je vous montrerai.

Puisqu'il avait décidé de la mettre dans son lit, ce soir, Jonathan ne voyait aucune raison de ne pas entamer la procédure un peu plus tôt que prévu. Il vint donc s'asseoir à côté d'elle, sur le canapé.

Immédiatement, elle prit sa main, porta sa paume à sa bouche et la lécha avant de la lui rendre. Les yeux levés, elle se colla contre lui et murmura :

— Lundi, vous m'avez demandé ce que j'attendais de vous. Je n'ai pas répondu. Voulez-vous que je vous le dise maintenant ?

Il hocha la tête, intrigué. Il lui semblait qu'elle exsudait la sexualité, qui formait comme un brouillard autour d'elle.

Comme elle ne disait rien, il insista :

— Dites-moi donc ce que vous attendez de moi.

Il y eut un bref silence.

— *Tout*, dit-elle finalement. C'est ce que je veux. *Vous*. Je veux tout de vous et vous pouvez avoir tout de moi. J'abandonnerai même tous les autres hommes pour vous.

Les yeux de Jonathan, brillants et intelligents, débordant de ruse et de calcul, la parcoururent.

— Est-ce que vous abandonneriez *tout le monde* pour moi ?

Elle le fixa avec étonnement, sans comprendre.

— Je n'ai personne à abandonner ! s'exclama-t-elle. Seulement mes petits amis. Que voulez-vous dire ?

La réponse s'imposa aussitôt à elle et elle cria :

— *Eux* ? C'est à eux que vous faites allusion ? A mes parents et à mes sœurs ?

Il acquiesça sans quitter son visage du regard.

Elle rit aux éclats avant d'expliquer :

— Ils ne signifient rien, pour moi. De toute façon, c'est eux qui m'ont abandonnée, et depuis très longtemps ! Seule Evan les intéresse, parce qu'elle est leur enfant biologique. Je suis seulement l'adoptée.

— *L'adoptée.* C'est une drôle de façon de vous décrire vous-même, Angharad.

— C'est le nom dont Linnet m'a affublée, dont elle nous a affublées, Elayne et moi... Les adoptées. Je l'ai entendue.

— Ce n'est pas très gentil, mais assez typique des Harte, je dois l'admettre. Quel est votre sentiment, Angharad ?

— Je m'en moque.

— Je voulais dire... vous ressentez-vous vous-même en tant qu'adoptée ?

— C'est toujours ainsi que je me suis vue. Ça n'a pas d'importance, d'ailleurs. Je suis libre. Je l'ai été aussi loin que remontent mes souvenirs et ça fait longtemps que je me fiche de ce qu'ils pensent.

— Je comprends...

La voix de Jonathan se fit traînante. Elle le regardait avec une telle intensité et un tel désir qu'il en fut saisi. L'espace de quelques instants, elle lui parut éminemment vulnérable.

— Dans la boutique du village, dit-elle très bas, j'avais envie de m'emparer de vous et de vous embrasser. Avez-vous éprouvé la même chose ?

— Vous m'attiriez énormément, bien sûr... Vous n'avez pas remarqué que je flirtais un tantinet avec vous ? dit-il en souriant à ce souvenir.

— Je l'ai remarqué.

Et sur ces mots, elle l'embrassa sur les lèvres.

Il fut pris au dépourvu, mais se surprit en train de répondre avec fougue à son baiser et ne résista pas lorsque la langue de la jeune femme s'introduisit dans sa bouche. Comme elle glissait la main entre ses jambes, cependant, et malgré son excitation, il l'arrêta et s'écarta d'elle.

— Ne hâtons pas les choses, murmura-t-il.

Sans dire un mot, Angharad balança ses jambes sur les genoux de Jonathan, elle lui prit la main et souleva sa robe.

— Sentez combien je vous désire, souffla-t-elle.

21

L'enfant portait un petit bouquet de fleurs d'une main, et de l'autre, elle tenait celle de son père. Ensemble, ils longèrent le couloir qui menait à la chambre de Molly Caldwell.

Elle leva vers lui des yeux anxieux.

— Est-ce que grand-mère va rentrer à la maison avec nous, papa ? Sa jambe va mieux ?

— Je pense que oui, répliqua-t-il sur un ton rassurant. Mais il lui faudra encore un peu de repos, mon cœur.

La petite fille hocha la tête, mais s'abstint de tout commentaire. Un instant plus tard, lorsqu'ils furent parvenus à la porte de Molly, Dusty se pencha vers elle :

— Je t'ai expliqué que nous ne pourrons pas rester très longtemps, parce qu'il ne faut pas fatiguer grand-mère. Mais tu sais quoi ? J'ai une surprise pour toi.

— Une surprise ? Qu'est-ce que c'est ? demanda-t-elle avec excitation.

— Si je te le dis, ce ne sera plus une surprise, la taquina-t-il.

Les beaux yeux bleus de la petite fille se firent suppliants, dans son visage en forme de cœur.

— S'il te plaît, papa !

— Je vais t'en dire la moitié maintenant, d'accord ?

Elle lui adressa un sourire adorable et acquiesça.

— India vient déjeuner avec nous, après notre visite à grand-mère.

Le visage de l'enfant s'illumina de plaisir et elle pressa la main de son père entre ses petits doigts.

— Je suis contente qu'India vienne avec nous ! Quel est le reste de la surprise ?

— Oh, non, mademoiselle la curieuse, il te faudra attendre un peu pour le savoir.

Sur ces mots, Dusty frappa à la porte, tourna la poignée et la poussa, tout en disant doucement :

— Nous voici, Molly.

Les yeux de la vieille dame étincelèrent à la vue de sa petite-fille sur le seuil de sa chambre. Ses traits fatigués se détendirent, offrant l'image du bonheur.

— Entrez, entrez ! s'exclama-t-elle.

Lâchant la main de son père, Atlanta traversa la pièce, moitié courant, moitié sautillant. Lorsqu'elle atteignit le lit, elle tendit les fleurs à Molly.

— C'est pour toi, grand-mère.

— Quel petit amour !

Les yeux de Molly scrutaient le visage de l'enfant, en quête d'éventuels changements. Atlanta était belle, ses joues roses reflétaient la bonne santé, ses yeux bleus étaient aussi brillants que des jacinthes des bois et ses cheveux formaient une cascade soyeuse de boucles brunes.

— Tu es si jolie, ma chérie ! Ma jolie petite-fille !

La vieille dame se pencha, embrassa Atlanta sur la joue et l'attira contre elle pour pouvoir la serrer dans ses bras.

— Nous devrions mettre ces fleurs dans de l'eau, tu ne trouves pas ?

Dusty ferma la porte et s'approcha du lit.

— Bonne idée. Je peux les confier à une infirmière.

— Oui, faites-le.

En se penchant pour l'embrasser, Dusty étudia rapidement le visage de Molly, s'efforçant d'évaluer comment elle allait et si sa santé s'était améliorée.

— Comment vous sentez-vous ?

— Mieux. Bien mieux, même... Ils ont été merveilleux avec moi, ici. Je serai sur pied en un rien de temps. Vous voulez bien emporter ces fleurs, maintenant, Dusty ? dit-elle en s'enfonçant dans son oreiller. Et merci de les avoir apportées, elles sont ravissantes.

Il lui sourit sans rien dire, prit les fleurs et quitta la chambre. Une fois dans le couloir, il se mit en quête d'une infirmière et d'un vase.

Atlanta se rapprocha encore de sa grand-mère et prit sa main, qui reposait sur sa poitrine.

— Je suis contente que ta jambe aille mieux... Est-ce que ça te fait mal, grand-mère ? demanda-t-elle, la tête penchée sur le côté.

— Pas vraiment, ma chérie, juste un petit peu.

Atlanta braquait sur Molly des yeux solennels et ce fut d'une voix grave qu'elle déclara :

— Tu n'as pas pleuré quand tu es tombée. Tu as été courageuse.

— Mmmm...

Ce fut tout ce que Molly put dire. Elle était soudain incapable de parler, tant l'émotion la submergeait. Elle aimait sa petite-fille de trois ans plus que tout au monde, elle souhaitait vivre assez longtemps pour la voir grandir et devenir femme. Mais elle savait que cela ne serait pas. Réprimant ses larmes, elle demanda :

— Tu es contente d'habiter à Willows Hall avec papa ?

— Oh, oui ! Valetta est très gentille, ainsi que Paddy et Angelina. Mais tu me manques, grand-mère. Reviens à la maison.

En prononçant ses mots, la voix de l'enfant avait un peu tremblé et ses yeux s'étaient écarquillés, dans son visage délicat.

— Je reviendrai bientôt, aussi vite que je pourrai. Mais en attendant, je pense que c'est bien, pour toi, d'habiter chez ton papa.

Molly serra plus fort la main de l'enfant et l'attira plus près d'elle, de sorte qu'elles furent presque joue contre joue.

Sa bouche frôlant les cheveux d'Atlanta, elle murmura :

— Je veux te dire quelque chose à propos de ton papa,

Atlanta. C'est un homme très bon et gentil, mais aussi fort, digne de confiance et honnête.

Elle se tut et s'écarta pour regarder sa petite-fille.

— Oh, j'espère que tu comprends ce que je te dis, mon cœur, mais tu es si jeune ! Ton père t'aime beaucoup, ajouta-t-elle en se forçant à sourire, il veut pour toi ce qu'il y a de meilleur. Rappelle-toi cela, écoute-le toujours et fais ce qu'il te dit.

Atlanta battit des paupières et se blottit contre sa grand-mère, puis elle l'embrassa sur la joue.

— J'aime mon papa, souffla-t-elle.

L'air soudain triste, l'enfant caressa le visage de Molly. Celle-ci prit la petite main dans la sienne et l'embrassa, tout en se demandant ce qui arriverait lorsqu'elle serait partie. Dusty n'abandonnerait pas son enfant, elle en avait la certitude. Il saurait résister aux pressions exercées par Melinda.

— Est-ce que tu pourras venir habiter à Willows Hall, grand-mère ? Et Gladys aussi ?

— Peut-être. Ce serait formidable d'être tous réunis.

Le visage de l'enfant s'illumina.

— Et il y aurait Indi. Elle est gentille, grand-mère. Nous allons déjeuner avec elle. Tu veux venir ?

— J'adorerais cela, mais comme je viens de te le dire, je dois rester à l'hôpital un certain temps. Quand je rentrerai à la maison, nous ferons un déjeuner juste pour nous trois. Toi, India et moi.

— Je voudrais que tu rentres maintenant, insista Atlanta d'une voix plaintive.

A cet instant, la porte s'ouvrit sur Dusty, qui les regarda, un grand sourire aux lèvres.

— J'ai trouvé l'autre moitié de ta surprise, ma puce ! s'exclama-t-il.

Et il s'écarta, révélant Gladys, qui se trouvait juste derrière lui.

— Regarde qui est là !

— Gladys ! cria Atlanta en se précipitant pour embrasser son amie.

Gladys la serra dans ses bras, lui rendit son baiser et s'approcha du lit.

— Bonjour, Gladys, dit Mme Caldwell. Merci d'être venue.

— Je suis contente de vous voir en si bonne forme ! répondit Gladys.

Elle était sincère. L'état de Molly s'était considérablement amélioré ces derniers jours.

— Je suis désolée de ne pas être venue hier, continua-t-elle, mais ma sœur repartait pour le Canada.

— Oh, elle vous a quittée ?

— Oui. Elle va beaucoup mieux, elle est même totalement guérie. Et nous nous sommes réconciliées.

— C'est bien, murmura Molly. Des sœurs ne doivent pas rester fâchées. Je suis contente que tout soit rentré dans l'ordre.

Dusty approcha une chaise du lit et s'assit dessus.

— En fait, c'était une idée d'India, dit-il. Elle a pensé que nous disposerions de quelques minutes en tête à tête, vous et moi, si j'envoyais Atlanta la chercher au rez-de-chaussée, avec Gladys.

— C'était très avisé de sa part, répondit Molly en se laissant aller contre ses oreillers, et je suis contente de vous avoir pour moi seule pendant quelques instants. Je suis tellement heureuse que vous ayez amené Atlanta, Dusty ! Elle me manquait et je me languissais de la revoir.

Elle lui adressa un chaud sourire avant de continuer :

— Elle est bien, auprès de vous, mais cela a toujours été le cas, et d'après ce qu'elle dit, j'ai compris qu'elle aimait India.

— Vous ne m'avez pas encore annoncé si vous viendriez au mariage, Molly. Nous serions ravis tous les deux si vous étiez présente. Je prendrai toutes les dispositions nécessaires à votre confort... pour le voyage, tout cela.

Il y eut un bref silence.

Molly le fixait, comme à court de mots. Son expression était indéchiffrable.

Dusty déglutit et retint son souffle, dans l'attente de sa réponse. Il n'aurait pas osé aborder cette question seulement quelques jours auparavant, puisqu'il la croyait au seuil de la mort. Mais il avait été étonné de la voir aussi bien, aujourd'hui. Dès qu'il avait franchi le seuil de la chambre, il avait changé d'avis. Peut-être n'était-elle pas en danger de mort, finalement, du moins pas encore, et peut-être lui restait-il un long moment à vivre.

Molly toussota.

— Vous savez que je viendrai, si je peux. Je suis heureuse que vous ayez trouvé la femme de votre vie, celle avec qui vous pourrez partager votre existence. Je suis aussi soulagée à l'idée qu'Atlanta aura une mère quand je ne serai plus là pour veiller sur elle. Rappelez-vous bien ceci, Dusty, Melinda ne doit jamais l'avoir. Je vous l'ai dit dès mon arrivée à l'hôpital, après ma crise cardiaque.

— Oui. Mais vous ne pensez pas que Melinda se battra ? Je ne crois pas qu'elle me cédera aussi facilement la garde d'Atlanta.

— Vous avez raison. Mais si vous avez un bon avocat, je suis certaine que vous gagnerez, peut-être même sans avoir à passer devant un tribunal.

Le visage de Molly exprima soudain une profonde tristesse. Elle pensait à sa fille, une jeune femme perdue pour elle, perdue pour n'importe qui depuis si longtemps, maintenant. Une vie dévastée, une vie gâchée. S'efforçant de réprimer sa peine, elle déclara d'une voix désolée :

— Vous n'aurez pas de mal à prouver qu'elle n'est pas une bonne mère. C'est exactement ce que vous devrez faire, si je... meurs... quand je mourrai, je veux dire.

— A cause de l'alcool, de la drogue ? commença Dusty.

Il s'interrompit et secoua la tête, avant de poursuivre :

— Vous ne croyez pas que son traitement, dans cette clinique de désintoxication, est efficace ?

— Peut-être l'est-il pour le moment. Mais je la connais trop bien pour ignorer qu'elle ne tardera pas à reprendre ses mauvaises habitudes. Elle a de mauvaises fréquentations, Dusty, comme vous le savez, et elle retournera les voir sitôt sortie de la clinique. Il ne lui faudra que quelques jours pour se droguer à nouveau.

Molly se tut un instant, puis elle conclut :

— Elle est ma fille et je l'aime, mais je ne peux pas l'aider. Personne ne le peut. Je dois donc penser à son enfant, ma petite-fille, votre enfant, Dusty. Qu'y a-t-il de mieux pour Atlanta ? Je ne peux réfléchir à rien d'autre. Vous devez une nouvelle fois me promettre que vous vous battrez pour obtenir la garde d'Atlanta sans partage.

— Je vous l'ai déjà promis et je vous le promets encore, la rassura Dusty. J'ai conscience que Melinda est perdue... Si seulement je pouvais l'aider... J'ai essayé, vous savez.

— Personne n'aurait pu s'y efforcer plus que vous et vous avez été merveilleux, avec elle. Tout comme vous l'êtes avec votre enfant, ou avec moi. C'est pour cela que je vous suis tellement reconnaissante. Je veux que vous compreniez quelque chose, dit Molly en se penchant pour prendre la main de Dusty et la serrer très fort, quelque chose que vous ne devrez jamais oublier. Atlanta serait en danger de mort si elle vivait avec sa mère. Melinda est négligente, irresponsable, égoïste, indisciplinée. Tout comme elle est incontrôlable lorsqu'elle est sous l'effet de la drogue. Je vous en supplie, ne laissez jamais cette enfant innocente seule avec sa mère, *jamais...*

La voix de Molly se brisa et les larmes lui montèrent aux yeux. Elle se mit à pleurer.

Dusty la prit dans ses bras et la serra fort contre lui. Il aurait voulu la réconforter, lui apporter un peu de paix, lui faire comprendre qu'il avait pris la mesure de Melinda. Molly s'était exprimée avec une honnêteté sans fard. Il n'oublierait jamais ses paroles.

— Ne vous inquiétez pas autant, Molly, vous savez que vous pouvez compter sur moi, dit-il en lui tapotant le dos.

Au bout de quelques minutes, elle cessa de pleurer. Au prix

d'un certain effort, elle s'écarta de lui et le regarda dans les yeux.

— Je suis désolée, souffla-t-elle. Je ne voulais pas me laisser aller de cette façon, Dusty. C'est seulement que je me fais du souci pour Atlanta tout le temps. Elle est si petite, si vulnérable !

— Mais elle m'a et je ne permettrai pas qu'il lui arrive quelque chose. Jamais.

Molly hocha la tête, prit un mouchoir en papier sur sa table de chevet et s'essuya les yeux.

— Je vous crois. Excusez-moi d'avoir pleuré.

— Je n'ai rien à vous pardonner.

Voulant changer de sujet, Dusty s'exclama :

— Quand j'ai parlé avec Gladys, l'autre soir, pour lui demander de nous retrouver ici, elle m'a appris qu'elle pourrait m'aider et faire un peu de baby-sitting, pour moi. C'était une bonne nouvelle.

— La meilleure, renchérit Molly. Maintenant que sa sœur Gertrude est repartie pour le Canada, et tant que je suis à l'hôpital, elle est disponible. La petite est habituée à sa présence et elle est heureuse avec elle. Elles s'entendent bien.

— C'est l'impression que j'ai eue. Vous ne m'avez pas dit ce que les docteurs pensent de votre santé, Molly. Comment allez-vous, en réalité ?

— Le Dr Bloom reste un peu évasif à ce sujet. Mais il est mon généraliste et il m'a confiée aux mains d'un spécialiste du cœur. Si j'en crois le cardiologue, je suis en convalescence. C'est un brave homme, ce Dr Laver. C'est tout ce que je peux vous dire.

Ces paroles soulagèrent Dusty et le détendirent un peu.

— Quelle bonne nouvelle ! Je suis content que vous alliez mieux, Molly. Pour être franc, j'étais très inquiet à votre sujet.

— Je le sais, mais tout va bien se passer. Je vais guérir, vous verrez.

Molly fut ravie de constater que sa petite-fille s'entendait parfaitement avec India Standish. La jeune femme qui allait épouser Dusty Rhodes était belle et délicate. Mais son apparence n'était pas le plus important aux yeux de la vieille dame. Ce qui plaisait à Molly et la réconfortait, c'était la gentillesse et la bonté qu'elle percevait en India. Il était évident qu'elle aimait Atlanta et que cette affection était réciproque.

Molly pouvait donc être à la fois soulagée et optimiste. Dès que Gladys et Atlanta étaient revenues avec India, la petite chambre d'hôpital avait paru bondée. Une impression renforcée par le fait que la présence de Dusty était particulièrement sensible. Il semblait absorber tout l'espace et, pendant quelques instants, la vieille dame l'observa discrètement, s'efforçant de le regarder avec objectivité.

Sa beauté était incontestable. Ses traits étaient rudes et taillés à la scrpc. On eût dit qu'ils avaient été ciselés dans un très ancien rocher, arraché à la lande.

Il me fait penser à Heathcliff, le héros des *Hauts de Hurlevent*, songea-t-elle soudain. Extrêmement viril, grossièrement sculpté dans le granit, une force de la nature, mythique, puissant, le teint mat...

C'étaient ses yeux, bien sûr, qui exprimaient sa clarté intérieure, sa spiritualité, sa nature sensible. Ils étaient plus bleus que les véroniques qui croissaient dans les champs, au pied de la lande, plus bleus que le ciel qui la dominait. Un bleu surnaturel...

Et puis il y avait son talent. Un don de Dieu. Un talent comme celui-là était rare, sublime, exaltant. Molly Caldwell avait toujours admiré les dons artistiques, dans quelque domaine que ce fût. Pourtant, elle appréciait tout particulièrement les arts visuels et les tableaux de Dusty l'avaient subjuguée bien avant qu'il eût rencontré Melinda et conçu sa petite-fille.

Le cas de sa propre enfant, Melinda, était désespéré. Melinda était engagée dans un processus d'autodestruction, entamé bien longtemps avant que Dusty Rhodes eût croisé par hasard son chemin et fût tombé momentanément dans son piège sexuel. Il avait eu l'intelligence de la quitter et Molly le comprenait très bien. Il avait un but, dans la vie, un talent qu'il devait exploiter, une grande ambition à satisfaire. Il avait perdu peu de temps avec la femme que Melinda était devenue.

Ce n'était que plus tard, lorsqu'il avait découvert qu'elle était enceinte, qu'il avait fait son devoir en revenant auprès d'elle. Mais il n'avait pu rester longtemps dans ce tourbillon de folie et de destruction. Il avait dû repartir, sachant qu'il avait à se sauver lui-même et comprenant que même avec la meilleure volonté du monde, il ne parviendrait pas à la sauver.

Dusty avait été un bon père : présent, responsable, attentif et aimant.

Il faut qu'il ait Atlanta, se répéta-t-elle silencieusement.

Atlanta était sur ses genoux, tandis qu'il parlait avec India... Ses yeux exprimaient tant d'amour pour elles deux ! Le bonheur qu'en éprouva Molly se refléta sur son visage. Elle fixa intensément Gladys, qui hocha imperceptiblement la tête, comprenant ce qu'elle ressentait. Elle aussi, à cet instant précis, savait que la pièce était emplie d'un amour inconditionnel.

22

Dès qu'elle entra dans le bureau de Paula, Linnet devina que sa mère lui en voulait. Néanmoins, elle fonça bravement en s'écriant :

— Bonjour, maman !

Puis elle s'installa sur une chaise en face de Paula, décidée à occuper le terrain avant que sa mère ait formulé le moindre reproche.

Paula leva les yeux des papiers qui étaient étalés devant elle sur la table.

— Bonjour, Linnet. Je comprends…

— Oh, maman, je suis désolée de t'interrompre, mais avant que nous ne discutions de la Semaine de la Mode, je veux juste t'expliquer quelque chose.

Tout en parlant, Linnet avait sorti un papier d'un dossier.

— J'ai rédigé un mémo concernant un projet que j'ai, reprit-elle. Je l'ai terminé de bonne heure, ce matin, et je voudrais que tu l'aies maintenant.

Paula le parcourut rapidement.

— Merci, dit-elle. Je suis heureuse de disposer d'une trace écrite. Ton père m'a appris qu'il avait parlé avec Bonnadell Enloe. Elle lui a dit en passant que tu lui avais posé des questions à propos de ses spas. Tu envisages d'en ouvrir un au magasin ? Est-ce pour cette raison que tu l'as appelée ?

Linnet se pencha en avant, enthousiaste.

— Bien sûr que oui ! Mon mémo concerne justement ce projet.

— Mais où l'installerais-tu ?

— Sur l'emplacement du salon de coiffure. Il est suffisamment spacieux, et...

Paula sembla soudain contrariée, presque exaspérée. Son visage exprima son irritation.

— Et où mettras-tu le salon ? Il n'y a pas d'autre espace disponible !

— Je l'explique dans le mémo : franchement, je crois que nous n'avons plus besoin d'un salon de coiffure. Le chiffre d'affaires a terriblement baissé, ces derniers temps. A mon avis, nous ferions un bien meilleur usage de cet espace en y plaçant un centre de soins esthétiques.

Sidérée, Paula s'enfonça dans sa chaise et fixa sa fille avec incrédulité.

— Qu'est-ce qui te fait penser qu'il sera plus fréquenté que le salon de coiffure ?

— Les femmes apprécient les spas, surtout les jeunes femmes qui travaillent : pouvoir s'y relaxer, être massées, s'offrir des soins du visage, des pieds ou des mains. Sans oublier tout le reste... Je pense que nous remporterions un vif succès si nous en ouvrions un.

— Vraiment ? fit sèchement Paula. Et tu as pensé aux dépenses qu'il faudrait engager pour organiser l'espace différemment ? Ce serait énorme.

— Pas du tout, riposta Linnet. Une fois qu'on aura retiré l'équipement du salon, les banquettes, les séchoirs et les bacs, nous aurons dégagé beaucoup de place. Tout ce que nous aurons à faire, ce sera d'installer des cabines de bois où l'on pourra prodiguer les soins, comme les massages et autres. J'y ai beaucoup réfléchi et je pense qu'un centre Enloe pourrait marcher chez nous comme ils marchent dans les hôtels de papa, à travers le monde entier.

— Je n'en suis pas convaincue, Linnet. Ce que je sais, en revanche, c'est que cela coûtera plus cher que tu ne l'imagines, si l'on veut tout remanier. Par ailleurs, je ne suis pas certaine que tu aies raison de vouloir te débarrasser du salon de coiffure. Et qui dirigerait ce centre, si nous en installions un ? Un employé d'Enloe ?

— Je n'ai pas encore pris de décision à ce sujet. Mais ce pourrait être plus simple, pour nous. C'est la raison pour laquelle j'ai passé un coup de fil à Bonnadell, vendredi.

Linnet émit un petit rire.

— Elle n'a pas beaucoup tardé à rapporter notre conversation à papa, apparemment !

— En effet. Elle parlait de tout autre chose avec lui, ce matin, et puis elle s'est rappelé ton coup de fil. En tout cas, elle serait très intéressée si nous lui proposions d'installer un institut de beauté au magasin, mais...

— Oh, maman, c'est fantastique !

— Mais cela ne signifie pas pour autant que je sois d'accord, Linnet, insista Paula. Je vais devoir réfléchir à ta proposition. Je ne suis pas persuadée que tu aies raison, tu sais. Et si c'est Enloe qui gère ce centre de soins, quel bénéfice en retirerons-nous ? Qu'est-ce que cela rapportera au magasin ? Je crois que tu dois étudier cette question à fond...

La sonnerie du téléphone interrompit Paula, qui décrocha.

— Paula O'Neill à l'appareil.

— Bonjour, Paula. C'est Sarah. Pardonne-moi de ne pas t'avoir rappelée plus tôt. J'avais des réunions avec plusieurs de mes fournisseurs et ça m'a pris plus de temps que je ne le pensais. Mais me voici au rapport, comme promis.

— Je suppose qu'Yves et toi, vous avez dîné avec notre cousin, samedi dernier ?

— Non, pour la bonne raison que Jonathan a souhaité reporter notre rencontre à dimanche. Bien entendu, j'ai accepté, puisque je te l'avais promis. Il se trouve qu'Yves préférait de loin le dimanche, alors... Nous nous sommes donc retrouvés au Relais Plaza, au Plaza Athénée, hier soir.

Il y eut un petit silence, à l'autre bout du fil, puis un bruit d'éternuement.

— Excuse-moi, reprit Sarah. Nous devions prendre l'apéritif, puis dîner ensemble, et...

— La jeune personne en question se trouvait-elle avec lui ?

Est-elle la protégée dont il t'avait parlé ? l'interrompit Paula avec une anxiété mêlée d'impatience.

— C'était bien Angharad Hughes et je vais avoir des choses à te raconter.

— Je suis tout ouïe. En fait, je meurs d'impatience d'en savoir davantage. Mais est-ce que cela t'ennuierait si je branchais le haut-parleur ? Linnet est près de moi...

Prenant le récepteur des mains de sa mère, Linnet lança :

— Bonjour, tante Sarah. Merci pour ton aide. Maman se fait beaucoup de souci à propos de Jonathan Ainsley, surtout depuis qu'il y a eu cette explosion dans l'église.

— J'imagine, Linnet. Jonathan devient de plus en plus dangereux. J'espère te voir, la prochaine fois que tu viendras à Paris. Et maintenant, peux-tu me repasser ta mère, s'il te plaît ?

— Tout de suite, répliqua Linnet en rendant le récepteur à sa mère.

— C'est moi, Sarah, dit Paula. Raconte-moi toute l'histoire. Tu me permets de brancher le haut-parleur ?

— Bien entendu ! Il n'y a pas de problème. Ainsi que je te le disais, c'est bien Angharad Hughes qui l'accompagnait, mais elle était très différente de celle que tu connais, à un point que tu ne peux imaginer.

— Qu'est-ce que tu veux dire ?

— Je ferais bien de commencer par le commencement... Vendredi matin, de bonne heure, Jonathan m'a appelée pour savoir si j'acceptais de modifier la date de notre dîner. Une fois que j'ai accepté, il a annoncé qu'il avait une faveur à me demander : il m'a dit qu'il voulait mon avis à propos des salons de coiffure pour femmes. Il souhaitait aussi savoir où il pourrait acheter des vêtements féminins élégants. Je lui ai suggéré des maisons de couture, telles que Pierre Balmain, Valentino et Givenchy, mais il m'a rétorqué qu'il n'avait pas le temps d'attendre qu'on lui fasse des tenues sur mesure. Il les lui fallait sur-le-champ.

Sarah s'interrompit une fraction de seconde et Linnet s'exclama :

— Ne me dis pas qu'il l'a habillée de pied en cap avec de la haute couture ! *Pas Angharad* ! Il y a de quoi rire ! Elle a une allure si bizarre, si... vulgaire !

— Quoi qu'il en soit, j'ai accepté de leur prendre un rendez-vous chez un grand coiffeur, Carita ou Alexandre. Ensuite, je lui ai proposé de l'amener chez Mme Valencia, la couturière qui me fait parfois mes vêtements. Elle a un petit atelier dans l'avenue Montaigne et elle dispose d'une sélection réduite de tenues élégantes. Jonathan a alors précisé que la jeune femme était de taille moyenne et faisait du 38. Comme toi, j'étais très curieuse de découvrir la nature exacte de leur relation. J'y suis donc allée de bonne heure et j'ai choisi quelques vêtements. Lorsqu'il est arrivé avec elle, sa vulgarité m'a atterrée. Elle s'était appliqué sur le visage une couche épaisse de fond de teint et ses cheveux d'un blond platine m'ont horrifiée. Je n'en croyais pas mes yeux.

— Si je comprends bien, il lui a acheté quelques tenues chics et a changé radicalement son look ? demanda Paula.

Si Jonathan Ainsley se donnait autant de mal, c'était qu'il s'engageait dans une relation avec Angharad. Si ce n'avait pas été le cas, si elle n'avait été pour lui qu'une aventure d'une nuit, il ne lui aurait pas offert tous ces cadeaux. Elle le dit à Sarah, qui en convint.

— Il a déjà dépensé beaucoup d'argent pour elle, précisa-t-elle.

— Je suis très curieuse, intervint Linnet. Qu'a-t-il choisi ?

— Un tailleur de flanelle grise qui me plaisait et que j'avais moi-même sorti du lot pour qu'il le regarde. La veste avait un petit côté Givenchy. Il a pris aussi une chemise de nuit en soie. Jonathan a choisi un manteau de cachemire bordé de chinchilla, ainsi qu'une robe noire et un ensemble du soir en velours noir. Sans compter les accessoires, évidemment, conclut Sarah.

— De quoi avait-elle l'air, dans ces vêtements ? s'enquit Linnet, dévorée par la curiosité. Je veux dire... ils ne la modifiaient pas vraiment, n'est-ce pas ?

— Non, bien sûr, répliqua Sarah, mais ils lui allaient bien.

Après avoir acheté des chaussures noires et grises, des sacs et des gants assortis dans la boutique d'accessoires de Mme Valencia, Jonathan l'a emmenée chez Carita, pour qu'on s'occupe de ses cheveux.

— Finis-en avec son apparence, intervint Paula. Que portait-elle, dimanche soir, et à quoi ressemblait-elle ?

— Elle était absolument étourdissante. Pour être honnête, c'est à peine si je l'ai reconnue, avoua Sarah. Elle portait le tailleur de flanelle grise et un manteau de la même couleur, ainsi que les accessoires adéquats. Mais là n'est pas la question. Ce qui m'a le plus étonnée, ce sont ses cheveux. Ils avaient été teints en un ravissant brun doré, avec quelques mèches plus claires. L'épais maquillage avait disparu, lui aussi. Sa peau était fraîche et ses yeux, très bien maquillés, étaient mis en valeur. Elle avait juste un peu de poudre sur le visage et du rose pâle sur les lèvres.

— Très intéressant, marmonna Paula d'une voix songeuse. On dirait qu'il est très amoureux d'elle, tu ne crois pas, Sarah ?

— En effet. Franchement, il l'a transformée, ou du moins son apparence. Yves a trouvé qu'elle ressemblait à Audrey Hepburn jeune et, à dire vrai, moi aussi. Pendant que j'y pense, elle portait des boucles d'oreilles ornées de perles et de diamants qui avaient l'air vrais, mais je peux me tromper.

— A mon avis, remarqua Paula, toutes ces attentions signifient qu'il couche avec elle et qu'il a l'intention de la garder. Du moins pour un temps. Mais s'agit-il d'un véritable engouement, ou penses-tu qu'il a l'intention de l'utiliser contre nous, par l'intermédiaire de sa mère ? C'est la question cruciale et la seule qui me préoccupe.

— Ecoute, je ne vois pas comment je pourrais deviner s'il cherche à obtenir des informations sur les Harte, répondit très vite Sarah. Pourtant, je hasarderai une hypothèse... Je crois qu'il s'agit davantage d'une affaire de sexe que d'autre chose.

— Qu'est-ce qui te permet de l'affirmer ?

— Angharad est visiblement très amoureuse de lui. Elle est suspendue à ses lèvres, elle s'accroche à lui. Du moins c'est ce qu'elle a fait dimanche soir, pendant l'apéritif et le dîner.

Quant à Jonathan, il ne la quitte pas des yeux et il la touche tout le temps. Ils sont liés par le désir et la passion, c'est une évidence. Yves et moi sommes bien d'accord sur ce point. Mon mari prétend même qu'elle déborde de sex-appeal, précisa-t-elle avec un petit rire amusé.

— J'espère qu'il ne s'agit que d'attirance sexuelle. Elle représente un danger, dans la mesure où elle est trop proche d'Evan et de Gideon.

Sarah comprenait très bien ce qu'impliquait cette liaison entre Jonathan et Angharad. C'était inquiétant, en effet.

— Je sais, répliqua-t-elle très vite. Mais si ça peut te consoler, je pense qu'il peut très bien craquer pour elle. Sérieusement, même... Je ne l'ai jamais vu agir de cette façon depuis Arabella Sutton.

— Qu'est-ce qui te fait dire ça ? demanda Paula, de sa voix autoritaire de femme d'affaires.

— Cette lueur dans ses yeux, l'expression de son visage, la façon dont il se soucie d'elle. Il était très amoureux d'Arabella et, lorsqu'ils ont rompu, il était anéanti. Il l'était vraiment, Paula. Je le sais parce que je l'ai aidé à surmonter cette épreuve, il y a des années. Il n'a jamais aimé aucune femme, depuis lors... Oh, il en a eu beaucoup, et je suis au courant, puisque d'ordinaire il me demande de les recevoir. Mais celle-ci, elle pourrait être la bonne, tout comme l'était Arabella. Pour citer Yves, tu excuseras l'expression, Angharad le tient au niveau du bas-ventre. Elle l'a envoûté sexuellement, c'est ce qu'Yves a dit lorsque nous sommes rentrés chez nous, dimanche soir. Et Yves a toujours eu beaucoup de perspicacité lorsqu'il s'agit de notre cousin.

— Je vois.

Il y eut un moment de silence, puis Paula reprit :

— Tu comptes les revoir ?

— Oui, bien sûr, puisque j'ai promis de t'aider. Je les ai invités à dîner en fin de semaine. Jonathan doit me donner sa réponse, mais je l'ai entendu murmurer quelque chose à propos d'un voyage à Hong Kong. Je dois préciser qu'Angharad a paru absolument défaite lorsqu'il a dit cela, et il s'est empressé d'ajouter qu'il voulait lui montrer la ville. Ce qui prouve bien, d'ailleurs, qu'il est accroché.

— Pour l'instant, intervint sobrement Linnet. Mais il ne faut rien laisser au hasard, maman. Evan et Gideon doivent être immédiatement avertis de ce qui se passe, ajouta-t-elle, ainsi que Marietta. En fait, il vaut mieux mettre toute la famille Hughes au courant. Nous allons leur recommander de ne livrer à Angharad aucune information sur les déplacements d'Evan, ou sur aucun d'entre nous.

— Tu as tout à fait raison. Qu'en penses-tu, Sarah ?

— Je suis de l'avis de Linnet. Ils doivent être avertis qu'il faut tenir Angharad à distance.

— Je trouve qu'on devrait la bannir de la famille, trancha Linnet d'une voix ferme. Je vais d'ailleurs m'en occuper de ce pas. Nous ne pouvons pas nous permettre la moindre erreur.

— Ce ne sera peut-être pas nécessaire, Linnet, remarqua Paula. Il se peut que sa famille le fasse sans encouragements de notre part.

— Exact, rétorqua Linnet.

Mais elle ne partageait pas le point de vue de sa mère à propos de la famille Hughes.

Après avoir remercié Sarah et lui avoir demandé de continuer à fréquenter Jonathan, Paula raccrocha et regarda sa fille.

— Je sais que tu vas parler à Gideon et Evan, mais que faisons-nous pour Marietta ? Tu veux lui en parler, ou tu préfères que je m'en charge ?

— Ne t'ennuie pas avec cela, maman. Tu as déjà ton content de soucis. Je vais la mettre au courant dès aujourd'hui. Il vaut mieux que ce soit de vive voix, tu ne trouves pas ?

— Ce serait plus gentil, en effet.

— J'apprécie beaucoup Marietta, qui est adorable. Je suis certaine qu'elle sera horrifiée lorsqu'elle apprendra la conduite d'Angharad.

— Elle se comporte de façon très déloyale, mais apparemment, Angharad n'est en bons termes avec personne.

— Tu peux le dire ! Qu'est-ce que tu penses de la façon dont Sarah nous a rapporté la situation ? On peut se fier à son jugement ?

— Sarah a toujours été une fille intelligente, vive et perspicace, aussi ai-je tendance à la croire. Et je suis certaine qu'elle est de notre côté. Or elle estime que Jonathan est dangereux. Elle s'est détournée de lui depuis un certain temps, maintenant, et si elle reste en contact avec lui, c'est uniquement pour me rendre service.

— Tu en es vraiment sûre, maman ?

— Absolument, Linnet. J'ai confiance en Sarah... Tu vois bien qu'elle tient à retrouver sa place dans la famille. Elle fera tout son possible pour être dans mes bonnes grâces.

— Très bien. Tu réfléchiras, à propos du centre de soins ?

— J'y réfléchirai, mais je ne suis pas certaine que tu aies raison de vouloir fermer le salon de coiffure...

La voix de Paula mourut. Elle avait des bourdonnements dans les oreilles et se sentait soudain très fatiguée, même si l'horloge posée sur sa table indiquait qu'il n'était que 11 heures.

Prenant une profonde inspiration, elle dit lentement :

— Donne-moi les informations que je t'ai demandées, Linnet, et nous en reparlerons.

— Je te les fournirai dans quelques jours, maman. Pendant que j'y pense... tu m'as demandé de venir pour que nous discutions aussi de la Semaine de la Mode, à Pâques, ou seulement au sujet du centre de soins ?

— Uniquement à ce sujet, en réalité. Ton père a suscité ma curiosité en me rapportant sa conversation avec Bonnadell Enloe.

— Je vois.

Se penchant par-dessus la table, Paula ajouta d'une voix plus chaleureuse :

— Il y a autre chose, Linny. Tu ne penses pas que tu es déjà surchargée, ces temps-ci ? Evan est en congé de maternité pour trois mois et Tessa est fiancée avec Jean-Claude. Il se peut qu'elle ne revienne jamais, tu sais.

— Je ne compte pas là-dessus ! s'exclama Linnet en se redressant sur sa chaise. Elle voudra occuper le sommet de la pyramide et faire des allers et retours entre Paris et Londres, tu verras.

Paula s'appuya au dossier de son siège mais s'abstint de tout commentaire. Elle avait l'étrange impression que sa fille avait raison. Tessa n'avait pas encore abandonné l'ambition de lui succéder à la tête du magasin. Après tout, elle se considérait depuis l'enfance comme la dauphine et peut-être aurait-elle du mal à abandonner cette idée. Mais qu'en était-il de Jean-Claude ? N'émettrait-il pas des objections ? Peut-être que non. Peut-être apprécierait-il d'avoir une jeune épouse moderne, décidée à mener sa carrière à sa guise.

— Quelque chose ne va pas ? demanda Linnet en fronçant les sourcils. Tu as une drôle d'expression.

— Je vais bien, mais je pensais à Tessa. Peut-être as-tu raison et voudra-t-elle s'accrocher. Mais je ne prends pas ma retraite. Je ne l'envisage pas avant très longtemps. Vous devriez tous vous le rappeler.

— Désolée d'être en retard, s'excusa Marietta quand Evan la fit entrer dans l'appartement de Gideon.

— C'est sans importance, maman. Je faisais justement la liste de tout ce dont nous allons avoir besoin pour le nouvel appartement. L'équipement pour la cuisine, notamment.

La mère et la fille s'embrassèrent, puis Marietta ôta son manteau, le suspendit dans le placard de l'entrée et suivit Evan dans le salon en expliquant :

— C'est l'agent immobilier qui m'a retardée.

Evan s'immobilisa pour poser sur sa mère ses beaux yeux gris-bleu.

— L'agent immobilier ? répéta-t-elle.

Marietta s'assit en face d'elle et reprit :

— C'est l'une des raisons pour lesquelles je voulais te voir aujourd'hui. J'ai quelque chose à te dire... Je vais prendre un appartement ici, Evan. Non seulement à cause de toi et de mes petits-enfants, mais parce que j'aime Londres ; j'ai compris que je souhaite y passer une partie de l'année.

— Oh, maman, que je suis contente ! Ce sera merveilleux de vous avoir tous les deux près de moi, papa et toi, quand les jumeaux arriveront. Je parie qu'il est très excité, non ? Quant à Robin, il doit être fou de joie !

D'abord, Marietta ne répondit pas. Elle resta simplement assise sur sa chaise, à fixer Evan d'un regard vide, tout en se demandant comment elle allait lui annoncer la nouvelle. Elle espérait ne pas trop la bouleverser...

— Maman ! Qu'est-ce qu'il y a ? Tu as l'air bizarre.

— Je ne suis pas bizarre. Simplement, je ne sais pas comment te dire que ton père ne compte pas rester davantage à Londres.

— Oh ! A cause de son magasin d'antiquités ?

Marietta inspira profondément.

— Je quitte ton père. Nous nous séparons.

Bouche bée, Evan se laissa aller contre les coussins du canapé. La nouvelle la prenait au dépourvu et, l'espace d'une seconde, elle resta sans voix.

— Oh, mon Dieu ! fit-elle enfin. Pourquoi ne me l'as-tu pas dit plus tôt ? Pourquoi ne pas m'avoir dit que tu y pensais ?

— Parce que je ne voulais pas te bouleverser au moment où tu te mariais, et aussi à cause de ta grossesse. C'était déjà assez triste que tu sois tombée dans ton bureau par la faute d'Angharad. Car j'en suis sûre et certaine... Elle est pire qu'elle ne l'a jamais été.

Marietta s'interrompit pour secouer la tête.

— Ta grand-mère disait souvent que nous ne savions rien à son sujet, que nous ignorions tout de ceux qui l'avaient engendrée. Et Glynnis avait raison lorsqu'elle nous rappelait que tout était dans les gènes. Angharad est une enfant abandonnée, trouvée sur le seuil d'une église.

— Pas de digressions, maman, s'il te plaît. Parle-moi de papa et de toi. Pourquoi vous séparez-vous ?

— Seigneur, Evan, comment peux-tu poser une question pareille ? Nous avons parlé de mon mariage, l'an dernier... Tu sais très bien qu'il bat de l'aile depuis des années. Et aujourd'hui plus que jamais.

— Depuis que ta tante t'a laissé un héritage ? Cela a pesé dans la balance, n'est-ce pas ? suggéra Evan en scrutant le visage de sa mère. C'est cela ?

— Ton père se moque bien qu'elle m'ait légué toute sa fortune et fait de moi une femme presque riche. Il n'est pas intéressé par cet argent, puisqu'il se débrouille très bien lui-même.

— Mais cela doit le contrarier. Parce que tu es maintenant indépendante et que tu peux agir à ta guise. L'argent de ta tante t'a libérée, en quelque sorte.

Marietta détourna les yeux. Pendant quelques instants, elle eut une expression lointaine. Tandis qu'elle évoquait son passé, tout ce qui était arrivé entre Owen et elle, son visage s'assombrit. Elle ne pouvait pas revenir sur le passé… Il était incontournable, on ne pouvait le modifier. C'était ce qu'elle avait fini par comprendre, ces dernières années. On ne pouvait pas échapper au passé, jamais, quels que soient les efforts qu'on déployait dans ce sens.

Evan, qui observait sa mère, devina qu'il se livrait un combat dans son esprit. Elle décida de ne pas l'importuner par des questions. Mieux valait attendre que sa mère lui dise ce qu'elle avait à dire, le moment venu. Aussi la jeune femme resta-t-elle tranquillement assise sur le canapé, les mains posées sur son ventre, comme pour protéger ses garçons. Elle avait hâte de les voir, de les tenir dans ses bras, et elle était impatiente de retrouver son corps d'antan. Il y avait des moments comme celui-là où il lui semblait être une baleine échouée.

Soudain, Marietta se redressa.

— Notre mariage a mal tourné il y a bien longtemps, Evan, quand tu étais petite. A cette époque, j'ai quitté ton père, mais j'ai fini par revenir, pour de nombreuses raisons, essentiellement à cause de toi. Mais ce fut pour découvrir qu'il…

— … qu'il avait accaparé votre fille, l'interrompit Evan. C'est pour cette raison que tu as voulu adopter Elayne et

287

Angharad, n'est-ce pas ? Pour avoir des enfants à toi ? Et tu voulais une famille.

— C'est vrai. Nous en avons déjà parlé l'été dernier, toi et moi. C'est Glynnis qui a eu l'idée de cette adoption. Elle m'aimait, elle aimait son fils et elle t'aimait. Nous étions tous les trois extrêmement importants à ses yeux. C'est pourquoi elle a supplié Owen de me reprendre et en fin de compte c'est ce qu'il a fait, mais...

La sonnerie du téléphone retentit, interrompant les confidences de Marietta, qui se leva d'un bond.

— Ne bouge pas, dit-elle à sa fille, je vais décrocher. Vous êtes bien chez les Harte, annonça-t-elle.

— C'est vous, Marietta ?

— Bonjour, Linnet.

— Bonjour ! Je suis bien contente que vous soyez là. J'ai quelque chose d'urgent à vous dire, à Evan et à vous. Est-ce que je peux venir tout de suite ? Vous voulez bien que je vous invite à déjeuner, toutes les deux ? Ou mieux encore, je pourrais vous apporter des plats tout préparés, du magasin.

— Attendez, je vais en faire part à Evan...

Couvrant le combiné d'une main, Marietta s'adressa à sa fille :

— Tu as compris que c'est Linnet, bien sûr. Elle veut nous inviter à déjeuner, ou bien nous apporter de quoi manger ici. Elle dit qu'elle veut nous parler. Qu'est-ce que tu préfères ? Tu n'as pas de rendez-vous chez le médecin ?

— Non, maman, je suis libre toute la journée. Je crois que je préfère manger ici, pas toi ?

— Pourquoi pas ? C'est d'accord, Linnet, poursuivit Marietta. Vous pouvez venir tout de suite. Evan est ravie et moi aussi. A quelle heure venez-vous ?

— Dans une trentaine de minutes, si cela vous convient.

— C'est parfait. A tout de suite.

Marietta reposa le récepteur et revint s'asseoir.

— Qu'est-ce que je peux faire, Evan ? Linnet arrive dans une demi-heure. Veux-tu que je mette la table ?

— Oui, maman. Est-ce que Linnet t'a expliqué ce qu'elle avait de si urgent à nous dire ?

— Non. Seulement qu'elle avait besoin de nous parler, c'est tout.

— Très bien.

Evan demeura immobile, le cœur serré. Elle réfléchit un instant, puis elle regarda sa mère et demanda :

— Où est Angharad en ce moment ? Tu le sais ?

— Non, pas vraiment. Elle a dit qu'elle partait pour le sud de la France, en passant éventuellement par Paris.

— Ah ?

Marietta lança à Evan un regard interrogateur.

— Pourquoi fais-tu cette tête ?

— Quelle tête, maman ?

— Allons, Evan, ne fais pas semblant d'être stupide. Tu le sais très bien… Tu ressembles à quelqu'un qui sait de quoi il s'agit mais ne veut pas le dire.

— C'est absurde ! Comment saurais-je ce que Linnet veut nous dire ? Mais j'ai de l'imagination et je suppose que cela pourrait bien concerner le redoutable Jonathan.

— Oh, mon Dieu, non ! s'exclama Marietta, soudain très pâle.

— Je peux me tromper, s'empressa d'ajouter Evan, qui ne voulait pas inquiéter sa mère. Ecoute, abstenons-nous de toute conjecture et parlons plutôt de papa, ainsi que de votre mariage. Comment a-t-il pris la chose quand tu lui as annoncé que tu restais en Angleterre ?

— Avec son indifférence coutumière, murmura Marietta en se levant lentement. Je vais mettre la table pour le déjeuner, Evan. Pour l'instant, je préfère abandonner le sujet de notre séparation. Nous en discuterons plus tard, après le repas, quand nous serons seules de nouveau.

— Très bien, fit Evan en se levant péniblement. Mais je ne lâcherai pas le morceau, tu sais.

— J'en suis bien persuadée, marmonna Marietta.

23

Marietta ouvrit la porte. Linnet entra en coup de vent dans l'appartement, l'air insouciant, portant plusieurs grands sacs de courses du magasin.

— Bonjour ! s'exclama-t-elle. J'apporte le déjeuner. Soupe de légumes chaude, sandwiches de toutes sortes et fruits. J'espère que cela vous plaît.

— Cela semble appétissant, répondit Marietta en lui prenant quelques sacs des mains. Posons tout cela dans la cuisine. Vous pensez qu'il faut réchauffer la soupe ?

— Les récipients conservent bien la chaleur, mais pourquoi pas ?

Linnet suivit Marietta dans la cuisine et l'aida à sortir les aliments de leurs emballages, puis elle retourna dans l'entrée pour y suspendre son manteau.

Un instant plus tard, Evan sortit de sa chambre. Elle se précipita dans le salon et accueillit affectueusement Linnet.

— Quelle bonne surprise, Linny ! Tu as eu raison de venir aujourd'hui. C'est à propos de Jonathan Ainsley ? ajouta-t-elle en baissant la voix. Ou d'Angharad ?

— Les deux. Mais déjeunons d'abord. Les nouvelles peuvent attendre.

Evan connaissait suffisamment Linnet pour savoir qu'il était inutile d'insister.

— Très bien. Tu veux boire quelque chose ?

— Non, merci, pas maintenant. Je boirai de l'eau, au

déjeuner. Où veux-tu que nous mangions ? Dans la cuisine, ou bien ici ?

— Je crois que ce sera plus pratique dans la cuisine, si tu n'y vois pas d'inconvénient.

Linnet acquiesça d'un signe de tête. Les jeunes femmes rejoignirent Marietta dans la pièce voisine. Quelques minutes plus tard, elle leur servait le potage, tandis que Linnet racontait à Evan son entretien avec sa mère, au sujet du spa.

— Si nous avons un peu de chance, conclut-elle avec optimisme, elle finira par être d'accord.

— Je l'espère ! Ce serait formidable d'avoir un spa ! En tout cas, j'en profiterai certainement. Pas toi ?

Linnet se mit à rire.

— N'oublions pas qu'il sera destiné aux clientes, pas à nous.

Evan rit avec elle et poursuivit :

— Quand lui parleras-tu de l'étage entièrement consacré aux mariées ? Bientôt, je l'espère.

— Très bientôt, en effet. En fin de semaine, je pense. Je termine de rédiger les différents mémos. Ensuite, je plonge et je les lui remets tous, ainsi que mes projets pour les deux prochaines années. J'espère que maman partagera mon point de vue.

— Tu vas mentionner les six petits cafés, au rayon alimentaire, sans compter le reste ? s'enquit Evan avec une légère appréhension. Comme le traiteur et le bar à fromages ?

— Bien sûr. Je fais des mémos à propos de tout. Je crois qu'il est plus facile d'appréhender un projet lorsqu'il est couché sur le papier. De toute façon, tu sais que maman a toujours apprécié les mémos.

Marietta écoutait la conversation avec intérêt. Elle profita d'une pause pour intervenir :

— L'idée d'un rayon entièrement consacré aux mariées me paraît excellente, ainsi que celle du spa. Depuis l'an dernier, je fréquente assidûment les centres de soins. J'y suis même accro ! On est dorloté, on se détend et c'est tellement agréable !

291

Evan jeta un coup d'œil à sa mère, puis elle se tourna de nouveau vers Linnet.

— A ce propos, maman va prendre un appartement à Londres. Elle compte y passer une partie de l'année.

— C'est formidable ! s'exclama Linnet, qui appréciait Marietta. Après tout, vous allez avoir des petits-enfants qui grandiront ici. Et où est cet appartement ? Ou bien ne l'avez-vous pas encore trouvé ?

— Si. Il est situé dans Sloane Street et je pense qu'il me convient tout à fait. Je serais heureuse de vous le faire visiter.

Tout en parlant, Marietta s'était levée et avait pris deux des bols vides, pour les déposer dans l'évier. Linnet se chargea du reste. Un instant plus tard, elles déposèrent le reste du repas sur la table.

— Vous voulez une tasse de thé ? suggéra Marietta en remplissant la bouilloire.

Evan secoua négativement la tête.

— Je prendrais bien du thé, finalement, dit Linnet. Merci, Marietta.

Elle s'assit, prit un sandwich au concombre et mordit dedans. Evan l'imita et elles mangèrent sans un mot. En fait, le silence régna, même après que Marietta eut rejoint les deux jeunes femmes à table. Toutes trois se concentraient sur la nourriture, pour ne pas entamer ce qui s'annonçait comme une conversation difficile et dérangeante.

Quand le déjeuner fut terminé et la table débarrassée, ce fut Evan qui parla la première :

— Très bien, Linnet, lâche tes mauvaises nouvelles. Parce que je suis certaine qu'elles sont mauvaises... Je me trompe ?

Elle retint son souffle, sachant qu'elle n'aimerait pas ce qu'elle allait entendre.

— Disons qu'elles sont bizarres, répliqua Linnet.

Elle résuma alors la conversation que Paula avait eue avec Sarah, le matin même, sans omettre le moindre détail.

Marietta et Evan furent à la fois surprises et bouleversées

d'apprendre qu'Angharad se trouvait avec Jonathan, à Paris, mais ce fut Marietta la plus affectée. Elle avait blêmi quand Linnet avait commencé son récit, et il semblait qu'elle n'allait pas tarder à fondre en larmes.

Evan paraissait plus calme. Elle découvrait qu'elle n'était pas surprise qu'Angharad ait jeté son dévolu sur Jonathan. C'était une probabilité qu'elle n'avait jamais écartée, depuis que sa mère lui avait rapporté leur étrange rencontre au village de Pennistone.

— J'avais l'horrible pressentiment que quelque chose comme cela pouvait arriver, remarqua-t-elle enfin en jetant un long regard à sa mère. Un jour, Glynnis a fait allusion à ce qu'elle appelait la « mauvaise graine », à propos d'Angharad. Je crois que ces propos étaient prophétiques. Tu es d'accord avec moi, maman ?

Marietta se contenta de hocher la tête, trop bouleversée pour prononcer un mot.

— Angharad n'est pas seulement une fille facile et cupide, reprit froidement Evan. Elle est aussi égoïste et indifférente, elle prend sa vie bien trop à la légère. Sans compter qu'elle est parfaitement déloyale. C'est bien simple, elle nous a tous vendus pour une nuit chaude dans les bras d'Ainsley et quelques jouets étincelants.

— Pas mal de nuits au lit avec lui et pas mal de jouets étincelants, rectifia Linnet. Mais c'est son problème. J'aimerais discuter avec vous de ce qui est *mon* problème.

Evan acquiesça sans répondre.

Ce fut Marietta qui s'exclama :

— Comment a-t-elle pu faire une chose pareille ? Avoir une liaison avec un homme qui est l'ennemi mortel de la famille. C'est incroyable !

— Est-ce qu'elle le savait ? se demanda Linnet à voix haute. Savait-elle qu'il était l'ennemi ?

— Bien sûr qu'elle le savait ! cria Evan, dont la colère montait. Elle nous a entendus parler de Jonathan, dire combien il est dangereux. Mais elle s'en moque, parce qu'elle ne se soucie pas de nous. Elle ne s'en est jamais souciée. Il y a quelque chose d'étrangement détaché, en elle, et cela remonte à notre enfance. C'était une sale gosse et elle n'a pas changé. Elle remporte largement le premier prix d'égocentrisme !

— Elle est devenue notre ennemie ! s'exclama brusquement Marietta.

— En effet, approuva Linnet, et c'est ce dont je souhaitais vous parler. Nous connaissons les objectifs d'Angharad, dans le sens où nous savons qu'elle veut Ainsley et aussi son argent. Elle veut le beurre et l'argent du beurre. Mais lui, qu'est-ce qu'il cherche ? Ma mère s'inquiète à l'idée qu'il voie en elle un moyen de nuire aux Harte et surtout à toi, Evan, ainsi qu'à Gideon. Elle fait partie de ta famille et il lui sera facile de tout savoir de ta vie, de tes déplacements et de tes projets.

— Oh non ! Ce n'est pas moi qui lui fournirai la moindre information ! s'écria Evan avec véhémence. Je ne veux plus avoir aucun contact avec elle. Jamais.

Marietta se redressa sur sa chaise et s'efforça de rassembler ses esprits.

— Moi non plus, déclara-t-elle. Angharad est passée dans le camp ennemi, par conséquent je la raye de ma vie.

Linnet lui adressa un sourire chaleureux et tendit la main pour effleurer celle de Marietta, posée sur la table.

— Je suis contente de l'entendre, dit-elle. Je suis navrée qu'elle vous ait trahies de la sorte, toutes les deux, mais maintenant qu'elle l'a fait, maintenant qu'elle a montré son vrai visage, vous ne pouvez plus entretenir la moindre relation avec elle. Aucun d'entre vous...

— C'est justement ce que je viens de dire ! la coupa sèchement Marietta.

— Je le sais, mais qu'en est-il d'Owen et d'Elayne ? De quel côté se rangeront-ils quand on les aura mis au courant de la situation ?

— Du nôtre, répondit Evan. Nous nous serrerons les coudes. Elayne, c'est certain, sait qu'Angharad est une garce.

— C'est vrai, intervint Marietta. Et Owen comprend aussi ce qu'elle est. Il est très conscient du fait qu'Angharad n'est pas quelqu'un de très sympathique. Je ne crois pas que nous ayons à nous inquiéter à son sujet ou à celui d'Elayne.

— Mais ils doivent être prévenus, insista Linnet. Ils doivent savoir qu'elle a une liaison avec Jonathan Ainsley. Il faut leur rapporter tout ce que je vous ai dit aujourd'hui, Marietta. Voulez-vous que je m'en charge ?

Marietta parut hésiter et ne répondit pas tout de suite.

— Je vais appeler papa, dit Evan.

— Non, répliqua Marietta, c'est à moi de le faire.

— Maman, s'il te plaît ! Je crois que c'est une mauvaise idée.

— Vous savez quoi... Je devrais l'appeler, intervint Linnet. Si c'est moi qui lui parle, cela aura plus d'impact.

— Probablement, murmura Marietta.

Evan acquiesça.

— C'est entendu, alors. Je l'appellerai dans la journée à son magasin du Connecticut et je lui expliquerai qu'Angharad doit être totalement mise à l'écart. Il ne faut plus lui livrer aucune information à propos des Harte ou des Hughes.

Linnet se tut un instant, but une gorgée d'eau et reprit :

— Bien sûr, il se peut que Jonathan Ainsley n'ait pas l'intention de l'utiliser et qu'il soit sincèrement épris d'elle, ainsi que le pense Sarah.

— De toute façon, nous ne pouvons prendre aucun risque, déclara Marietta. Angharad a toujours été jalouse d'Evan. Elle se voyait comme l'enfant négligée de la famille. Voici des années qu'elle s'est mis en tête que nous préférions Evan et Elayne. Elle m'accusait souvent de présenter Evan comme l'exemple même de l'excellence, de faire d'elle une étoile, ainsi qu'elle le disait. Et rien n'aurait pu être plus éloigné de la vérité.

Pénétrée par un froid intérieur, Evan remarqua d'une voix morne :

— Elle est aigrie.

— Vous savez, Marietta, dit Linnet, il est peu probable qu'elle cherche à contacter Evan. A mon avis, c'est vous qu'elle appellera de Paris. Après tout, vous êtes sa mère.

— Vous vous trompez, Linnet.

— Elle ne maintient pas le contact avec vous ?

— Pas vraiment.

— Malgré tout, elle peut vous joindre pour se vanter.

— C'est sûr ! Du moins, s'il y a quelque chose qui en vaille la peine.

Quand elles furent de nouveau seules, Marietta commença :

— A propos d'Angharad, Evan, ce que je voulais te dire, c'est que...

— S'il te plaît, maman, je ne veux pas parler d'elle ou de Jonathan Ainsley, déclara la jeune femme sur un ton péremptoire. Je suis plus intéressée par ta séparation d'avec papa.

Marietta traversa le salon et alla s'asseoir dans un fauteuil imposant, près de la cheminée.

— Il n'y a pas grand-chose à dire, déclara-t-elle au bout d'un moment. Ton père et moi, nous nous sommes séparés, voilà tout. Ainsi que je te l'ai déjà raconté, il semble indifférent, comme si ça lui était égal.

— Je ne te parle pas de maintenant, maman, mais d'il y a plusieurs années. *Autrefois.* Avant l'arrivée de Linnet, tu m'as appris que tu avais quitté papa quand j'étais petite. Pourquoi ?

Marietta regarda sa fille, mais elle ne répondit pas tout de suite. Elle se carra dans le fauteuil, croisa les jambes, puis elle se détourna et resta un instant ainsi, les yeux perdus dans le vide, comme si elle se remémorait un lointain passé. En un sens, c'était ce qu'elle faisait.

— Je veux être honnête avec toi, lança-t-elle enfin. Le plus honnête possible. Cela n'allait pas très bien entre nous, quand tu étais enfant, mais ce n'est pas pour cette raison que je suis partie.

— Pourquoi, en ce cas ?

— Parce que... je suis tombée amoureuse d'un autre homme.

Bouche bée, Evan fixa un instant sa mère. L'espace de

quelques instants, elle en perdit la voix, mais elle se reprit rapidement :

— Qui était-ce ? Parle-moi de lui.

— Il s'appelait Val Timball. Ton père et moi avions fait sa connaissance à Londres. C'était un artiste et un décorateur de théâtre talentueux. La plupart du temps, il travaillait dans le West End. Il est venu à New York pour créer le décor d'un spectacle, à Broadway, si bien que nous l'avons vu souvent. Pendant les mois où il a habité à Manhattan, quelque chose s'est produit entre nous… Nous sommes tombés amoureux l'un de l'autre. Il avait toujours eu un penchant pour moi et j'étais très malheureuse avec ton père, à cette époque. Nous étions passionnément épris l'un de l'autre, et, lorsqu'il est parti pour Londres, il m'a suppliée de le suivre. Il voulait que je demande le divorce et que je l'épouse, mais c'était impossible, Evan. J'ai compris que j'étais incapable de te laisser.

— Mais tu viens de dire que tu as quitté papa.

— Je suis partie pour Londres, c'est vrai. Mais seulement parce que Val est tombé gravement malade. Sa sœur Suzanne m'a contactée pour me dire qu'il me demandait instamment de venir passer quelques jours auprès de lui. Mais je l'aimais tellement que je suis restée avec lui. Il avait besoin de moi. Quand ton père a appris que je l'avais quitté pour être auprès de Val, il est devenu fou. Il a pris immédiatement l'avion, il est arrivé à Londres, en proie à la fureur, il a semé une panique épouvantable, tempêté sans vraiment m'écouter. Il jurait de demander le divorce pour adultère. Son comportement m'a plus que jamais éloignée de lui.

— Pendant combien de temps es-tu restée auprès de Val, maman ?

— Seulement quelques semaines. Vois-tu, il se mourait d'une forme rare de leucémie.

La voix de Marietta trembla. Elle s'interrompit pour recouvrer son souffle. Au bout d'un moment, elle reprit son récit d'une voix étouffée :

— Je ne pouvais pas le laisser mourir tout seul, alors que nous nous aimions comme nous nous aimions. Mais il n'a pas survécu longtemps, à peine un mois. Cet été-là, le monde s'est écroulé autour de moi. Val était mort et ton père était décidé à divorcer. Il jurait que je ne te reverrais jamais, qu'il ne le permettrait pas.

Abasourdie par cette histoire, Evan ne disait rien. Elle demeura immobile, attendant que sa mère continue.

— C'est alors que ta grand-mère est intervenue, reprit celle-ci. Elle était furieuse contre ton père. Elle lui a dit qu'il était immature et manquait totalement de compassion. Elle nous a convaincus tous les deux de reprendre la vie commune. Il n'en avait pas vraiment envie et, d'une certaine façon, moi non plus. Je savais bien que nous ne pourrions pas être heureux ensemble.

Marietta laissa échapper un long soupir et secoua la tête.

— Je suis revenue, mais seulement à cause de toi. Je voulais t'élever, t'aimer, être une bonne mère.

— Mais il m'a éloignée de toi, c'est cela ? N'est-ce pas la meilleure façon de décrire ce qui est arrivé ?

— Oui. En guise de représailles, je suppose.

— C'est à cause de cela que tu as fait une dépression ?

Le visage de Marietta se crispa.

— Cela m'est tombé dessus un jour. Je ne parvenais plus à sortir du lit et j'étais submergée par des idées noires. J'étais complètement déroutée, je ne comprenais pas ce qui m'arrivait. Au début, j'ai pensé que je réagissais à la mort de Val.

Elle secoua la tête avec véhémence et poursuivit :

— C'était affreux, terrifiant. Je vivais dans un monde plongé dans l'obscurité. Et puis, soudain, la dépression passait et je me sentais bien. Six mois s'écoulaient, jusqu'à ce que quelque chose me fasse sombrer de nouveau dans un état dépressif. Je restais couchée, tout et tout le monde me faisait peur. Bien entendu, j'ai vu un médecin, j'ai reçu de l'aide, pris des médicaments.

— Je me rappelle que tu semblais aller mieux, peu à peu. Mais je me rappelle aussi comment tout à coup tu tombais de nouveau malade, apparemment sans raison.

— J'en serais encore là, sans ma tante Dottie. Dieu la

298

bénisse ! C'est elle qui m'a envoyée chez un nouveau médecin, l'an dernier. Elle m'a dit de repartir de zéro, et...

— C'est ce que tu fais ! l'interrompit Evan. Et c'est tant mieux, maman ! Tu as le droit d'être heureuse. Et papa aussi. Peut-être sera-t-il mieux tout seul.

— Je le crois, Evan. Je ne lui veux aucun mal, tu sais.

— J'en suis persuadée. Ce n'est pas dans ta nature. Tu souhaites m'en dire un peu plus sur ta dépression ? demanda Evan en scrutant le visage de sa mère. Je serais heureuse de t'écouter, si cela peut t'aider.

— Peut-être un autre jour, ma chérie. Pour l'instant, je me fais surtout du souci à propos de Jonathan Ainsley. Tu ne penses pas qu'il tentera de vous faire du mal, à Gideon et à toi ?

— Pour le moment, je le crois trop occupé avec Angharad pour y penser. A ce propos, je suis d'accord avec Sarah Pascal : je pense qu'il est vraiment tombé amoureux d'elle et ne cherche pas à obtenir d'elle des informations sur nous.

Evan se mit à rire et continua :

— Si ça se trouve, il se méfie peut-être d'elle. Il peut très bien s'imaginer qu'elle veut l'espionner pour notre compte. Tu ne trouves pas cela drôle ?

— Sans doute, admit Marietta sans enthousiasme. Mais je ne peux pas m'empêcher de m'inquiéter pour toi. J'espère que tu es en sécurité.

— Tout va bien se passer, tu verras. Nous avons multiplié les mesures de protection, même si tu n'en as pas conscience.

— Tu veux dire que vous avez des gardes du corps ?

— Bien sûr. Je suis protégée en permanence, ainsi que tous les Harte. Détends-toi, maman. Jonathan ne gagnera pas, il ne nous aura pas.

— Mais qui peut l'empêcher de perturber vos vies ? De vous causer des ennuis ?

— Tu as raison, maman. Il ne fait rien lui-même. Il emploie des gens pour exécuter le sale boulot, et on ne peut rien prouver.

— Il finira peut-être par être puni à la mesure de ses fautes, marmonna Marietta. Avec un peu de chance, Angharad causera sa perte.

Plus tard, après le départ de Marietta, Evan était étendue sur le canapé, près de la cheminée. Sommeillant à moitié, elle pensait à la vie de sa mère. Marietta n'avait pas mené une existence très heureuse, on pouvait même dire qu'elle avait traversé de durs moments. Mais n'était-ce pas le lot commun ?

Evan était heureuse que sa mère ait trouvé le moyen d'échapper à l'affreux labyrinthe de la dépression et elle comprenait pourquoi elle souhaitait rester à Londres.

Une nouvelle chance, pensa-t-elle. Une formidable opportunité s'offrait à Marietta... Un nouvel appartement, dans une ville qu'elle aimait, le plaisir d'être grand-mère, de regarder les garçons grandir, d'être auprès de sa fille sans que son mari s'interpose entre elles...

Evan somnolait, un léger sourire aux lèvres. Elle se réjouissait que sa mère reste en Angleterre une partie de l'année. Elle ferait de son mieux pour qu'elle y soit heureuse, elle intégrerait Marietta dans leur vie, elle lui donnerait l'amour d'une fille, celui dont elle avait été privée pendant si longtemps.

Et elle s'efforcerait de ne pas être trop longtemps en colère contre son père, même si elle l'était à cet instant.

24

Assise devant son bureau, Linnet fixait les derniers bilans des ventes. Elle crut d'abord les avoir mal lus, mais lorsqu'elle les eut étudiés une seconde fois, elle constata que les chiffres étaient aussi mauvais qu'elle le pensait. Tous les rayons des trois étages consacrés à la mode avaient vu leurs bénéfices baisser de façon catastrophique.

— Ce n'est pas possible, marmonna-t-elle en parcourant des yeux les colonnes de chiffres.

Elle s'aperçut avec angoisse que les ventes de la dernière semaine avaient été très médiocres, sinon désastreuses.

Les sourcils froncés, elle s'appuya au dossier de sa chaise. Pourquoi sa mère n'avait-elle pas fait allusion à ces bilans ? Elle en disposait plusieurs semaines avant sa fille, mais peut-être n'avait-elle pas eu l'occasion de les examiner en détail. Linnet elle-même avait été très occupée à rédiger différents mémos pour Paula, qui semblait de son côté uniquement préoccupée par Jonathan Ainsley.

Linnet avait le sentiment que sa mère appelait Sarah presque chaque jour. Elle ne voyait pas très bien à quoi cela servait, puisque tout ce que Sarah avait pu lui révéler, c'était que Jonathan s'était visiblement amouraché d'Angharad et vice versa.

Pour sa part, Linnet se réjouissait plutôt que ces deux intrigants fussent épris l'un de l'autre, liés l'un à l'autre, au propre comme au figuré. Tant qu'ils s'emprisonneraient mutuellement, ils laisseraient le reste de la famille tranquille. Du moins était-ce ce qu'elle espérait. En tout cas pour le moment.

Gideon était d'accord avec elle sur ce point. Le lendemain du jour où elle avait déjeuné avec Marietta et Evan, ils s'étaient retrouvés pour boire un verre. Gideon s'était alors confié à elle. Ayant grandi ensemble et étant les meilleurs amis du monde, ils ne prenaient pas de gants lorsqu'ils avaient quelque chose à se dire. Gideon lui avait donc confié ses craintes avec sincérité.

« Elle est mauvaise, lui avait-il dit. Quand je l'ai rencontrée à l'hôpital, après la chute d'Evan, j'ai perçu sa méchanceté. Je la tiens toujours pour responsable de cet accident. Je suis certain que ce qu'elle a dit à Evan ce jour-là l'a bouleversée. Il ne nous reste plus qu'à attendre pour voir ce qui va se passer. En tout cas, avait-il ajouté en souriant, Ainsley a trouvé une partenaire à sa mesure. Angharad Hughes est un sacré phéno-mène et elle va lui donner du fil à retordre. »

Linnet soupira, puis elle baissa les yeux vers ses comptes. Les chiffres lui sautèrent aux yeux.

— Malheur ! grommela-t-elle entre ses dents, c'est encore pire que je ne le pensais.

Dans les mémos qu'elle avait remis à Paula et sur lesquels elle avait travaillé pendant des jours, elle exposait ses idées pour moderniser le magasin de Londres et le propulser dans le XXIe siècle. Ces chiffres lui démontraient combien c'était important, voire vital.

Il était nécessaire de rénover le bâtiment dans ses moindres détails. Toutes les vitrines avaient besoin d'être remaniées, il fallait mettre davantage les produits en valeur et, de façon générale, les articles devaient correspondre au siècle qui venait de commencer. A dire vrai, Linnet le savait depuis longtemps, mais, après sa visite au magasin de New York, elle était rentrée remplie de combativité.

Elle était persuadée que le magasin de Londres commen-çait à perdre de son cachet. Oh, c'était encore le sanctuaire de l'élégance, une référence, et il était célèbre dans le monde entier. Mais selon Linnet, il était devenu un peu désuet, surtout aux yeux des jeunes générations.

Linnet était trop intelligente pour penser que les derniers bilans équivalaient à un désastre, mais ils indiquaient une tendance. Si l'on ne prenait pas des dispositions drastiques, le magasin pouvait amorcer un déclin dangereux dans l'année qui suivrait. Elle savait que Harte ne perdait pas d'argent, du moins pas encore. Mais elle avait bien conscience que cela pouvait arriver si des idées novatrices n'étaient pas mises en chantier. Il fallait des innovations susceptibles de séduire les jeunes générations et d'attirer des clientes dans le magasin, des jeunes femmes dont les goûts et les besoins étaient spécifiques.

Se levant d'un bond, Linnet s'approcha de la table sur laquelle elle avait déposé le *Financial Times* en arrivant le matin. Feuilletant ses pages roses, elle s'arrêta sur les cours de la Bourse, qu'elle parcourut jusqu'à ce qu'elle ait trouvé le nom du magasin. Laissant échapper un soupir de soulagement, elle hocha la tête. Les cours étaient stables, ils avaient même un peu monté.

Bien qu'elle fût rassurée, Linnet savait qu'elle devait quand même poursuivre son objectif. Soudain, elle se sentait plus forte, plus déterminée que jamais à imposer ses idées, du moins la plupart. D'une façon ou d'une autre, elle devait trouver les moyens de convaincre sa mère qu'il fallait aller de l'avant, qu'on ne devait pas rester à stagner dans ce qu'elle appelait le « calme plat ». Sa mère vivait dans le passé, prisonnière des règles imposées par Emma et de son souvenir.

La jeune femme s'assit à son bureau et composa le numéro de téléphone d'India, qui travaillait à Leeds cette semaine-là.

Sa cousine décrocha immédiatement.

— India Standish à l'appareil.

— C'est Linnet, India. Comment vas-tu ? Et Dusty ? Et la petite Atlanta ?

— Ils vont bien tous les deux, merci. Et toi, comment vas-tu ? Tu m'as l'air sous tension, Linny, répliqua India de sa voix harmonieuse.

— Je suis un peu angoissée. Je t'explique... J'ai pris

tardivement connaissance du bilan commercial de la dernière semaine, concernant les rayons de la mode. Les chiffres sont désastreux ! Je dirai même plus, ils sont épouvantables. A toi, je peux le dire : je suis vraiment inquiète.

— N'oublie pas que le mois de janvier n'est jamais bon. De toute façon, c'est la première année que nous n'avons pas organisé de soldes en janvier. Je ne sais pas pourquoi tante Paula ne l'a pas voulu, mais je pense que c'était une erreur.

— Moi aussi, mais je ne peux pas le lui dire. Elle est déjà fâchée contre moi, à cause de mes projets.

— Quel dommage ! J'espérais qu'elle serait de ton côté, aussi bien que du nôtre, à Evan et à moi d'ailleurs, puisque ce sont nos idées. Quels arguments t'a-t-elle opposés ?

— En réalité, elle n'a pas encore étudié à fond mes propositions, puisque je viens de terminer les mémos. Mais elle n'était pas ravie quand je lui ai parlé du spa.

— Ça alors ! C'est l'une des meilleures idées que tu aies eues ! s'exclama India d'une voix surprise. Je me demande comment elle réagira quand tu aborderas la question de la restauration rapide ! Elle ne sera pas non plus transportée d'enthousiasme.

— Je le sais, mais ce magasin doit être propulsé dans le siècle qui vient de naître. Ecoute, si je t'appelle, c'est pour savoir si le chiffre d'affaires de la semaine dernière est bon, à Leeds comme à Harrogate, surtout en ce qui concerne le rayon de la mode.

— Très bon. Pour être honnête, j'en ai été un peu surprise. Mais comme tu le sais, nous avons un bon rendement dans ce domaine, à Leeds, du moins pour ce qui concerne la clientèle de vingt à trente ans. Nos vêtements sont très attractifs et n'oublie pas que nous avons un grand nombre de jeunes étudiantes, à l'université de Leeds, sans compter les lycées techniques. Nous battons tous nos records.

Linnet avait écouté attentivement sa cousine.

— Nous pourrions aussi développer cette activité ici, au magasin de Londres. Je pense que nous avons un peu négligé cette tranche d'âge.

— C'est vrai, admit India. Il y a autre chose, poursuivit-elle très vite. Depuis qu'Atlanta vit avec nous, je m'intéresse aux vêtements pour enfants, ainsi qu'aux jouets. La semaine dernière, j'ai pensé qu'on pourrait les disposer dans des espaces adjacents. Cela pourrait faire monter les ventes. Pendant que j'y suis, je teste quelques fabricants de vêtements pour enfants.

— J'ai l'impression que le magasin de Leeds est en train de prendre quelques longueurs d'avance, ma chère cousine ! dit Linnet en riant.

— Je fais du mieux que je peux, répliqua India en riant avec elle.

— Tu fais bien plus que cela, India. Et qu'en est-il du magasin d'Harrogate ?

— Tout va bien. Tu veux que je t'envoie les bilans ?

— Non. Continue seulement de bien travailler.

— Je m'y efforcerai. Pas de nouvelles de la redoutable Angharad et de son amoureux, si nous pouvons le nommer ainsi ?

— Toujours les mêmes nouvelles, qui nous parviennent de l'autre côté de la Manche. Tu connais déjà le refrain : il s'est entiché d'Angharad, etc, etc. Gideon pense qu'il a trouvé une partenaire à sa mesure.

— Dans quel sens ?

— Gid n'aime pas Angharad. Dès leur première rencontre, il a manifesté à son égard la plus grande prudence. Il dit qu'elle pourrait lui donner du fil à retordre.

— En ce cas, je serai là pour la féliciter, répondit India.

— Moi aussi. Bon, où pourrai-je te joindre ce week-end ? A Willows Hall, je suppose ?

— Oui. J'y serai à partir de ce soir. J'aime bien être avec Atlanta, qui est tout simplement adorable, et je m'attache de plus en plus à elle, depuis qu'elle vit avec Dusty. Je sais qu'on n'est que jeudi, mais j'ai décidé d'y aller en fin d'après-midi. Je me sens un peu seule, à Pennistone, avec Emsie pour toute compagnie… et elle est tout le temps en train de faire ses devoirs. Ce n'est pas la même chose quand vous êtes tous à

Londres. A ce propos, est-ce que tu viens, ce week-end ? Si c'est le cas, on pourrait se retrouver, tous les quatre.

— J'aimerais bien, mais nous restons à Londres. Julian doit mettre la dernière touche à la plaque commémorative destinée à son grand-père. Il sera avec son père samedi matin et moi, je serai au magasin. Mais maman compte se rendre dans le Yorkshire, avec papa. Il est possible que Lorne vienne aussi.

— Tessa n'est pas passée au magasin d'Harrogate depuis plus d'une semaine, alors je me suis dit que je ferais bien d'y aller, samedi matin. C'est là que tu me trouveras, si tu as besoin de moi. Ou alors je serai avec Dusty.

Après avoir raccroché, Linnet continua de travailler sur les mémos. Lorsqu'elle les trouva parfaits, du moins aussi parfaits qu'ils pouvaient l'être, elle en rédigea un de plus à propos des innovations apportées par India au magasin de Leeds. Bien entendu, elle soulignait le fait qu'elles avaient été couronnées de succès.

Pour terminer, elle imprima le tout et glissa les feuillets dans un dossier qu'elle déposa dans un tiroir de son bureau. Elle les remettrait à Paula le lendemain, avant qu'elle ne parte pour Pennistone.

Comme elle jetait un coup d'œil à l'horloge murale, elle constata qu'il était 16 heures. Elle se leva, quitta son bureau et se dirigea vers les rayons de la mode. En cela, elle respectait le rituel instauré par Emma Harte, la fondatrice du magasin et sa grande idole. Tous les membres de la famille l'appelaient le « clone d'Emma ». C'était ce qu'elle voulait être. La nouvelle Emma Harte. Telle était son ambition.

Plusieurs centaines de kilomètres au nord de Londres, India Standish en faisait autant dans le magasin de Leeds. Après avoir terminé son travail administratif, elle sortit de son bureau et gagna l'étage réservé à la mode.

India avait été formée par sa cousine, aussi respectait-elle les mêmes rites quotidiens : elle procédait à une petite inspection des rayons le matin, puis vers midi, si c'était possible, et enfin dans l'après-midi, vers 16 heures. En cela, elles imitaient leur grand-mère. Linnet le lui rappelait sans cesse, tout comme elle lui remémorait la discipline que s'imposait Emma, ainsi que son acharnement au travail.

D'ordinaire, le jeudi était une bonne journée pour le magasin, qui se remplissait de jeunes femmes et de jeunes filles. Elles occupaient les lieux et s'intéressaient à tout, mais plus particulièrement à la mode. Aujourd'hui ne ferait pas exception, remarqua-t-elle. Les rayons des vêtements étaient très animés et elle s'en réjouit.

India était intelligente et elle avait été exceptionnellement bien formée. L'un des secrets de son succès consistait dans le fait qu'elle écoutait tout le monde, et cela scrupuleusement. Mais elle accordait une attention spéciale à Linnet et s'efforçait de deviner son état d'esprit. Elle avait perçu la tension de sa cousine et l'anxiété suscitée en elle par les derniers bilans. L'inquiétude de Linnet lui avait donné à réfléchir et elle estimait, elle aussi, que leur grand magasin de Knightsbridge avait grand besoin d'être rajeuni.

Mais tout comme Evan, India tremblait en imaginant la colère de Paula. Elle ne doutait pas un instant que la « patronne » verrait rouge lorsqu'elle étudierait les mémos de Linnet, ce week-end.

Paula s'est un peu sclérosée, pensa-t-elle en descendant l'escalier, elle refuse tout changement parce qu'elle vénère Emma Harte. C'est bien le problème !

Paula résistait aux supplications de Linnet, qui lui demandait d'aller de l'avant et de moderniser le magasin, parce qu'elle était enracinée dans le passé. Avec Emma. Soumise à des désirs que cette dernière avait formulés longtemps auparavant.

Perdue dans ses pensées, India ne remarqua pas la femme qui s'était mise à la suivre et se rapprochait d'elle. Ce ne fut que lorsque l'inconnue l'aborda et la prit par le bras qu'elle s'immobilisa.

— Qu'est-ce que vous faites ? s'écria-t-elle. Lâchez-moi ! Qui êtes-vous ?

C'est alors qu'elle regarda la femme et frémit intérieurement en reconnaissant son visage. Melinda Caldwell ! Comment était-ce possible ? Elle se trouvait dans une clinique de désintoxication... Non ! Plus maintenant !

India se débattit pour échapper à l'emprise de la femme, mais celle-ci la tenait fermement. Elle réussit néanmoins à lui faire quitter l'allée et à la pousser contre un mur, derrière une étagère. Malgré son apparence de blonde délicate, India Standish possédait une grande force physique et morale. Luttant toujours pour se libérer, mais voulant éviter un scandale, India pesa de tout son corps sur Melinda et lui siffla à l'oreille :

— Vous allez me laisser partir. Maintenant. Si vous ne le faites pas, vous allez avoir de sérieux ennuis.

— C'est vous qui allez en avoir, hurla Melinda d'une voix aiguë. Vous et ce salaud de Dusty. Vous avez kidnappé mon enfant.

— Du calme. Et laissez-moi partir, insista India d'une voix dure. Maintenant, vous m'entendez ? Lâchez-moi immédiatement.

— Je sais qu'elle est à Willows Hall avec lui. Et vous. Putain. Ma mère m'a dit où était mon enfant. Vous pensiez que ma mère ne me le dirait pas ?

Tout en criant, Melinda repoussait India.

De façon inattendue, India fit brusquement un pas en arrière. Et comme Melinda avançait elle aussi d'un pas, mais sans la libérer pour autant, India lui frappa le bras d'une main. Sa petite chevalière blessa le poignet de Melinda, qui la lâcha immédiatement.

A cet instant, l'une des vendeuses, qui venait de remarquer l'altercation, se précipita dans leur direction.

— Prévenez tout de suite les agents de la sécurité ! lança India.

Puis elle se tourna vers Melinda Caldwell, qui reculait. Ce fut au tour d'India de l'attraper par le bras, mais Melinda réagit avec une rapidité extrême. S'écartant d'un bond, elle lui échappa et gagna l'Escalator en courant. Elle s'y précipita et disparut.

Quand les agents de la sécurité arrivèrent, une fraction de seconde plus tard, Melinda Caldwell était hors de vue. Dès qu'India leur eut expliqué qu'elle avait été agressée par une démente, les hommes gagnèrent le rez-de-chaussée.

— Nous la trouverons, ne vous inquiétez pas ! promit l'un d'entre eux en prenant l'escalier roulant.

La jeune femme acquiesça, mais elle pensait : Non, vous ne l'attraperez pas. Elle est déjà dans la rue.

Après avoir remercié la jeune femme qui avait appelé du secours, India retourna dans son bureau, légèrement secouée. Mais elle s'inquiétait surtout de savoir Melinda Caldwell hors de la clinique et en cavale dans le Yorkshire. Elle était dangereuse et imprévisible.

Elle s'assit à sa table et appela Dusty sur sa ligne directe, à Willows Hall. Dès qu'il décrocha, elle alla droit au but.

— Dusty, Melinda n'est plus à la clinique. Elle est à Leeds.

— Quoi ? Mais comment est-ce possible ? Comment est-elle... ?

— Comment a-t-elle quitté le service de désintoxication ? Je n'en sais rien, mais elle était ici, au magasin. Elle m'a abordée, elle m'a agressée verbalement. Elle sait que tu as son enfant, m'a-t-elle dit. Sa mère lui a appris qu'Atlanta se trouve à Willows Hall.

— Bon sang ! s'exclama Dusty d'une voix âpre. Ne me dis pas qu'elle est allée voir Molly à l'hôpital ! C'est épouvantable. Et toi, ma chérie ? Elle ne t'a pas fait de mal ? Tu vas bien, India ?

— Je suis un peu secouée, mais je vais bien. Malheureusement, Melinda s'est enfuie avant l'arrivée des agents de la sécurité. Elle a pris l'escalator et est sans doute tout de suite sortie du magasin. Je suis certaine qu'ils ne l'ont pas retrouvée. Je voulais juste t'avertir, Dusty. Elle peut très bien être en route pour Willows Hall, en ce moment.

— Je comprends, mais ce sera en pure perte. Elle ne peut pas pénétrer dans la propriété, maintenant que Jack Figg l'a sécurisée. Il en a fait une véritable forteresse. Quand vas-tu quitter le magasin ?

— Très bientôt. J'attends seulement que les agents reviennent me faire leur rapport.

— Une minute, s'il te plaît. Je suis ici, Paddy. Accorde-moi un instant, India.

— Bien sûr.

Les doigts serrés autour du récepteur, India retint son souffle. Elle entendait à peine la voix de Paddy, mais elle tendit l'oreille quand Dusty déclara :

— C'est terrible ! Dites-lui d'attendre une minute, s'il vous plaît.

Quelques secondes plus tard, il s'adressait de nouveau à India :

— Gladys m'a appelé sur l'autre ligne. L'un des voisins de Molly lui a téléphoné, après avoir aperçu Melinda. Apparemment, elle tentait d'entrer dans la maison de Molly, à Meanwood, mais Molly a fait récemment changer la serrure. C'était une bonne initiative. Je vais devoir prendre l'appel de Gladys. Téléphone-moi dès que tu quitteras le magasin.

— C'est d'accord, Dusty. Je n'en ai plus pour très longtemps. Essaie de ne pas trop t'inquiéter.

— Dépêche-toi, India, je t'en prie...

La voix de Dusty se brisa.

— Je suis en sécurité, au magasin, le rassura-t-elle.

— Tu en es certaine ?

— Oui. Je partirai dès que j'aurai vu les agents de la sécurité.

Après avoir raccroché, India rangea les papiers qui se trouvaient sur son bureau et éteignit son ordinateur. Quelques minutes plus tard, les deux agents franchissaient la porte, qu'elle avait laissée ouverte.

— Nous ne l'avons pas vue, lady India, annonça Mack Slater.

C'était le plus âgé des deux et il travaillait chez Harte depuis des années.

— Elle est sortie du magasin par la porte principale, continua-t-il. Mais le temps que nous arrivions dans la rue, elle avait déjà disparu. Le portier l'a vue courir en direction de City Square. Du moins, c'est ce qu'il pense. Ce pouvait très bien être une autre personne. Qui était-ce, lady India ? Vous en avez une idée ?

Jugeant plus sage de ne rien dire, India secoua la tête.

— Désolée, Mack, mais je n'en sais rien. Visiblement quelqu'un d'un peu dérangé, en tout cas... Le monde est rempli de fous, ajouta-t-elle en haussant les épaules.

— Vous avez raison. Les choses ne sont plus ce qu'elles étaient, et de loin ! Nous sommes désolés de n'avoir pas pu la rattraper, conclut Mack.

— Vous avez fait de votre mieux et je vous en remercie. Vous aussi, Jerry.

Les deux hommes prirent congé. Il fallut encore quelques minutes à India pour recouvrer ses esprits. Dès qu'elle eut rassemblé ses affaires, elle se dirigea vers la penderie et prit son manteau en peau de mouton, ainsi qu'une écharpe de laine. Elle venait d'enfiler son manteau quand le téléphone sonna.

Se penchant sur son bureau, elle prit le récepteur.

— Allô ?

— C'est moi, fit la voix de Dusty. J'ai de mauvaises nouvelles. Molly Caldwell vient d'avoir une nouvelle crise cardiaque et elle se trouve aux soins intensifs. C'est l'œuvre de Melinda, j'en suis persuadé. Elle est passée la voir et elle a causé cette rechute.

— Pauvre femme, c'est terrible ! murmura India. Tu veux que j'aille à l'hôpital, Dusty ? Je peux faire quelque chose ?

— Non, rien. Pour l'instant, elle ne saurait même pas que tu es là. Elle est inconsciente, d'après ce que j'ai compris. L'hôpital m'a appelé il y a cinq minutes, pour me dire ce qui s'était passé. Ils me joindront dès qu'il y aura du nouveau.

— Et Gladys ? Qu'est-ce qu'elle voulait te dire ?

— Ce que tu sais déjà... qu'un voisin avait repéré Melinda

qui essayait de pénétrer dans la maison de Molly. Gladys était sortie pour faire des courses et un autre voisin lui a dit que Melinda avait tambouriné contre sa porte. En vain, évidemment, puisqu'elle était absente. En ce moment, Gladys est auprès de Molly. A ce que j'ai compris, il y a une petite valise pleine de papiers que Molly lui a demandé de me remettre le plus tôt possible, lorsqu'elle lui a rendu visite, l'autre jour.

— Elle va te l'apporter tout de suite ?

— J'ai estimé que cela valait mieux. La réapparition de Melinda inquiète Gladys, et je la comprends. En dehors du fait qu'elle doit me donner ces papiers, je crois qu'il vaut mieux qu'elle reste à l'abri, à Willows Hall. Qu'est-ce que tu en penses ?

— De cette façon, Melinda ne pourra pas l'atteindre, c'est cela ?

— Oui, bien sûr. Qui sait le mal que Melinda pourrait faire à Gladys ?

25

Récemment, Jack Figg avait insisté pour que Tessa, Linnet et India se déplacent dans de discrètes voitures noires, conduites par d'anciens militaires. En d'autres termes, des véhicules qu'on ne repérait pas facilement et des chauffeurs qui étaient en même temps des gardes du corps. Du moins pendant la semaine, quand leurs horaires étaient réguliers et qu'on pouvait aisément les suivre ou les prendre pour cibles. Jack n'avait qu'un but : protéger les jeunes femmes contre la menace potentielle constituée par Jonathan Ainsley.

Sur les quatre, India était la seule à avoir insisté pour conduire elle-même son Aston Martin lorsqu'elle se trouvait dans le Yorkshire, les week-ends, et Jack n'avait pas pu l'en dissuader. Il s'y efforçait encore, pourtant.

Assise à l'arrière de la Sedan noire qui l'attendait devant le magasin, elle se pencha en avant pour parler au chauffeur :

— Je suis désolée, Larry, j'ai oublié de vous prévenir que je ne vais pas à Pennistone Royal, cet après-midi. Au lieu de cela, vous voudrez bien me déposer à Willows Hall, s'il vous plaît ?

— Il n'y a pas de problème, lady India, répliqua Larry Cox sur un ton à la fois respectueux et cordial.

Confortablement assise sur la banquette arrière, India pensa soudain à Jack Figg. Une idée venait de lui traverser l'esprit : Dusty et elle devaient lui demander son avis et peut-être son aide. Le retour de Melinda Caldwell annonçait des ennuis. Pas seulement pour Molly Caldwell, mais aussi pour eux.

Elle sortit son téléphone portable de son sac et composa le numéro de Jack, qui décrocha immédiatement.

— Bonjour, Jack. India à l'appareil.

— Je suis content d'entendre ta voix, India. Tout va bien ? s'enquit-il sans s'embarrasser de préliminaires.

— Je pense que nous avons besoin de ton aide, Dusty et moi.

— Que se passe-t-il ? Raconte-moi tout sans te presser.

— Melinda Caldwell est venue au magasin aujourd'hui, expliqua-t-elle d'une voix étouffée. Elle a fait un scandale et elle s'en est prise à moi.

— Où es-tu en ce moment ?

— Dans la voiture, avec Larry. Nous allons à Willows Hall.

— Je comprends. Tu vas me laisser te poser des questions. C'est plus facile, pour toi, et beaucoup plus discret.

Jack avait confiance en Larry, mais il estimait plus sage de se montrer prudent.

— C'est d'accord.

— Etait-ce une visite surprise ?

— Tout à fait. Normalement, elle devrait suivre son traitement, dans un service de désintoxication. Elle m'a prise au dépourvu.

— Entendu. Si je comprends bien, elle rôde du côté de Leeds, c'est bien ce que tu es en train de me dire ?

— C'est cela. La rencontre a été pour le moins déplaisante, cet après-midi. Il est probable qu'elle est aussi allée voir sa mère.

— A l'hôpital de Leeds ? Ou bien Mme Caldwell est-elle rentrée chez elle ?

— Elle est encore à l'hôpital. Il y a quelques instants, Dusty m'a appris que Mme Caldwell avait fait une rechute, c'est-à-dire une seconde crise cardiaque, cet après-midi. J'ai déduit de ce que Melinda m'a dit qu'elle lui avait rendu visite.

— Pauvre Mme Caldwell, j'espère qu'elle s'en remettra ! Quand Melinda a-t-elle été autorisée à quitter la clinique ?

— C'est bien le problème. Dusty pense qu'elle est partie de son propre chef.

— Je vois...

Jack se tut un instant, avant de demander :

— Comment l'as-tu trouvée ? Démente ? Saine d'esprit ? Dis-moi ce que tu as pensé quand tu l'as vue ?

— Elle était en colère. Elle semblait presque normale, mais *très* en colère, comme je viens de te le dire. Je crois qu'elle agissait sous le coup de cette fureur.

— Elle représente un problème, India, un grave problème. Il faut la retrouver le plus vite possible.

— Est-ce qu'on peut se voir ce soir, Jack ? Pour récapituler tout cela. Tu es dans le coin ou à Londres ?

— Je suis dans le Yorkshire, mais pas tout près. En fait, je suis à Scarborough, en ce moment.

— Ne me dis pas que tu passes tes vacances d'hiver à Heron's Nest ! s'exclama India avec étonnement.

Surpris, Jack répliqua très vite :

— C'est assez drôle, ce que tu dis là ! Mais je suis effectivement arrivé à Heron's Nest aujourd'hui. Je voulais voir la gardienne. Elle pense que quelqu'un pénètre dans la maison de temps à autre, ces derniers temps. En tout cas, le mois dernier. Quand Paula m'en a parlé, l'autre jour, j'ai décidé de venir vérifier par moi-même.

— Et alors ?

— Pas de *alors*, India, du moins pour l'instant. Quelques réflexions intéressantes de ma part, mais je suis incapable de cibler une personne en particulier, actuellement. A dire vrai, rien n'a été dérangé, pour autant que je le sache. Aucune porte n'a été forcée.

— En ce cas, comment la gardienne sait-elle que quelqu'un est entré ?

— Bonne question. On a vu des lumières à plusieurs reprises, semble-t-il, et de petites choses auraient été déplacées, selon la gardienne.

— Mais qui voudrait entrer dans cette maison en février ? Il fait un froid glacial à Scarborough. Aucun d'entre nous ne s'y rendrait à cette époque. Mais peut-être quelqu'un a-t-il voulu y donner un rendez-vous illicite, ou quelque chose comme ça,

315

suggéra India en riant. Heron's Nest est un endroit très intime, à sa façon !

Jack avait dressé l'oreille.

— Pourquoi as-tu parlé de rendez-vous, India ? Tu supposes qu'un membre de la famille utilise cette maison pour des entretiens galants ?

— Tu veux dire parmi ceux de ma génération, ou celle de ma mère ? A qui faisais-tu allusion, quand tu as parlé de la *famille* ? Nous sommes nombreux... et nous sommes issus de plusieurs générations.

Jack se mit à rire.

— Je le sais et je ne pensais évidemment pas à ta grand-mère Edwina ou à Robin. En revanche, ceux de ton âge pourraient être concernés.

— J'en doute. Qui d'entre nous irait là-bas ? Toby ? Il est en plein divorce. Mais sa femme vit à Los Angeles, aussi peut-il très bien s'amuser à Londres s'il en a envie. Il n'a pas besoin de se cacher. Tu n'es pas d'accord avec moi ?

— Si. Tes arguments sont bons.

— Mais pourquoi tante Paula est-elle bouleversée à l'idée que quelqu'un puisse entrer dans la maison ? demanda India.

— Elle craint que des actes de vandalisme n'y aient été commis, que des objets n'y aient été dérobés.

— Je comprends. Tu sais, Jack, ceux de ma génération sont beaucoup moins attachés à cette maison que leurs parents. Pour eux, Heron's Nest a été important dans leur enfance. Ils y venaient chaque été, avec Emma. Ils l'appelaient le « camp d'entraînement d'Emma ».

— Je m'en souviens très bien, puisque je passais souvent, pour parler boulot avec ton arrière-grand-mère. Dis-moi, est-ce qu'ils évoquent souvent cette époque ?

— Oh oui ! Maman m'a dit récemment combien elle aimait cette maison. Elle m'a raconté que Paula l'y avait souvent hébergée, quand elle rencontrait papa en secret. Et Linnet m'a expliqué une fois que ses parents s'y retrouvaient en cachette, quand Paula essayait de divorcer de Jim Fairley.

— Je comprends maintenant pourquoi vous associez cette

maison à l'amour, murmura Jack. C'est une information inté-ressante, dont je te remercie. Pour en revenir à Melinda Cald-well, je vais mettre deux de mes gars sur l'affaire. J'en parlerai à des amis qui appartiennent à la police de Leeds, des copains de la Brigade criminelle. Je vais les alerter sitôt que nous aurons raccroché, pour leur expliquer qu'elle est toxicomane et probablement dangereuse. Je suppose qu'elle ne t'a pas blessée ?

— Bien sûr que non, mais elle a essayé. Elle a aussi tenté de forcer la porte de sa mère, à Meanwood. Je ne connais pas l'adresse, mais je vais la demander à Dusty et je te rappellerai.

— Parfait. Et j'ai besoin d'une description de Melinda.

— Elle a environ ma taille, des cheveux brun clair, un visage remarquable, avec des pommettes hautes. En fait, elle avait plutôt bonne apparence, ce qui m'a surprise. Elle portait un jean et un manteau noirs.

— Très bien, c'est enregistré. Est-ce que tu peux demander à Dusty d'appeler la clinique et de parler à son médecin, s'il te plaît ? Il est important de connaître exactement son état.

— C'est entendu. Et, Jack... Je me demandais si on te verrait, ce soir ?

— Pourquoi pas ? J'aurai terminé, ici, dans une heure, environ. Je pourrais être à Willows Hall vers 19 h 30. Ça te va ?

— C'est parfait, Jack, merci beaucoup. Je te rappelle le plus vite possible, pour te donner l'adresse de Meanwood.

— Merci, India. Essaie de ne pas trop te faire de souci. Nous aurons bientôt la situation en main.

Peu de temps après, India rappela en effet Jack, pour lui donner l'information qu'il demandait. Elle lui dit aussi que Dusty avait parlé au Dr Jeffers. Le médecin lui avait affirmé que Melinda n'avait pas été autorisée à quitter la clinique. Il espérait la voir revenir bientôt, afin de poursuivre son traitement.

Après l'avoir remerciée, Jack raccrocha et appela deux des

hommes qui travaillaient pour lui dans le Yorkshire, ainsi que ses amis de la police, à Leeds. Cela fait, il s'assit et sirota sa tasse de thé. Il pouvait se détendre un instant, maintenant que le problème posé par Melinda Caldwell était entre des mains compétentes.

Juste avant l'appel d'India, Jack était entré au Grand Hôtel de Scarborough et il s'était installé dans le petit salon, où on lui avait servi du thé et des pains briochés dorés au four. Il regardait maintenant autour de lui, en évoquant les fois où il était venu prendre le thé dans cet endroit, avec Emma. A cette époque, c'était somptueux : on servait des petits sandwiches, des brioches avec de la confiture de fraise et de la crème fraîche bien épaisse, ainsi que tout un choix de pâtisseries. Un goûter trop copieux pour lui, désormais, et trop riche en graisses.

Tout en prenant un repos bien mérité, après une journée chargée, il pensa à ce que lui avait dit India à propos de Heron's Nest. Il s'en voulait d'avoir été aussi stupide. Pourquoi s'était-il ainsi focalisé sur les plus jeunes membres de la famille, sans penser à leurs aînés, ceux qui appartenaient à sa propre génération ? Bien sûr, aucun des gosses, ainsi qu'il les appelait, ne se rendrait dans cette maison au cœur de l'hiver ! Cet endroit ne revêtait aucune signification particulière à leurs yeux. Il n'en allait pas de même pour les petits-enfants d'Emma, qui y avaient passé les vacances d'été avec elle pendant des années. Tout naturellement, ils devaient être très attachés à la vieille maison du bord de mer.

Inconscience de la jeunesse, pensa-t-il, nous évoquons tous cette époque avec affection. Ces jours nous paraissent bénis, parce que la vie semblait éternelle et que nous nous croyions immortels.

Jack fouilla dans sa poche et en sortit le petit calepin qui lui servait de pense-bête, ainsi qu'un stylo. Il fit alors la liste de tous les petits-enfants d'Emma, tous ceux qui venaient à Heron's Nest dans leur enfance. Il ajouta les noms de Shane O'Neill et de Michael Kallinski, parce qu'ils étaient eux aussi des visiteurs permanents. Après avoir vérifié l'exactitude de sa liste, il poussa le calepin de côté et vida sa tasse de thé.

Il paya ensuite l'addition, adressa un signe de tête à la serveuse et quitta l'hôtel pour monter dans sa voiture. Quelques minutes plus tard, il roulait au milieu de la lande en direction d'Harrogate. Il remerciait intérieurement India de lui avoir indiqué la bonne direction. Grâce à elle, il disposait maintenant de quelques indices et d'un candidat possible pour le rôle de l'intrus, la personne qui était entrée dans la maison, brisant ainsi sa solitude hivernale.

India se tenait sur le seuil de la bibliothèque, à Willows Hall.

— Qu'y a-t-il, dans la valise que t'a fait parvenir Mme Caldwell ? demanda-t-elle.

Dusty était assis à son bureau, occupé à trier le contenu de la mallette. En entendant la voix d'India, il leva les yeux. Son visage s'éclaira à la vue de la jeune femme.

— Son testament, ainsi que d'autres papiers concernant diverses choses. Entre, ne reste pas debout sur le pas de la porte, ma chérie.

Souriante, India traversa la pièce de sa démarche souple et gracieuse. Elle était vêtue d'un long caftan de cachemire rouge orné d'un galon doré sur le devant et autour du cou. Ses cheveux blond cendré étaient réunis en queue-de-cheval et, pour seuls bijoux, elle portait des créoles en or aux oreilles, une montre et sa bague de fiançailles ornée d'un saphir.

Dusty se leva d'un bond et la prit dans ses bras. Il la serra très fort contre sa poitrine et murmura dans sa chevelure :

— Je suis navré pour ce qui est arrivé aujourd'hui, India. Tu ne le mérites pas. Melinda Caldwell est mon problème, pas le tien.

Instinctivement, India utilisa l'une des expressions favorites de sa grand-mère :

— Ne sois pas bête ! Tu n'es pas responsable de son comportement. Peut-être ne l'est-elle pas non plus, la malheureuse. Il se peut qu'elle soit de nouveau sous l'empire de la drogue, tu ne crois pas ?

Dusty s'écarta de la jeune femme et la fixa avec attention, ses yeux bleus plissés par la réflexion.

— Elle t'a semblé droguée, cet après-midi ?

— Non. Pour être honnête, pas du tout. J'ai dit à Jack qu'elle était en colère, vraiment furieuse.

Il laissa échapper un long soupir.

— Je pense que Melinda est un cas désespéré. A mon avis, personne ne peut l'aider. J'espère que les hommes de Jack parviendront à la retrouver mais Dieu seul sait où ils devront la chercher !

— Il a prévenu la police. Apparemment, il connaît quelques inspecteurs de la Brigade criminelle et il m'a dit qu'ils avaient de nombreux indicateurs.

— Ce sont de braves types, admit Dusty. J'en ai fréquenté quelques-uns, moi aussi, et ils savent où on vend de la drogue. J'espère seulement qu'elle n'a pas recommencé à en prendre, ajouta-t-il d'une voix étouffée.

Il posa sur India des yeux assombris par la tristesse. Il était persuadé que c'était bien ce que Melinda ferait.

Ecartant les idées noires, il déclara :

— Molly est une femme merveilleuse. Elle m'a écrit une lettre adorable et a glissé dans l'enveloppe le certificat de naissance d'Atlanta, ainsi que la clef de la valise.

Tout en parlant, il désignait la mallette et les papiers éparpillés sur son bureau.

— Il y a une copie de ses dernières volontés et de son testament, ainsi qu'une lettre adressée au notaire. Une enveloppe contenant mille livres, une petite sacoche de bijoux, et l'acte notarié concernant sa maison. Oh, et il y a aussi deux relevés de son compte épargne. Inutile de préciser qu'elle lègue tout à Atlanta.

— C'est une évidence, répliqua India. Je suppose qu'elle souhaitait que tous ses papiers soient entre tes mains, c'est-à-dire en sécurité, puisqu'elle est à l'hôpital.

Dusty se mordit la lèvre inférieure.

— Il ne peut pas y avoir d'autre raison... Je me demande si elle avait envisagé que Melinda sortirait de la clinique pour venir l'importuner.

— Qui sait, Dusty ? Le principal, c'est que cette mallette ne risque rien, maintenant que tu l'as.

Paddy frappa à la porte et entra dans la bibliothèque.

— Excusez-moi, monsieur Rhodes, je voulais seulement vous prévenir que M. Figg est arrivé.

— Merci, Paddy. Faites-le entrer, s'il vous plaît. Je pense que nous prendrons l'apéritif dans cette pièce, qui est très agréable.

— Très bien, monsieur. M. Figg fait un brin de toilette. Puis-je ouvrir une bouteille de vin blanc, en attendant ?

— Ce sera parfait, Paddy, merci.

Dusty jeta un coup d'œil à India, qui se tenait devant la cheminée, où brûlait un bon feu.

— Tu ne préfères pas autre chose ?

— Je boirai volontiers du vin blanc, merci.

Paddy acquiesça et sortit.

Dusty s'approcha de la cheminée et enlaça la jeune femme. Ils restèrent l'un près de l'autre, jouissant de la bonne chaleur procurée par les flammes.

— As-tu dit à Jack qu'il pourrait passer la nuit ici ? demanda Dusty.

— Je n'y ai pas pensé, mais je trouve que c'est une bonne idée, maintenant que tu en parles. Il aura une longue route à faire jusqu'à Robin Hood's Bay, s'il projette de rentrer chez lui ce soir.

— Je sais qu'il prend parfois une chambre d'hôtel à Harrogate, mais je vais lui proposer de dormir ici. Nos chambres sont bien plus confortables.

Dusty se pencha pour déposer un baiser sur le front d'India.

— J'ai une surprise pour toi.

— Oh ! Qu'est-ce que c'est ?

— Ton portrait est presque terminé. Ce n'est pas trop tôt ! J'espère te le montrer samedi prochain.

— Oh, Dusty, que je suis contente !

— J'espère qu'il te plaira...

— Le contraire est impossible ! Tu es le plus grand peintre contemporain.

Les yeux de Dusty pétillèrent de malice.

— A ce que je vois, ma fiancée a des idées préconçues, dit-il en riant.

A cet instant, Jack entra dans la pièce, un grand sourire aux lèvres. Paddy le suivait de près, portant un plateau sur lequel il avait disposé des verres et une bouteille de vin blanc, dans un seau à glace.

— Soyez le bienvenu, Jack ! s'exclama Dusty en allant à sa rencontre.

Il serra la main de Jack, puis il l'entraîna jusqu'à la cheminée.

— Merci de m'avoir invité, Dusty, dit Jack avant de se tourner vers India pour l'embrasser. Je suis content de te voir, India.

— Bonjour, Jack. J'espère que le trajet à travers la lande n'a pas été trop pénible.

Jack émit un petit rire.

— Un peu. Je dois dire que la route est atrocement traîtresse, en hiver. Mais je suis sain et sauf.

— Nous aimerions que vous le soyez aussi ce soir, Jack, intervint Dusty. Et c'est pourquoi j'insiste pour que vous passiez la nuit ici. Vous ne pouvez pas refaire dans la nuit tout ce chemin jusqu'à Robin Hood's Bay.

— Je peux aller à l'hôtel... commença Jack, qui fut immédiatement interrompu.

— Je ne veux pas en entendre parler ! trancha Dusty. Vous êtes ici chez vous et, entre nous, mon ami, ma maison est beaucoup plus confortable que l'hôtel.

— En ce cas, merci beaucoup, répondit Jack, acceptant l'invitation de bonne grâce.

India s'était assise sur le canapé et tapotait le coussin.

— Viens t'asseoir près de moi, Jack. On est vraiment bien à côté du feu.

— Vous voulez quelque chose à boire, Jack ? proposa Dusty.

— Je prendrai volontiers un verre de vin blanc avec vous, merci.

Dusty se tourna vers son domestique

— Servez-nous trois verres, Paddy. Nous dînerons dans trois quarts d'heure, environ. Cela vous convient ?

— Parfaitement, monsieur.

Paddy déposa le plateau sur la table basse, en face de la cheminée. Les trois convives prirent chacun un verre et remercièrent le domestique, qui leur sourit avant de disparaître.

Après avoir trinqué, Dusty s'approcha du feu, auquel il tourna le dos. Il y eut un moment de silence, qu'il fut le premier à rompre :

— Je sais qu'il est un peu trop tôt pour vous demander si vous avez des nouvelles, mais je veux juste vous dire ceci : je vous suis extrêmement reconnaissant pour l'aide que vous nous apportez et je ferai mon possible pour vous assister. Vous n'avez qu'un mot à dire, Jack.

— Je ne suis pas certain que vous puissiez le faire, à moins que vous ne connaissiez les lieux que Melinda fréquente à Leeds, ceux où elle peut se réfugier et si elle a des amis.

— Je n'en sais rien, malheureusement, répliqua Dusty en fronçant les sourcils. Vous savez, elle n'y a pas vécu depuis des années... Elle s'est installée à Londres et n'y retournait jamais, sauf pour voir Atlanta, que Molly a prise chez elle dès sa naissance.

Jack laissa échapper un grognement de frustration et détourna les yeux durant quelques secondes.

— India m'a dit que vous aviez contacté la clinique, dit-il ensuite. Ont-ils accepté de vous parler de l'état dans lequel se trouve Melinda ?

— Ils se sont montrés coopératifs et ne m'ont rien caché. Bien qu'elle ait besoin de poursuivre son traitement, j'ai eu l'impression que, selon eux, elle est désintoxiquée. Cependant, ils n'ont pas terminé les séances de thérapie, qu'elle nommait pour sa part du « lavage de cerveau ». Je suis pourtant persuadé qu'un traitement psychologique est nécessaire.

— Je comprends. L'un de mes hommes surveille la maison de Molly, au cas où Melinda tenterait encore de s'y introduire. Pendant qu'il y est, il garde un œil sur celle de Gladys Roebotham. On ne sait jamais, elle pourrait se montrer de ce côté-là aussi. J'espère seulement que nous la trouverons à Meanwood et pas...

— Sur une table d'autopsie, termina Dusty en posant sur Jack un regard interrogateur.

— Ce n'est pas ce que je voulais dire. Pourtant, je souhaite sincèrement qu'elle ne finisse pas à la morgue. Je préférerais aussi qu'on ne la retrouve pas avec des vendeurs de drogue ou des toxicomanes. Cela signifierait qu'elle reprend de l'héroïne. C'est bien ce qu'elle consommait ?

— Oui, mais elle se droguait avec tout ce qui lui tombait sous la main. Melinda fait partie de ces gens qui sont dépendants par nature. C'est une vraie maladie.

— Je le sais bien. Quoi qu'il en soit, mes gars m'appelleront dès qu'il y aura quelque chose de nouveau, dit Jack en tapotant sa poche. J'ai mon portable sur moi en permanence. Et maintenant, dites-moi comment se porte Mme Caldwell.

— Pas de changement de ce côté, répliqua simplement Dusty.

— Si vous n'avez plus rien au sujet de Melinda et si vous êtes d'accord, intervint India, j'aimerais changer de sujet.

— Tu as raison, ma chérie, murmura Dusty en se forçant à sourire. Parler des toxicomanes n'est guère passionnant. En revanche, c'est un sujet douloureux, si l'on considère les implications et les conséquences de leur dépendance.

Jack acquiesça d'un signe de tête.

— Tout ce que je puis ajouter, c'est qu'il ne sera pas facile de retrouver Melinda Caldwell.

— Hélas, je ne le sais que trop bien !

India se tourna, sur le canapé, afin de regarder Jack.

— Jack, pouvons-nous parler un instant de Heron's Nest ?

demanda-t-elle. Explique-nous pourquoi Mme Hodges pense que quelqu'un est entré dans la maison récemment...

— A cause de la poussière.

Il sourit en voyant l'air surpris d'India.

— Que veux-tu dire ?

— Mme Hodges m'a dit que la maison est très difficile à entretenir, en raison de son grand âge. Ces temps-ci, elle a remarqué à plusieurs reprises des traces dans la poussière qui s'était accumulée pendant la semaine. Vous comprenez, si quelqu'un marche sur un sol poussiéreux, il ne laisse pas d'empreintes, mais il... déplace la saleté, en quelque sorte. De plus, Mme Hodges affirme qu'on a utilisé une des salles de bains du premier étage. Il y a un robinet qui fuit, à moins qu'on ne le serre très, très fort. Elle s'est aperçue récemment qu'il gouttait. Elle a aussi découvert des cheveux noirs sur un oreiller, dans l'une des chambres. Ce sont de petits détails comme ceux-ci qui ont fini par attirer son attention. Et puis un voisin a signalé qu'il avait vu des lampes allumées dans la maison. Pour compléter le tableau, quelqu'un a aperçu une lumière qui tremblotait, tout autour. Je pense que l'intrus devait avoir allumé une lampe torche.

— Mme Hodges a des talents de détective, tu ne trouves pas, Jack ? s'exclama India. La prochaine fois, elle te fournira de quoi procéder à une analyse d'ADN.

Jack ne put s'empêcher de rire.

— En effet. On pourrait la comparer à la célèbre Miss Marple. D'ailleurs, elle m'a déjà fourni des échantillons pour une analyse d'ADN, puisqu'elle a attiré mon attention sur les cheveux noirs. Ils sont dans une sacoche de plastique, mais j'avoue ne pas pouvoir les utiliser actuellement, puisqu'il n'y a pas d'enquête criminelle.

— Pour l'instant, nous ignorons si un délit a été commis, remarqua India.

— Notre Miss Marple dit que rien n'a été volé dans la maison, précisa Jack.

— Et il n'y a pas eu de meurtre non plus !

Déconcerté, Dusty suivait la conversation sans la comprendre.

— Mais de quoi parlez-vous ? demanda-t-il.

Jack lui expliqua ce qui s'était passé à Heron's Nest, puis il jeta un coup d'œil à India.

— Ne me dis pas que tu n'as jamais emmené Dusty à Scarborough, pour voir la ravissante vieille maison d'Emma, au bord de la mer ?

— Pas encore, avoua India.

Un sourire penaud aux lèvres, elle se tourna vers Dusty.

— Tu ne te rappelles pas ? L'année dernière, après que Melinda t'a poignardé, je souhaitais que nous passions quelques jours dans la maison d'Emma, pour que tu te reposes et récupères un peu.

— Oui, en effet. J'étais d'accord, mais tu as changé d'avis pour une raison inconnue.

— C'est parce que Linnet m'en a dissuadée. Elle disait que la maison avait été fermée tout l'hiver et que Mme Hodges était seule pour faire un peu de ménage.

Tout en l'écoutant, Dusty avait vidé son verre. Il se leva, traversa la pièce et s'en servit un second.

— Vous voulez encore un peu de vin ? demanda-t-il à Jack.

Jack le rejoignit devant la table, de l'autre côté de la bibliothèque.

— Pourquoi pas ? Puisque je ne conduis pas, ce soir, je peux me le permettre. Merci, Dusty.

— Je sais que ni mon père ni ma mère n'utilisent Heron's Nest pour y abriter des amours illicites, reprit India.

Jack revint s'asseoir auprès d'elle, sur le canapé.

— Ça ne peut pas être non plus Shane ou Paula, pas plus qu'Emily ou Winston. Alors, qui est-ce ?

— Pas Sarah Pascal, qui vit à Paris et met rarement le pied dans le Yorkshire. Ce n'est certainement pas Amanda, qui voyage sans arrêt, ou sa jumelle Francesca, qui est mariée et a une ribambelle d'enfants.

— Alexandre est mort, enchaîna Jack. Je sais que Michael Kallinski faisait partie de la bande qui venait toujours ici, pour participer au camp d'entraînement d'Emma. Mais il est divorcé et libre de ses mouvements.

Jack sortit son calepin de sa poche et examina la liste des petits-enfants d'Emma. Levant les yeux, il regarda India.

— Il ne nous reste plus qu'une seule personne... *Jonathan Ainsley.*

— Je sais ! Je viens moi-même de penser à lui. Mais Jonathan est célibataire, il peut donc rencontrer qui il veut. Par ailleurs, il possède une maison à Thirsk, un appartement à Grosvenor Square, une ferme en Provence et une maison à Hong Kong. Pourquoi aurait-il besoin de Heron's Nest pour y organiser des rendez-vous secrets ?

Perplexe, Jack haussa les épaules.

— Peut-être sa maîtresse habite-t-elle dans le Yorkshire et que, pour une raison ou une autre, il lui est impossible de se déplacer. Elle peut avoir un mari, des enfants, une carrière.

— C'est envisageable, murmura India.

— Et maintenant, ajouta Jack, il a une liaison avec Angharad Hughes...

Dusty, qui les écoutait, eut un éclair de génie :

— J'ai une idée ! s'exclama-t-il. Si un homme ou une femme revient dans un endroit qu'il fréquentait autrefois, c'est parce qu'il, ou elle, aimait ce lieu et en a gardé des souvenirs heureux. Des raisons sentimentales. C'est pour cela que quelqu'un pénètre dans la maison... Eventuellement pour y retrouver un ancien amour. Une personne qui appartient à son passé, qui ressent les mêmes choses que lui, ou qu'elle...

— Génial ! s'écria India.

— Oui, voilà une réflexion vraiment astucieuse, renchérit Jack. Je dois creuser cette éventualité, me remémorer cette époque. Je rendais souvent visite à Emma.

— Rappelle-toi les activités auxquelles ils se livraient tous, Jack, cela pourra t'aider à évoquer un visage oublié, une personne extérieure qui séjournait dans la maison, ou venait y passer la journée.

— Bonne idée... Ils jouaient au tennis... ils nageaient... ils faisaient ce que font les jeunes gens d'ordinaire. Bien entendu,

Emma m'invitait souvent à prendre le thé au Grand Hôtel, à Scarborough. En réalité, elle nous y invitait tous assez souvent pour le thé ou le dîner.

— Je me souviens de quelque chose ! s'exclama India en se redressant sur le canapé. Maman m'a raconté que son frère Winston et elle prenaient souvent l'apéritif au Grand Hôtel, avec Emily. Dans le petit salon de réception, m'a-t-elle dit. Cela leur donnait l'impression d'être plus âgés qu'ils ne l'étaient. Mais un jour, ils se sont fait attraper. La secrétaire employée par Emma en été les y a surpris et elle les a menacés de prévenir Emma, sauf s'ils promettaient de ne plus jamais recommencer. Comment s'appelait-elle, déjà... ?

Un nom émergea dans l'esprit de Jack, qui interrompit la jeune femme :

— Priscilla Marney ! Bien sûr ! La mère de Priscilla était la secrétaire d'Emma, en été. Elles habitaient à Scarborough.

India le fixait, très pâle, les yeux écarquillés.

— Jack, Priscilla travaille pour Paula. C'est elle qui assure le service traiteur. Elle a couvert les noces d'Evan et de Gideon. Elle fait partie des gens qui nous côtoient constamment.

— Je sais, répliqua Jack, dont le visage s'était assombri. Je l'ai vue qui s'affairait, le jour de la réception, mais elle fait quasiment partie des meubles. Ce que je veux dire, c'est que sa présence n'a suscité chez moi aucune réflexion particulière.

— Peut-être n'y avait-il pas lieu de réfléchir à ce propos, dit India tout en espérant ne pas se tromper.

— C'est possible. Le fait qu'elle ait connu Jonathan, il y a des années, n'implique pas qu'elle le fréquente aujourd'hui.

Jack s'adossa aux coussins, l'esprit bouillonnant de souvenirs.

— Je n'étais pas beaucoup plus âgé que la plupart d'entre eux, tu sais. J'avais à peine dix-huit ans et j'apprenais les ficelles du métier. Mon oncle avait travaillé pour Emma pendant des années. J'étais en quelque sorte son protégé et je suis devenu celui d'Emma. Elle m'a pris par la main et elle m'a guidé, elle m'a traité comme si je faisais partie de la famille, ainsi que mon oncle.

— Si Priscilla Marney a une liaison avec Jonathan Ainsley, dit India d'une voix soucieuse, elle est l'espionne dont Linnet a toujours soupçonné l'existence. Cela fait longtemps qu'elle s'efforce de nous convaincre qu'il y a quelqu'un, parmi nous, qui est lié à Jonathan et lui rapporte nos faits et gestes.

— Ce n'est peut-être pas elle, murmura Jack. Mais je peux t'assurer que nous allons le savoir. Et très vite.

— Mais on dirait qu'il est passé à autre chose, intervint Dusty. A ce qu'on m'a dit, il a jeté son dévolu sur Angharad Hughes et, en ce moment même, il bat avec elle le pavé du Gai Paris.

— C'est exact, répondit India.

26

La silhouette de Dusty se découpait contre la fenêtre, à la lueur de la lune. Immobile, il regardait le jardin.

Après l'avoir observé une minute ou deux depuis leur lit, India se leva, traversa la chambre pour le rejoindre et posa une main sur son épaule.

Il se tourna aussitôt vers elle. Eclairé par les rayons lunaires, elle vit son visage encore humide de larmes.

Se rapprochant de lui, elle effleura ses joues du bout des doigts pour les essuyer. Il passa un bras autour de ses épaules et l'attira contre lui sans parler.

Dans le silence de la pièce, il semblait à India qu'elle entendait le cœur de Dusty et le sien battre à l'unisson.

Je l'aime tant, pensa-t-elle, je ne supporte pas de le savoir malheureux.

Comme s'il lisait dans ses pensées, Dusty murmura :

— Quel gâchis j'ai causé ! J'aurais dû m'y prendre autrement, avec Melinda. Et maintenant, tu en subis les conséquences.

— Ce n'est pas vrai, et arrête de te flageller toi-même, répliqua la jeune femme. Tu as fait ce que tu croyais juste et agi du mieux que tu le pouvais. Personne ne peut exiger davantage de toi.

— J'ai essayé, avec Melinda… soupira-t-il. Je regrette de ne pas avoir mieux veillé sur Molly. J'aurais dû lui faire construire une petite maison, sur ma propriété. Atlanta et elle auraient été en lieu sûr, avec moi, avec nous. Et j'aurais été là pour Atlanta, chaque fois qu'elle aurait eu besoin de moi.

India s'écarta légèrement de lui pour plonger dans ses yeux, aussi bleus que le lapis-lazuli, dans la pénombre.

— Il n'est pas trop tard pour cela, Dusty. C'est une excellente idée ! Fais construire une maison pour Atlanta et Molly !

Il ne répondit pas tout de suite, mais sa voix était empreinte de tristesse lorsqu'il déclara enfin :

— C'est trop tard, maintenant. J'ai trop différé.

— Qu'est-ce que tu veux dire ? demanda-t-elle, immédiatement alertée par la douleur qu'elle percevait en lui.

— Je ne crois pas que Molly survivra à cette crise cardiaque. Je ne t'ai pas dit à quel point c'était grave.

— Oh non ! Elle allait si bien ! Et c'est quelqu'un de fort. J'espère que nous pourrons la voir demain, à l'hôpital. Nous essaierons, en tout cas. Peut-être aurons-nous l'occasion de parler aux médecins qui s'occupent d'elle. Si tu veux, je t'accompagnerai.

Il inclina la tête.

— Oui... Ça lui fera sûrement du bien.

Il semblait ragaillardi, plus optimiste.

— Nous lui parlerons de la maison que tu comptes lui faire construire, Dusty. Ça lui donnera du courage, quelque chose à espérer.

— Oui, tu as raison. J'espère qu'on nous laissera la voir.

— Je suis certaine qu'on nous y autorisera, mon chéri. Viens, maintenant, recouchons-nous. On est en pleine nuit.

— Je suis désolé. Je t'ai réveillée ? Je n'arrivais pas à dormir.

— Non, tu ne m'as pas réveillée... Simplement, je sais quand tu n'es pas là... même quand je dors.

Une fois qu'ils furent dans le lit, il l'attira à lui et l'entoura de ses bras en murmurant :

— Que ferais-je, sans toi ? Tu es toujours là pour moi, quoi qu'il arrive. Je t'aime.

Il y eut un bref silence, puis il ajouta :

— Tu vois, je peux le dire, maintenant.

— Moi aussi, je t'aime, souffla-t-elle contre sa poitrine nue.

Et tu n'auras jamais rien à faire sans moi. Je serai à tes côtés tout le reste de ma vie.

— Je l'espère bien !

Se redressant, il s'appuya sur un coude pour la regarder dans les yeux, un sourire aux lèvres. Puis il se pencha vers elle et l'embrassa avec passion. En l'espace de quelques secondes, le désir les embrasa tous les deux.

— Oh, ma chérie, India chérie...

La bouche de Dusty descendit jusqu'aux seins de la jeune femme, ses mains parcoururent son corps.

Elle répondait à ses caresses avec une ardeur égale à la sienne. Ses doigts frôlèrent son ventre, puis s'attardèrent sur ses cuisses. Il laissa échapper un soupir de volupté lorsqu'elle s'empara de son sexe. Un instant plus tard, il était sur elle et la regardait. Pressé de ne faire qu'un avec elle, il l'attira à lui avec une sorte de rudesse. S'ouvrant à lui, elle poussa un cri lorsqu'il la pénétra. Ils se mirent à bouger ensemble, emportés par le plaisir qu'ils se donnaient mutuellement, jusqu'à l'extase finale.

Et soudain, Dusty sentit que son angoisse et son chagrin s'envolaient, comme s'ils n'avaient jamais existé. C'était grâce à elle... Son amour. Sa vie.

Jack n'avait jamais rien vu de semblable. C'était le plus beau portrait de femme qu'il lui eût été donné de contempler. Mais dire qu'il était beau ne suffisait pas et ne rendait pas justice à cette pure merveille.

Ce tableau était tellement fascinant qu'il ne parvenait pas à en détourner les yeux, tant il était prisonnier de ce visage magnifique et de l'arrière-plan, d'une splendeur à couper le souffle.

Dusty avait représenté un somptueux paysage, qui ne pouvait être qu'anglais : des arbres vert sombre se détachaient sur un ciel bleu parsemé de nuages cotonneux, presque dorés, comme s'ils étaient remplis de soleil. Sous ce ciel d'été miroitant, les pelouses d'un vert plus clair s'étendaient jusqu'à une parcelle de terre brune, au premier plan, sur laquelle était placé le banc de jardin. C'était là que la femme était allongée.

Elle avait un visage en forme de cœur, un nez étroit, des pommettes hautes, des sourcils finement dessinés au-dessus d'immenses yeux gris clair. Le cou était long, le visage pâle, encadré par une masse de cheveux blond cendré, longs, soyeux et brillants. Le tout semblait jaillir vers lui et paraissait si réel qu'il fut tenté de se pencher pour effleurer la toile.

C'était évidemment le portrait d'India, mais une India Standish que lui ne connaissait pas, qu'il n'avait jamais vue auparavant. Elle était enveloppée par une aura de sensualité et ses yeux brillants, à l'expression à la fois rêveuse et entendue, sa bouche pleine et rouge étaient voluptueux.

India avait toute l'apparence d'une femme amoureuse qui sort des bras de son amant et bien entendu, il ne pouvait connaître cette India-là. Elle n'était connue que de Russel Rhodes, qui avait mis toute son âme dans ce tableau. Ce portrait était le témoignage de son amour, de son adoration.

Le corps élancé d'India était étendu sur le banc, recouvert d'un châle de velours bordeaux. Elle portait une tenue de mousseline noire, vague et lâche, composée d'un pantalon d'odalisque et d'une blouse qui révélait ses bras parfaits, d'une blancheur de marbre. Ses pieds fins étaient nus et ses ongles peints étaient assortis au tissu sur lequel elle reposait.

— Allez, mon ami, dites quelque chose ! s'exclama Dusty en s'approchant de Jack, qui demeurait immobile devant le chevalet. Même si vous ne l'aimez pas, dites quelque chose, Jack.

Ce dernier finit par détacher ses yeux du tableau.

— En réalité, je suis sans voix, dit-il. C'est tellement fascinant, d'une beauté tellement invraisemblable que je ne trouve pas les mots adéquats pour exprimer ce que je ressens. En toute sincérité, je crois pourvoir affirmer que ce portrait est sensationnel, ahurissant, bouleversant. Vous êtes stupéfiant, Dusty, un génie. Vous avez porté le réalisme jusqu'à sa perfection absolue. Je ne m'étonne plus qu'on dise de vous que vous êtes le nouveau Pietro Annigoni.

Bien qu'il fût flatté par la réaction de Jack, Dusty ne put s'empêcher de se moquer de lui. Lui lançant un regard dur, il déclara :

— C'est tout ce que vous trouvez à me dire, Jack ? Bon sang ! C'est une bien piètre réaction, pour me récompenser d'une année d'efforts acharnés.

L'espace d'un instant, Jack fut pris au dépourvu. Il battit des paupières puis, comprenant brusquement que Dusty le taquinait, il se mit à rire.

— Je pense chacun des mots que j'ai prononcés, espèce de vaurien. Cela va susciter un certain remue-ménage, quand vous l'exposerez.

Dusty s'écarta du chevalet pour observer le tableau.

— Je le sais, dit-il en se tournant vers Jack. Il sera encore plus beau quand il sera encadré. Mais c'est elle qui est véritablement stupéfiante, pas moi.

— Merci de me l'avoir montré, Dusty, dit Jack pendant que ce dernier dissimulait le tableau sous un drap. Quand India le verra-t-elle ?

— Je lui ai promis que ce serait samedi, c'est-à-dire demain. J'espère qu'elle l'aimera.

— Le contraire est impossible !

— Les gens ne se voient pas comme les autres les voient, la plupart du temps... Ils n'ont qu'un seul angle de vue... comme s'ils n'avaient qu'un œil. Ils ont une vision d'eux-mêmes à moitié aveugle.

— Je suis certain que vous avez raison. C'est très bien dit, en tout cas.

— Allons boire une autre tasse de café avant que vous repartiez, proposa Dusty en entraînant Jack hors de l'atelier.

Après avoir verrouillé la porte derrière lui et mis la clef dans sa poche, Dusty conduisit son ami vers la grande maison palladienne. Perdus dans leurs pensées, les deux hommes n'échangèrent pas un mot.

Après avoir pris congé de Dusty, Jack sortit de la propriété au volant de sa voiture, traversa Harrogate et emprunta la route de Ripon, en direction de Pennistone Royal. La journée était belle, froide et sèche, illuminée par un soleil étincelant, dans un ciel bleu pâle.

Avant de prendre le petit déjeuner, le matin, Jack avait contacté deux de ses hommes, ainsi que ses amis de la Brigade criminelle, à Leeds. Tous avaient joué de malchance et ne pouvaient rien lui dire à propos de Melinda Caldwell ou de l'endroit où elle se trouvait. Dusty n'avait pas non plus reçu d'appel de l'hôpital. Il avait fini par joindre le bureau des infirmières, puis il avait expliqué à Jack que l'état de Molly était stationnaire. Elle se trouvait toujours aux soins intensifs. L'infirmière de jour avait promis de l'appeler s'il se passait quelque chose.

Tout en conduisant, Jack pensait à Jonathan Ainsley et à Priscilla Marney. Etaient-ils vraiment des amants de longue date ? S'étaient-ils rencontrés récemment dans la maison du bord de mer ? Jack pesa le pour et le contre pendant un bon moment. Il fut soudain frappé par l'idée que Priscilla devait être terriblement jeune lorsqu'il l'avait vue pour la première fois à Heron's Nest. Treize ans ? Quatorze ans ? Avait-elle couché avec Jonathan, à l'époque ? Non, elle était trop jeune, décida-t-il. D'un autre côté, les adolescentes d'aujourd'hui avaient des relations sexuelles à cet âge... mais quarante ans auparavant ?

Jack soupira et se demanda s'il faisait tout ce chemin pour rien, puisqu'il ne se rendait à Pennistone que pour discuter avec Margaret. C'était une idée d'India, qui lui avait suggéré d'aller voir la gouvernante de Paula.

« Rien ne lui échappe lorsqu'il s'agit de la famille Harte, avait-elle dit. N'oubliez pas que ses parents ont travaillé toute leur vie à Pennistone Royal, pour Emma. Margaret y a grandi, avec Paula et ses cousins. C'est pour cette raison qu'elle est si familière, parfois. Peut-être saura-t-elle si Jonathan et Priscilla sont sortis ensemble, autrefois. Elle adore les potins, tu sais, avait-elle précisé en riant. D'un autre côté, ils ont pu garder leur idylle secrète, du moins si elle a existé, bien entendu. »

Jack avait immédiatement vu l'intérêt de parler avec Margaret. Mais avant de partir, il avait appelé Paula, à Londres. Il avait une seule question à lui poser : quelle chambre avait occupée Jonathan, à Heron's Nest ? Lorsqu'elle l'avait décrite, Jonathan avait tout de suite su qu'il s'agissait bien de celle qui, selon Mme Hodges, avait été dérangée. Celle où elle avait trouvé les cheveux noirs, sur les coussins roses.

« Des coussins neufs, avait-elle précisé la veille. Mme O'Neill les a achetés l'été dernier, quand elle bichonnait la maison. »

Il se rendait donc à Pennistone Royal sous prétexte de vérifier le système de sécurité. Il avait usé de cette ruse pour expliquer sa visite à Margaret.

Il ne lui fallut pas longtemps pour atteindre le portail noir de la grande demeure. Après avoir composé le code de sécurité, il remonta l'allée. Il fallait faire attention, à cause des nombreux chevaux qui se trouvaient dans le parc. Mais l'allée était déserte, ce matin-là, et il n'aperçut pas Wiggs, le jardinier en chef. Une fois qu'il eut passé le tournant et atteint la cour pavée à l'arrière de la maison, il le vit en train de tisonner un grand feu qui flambait sur un coin de terre.

Jack ralentit, baissa la vitre et salua le jardinier.

— Bonjour, Wiggs !

— Bonjour, monsieur Jack. Belle journée, vous ne trouvez pas ?

— En effet.

En sortant de sa voiture, Jack eut un accès de nostalgie en sentant la fumée. Son père avait adoré jardiner et il faisait sans arrêt brûler des branches et des feuilles. C'était une odeur ancienne qui lui était très familière et, l'espace d'un instant, il sentit une boule de former dans sa gorge au souvenir de son enfance.

Chassant le passé de son esprit, Jack gagna à grands pas la porte de la cuisine. Il frappa et entra en s'exclamant :

— Quelle magnifique matinée, Margaret...

Il s'interrompit à la vue de Priscilla Marney, assise devant la table avec la gouvernante. Il parvint à rester impassible et dit :

— Bonjour, Priscilla !

— Bonjour, Jack, répliqua-t-elle avec un sourire.

Margaret s'était aussitôt levée pour l'accueillir. Elle souriait largement, ce qui éclairait son bon visage maternel, et l'accueillit chaleureusement.

— Quelle bonne surprise, Jack !

Lui prenant le bras, elle l'entraîna jusqu'à la table massive qui occupait le milieu de la cuisine.

— Justement, j'ai eu du mal à ouvrir le portail pour Prissy quand elle m'a appelée par l'Interphone, il y a vingt minutes. Je n'arrivais pas à actionner la commande. Quoi qu'il en soit, j'ai dû sortir pour demander à Wiggs d'aller lui ouvrir. Vous pensez qu'il y a eu une coupure de courant ?

— C'est possible, Margaret. En tout cas, c'est une chance que j'aie décidé de venir vérifier le système aujourd'hui, parce que j'étais dans le coin.

— C'est une chance pour nous, Jack ! Asseyez-vous. Vous prendrez bien une tasse de thé ?

— Je ne dis pas non.

Tout en s'asseyant en face de Priscilla, Jack se fit la réflexion que le hasard faisait bien les choses, puisqu'elle était là, sans nul doute pour une question d'approvisionnement. Parfois, quand de tels faits se produisaient, il ne pouvait s'empêcher de penser que cela devait arriver. C'était comme si une main inconnue, sage et toute-puissante, organisait les choses à son intention et selon ses vœux. Et c'était bien ce qu'il pensait maintenant. Elle était là, la seule et unique Priscilla, à sa disposition, pour ainsi dire. Tout ce qu'il avait à faire, c'était trouver la meilleure façon de l'aborder.

Se forçant à sourire largement, il dit d'une voix intéressée et amicale :

— Comment vont les affaires, Prissy ?

— Très bien, Jack, merci. J'ai eu beaucoup de travail, ces temps-ci... et je ne m'en plains pas.

— Ravi de l'apprendre. Félicitations, en tout cas, pour la

façon dont tu as organisé la réception lors du mariage d'Evan. Tu es devenue une fille pleine de talent, vraiment. Je me souviens de toi, quand tu étais une petite écolière un peu gauche. Je t'ai souvent remarquée quand je rendais visite à Mme Harte, à Heron's Nest.

Cette évocation du passé, et surtout de la maison, déconcerta Priscilla, qui se contenta de hocher la tête. Etait-ce un effet de son imagination ? Il sembla à Jack qu'elle avait légèrement pâli. Il n'en était pas certain. Voulant confirmer son avantage, il continua :

— Comment va ta fille ? Samantha, je crois ?

Les yeux sombres s'éclairèrent.

— C'est cela. Elle est fantastique, Jack, je te remercie de me demander de ses nouvelles. Je suis très fière d'elle.

— C'est une enfant adorable, renchérit Margaret.

Elle posa la théière, la tasse et la sous-tasse sur la table et s'assit avant de servir Jack.

— Elle ressemble beaucoup à son père, continua-t-elle. C'est son portrait tout craché, Dieu ait son âme.

Jack se rappela vaguement ce que Margaret lui avait dit, quelques années auparavant : le mari de Priscilla avait été renversé par un bus, à Manchester.

« Un si jeune homme ! » avait dit la gouvernante à l'époque.

— Vous voulez manger quelque chose, Jack ? questionna cette dernière.

— Non, merci beaucoup.

— Emily a décidé que le baptême aurait lieu ici, annonça Margaret.

Remarquant l'expression désapprobatrice de Jack, elle s'interrompit, toussota et se corrigea :

— Mlle Emily veut qu'il soit célébré ici, à Pennistone, pour respecter la tradition, et Mlle Paula est d'accord. De toute façon, cette maison est plus appropriée, pour une réception, qu'Allington Hall. Bien sûr, Prissy se charge de tout organiser.

— C'est pour cela que je suis venue ce matin, expliqua Priscilla en adressant un sourire à Jack. J'ai apporté mes suggestions, ainsi que les menus, pour qu'Emily et Paula les étudient ce week-end. Oh, et c'est aussi moi qui vais organiser la réception de mariage.

L'espace d'un instant, Jack fut perdu.

— Quel mariage ? demanda-t-il en fronçant les sourcils.

Margaret répondit avant Priscilla :

— Celui de Tessa, bien sûr ! Mlle Paula m'a dit ce week-end que le divorce est plus ou moins conclu. Je crois que Tessa va épouser M. Deléon d'un jour à l'autre. Ils se marieront à la mairie, à Londres. Mais tout le monde viendra ensuite ici, pour y passer le week-end et assister à la réception, c'est pourquoi nous aurons bien besoin de Prissy.

— Mais Deléon est parti pour l'Afghanistan, pour effectuer un reportage sur la guerre ! murmura Jack. Je ne pense pas que ce mariage puisse être célébré avant un certain temps.

— Ce sera plus tôt que tu ne le penses ! s'exclama Priscilla. Dès qu'il reviendra de mission, ils se marieront. C'est ce que Paula m'a dit au téléphone, l'autre jour. Pour cette raison, j'ai dû préparer un deuxième projet. J'y ai travaillé vingt-quatre heures sur vingt-quatre, ces derniers jours. Paula voulait que tout soit prêt aujourd'hui, parce qu'elle arrive dans l'après-midi.

Jack hocha simplement la tête.

Priscilla prit sa tasse de thé, la porta à ses lèvres et en but une gorgée. C'est alors que Jack remarqua son alliance et sa bague de fiançailles, ornée d'un saphir. Il se rappela que Margaret avait fait allusion devant lui au second mariage de Priscilla, plusieurs années auparavant. Il se demanda si elle était encore mariée. Si c'était le cas, il tenait peut-être la raison pour laquelle elle rencontrait Jonathan à Heron's Nest. Du moins, si elle l'y retrouvait, bien sûr. Entre son travail, sa fille et son mari, elle était peut-être bien trop occupée pour le rejoindre à Londres.

Incapable de résister à la tentation, il demanda :

— Tu t'es remariée, n'est-ce pas, Prissy ?

— Oui, mais je suis séparée de Roger.

— Oh ! Je suis désolé.

— Ne le soyez pas ! s'exclama Margaret. Il n'était pas digne de cirer ses chaussures.

Se penchant en avant, la gouvernante lança à Jack un coup d'œil entendu.

— Il ne lui arrive pas à la cheville, voilà tout !

Priscilla haussa les épaules.

— Nous commettons tous des erreurs, parfois. Les choses ont mal tourné, pour moi, mais je m'en sors sans trop de dommages.

Elle sourit brusquement et ajouta, l'air contente d'elle-même :

— Tu sais ce qu'on dit : les poissons ne manquent pas dans la mer.

— Tu en as attrapé un gros ? ne put s'empêcher de demander Jack.

Priscilla rougit fortement mais ne répondit pas.

Jack pensa que les mots étaient inutiles… Son visage racontait tout.

— Priscilla ne manque pas d'admirateurs, dit Margaret en riant, et vous pouvez deviner pourquoi, Jack.

— En effet. En outre, je suis ravi d'apprendre que tes affaires marchent aussi bien, Priscilla. Tu le mérites. Les plats qui ont été servis lors du mariage d'Evan étaient délicieux. A propos d'Evan, est-ce que tu organiseras aussi la réception pour les noces de Jonathan ? A moins que la cérémonie ne soit pas célébrée dans le Yorkshire, évidemment.

Tout en posant cette question, Jack ne quitta pas du regard le visage de Priscilla Marney.

— Quoi ? s'écria Margaret, les yeux écarquillés par l'étonnement.

Priscilla ne dit pas un mot. Visiblement sous le choc, elle fixait Jack avec incrédulité. Elle rougit, puis ses couleurs disparurent aussi rapidement qu'elles étaient venues. Elle pâlit et devint aussi blanche qu'un fantôme. Elle ouvrit la bouche pour dire quelque chose, mais aucun mot ne sortit. Elle ne put émettre qu'un faible cri de désespoir.

— Qu'est-ce que vous dites, Jack ? s'étonna Margaret.

Jonathan Ainsley va se marier ? C'est le pompon ! Et avec qui donc ?

— Avec la sœur d'Evan, répondit Jack.

Il ne quittait pas Priscilla des yeux. Maintenant, elle tremblait comme une feuille agitée par un vent violent.

— Angharad Hughes, précisa-t-il. Vous voyez de qui je parle, Margaret. La blonde platine qui était l'une des demoiselles d'honneur. Elle était...

— Mon Dieu, non ! Pas elle ! hurla Priscilla d'une voix aiguë et empreinte de douleur. Pas cette Américaine affreuse et vulgaire.

— Elle n'est pas si affreuse, du moins à ce qu'on m'a dit. Pas si vulgaire non plus, si l'on en croit Linnet, dit Jack.

Les yeux soucieux de Margaret allèrent de Jack à Priscilla, pour revenir à Jack.

— Qu'est-ce que c'est que toute cette histoire ?

— J'ai appris qu'Angharad et Jonathan sont ensemble, à Paris. Selon Linnet, qui le tient de... Paula, Angharad est maintenant une brune élégante, qui porte des vêtements haute couture, de la meilleure qualité et du meilleur goût. Elle a aussi des bijoux extrêmement coûteux, eux aussi de bon goût. En tout cas, c'est ce qu'on a dit à Linnet. D'après ce que je sais, ils partent pour Hong Kong, car Jonathan veut « lui montrer la ville », pour citer Linnet, qui cite elle-même la personne qui a informé Paula. Apparemment, il est tombé fou amoureux de Mlle Hughes.

— Mais elle est horrible ! bredouilla Priscilla d'une voix coléreuse.

Les larmes lui montaient aux yeux et elle ne pouvait empêcher ses lèvres de trembler, tant son désarroi était grand.

— Sa transformation est l'œuvre d'un grand coiffeur, précisa Jack, ainsi que d'esthéticiennes accomplies et de couturiers talentueux. C'est un succès. Au point qu'Angharad ressemblerait maintenant à Audrey Hepburn. N'oublions pas qu'elle n'a que vingt-trois ans. Rien de tel que de la chair fraîche pour réveiller un vieux schnock comme Jonathan Ainsley.

Priscilla se mit à crier, mais ses mots étaient inintelligibles. Elle gémit et les larmes jaillirent de ses yeux. Elle enfouit alors son visage dans ses mains et sanglota comme si son cœur se brisait.

27

Priscilla était étendue sur le canapé, face à la cheminée, dans la bibliothèque de Pennistone Royal. Après l'avoir installée dans la pièce, Margaret avait jeté une allumette enflammée sous le papier journal et déposé des bûches dans l'âtre, puis elle était allée chercher une couverture et lui avait apporté un verre de cognac. Elle lui avait recommandé de le boire d'un trait, affirmant que cela lui ferait du bien.

Mais Priscilla en avait bu seulement une gorgée avant de reposer le verre sur la table basse. Elle se sentait nauséeuse et incapable d'avaler quoi que ce soit, encore moins de l'alcool. Elle était encore en état de choc.

Quand Jack Figg avait annoncé que Jonathan, son Jonny, se trouvait à Paris avec cette affreuse fille, elle avait encaissé un coup terrible, le pire depuis qu'elle avait été informée que son cher Connor gisait à la morgue de Manchester.

Lorsque Jack avait dit que Jonathan allait épouser la sœur d'Evan, elle avait été tellement secouée, blessée et bouleversée qu'elle avait perdu toute maîtrise d'elle-même. Maintenant, ils savaient qu'elle avait eu une liaison avec lui… Ils ne pouvaient pas faire autrement qu'additionner deux et deux. Pendant un moment, tandis qu'elle était étendue là, elle en avait été gênée, mais cet embarras avait disparu. Elle n'avait pas à se justifier. Elle était une grande fille et elle n'avait rien fait de mal.

Fermant les yeux, Priscilla essaya de se détendre, mais c'était impossible. Elle était encore déconcertée et mal à l'aise.

Et puis il y avait la jalousie... Elle s'était insinuée en elle, la remplissant de haine pour cette fille et pour lui.

Jonathan était indigne de sa confiance, c'était un menteur invétéré. Il avait annulé leurs rendez-vous à Thirsk, une première fois sous prétexte qu'il était retenu à Londres pour ses affaires et ne pouvait revenir dans le Yorkshire, et la deuxième parce qu'il était à Paris. Il lui avait murmuré des mots doux, au téléphone, et promis la lune. Et pendant qu'il tenait d'une main le récepteur, son autre main était posée sur cette fille. La petite sœur d'Evan. Vingt-trois ans. Délectable. De la chair fraîche, avait dit Jack pour désigner Angharad Hughes. Il avait bien raison. Quel homme de cinquante ans, surtout s'il était aussi sensuel que Jonathan, pouvait résister à une telle tentation ?

Le seul fait de les évoquer dans un lit, à Paris, suscita en elle une vague de haine. Salaud. Tant de fois il lui avait promis de l'emmener à Paris, mais il n'avait jamais tenu ses promesses ! Soudain, la simple idée qu'il avait acheté pour cette fille des vêtements de prix lui fut insupportable. Elle se mit à trembler. Le désespoir, la colère, le chagrin et la déception fusionnè-rent pour former une boule épaisse et dure. Elle fut prise de sanglots irrésistibles. Enfouissant son visage dans les cousins, elle pleura et pleura encore, jusqu'à ce que ses larmes soient taries. Epuisée, elle demeura étendue, immobile.

A la fin, elle recouvra lentement la maîtrise d'elle-même et s'étonna de se sentir aussi calme. Elle n'éprouvait plus qu'indifférence... Une indifférence froide et amère. C'est alors qu'elle décida de se venger.

Assise près de Priscilla, Margaret lui tenait la main et la regardait fixement.

— Tu te sens mieux ?

Priscilla déglutit péniblement, mais elle acquiesça.

— Oui. Merci, Margaret. Je ne vais pas tarder à redevenir moi-même, dit-elle en se forçant à sourire. Je suis désolée de m'être autant énervée. Tu as été très aimable avec moi.

— Jack dit que tu es en état de choc. Je suis d'accord avec lui, tu sais.

Comme Priscilla ne répondait pas, Margaret poursuivit lentement :

— Comment as-tu pu avoir une liaison avec lui, mon chou ? Avec Jonathan ! Il ne vaut pas cher !

Priscilla se mordit la lèvre inférieure.

— Je l'ai connu toute ma vie... Il est venu me chercher à plusieurs reprises. Il me poursuivait de ses assiduités, si je puis dire. Il était très attentif, et même tendre.

Ce fut au tour de Margaret de se taire. Elle resta assise, à tenir la main de Priscilla, soulagée qu'elle ne pleure plus et ne gémisse plus. D'une certaine façon, elle était navrée de ce qui lui arrivait, mais elle la blâmait intérieurement pour s'être montrée aussi stupide. Elle en connaissait beaucoup qui étaient tombées dans ce piège.

On frappa à la porte et Jack apparut sur le seuil.

— Tu te sens mieux, Prissy ? Je peux entrer quelques minutes ?

— Oui.

Après avoir refermé la porte de la bibliothèque, Jack vint s'asseoir dans un fauteuil, en face du canapé sur lequel Priscilla était allongée.

Margaret se leva, prête à partir. Sans doute valait-il mieux laisser Jack et Priscilla en tête à tête, pensa-t-elle. Jack lui lança un coup d'œil.

— Tout va bien, Margaret, vous n'avez pas à sortir. En fait, il vaudrait même mieux que vous restiez.

— Si vous le dites, Jack... fit-elle en s'asseyant sur le second canapé.

— Oui, je préfère.

Souriant à Priscilla, le regard empreint de sympathie, Jack murmura d'une voix chaleureuse :

— Je dois te demander de me pardonner. Je t'ai bouleversée en laissant échapper ce que je savais à propos de Jonathan Ainsley. Mais j'ignorais que tu avais une liaison avec lui.

— Personne ne le savait, dit très bas Priscilla.

345

— Et pourquoi cela ?

— Il voulait que notre aventure reste secrète.

Jack se pencha en avant pour la fixer plus intensément encore.

— Quelle était la raison de cette discrétion ? C'est parce que tu es mariée ?

— Pas vraiment… Il savait que j'étais séparée de Roger et que je projetais de divorcer.

— Mais pourquoi se cacher, en ce cas ? Je ne comprends pas.

— Il ne voulait pas que la famille soit au courant, pour nous, répondit enfin Priscilla. Les Harte.

Jack recula et s'adossa aux coussins. L'espace de quelques instants, son regard se perdit au loin, puis il demanda soudain :

— T'es-tu jamais demandé pourquoi il insistait pour que votre relation reste clandestine ?

— Parfois. Mais, eh bien, je… eh bien… je voulais être avec lui, alors j'ai accepté ses conditions.

— Tu le rencontrais à Heron's Nest, n'est-ce pas ?

Elle baissa les yeux vers ses mains, l'air honteux.

— Oui.

— Pourquoi là-bas ?

— Parce que cet endroit représente quelque chose, pour lui comme pour moi. Tu vois, c'est là que pour la première fois, nous avons fait… nous avons été ensemble, quand nous étions adolescents. Cette maison est donc particulière pour nous. Ces rendez-vous secrets paraissaient l'exciter.

Elle rougit et, tournant la tête, elle se perdit dans la contemplation du feu tout en se demandant pourquoi elle lui avait livré ce détail.

Jack toussota avant de continuer :

— Je suppose qu'il a une clef ?

— Oui, depuis toujours. Je crois qu'il l'a fait reproduire, étant jeune, et Paula n'a jamais fait changer les serrures.

Consterné par cette imprudence, Jack resta cependant impassible.

346

— J'ai quelque chose de très important à te dire, Priscilla. Il faut que tu m'écoutes attentivement.

— Je t'écoute, Jack.

— Jonathan souhaitait dissimuler votre liaison pour une bonne et simple raison. Il ne voulait pas que Paula soit au courant, parce qu'il est son ennemi juré, l'ennemi mortel de toute la famille, pour être plus précis. Si Paula avait su combien vous étiez proches, jamais elle n'aurait utilisé tes services, et il aurait perdu sa source d'informations.

Bouche bée, Priscilla se redressa sur le canapé et posa ses pieds sur le sol. Très pâle, les yeux écarquillés, elle s'exclama :

— Mais je ne lui en ai fourni aucune ! Je le jure ! Et tu te trompes, Jack, il n'était pas et il n'est pas un ennemi de la famille. Je l'aurais su.

— Pas nécessairement. Tu ne t'es jamais étonnée qu'il n'assiste à aucun événement familial, à aucune cérémonie ?

— Il comptait toujours venir ! cria-t-elle. Il me disait qu'il viendrait, mais il était toujours forcé de se rendre ailleurs, à Paris ou à Hong Kong. Je pensais que c'était sa vie. Après tout, c'est un homme d'affaires important. Mais de toute façon, je ne lui ai jamais rien dit sur Paula ou sur la famille. Je ne savais rien et personne ne s'est jamais confié à moi.

Jack se leva, s'approcha de la cheminée et offrit son dos au feu, jouissant de la bonne chaleur qu'il diffusait. Au bout d'un instant, il dit à Priscilla :

— Tu as bien dû lui parler des différentes occasions que tu as eues d'organiser des réceptions pour Paula. Je me trompe ?

Priscilla ne put que hocher la tête.

— Donc, d'une certaine façon, tu as été sans le vouloir un intermédiaire entre la famille et Jonathan. Il savait certainement à quel moment tous ses membres étaient réunis ici, à Pennistone Royal, par exemple.

Atterrée, une douleur sourde au creux de l'estomac, elle souffla :

— Oui, c'est vrai. Mais j'ignorais totalement qu'il leur voulait du mal. Il se comportait toujours comme s'il était en très bons termes avec eux.

— C'est un type astucieux, n'est-ce pas, Margaret ? dit Jack. Et dangereux.

— Pour ça, oui ! confirma la brave femme. Et il adorerait nous supprimer tous autant que nous sommes.

Elle lança à Priscilla un regard dur, tout en espérant que ses paroles avaient bien pénétré dans son esprit.

— Jamais ! s'exclama Priscilla, soudain envahie par ses émotions. Je ne vous crois pas ! Pas Jonny. Vous exagérez, j'en suis certaine.

Elle commençait à exaspérer Jack, qui rétorqua froidement :

— Malheureusement pas. Margaret te dit la vérité, tout comme moi. Nous n'avons aucune raison de grossir les faits ou de te mentir. Dans quel but ? Jonathan veut détruire Paula, ainsi que toute la famille. C'est une réalité.

Très droite, Priscilla Marney fixait Jack avec ébahissement. Elle avait du mal à intégrer toutes ces informations, mais en plongeant dans ces yeux brûlants de colère, elle admit que cet homme disait la vérité. Comment avait-elle pu être la maîtresse de Jonathan en ignorant tout ce qu'on lui apprenait maintenant ? Comment n'avait-elle pas deviné ses mauvaises intentions ? Effrayée, elle se demanda soudain si elle avait perdu toute faculté de raisonnement. L'amour l'avait rendue idiote, pensa-t-elle.

Comme elle continuait de se taire, Jack reprit :

— Est-ce qu'on t'a mise au courant de ce qui s'est passé à l'église, le jour du mariage ?

— Non. A quoi fais-tu allusion ?

Il ne lui répondit pas directement :

— Mais tu sais que l'heure de la cérémonie a été avancée, n'est-ce pas ? Tu n'as pas oublié ce détail ?

— Non. Ils se sont mariés le matin de bonne heure. Margaret m'a dit qu'Evan ne se sentait pas bien et que tout le monde s'inquiétait de son état. On redoutait un accouchement prématuré.

— Ces inquiétudes existaient, mais elles n'ont pas été la cause de cette modification d'horaire. La famille craignait que Jonathan ne tente de nuire à Evan et à Gideon. Linnet a donc

348

conçu un plan et il s'est avéré par la suite qu'elle avait eu raison d'être aussi prévoyante. A 14 h 15, c'est-à-dire l'heure originellement prévue, une partie du mur ouest de l'église de Pennistone a explosé. Quelqu'un avait placé une bombe dans l'église, pendant la nuit, vraisemblablement. Nous sommes certains que c'était l'œuvre de Jonathan Ainsley, mais bien sûr nous ne pouvons pas le prouver.

Priscilla fixa Jack en secouant la tête. Il lui semblait qu'on venait de lui décocher un coup dans l'estomac. Il lui fallut un instant pour se contrôler.

— Je suis partie pour Londres, le dimanche, je n'ai donc pas été mise au courant... Oh, mon Dieu, ce n'est pas possible, Jack. Je le connais, je le connais mieux que n'importe qui. Il n'aurait pas fait quelque chose d'aussi atroce ? conclut-elle, de nouveau au bord des larmes.

— Sa haine, dit Margaret. Il est jaloux de Mlle Paula, et d'Evan maintenant qu'elle fait partie du tableau.

Les yeux inquiets de Priscilla allaient de Margaret à Jack.

— Comment savez-vous que c'était lui ? Il ne se trouvait pas dans le Yorkshire le jour du mariage. Alors, comment aurait-il placé une bombe dans l'église ?

Jack la fixait, se demandant si elle était stupide.

— Tu ne le crois tout de même pas assez fou pour faire lui-même la sale besogne ? Tu es plus maligne que cela, Prissy. Il emploie des gens pour exécuter ses ordres, précisa-t-il, le visage grave. Il s'arrange pour que nous ne puissions rien prouver devant un tribunal.

Priscilla se détourna de lui pour s'adresser à la gouvernante :

— Ecoute-moi, Margaret, tu me connais depuis toujours ou presque. Parle-moi franchement, je t'en prie. Tout cela est-il vrai ?

— Oui, mon chou, c'est vrai. Pendant des années, tu as été amoureuse d'un monstre, et c'est bien triste.

— Mais je ne le savais pas ! Je ne le savais vraiment pas, Margaret, Jack ! Je ne l'ai jamais su, je le jure devant Dieu !

Margaret se sentait le devoir de faire comprendre à Priscilla

349

la gravité de cette affaire. Aussi dit-elle d'une voix plus forte que d'habitude :

— Mlle Paula s'est fait du souci pendant des années, à l'idée qu'il pourrait lui faire du mal, à elle ou à sa famille. Elle en était malade. Après que Sandy a viré Jonathan Ainsley, il s'est retourné contre elle. C'était il y a des années. Ensuite, quand Mme Harte est morte, il a prétendu qu'il avait été escroqué dans son testament. Ce n'était pas vrai, je le sais. Sa haine n'a fait que grandir. Il est mauvais. Et dangereux.

Atterrée par ces révélations, Priscilla était maintenant convaincue que Jack et Margaret lui disaient la vérité. Incapable de prononcer un mot, la mort dans l'âme, les bras croisés sur la poitrine, elle se sentait pénétrée d'un froid mortel, engourdie par le choc. C'était un cauchemar. Quelle folle elle avait été, pendant toutes ces années ! *Il s'était servi d'elle.*

Comme s'il devinait ses pensées, Jack s'assit auprès d'elle.

— C'est navrant à dire, Prissy, mais tu as été abusée.

Les larmes lui montèrent aux yeux.

— C'est une évidence, Jack, mais laisse-moi te le répéter une fois de plus : je ne lui ai jamais rien dit sur la famille. J'ai seulement fait allusion aux réceptions que j'organisais, parce que j'étais persuadée qu'il était invité, qu'il serait là. Je ne pouvais rien lui révéler, puisque je ne savais rien.

Comme Jack ne répondait pas, elle insista :

— Tu me crois, n'est-ce pas ?

— Oui, Priscilla.

— Je suppose que Paula n'aura plus recours à moi, désormais, fit-elle d'une petite voix.

Il lut la peur, dans ses yeux, il vit son visage s'assombrir et il comprit combien elle dépendait de Paula pour son commerce de restauration à domicile. Pour la première fois, il la plaignit un peu.

— Peut-être que si, répondit-il finalement. Je lui expliquerai tout, mais tu ne dois plus avoir aucun contact avec Jonathan. C'est bien compris ?

— Qu'est-ce qui te fait croire que je pourrais en avoir envie ? rétorqua-t-elle avec mépris.

Il la scruta un instant avec attention et décela dans ses yeux le désir de vengeance.

Jack laissa les deux femmes dans la bibliothèque, puis il alla vérifier le tableau de commande du système de sécurité. Il avait prétendu venir dans ce but à Pennistone, aussi pourquoi ne pas en profiter ? D'ailleurs, Margaret avait spécifié que la commande qui se trouvait au cellier ne fonctionnait plus. Peut-être y avait-il un problème.

Il traversait la cuisine et gagnait la porte du sous-sol quand son téléphone portable sonna.

— Jack Figg à l'appareil.

— C'est India, Jack.

— Bonjour ! Je comptais t'appeler un peu plus tard, pour te dire combien tu avais été avisée. Je viens d'avoir une longue et intéressante conversation avec Priscilla Marney, tout à fait par hasard.

— Tant mieux si elle a été profitable ! Du moins, je l'espère, Jack. Je t'appelais pour autre chose… Molly Caldwell vient de mourir.

— Oh, je suis désolé ! Pauvre femme ! Je vais appeler Dusty, pour lui demander ce que je peux faire pour l'aider.

— Pas tout de suite, Jack. Il s'est précipité à l'hôpital. Molly a inscrit le nom d'Atlanta, sur les papiers, comme étant sa plus proche parente. Il doit donc s'occuper de tout. Il m'a demandé de t'avertir du décès de Molly… Pas de nouvelles de Melinda ?

— Non, malheureusement. Mais nous continuons les recherches, mes hommes et moi, ainsi que la police. Je vais les appeler dès que nous aurons raccroché.

— Merci, et à plus tard.

— Entendu.

Ils interrompirent la communication en même temps. Jack contacta immédiatement ses hommes, qui n'avaient trouvé nulle trace de Melinda. Quant à ses amis de la Brigade criminelle, ils n'avaient rien non plus à lui annoncer.

— C'est comme de chercher une aiguille dans une botte de foin, expliqua son ami Ted Fletcher.

Jack en convint. Il savait que Melinda Caldwell resterait introuvable jusqu'à ce qu'on la localise dans un hôpital ou à la morgue.

Il se réjouissait d'avoir résolu le mystère de Heron's Nest, mais l'inquiétude le submergea tandis qu'il descendait au sous-sol. India et Dusty ne seraient jamais tranquilles tant que Melinda Caldwell serait en cavale. Il se demanda s'il existait un moyen de lui mettre la main dessus. Il en doutait.

28

A Pennistone Royal, Paula O'Neill traversait sa chambre quand la sonnerie du téléphone retentit. Elle courut vers sa table de chevet et décrocha.

— Pennistone Royal.

— Bonjour, madame O'Neill, c'est Bolton à l'appareil.

Paula se demanda pourquoi le maître d'hôtel de son oncle l'appelait.

— Bonjour, Bolton. Tout va bien, à Lackland Priory ?

— Oui, mais M. Ainsley est un peu bizarre, ces temps-ci...

Il ne termina pas sa phrase.

— Vous devriez peut-être téléphoner au médecin, Bolton, lui demander de passer voir M. Ainsley. Voulez-vous que je m'en charge ?

— Je ne crois pas qu'il soit malade, madame O'Neill...

Bolton s'interrompit, hésita, puis reprit :

— Je pense que, peut-être, quelque chose le perturbe et je me demandais si vous ne pourriez pas passer le voir ce week-end. Comme si c'était sur l'impulsion du moment, pour ainsi dire. Je ne voudrais pas qu'il pense que je me suis mêlé de ce qui ne me regardait pas.

— Bien sûr, je viendrai, Bolton, il n'y a pas de problème. D'ailleurs, j'ai une très bonne raison pour cela, vous n'avez donc pas à vous inquiéter. Mme Marietta Hughes est mon invitée pour le week-end et, tout naturellement, elle voudra voir M. Ainsley.

— Merci, madame O'Neill. Dois-je dire à M. Ainsley que vous allez lui rendre visite ?

— Non, au contraire ! Faisons-lui la surprise. Nous viendrons sans doute demain matin, pour le café. Je vous passerai un coup de fil avant de partir.

— J'attendrai. Merci encore, madame O'Neill.

— A demain matin, Bolton. Je suis heureuse que vous ayez pensé à m'appeler.

Après avoir raccroché, Paula resta un instant immobile, la main sur le téléphone. Elle se demandait ce qui pouvait perturber son oncle Robin. La dernière fois qu'elle l'avait vu, il semblait en forme. Elle pensa un instant appeler sa tante Edwina pour en savoir davantage, mais elle changea d'avis. Mieux valait ne pas faire de remous.

Paula gagna sa coiffeuse et passa un peigne dans ses cheveux noirs et courts, elle remit du rouge à lèvres, puis elle alla se regarder dans le miroir qui occupait un coin de la pièce. Elle n'était pas repassée par chez elle, avant de partir pour le Yorkshire, aussi portait-elle encore le tailleur noir qu'elle réservait au travail.

Jetant un coup d'œil à sa montre, elle ouvrit la penderie, en sortit un ensemble pantalon de laine bordeaux et se changea très vite. Un instant plus tard, elle se dépêchait de gagner la porte qui donnait sur le petit salon du premier étage. Machinalement, elle s'arrêta pour poser la main sur le coffret de bois à fermoir d'argent, autrefois posé sur la commode. Mais évidemment, il n'était plus là, puisqu'elle l'avait offert à Evan. Les lèvres pincées, elle gagna la pièce voisine en se disant que les habitudes d'une vie ne mouraient jamais.

Elle gagna la fenêtre et regarda la lande. Emma Harte avait été la plus équitable des femmes, pensa-t-elle, et elle se flattait de l'être, elle aussi. Pourquoi, en ce cas, se montrait-elle si dure envers Linnet ? Et peut-être injuste ?

Pendant le trajet, Paula avait parcouru les mémos détaillés de sa fille et, par moments, elle avait été furieuse. Mais comme Marietta et Tessa se trouvaient avec elle, dans la voiture, elle les avait rangés dans sa mallette, projetant de les étudier pendant le week-end.

Tout en regardant les collines désolées, elle secoua la tête, mécontente d'elle-même. Une pensée lui vint. Tout ce que Linnet suggérait de faire coûtait de l'argent. Beaucoup d'argent. Et elle ne souhaitait pas le dilapider de cette façon.

Paula s'écarta de la fenêtre pour s'asseoir à son bureau. Soupirant intérieurement, elle regarda les dossiers qui contenaient les mémos. Elle se rappela alors combien elle avait voulu apporter de changements, lorsqu'elle était une jeune femme. Mais elle avait commis une grosse erreur. Etait-ce la raison pour laquelle elle désapprouvait les projets de Linnet ? Craignait-elle que sa fille ne fasse les mêmes fautes qu'elle ? La sienne avait failli lui coûter les magasins Harte…

On frappa à la porte. Margaret entra en coup de vent, portant le plateau à thé, Jack Figg sur les talons.

— Bonjour, Paula, dit-il en se hâtant vers elle, un grand sourire aux lèvres.

— Que je suis contente de vous voir, Jack !

Paula se leva pour aller à sa rencontre, l'embrassa et s'assit sur le canapé.

— Voici votre thé, mademoiselle Paula, dit Margaret en posant le plateau sur la table basse. Il y a les petits gâteaux au gingembre que vous aimez.

— Merci, Margaret.

Tandis que Jack s'asseyait sur le second canapé, en face de Paula, Margaret lui jeta un coup d'œil entendu et chuchota très fort, comme pour un aparté de théâtre :

— N'oubliez rien, surtout, dites-lui bien tout ce qui s'est passé ce matin.

Quand la gouvernante se retira, Paula regarda Jack avec amusement, puis ils se mirent à rire tous les deux, tandis que la porte se refermait sur elle.

— Quel numéro ! dit Jack, souriant encore. Elle ressemble à sa mère.

— C'est vrai. Quoi qu'il en soit…

La sonnerie du téléphone interrompit Paula, qui se leva d'un bond et gagna son bureau.

Jack regardait autour de lui avec approbation. Soudain, il sentit monter en lui une bouffée de nostalgie. Combien de fois s'était-il assis sur ce canapé avec la seule et unique Emma, sa plus chère amie ? Il aurait été incapable de le préciser, mais ces moments passés avec elle avaient toujours été très particuliers.

Le petit salon était charmant et confortable. Il adorait ces murs jaunes et le coton coloré qui recouvrait les canapés, ainsi que les meubles patinés et les superbes tableaux.

Le plus remarquable était que cette pièce n'avait pas beaucoup changé et portait la marque d'Emma. Elle avait l'œil sûr et un goût extraordinaire. Paula se contentait de tout rénover lorsque c'était nécessaire. Les membres de la famille avaient pris l'habitude de s'y retrouver et Jack avait souvent pensé que ce salon était le cœur de la grande maison, le centre autour duquel tout s'écoulait et circulait.

Il était particulièrement douillet et chaleureux, cet après-midi-là, avec ce grand feu qui flambait dans la cheminée et ces lampes aux abat-jour de soie qui diffusaient une lumière douce... Quel ravissant contraste avec la lande sombre, dont on distinguait les sommets neigeux derrière les fenêtres ! Les orchidées blanches, que Paula faisait pousser dans ses serres, conféraient à ce petit salon une touche de raffinement. Il y en avait plusieurs bouquets, disposés harmonieusement dans la pièce.

Paula revint s'asseoir près de la cheminée.

— C'était Shane, expliqua-t-elle. Il se trouve dans son bureau de Leeds, où il a été retardé, aussi n'arrivera-t-il pas à temps pour le thé. Mais il espère, tout comme moi, que vous resterez dîner avec nous. Vous voulez bien, n'est-ce pas ?

— C'est très gentil de votre part, Paula, et j'espère pouvoir accepter. Je dois suivre plusieurs affaires en cours, mais par bonheur, je ne suis pas attendu à Londres. Merci pour l'invitation.

— Vous savez que vous êtes ici chez vous, Jack. A ce propos, Marietta est là, elle aussi. Elle est venue avec moi, ainsi que Tessa, cet après-midi. Elle passe le week-end ici et nous nous réjouissons tous de sa compagnie.

Jack parut surpris.

— Ah bon ? Je croyais qu'elle ne quittait pas Evan d'un pouce, à ce stade de la grossesse.

— Elle est intelligente, vous savez. Ce n'est pas le genre de mère à faire des histoires et, quand je l'ai invitée, elle a tout de suite accepté. Comme elle le dit elle-même, elle ne veut pas être un boulet pour Evan. Elle pense que Gideon et Evan doivent passer le plus de temps possible en tête à tête.

— C'est une femme avisée. Linnet m'a dit qu'elle cherche un appartement à Londres ?

Paula hocha affirmativement la tête, mais ne dit rien à ce sujet. Ses yeux violets fixaient Jack et elle l'observa pendant un long moment. Elle se demandait ce que la famille aurait fait, sans lui, pendant toutes ces années. Il avait été un protecteur farouche.

Prenant conscience qu'il était l'objet d'un examen attentif, Jack se mit à rire.

— Ah, Paula, je reconnais cette expression. Je suppose que vous voulez tout savoir au sujet de Heron's Nest ?

— En fait, je pensais à vous... Je me disais que vous avez été notre providence, pendant toutes ces années. Votre loyauté et votre dévouement ont été remarquables, Jack, dit-elle avec un petit sourire. Mais vous me connaissez : bien sûr, je veux savoir ce que vous avez découvert là-bas. Il y a eu vol ?

— Non, pas du tout. N'oubliez pas qu'il n'y avait aucune trace d'effraction, ce qui m'apparaissait comme un véritable casse-tête.

Il termina son thé, posa sa tasse sur la table et se détendit en s'adossant aux coussins.

— Vous auriez dû changer les serrures de cette maison depuis des années.

Elle fronça les sourcils.

— J'aurais dû ? Mon Dieu, ne me dites pas que quelqu'un a la clef !

— C'est pourtant vrai.

— Qui est-ce ?

— Jonathan Ainsley.

Paula le fixa un instant avec étonnement, puis elle demanda :

— Mais pour quelle raison aurait-il eu envie d'y aller en hiver ? Ou à n'importe quelle autre époque de l'année, d'ailleurs !

— C'était son refuge secret, son nid d'amour. Il y rencontrait quelqu'un.

— Qui ?

— Priscilla Marney.

— Mon Dieu, Jack, pas Prissy !

— Laissez-moi vous raconter toute l'histoire, celle que je suis parvenue à démêler ce matin.

Paula hocha la tête puis, assise sur le canapé, elle le laissa parler sans l'interrompre.

— Ainsi, conclut-il quelques minutes plus tard, c'est l'histoire malheureuse de notre Prissy et de l'ignoble Jonathan Ainsley. C'est une écervelée. Il l'a trompée, lui a jeté de la poudre aux yeux. Mais fondamentalement, je pense que c'est une femme convenable, honnête et digne de foi, bien qu'elle soit stupide. Je doute qu'elle lui ait fourni beaucoup d'informations sur vous et sur la famille. Elle prétend n'avoir jamais rien su. Est-ce vrai ?

— Oui. Elle ne connaissait que les dates de mes réceptions, dîners et autres réunions familiales. Pour quelle raison lui aurais-je confié quoi que ce soit à propos de ma vie ?

Jack lui souffla la réponse, pour voir comment elle réagirait :

— Margaret est un peu cancanière, je crois...

— C'est vrai, mais elle ne colporte que des potins sans importance, Jack. Margaret elle non plus ne sait rien de nos vies, sauf ce qui se passe quand nous sommes à Pennistone Royal. Elle ne pouvait donc rien révéler à Prissy.

— Je comprends...

Paula se trompait à propos de Margaret, pensa Jack, elle faisait une erreur de jugement. La gouvernante en savait plus que Paula ne le supposait, du moins India s'était-elle montrée affirmative à ce sujet.

Revenant à Heron's Nest, Paula observa d'une voix attristée :

— Pauvre Prissy, elle a été bien sotte ! Comment s'est-elle arrangée pour avoir une liaison avec mon redoutable cousin ? Comment est-ce arrivé ?

— Oh, cela a commencé il y a des années, lorsqu'ils étaient adolescents. A ce propos, elle s'inquiète à l'idée que vous pourriez ne plus avoir recours à ses services. J'ai l'impression que son entreprise de restauration repose en grande partie sur votre clientèle.

— C'est certain. Je vais y réfléchir, et peut-être devrions-nous changer les serrures, à Scarborough, quoique cela n'ait plus beaucoup d'importance, désormais.

— Cela en a, au contraire ! On ne sait jamais. Je m'en occupe.

— Vous avez dit à Priscilla que Jonathan et Angharad étaient fiancés, mais êtes-vous certain que ce soit vrai, Jack ? demanda Paula en lui lançant un regard sceptique.

— Non, mais je suis enclin à le croire. Bien entendu, on pourrait me dire que je ne me fonde que sur une hypothèse.

— Dites-m'en d'avantage, dites-moi comment vous êtes parvenu à cette conclusion.

— Pendant deux jours, elle a porté un gros diamant au doigt, d'après ce que nous ont rapporté Sarah et l'un de mes hommes. Il m'a téléphoné il y a environ une heure et, comme il est chargé de filer Ainsley en permanence, il connaît chacun de ses déplacements. Il a découvert quelques petites choses qui, additionnées les unes aux autres, pourraient constituer les préparatifs d'un mariage.

— Sarah le saurait s'il envisageait le mariage ! Il lui a toujours tout dit... enfin, presque tout dit !

— Je le sais, Paula, mais écoutez-moi jusqu'au bout. Mon gars connaît l'une des femmes qui travaillent chez Harry Winston, avenue Montaigne, où la bague a été achetée. Elle lui a raconté qu'Ainsley avait présenté Angharad comme sa fiancée. Cette femme aurait même fait la réflexion que cette jeune personne était parfaite, pour lui. Parce qu'il veut fonder une famille.

— Ce n'est qu'un commérage, remarqua Paula.

— Sans doute. Cependant, même si l'on ne tient pas compte de la bague, j'ai appris il y a deux heures qu'Ainsley et Angharad se sont rendus dans un centre de fertilité, cet après-midi : l'un des plus fameux sur la place de Paris.

Paula se redressa, ébahie.

— Seigneur ! Il pense à avoir un enfant !

— Pourquoi pas ? Il veut un héritier, c'est une évidence. Et elle est en âge de porter des enfants. Peut-être est-ce l'une des raisons pour lesquelles il est tombé amoureux d'elle. D'abord l'héritier, puis un second rejeton, au cas où.

Paula regardait Jack sans bouger, réfléchissant à tout ce qui venait d'être dit. Elle était à court de mots. Comment les relations entre Ainsley et Angharad Hughes avaient-elles pu en arriver à ce point ?

Jack patientait, s'attendant à un commentaire lapidaire ou acerbe, mais rien ne venait. Il finit par rompre le silence qui s'installait entre eux.

— En annonçant à Prissy que Jonathan Ainsley allait se marier, je l'ai tellement perturbée qu'elle a perdu toute maîtrise d'elle-même. Elle a témoigné une telle détresse affective, elle s'est montrée tellement hystérique que j'ai su immédiatement la vérité : elle avait bien une liaison avec lui.

Les yeux plissés par la réflexion, Paula se focalisa sur Jack.

— Comment en êtes-vous arrivé à la soupçonner ?

— C'est India qui m'a donné cette idée. Je lui ai demandé qui, parmi ceux de son âge, était susceptible d'avoir un rendez-vous galant à Heron's Nest. Elle a écarté cette hypothèse et m'a suggéré de chercher plutôt parmi les représentants de la génération précédente, c'est-à-dire la vôtre. Ce que j'ai fait. Bien entendu, je savais qu'aucune des femmes ne pouvait être tombée amoureuse de Jonathan quand vous étiez adolescentes. Cependant, la chambre désignée par Mme Hodges était la sienne. Je me suis alors demandé quelles personnes extérieures entraient dans la maison, à cette époque. Je me suis rappelé la secrétaire d'Emma, du moins en été, ce qui m'a conduit jusqu'à sa fille, Priscilla.

— Si je comprends bien, tout était affaire d'indices et de déductions astucieuses. Cela ne m'étonne pas, puisque vous avez toujours été extrêmement intelligent. Je suis heureuse que vous ayez résolu cette énigme, Jack, et…

Paula se tut brusquement, car la porte venait de s'ouvrir à la volée. Tessa parut sur le seuil de la pièce. Elle resta un instant immobile, pétrifiée. Vêtue entièrement de blanc, le visage aussi blême que ses vêtements, sa fille aînée avait l'air d'un fantôme.

En tout cas, il était clair que quelque chose n'allait pas, aussi Paula se leva-t-elle d'un bond pour aller à sa rencontre. Tessa se précipita vers elle en s'écriant :

— Maman ! C'est Jean-Claude ! Il a disparu en Afghanistan et je ne sais pas quoi faire !

Paula attira sa fille dans ses bras et la serra très fort contre sa poitrine, s'efforçant de l'apaiser, car elle venait d'éclater en sanglots.

— On va le retrouver, Tessa, sans doute est-ce déjà le cas. Viens t'asseoir, ma chérie, et raconte-moi tout ce que tu sais.

Jack s'était levé, lui aussi. Posant une main sur l'épaule de la jeune femme, il approuva :

— Ta mère a raison, Tessa. Approche-toi de la cheminée. Tu veux que j'aille te chercher quelque chose ? Une tasse de thé ? De l'eau ? Ou peut-être un cognac ?

Tessa s'écarta de sa mère et secoua la tête.

— J'ai si peur que… qu'il ait été… tué, souffla-t-elle.

— Non, non, ne dis pas cela ! Je suis certaine qu'il est toujours vivant, répondit fermement Paula.

Prenant alors la main de sa fille, elle l'entraîna jusqu'au canapé, sur lequel elles s'installèrent toutes les deux.

Jack plaça quelques bûches sur le feu, puis il retourna s'asseoir. Mieux valait se tenir coi et laisser Paula agir comme elle l'entendait. Une mère était toujours la mieux placée pour aider une fille dans l'angoisse.

— Tu viens de l'apprendre ? demanda Paula.

— Oui. Philippe, le fils de Jean-Claude, m'a appelée de Paris. Je ne sais pas si tu t'en souviens, mais j'ai fait sa connaissance dans la maison de campagne de Jean-Claude. Mais peu importe ! Philippe m'a appelée sur mon portable, il m'a expliqué que dix minutes auparavant, il avait lui-même reçu un appel de la chaîne pour laquelle travaille Jean-Claude, ou plus précisément du rédacteur en chef du journal télévisé. Celui-ci lui a dit que son père avait disparu depuis trois jours. Au bout de ces trois jours, sans nouvelles de lui, la chaîne tout entière a commencé à s'inquiéter. Puis le cameraman a réapparu à Kaboul, il a appris au rédacteur en chef que Jean-Claude et lui avaient été séparés, et qu'il ignorait où il se trouvait. Le cameraman était retourné à Kaboul par ses propres moyens.

— J'admets que c'est terrible et très inquiétant, mais nous ne devons pas envisager le pire, Tessa, la rassura Paula. Ce n'est pas parce qu'il a disparu qu'il a été tué.

— Peut-être a-t-il été fait prisonnier, marmonna Tessa à travers ses larmes. S'il lui arrive quelque chose, je ne sais pas ce que je ferai.

De nouveau, Paula passa un bras autour des épaules de sa fille et l'attira à elle.

— C'est tout ce que Philippe t'a dit ?

— Oui. Il n'en savait pas davantage. Il restera en contact avec moi, il me l'a promis.

Tessa fouilla dans la poche de sa veste, en sortit un mouchoir et tamponna ses yeux ruisselants.

— Quand as-tu parlé à Jean-Claude pour la dernière fois ? s'enquit Paula.

— Lundi. Il m'a dit qu'il ne me téléphonerait plus jusqu'à la fin de la semaine. Il quittait Kaboul, parce qu'il voulait vérifier quelque chose à l'extérieur de la ville. Je regrette qu'il ait décidé de suspendre ses appels jusqu'au week-end.

Tout en chuchotant à sa fille des mots d'apaisement, Paula jeta un coup d'œil à Jack. A son expression, il comprit qu'il devait dire quelque chose.

Au bout d'un instant, il remarqua :

— C'est assez compréhensible, Tessa. S'il est sur un reportage spécial, la dernière chose dont il ait besoin, c'est de savoir que tu t'inquiètes parce que tu n'as aucune nouvelle de lui. C'est pourquoi il a agi sagement en te disant de ne pas attendre de coup de fil.

Tessa ne répondit pas. Elle se redressa et lissa ses cheveux, puis elle se tourna vers Jack et acquiesça d'un mouvement de tête.

— Tu as sans doute raison, il faut qu'il se concentre sur son travail. Dans un endroit aussi dangereux, il doit sans cesse être vigilant.

Il y eut un bref silence.

Tessa se déplaça sur le canapé pour regarder sa mère. Elle déglutit péniblement, puis elle annonça d'une voix tremblante :

— Je suis enceinte, maman. J'attends un enfant de Jean-Claude.

— Oh, Tessa chérie, pourquoi ne pas me l'avoir dit plus tôt ? s'exclama Paula, un large sourire aux lèvres.

— Parce que je voulais d'abord le dire à Jean-Claude, et maintenant, c'est impossible.

De nouveau, les larmes se mirent à ruisseler sur ses joues, tandis qu'elle ajoutait :

— J'espère qu'il est sain et sauf... S'il lui arrivait quelque chose... Je ne sais pas ce que je deviendrais sans lui.

— Ecoute-moi, reprit Paula. D'après ce que tu m'as dit, il effectue ponctuellement des reportages dans les pays en guerre. Il ne prendra aucun risque, aucun risque du tout. Il t'appellera ce week-end, ainsi qu'il te l'a promis, je peux quasiment te le garantir.

Jugeant qu'il devait laisser les deux femmes seules, Jack se leva.

— Aie confiance, Tessa, dit-il. Ta mère a raison, tu sais. Jean-Claude ne se mettra pas lui-même en danger. Je vous laisse discuter, poursuivit-il à l'intention de Paula.

— Essayez de rester pour le dîner, Jack, nous en serions très heureux.

Il lui sourit avant de sortir, songeant qu'elle était décidément à l'épreuve des chocs. En tant que chef de famille, elle était habituée à porter bien des fardeaux… Elle était étonnante de courage.

29

Des années auparavant, Emma avait attribué à Jack une chambre agréable qui était toujours la sienne. Il y passait souvent la nuit, notamment lorsqu'il était trop tard pour regagner Robin Hood's Bay en voiture.

Après avoir refermé la porte du petit salon, Jack monta dans sa chambre. Il se sentait fatigué, tout à coup, et il avait besoin de quelques instants de répit pour reprendre son souffle. Il devait appeler India et lui demander comment allait Dusty, ensuite il passerait quelques coups de fil à ceux de ses hommes qui étaient sur le terrain. Mais d'abord, il lui fallait se détendre et rassembler ses idées.

Parvenu dans sa chambre, il regarda autour de lui, comme toujours ravi par son confort et ses coloris très doux. Posant son portable sur la table de chevet, il enleva sa veste et ses chaussures, puis il s'étendit sur le lit, les mains sous la nuque.

Tout en fixant le plafond, il pensa à ce que Tessa venait d'annoncer. Paula avait accueilli la nouvelle sans sourciller, comme elle le faisait d'ordinaire quand des événements inattendus se produisaient dans la famille. Après tout, il était assez fréquent que des femmes célibataires aient des enfants. Cependant, il avait conscience que si quelque chose arrivait à Jean-Claude Deléon en Afghanistan, Tessa serait complètement perdue. Il ne put s'empêcher de se demander où était Lorne, ce week-end. Etait-il attendu à Pennistone ? Si c'était le cas, ce serait une chance.

La sonnerie de son téléphone brisa le silence de la pièce. Il tendit la main pour s'en emparer.

— Allô ? Ici Jack Figg.

— Jack ? C'est Ted. Nous avons trouvé un corps. Il se trouve à la morgue de Leeds et c'est celui d'une jeune femme. On l'a découverte dans une voiture garée dans une petite rue, non loin de Roundhay Park. Elle n'avait pas de papiers d'identité sur elle, mais elle correspond à la description.

— Bon sang ! Comment est-elle morte, Ted ?

— Le médecin légiste n'en est pas encore tout à fait sûr, mais il s'agit vraisemblablement d'une overdose. Elle n'a pas été battue ou blessée. Elle est morte hier soir, aux alentours de minuit, selon le coroner.

— Tu dis qu'elle n'avait pas de papiers d'identité... On n'a pas trouvé son sac ? Elle n'avait rien dans les poches ?

— Non. La portière de la voiture n'était pas verrouillée, la clef sur le contact, mais pas trace de sac.

— Et pas d'attirail pour drogués, des seringues, ce genre de choses ?

— Rien, Jack. La façon dont elle est morte reste un peu mystérieuse. Et le lieu de sa mort aussi. Peut-être dans la voiture, mais pas forcément. Ecoute, Jack, est-ce qu'on peut l'identifier ?

— Je le ferais, si c'était possible, mais je n'ai jamais rencontré Melinda Caldwell.

— Elle a de la famille ?

— Le plus triste, c'est que sa mère est décédée ce matin, à l'hôpital de Leeds.

— La mère et la fille meurent en l'espace de quelques heures !

— Son ancien ami, le père de sa fille, pourra l'identifier, j'en suis certain.

— Tant mieux. Merci, Jack.

Après avoir raccroché, Jack s'assit à son bureau et composa le numéro de Dusty. Quand Paddy décrocha, il annonça :

— Jack Figg à l'appareil, Paddy. Je souhaiterais parler à M. Rhodes, si c'est possible.

Un instant plus tard, Dusty était en ligne.

— Merci de votre appel, Jack, dit-il d'une voix morne et triste. India m'avait prévenu que vous le feriez. J'ai pu prendre les dispositions nécessaires, à l'hôpital.

— Je suis navré pour Molly Caldwell, Dusty. Je pensais qu'elle s'en sortirait.

— Moi aussi.

Ce n'était pas tout à fait vrai. Il avait su qu'elle allait mourir.

— Dusty, je viens de recevoir un appel de Ted Fletcher, de la Brigade criminelle de Leeds. Ils ont sans doute trouvé Melinda.

— Elle ne va pas bien, c'est cela ? Je le devine au ton de votre voix. Elle est... morte ?

— Oui, malheureusement.

Jack toussota et transmit à Dusty toutes les informations que Ted venait de lui fournir.

— Il n'y a personne d'autre que vous pour l'identifier, Dusty. Vous voulez bien ?

— Il y a quelqu'un d'autre : Gladys Roebotham. Mais Gladys est ici, à Willows Hall, où elle s'occupe d'Atlanta, et je préfère qu'elle reste auprès de ma fille. C'est d'accord, Jack, je le ferai. Où dois-je aller ?

— Nulle part. Restez où vous êtes, je passerai vous prendre et nous irons à la morgue.

— Allez, Jack, ne dites pas de bêtises ! Je suis un grand garçon. J'irai à Leeds dans ma propre voiture.

— C'est une expérience pénible que d'identifier un proche sur une table d'autopsie, Dusty. Acceptez ma proposition. Je suis à Pennistone Royal. Accordez-moi une demi-heure, il faut que je parle à Paula avant de partir.

— Ne raccrochez pas, Jack ! Elle est morte d'une overdose ?

— Pour l'instant, on ne connaît pas les causes exactes, mais c'est peut-être cela. Elle est morte hier soir, aux alentours de minuit.

Il y eut un bref silence, puis Dusty grommela :

— A tout de suite. Et merci encore, Jack.

Le samedi matin, Paula décida de se rendre à Lackland Priory. Et d'y aller seule. Il lui était venu à l'esprit que, si quelque chose chagrinait Robin et s'il éprouvait le besoin de lui en parler, il valait mieux qu'ils soient seuls. Marietta pourrait lui rendre visite pendant le week-end ou peut-être dînerait-il le soir même à Pennistone.

Avant de partir, elle était passée voir Tessa dans sa chambre et lui avait parlé pendant quelques minutes. Elle s'était efforcée de la rassurer, mais Tessa s'était montrée inquiète et morose. Elle s'attendait à apprendre le pire d'un instant à l'autre. Rien de ce qu'avait dit sa mère n'avait pu la soulager, d'autant plus qu'elle manquait visiblement de sommeil.

Pendant le court trajet de Pennistone à Lackland Priory, Paula passa en revue les événements de la veille. D'une certaine façon, on pouvait parler de vendredi noir.

— Deux morts, avait murmuré Margaret en servant le saumon fumé. Jamais deux sans trois, vous le savez, mademoiselle Paula.

Quand Jack lui avait annoncé les décès si rapprochés de la mère et de la fille, Paula avait senti un frisson glacé lui courir le long du dos. Ensuite, il était parti chercher Dusty, afin de l'emmener à la morgue, en promettant d'être de retour pour le dîner.

Tout en roulant sur la route principale, Paula se focalisa sur Priscilla Marney et sa liaison malheureuse avec Jonathan Ainsley. Elle avait été sidérée lorsqu'elle l'avait apprise, et maintenant, elle devait prendre une décision concernant Prissy. Bien que cette dernière fût responsable de sa conduite, Paula était désolée pour elle. Découvrir qu'elle avait été utilisée d'une manière aussi cynique devait la blesser horriblement. Jack avait dit qu'il la croyait loyale, aussi Paula continuerait-elle sans doute de l'employer. Elle en discuterait avec Shane.

En s'engageant dans l'allée, Paula ne put s'empêcher de se demander ce qui l'attendait à Lackland Priory. Avant même qu'elle ait coupé le contact, Bolton ouvrit la porte et l'attendit sur le seuil de la maison.

Après l'avoir débarrassée de son manteau, le maître d'hôtel l'introduisit dans le salon, où Robin prenait d'ordinaire son petit déjeuner tout en lisant les journaux.

— Quelle agréable surprise ! dit-il en se levant pour embrasser sa nièce sur la joue. Quand Bolton m'a dit que tu passais me voir, je lui ai demandé de mettre le couvert pour deux. Tu veux qu'il te serve le petit déjeuner ?

— Seulement une tasse de café, oncle Robin, merci.

Bolton la lui apporta aussitôt, puis il disparut.

— C'est une journée magnifique, reprit Paula. Il y a du soleil et il fait presque bon. Mais je n'ai même pas à le préciser, ajouta-t-elle en riant, cette pièce est très lumineuse.

— Pourquoi es-tu venue de si bonne heure, Paula ?

— Je dois retrouver Emily à West Tanfield. Nous avons deux ou trois choses à régler, au sujet de Beck House. Je savais donc que j'allais passer tout près de chez toi et j'ai pensé que je pouvais en profiter pour te dire bonjour. Comment vas-tu, oncle Robin ?

— Pas mal, pas mal du tout. Bien entendu, je m'inquiète pour Evan et les jumeaux. J'attends leur naissance avec impatience.

— Elle aussi, j'en suis certaine.

— Tout va bien, n'est-ce pas ?

— Oh oui, ne te fais pas de souci ! Elle se porte à merveille.

Paula but une gorgée de café et continua :

— Marietta est avec nous pour le week-end et j'ai pensé que tu pourrais dîner à la maison, ce soir.

— C'est une excellente idée, Paula, mais je pensais voir Edwina.

— Elle peut se joindre à nous, sauf si tu souhaites la voir seule.

Robin se tut un instant.

— Eh bien, dit-il finalement, tu peux le lui demander et je pense qu'elle acceptera volontiers ton invitation. Nous aimons nous rendre à Pennistone Royal.

369

Se penchant par-dessus la table, Robin ajouta :

— Que dirais-tu d'une petite promenade dans le jardin ? Comme tu l'as dit, la journée est magnifique et je veux parler de mes roses avec toi.

Légèrement étonnée, Paula le fixa pendant quelques secondes et répliqua très vire :

— Pourquoi pas ? Mais tu dois te couvrir chaudement.

Un instant plus tard, tous deux emmitouflés dans leurs manteaux et leurs écharpes, ils étaient dehors.

— Je n'aime pas aborder les questions privées avec tous ces domestiques qui nous tournent autour.

— Je le comprends, mais tu as confiance en Bolton, je crois ?

— Bien entendu. Il me sert depuis des années et m'est entièrement dévoué, mais deux précautions valent mieux qu'une. Moins les gens en savent, mieux c'est.

— Je suis d'accord avec toi. Mais puisque officiellement nous sommes là pour discuter de tes fleurs, dit Paula en regardant autour d'elle, je crois qu'elles ne sont pas suffisamment exposées au soleil. Ces gros buissons leur font beaucoup trop d'ombre, en été.

— Je sais. Je projette de les déterrer, quand le sol ne sera plus aussi dur. Si je suis encore de ce monde, du moins.

— Oh, tu le seras ! Je n'ai aucun doute à ce sujet. De quoi voulais-tu me parler, exactement ?

— De deux choses. D'abord, sache que je lègue à Evan ma maison dans Belgravia. Officiellement, elle appartient à Edwina, mais je l'ai achetée pour Glynnis il y a bien longtemps. Elle est toujours restée au nom d'Edwina, mais Anthony est au courant, il n'y aura donc aucun problème de ce côté. Je préfère cependant que tu saches à quoi t'en tenir, puisque c'est toi qui gères toutes les affaires de la famille.

— Je te remercie de me faire confiance, oncle Robin...

Paula s'interrompit et mordit sa lèvre inférieure, l'air préoccupé.

— Ne pense pas à Jonathan, dit Robin. Il n'a jamais su que je l'avais achetée. Quand Edwina mourra, Gideon la

« rachètera », en tant qu'investissement. Jonathan a toujours cru que la maison appartenait à Edwina et qu'elle m'autorisait à y séjourner chaque fois que j'en avais envie.

— Très bien, je n'ai aucune objection. Encore merci de me le dire, oncle Robin. Tu parlais de deux choses... Quelle est la deuxième ?

— J'ai institué un fidéicommis à l'intention des jumeaux d'Evan. J'ai chargé John Crawford, ton avocat, d'être mon fidéicommissaire, bien qu'il soit presque à la retraite. Je le connais depuis des siècles et je ne vois personne de plus fiable et de plus honorable que lui. De nouveau, tu ne dois pas craindre que Jonathan l'apprenne, parce que depuis des années j'ai un fidéicommis aux Etats-Unis. Il était destiné à Glynnis, mais elle n'y a jamais touché et je l'ai retrouvé intact après sa mort. J'envisageais d'en faire bénéficier Owen, mais j'ai changé d'avis. Ce sera pour les jumeaux d'Evan.

— Je vois.

— Tu as une expression bizarre, Paula, murmura Robin en scrutant sa nièce. Qu'est-ce que tu as ?

— Tu es certain que Jonathan ne peut pas remonter jusqu'à toi ?

— J'en suis sûr. Tu vois, j'ai créé un fidéicommis pour Glynnis dans les années cinquante, avec de l'argent que j'avais investi aux Etats-Unis. Par ailleurs, les jumeaux auront vingt et un ans lorsqu'ils en hériteront. Crois-moi, Paula, John a fait en sorte que la transaction soit verrouillée.

— Bien sûr. Je sais combien il est brillant. Pourtant, j'ai une question à te poser, si tu me le permets.

— Vas-y, ma chérie.

— Pourquoi as-tu changé d'avis à propos d'Owen Hughes ?

— Il n'a pas besoin d'argent, mais ce n'est pas la vraie raison.

Le visage empreint d'une soudaine tristesse, le vieil homme secoua la tête.

— Il ne m'aime pas, Paula, du moins pas vraiment, et il n'a fait aucun effort à mon égard. Je peux le comprendre. Il a été élevé par Richard Hughes, qui a été son père, au meilleur sens du terme. Je crois que dans l'esprit d'Owen je ne suis que l'amant de sa mère. C'est pour cette raison que, peut-être, je ne vaux pas grand-chose à ses yeux. De toute façon, conclut Robin en prenant le bras de Paula avec un sourire, je préfère regarder vers l'avenir... Les jumeaux portent mes gènes... et ce sont eux qui incarnent l'avenir.

QUATRIÈME PARTIE

SOLO

Le malheur ne peut fondre sur toi
Ni la plaie approcher de ta tente
Il a pour toi donné ordre à ses anges
De te garder en toutes tes voies.

Psaume 91

30

Pour Linnet, Harte était l'endroit le plus merveilleux qui fût au monde. Dès sa naissance, ou presque, elle avait fréquenté le grand magasin de Knightsbridge. En réalité, elle y était même entrée avant d'être née, puisque sa mère y avait travaillé jusqu'à la veille de son accouchement.

Linnet le considérait comme un lieu enchanté, magique, même, rempli de milliers d'articles tous plus beaux les uns que les autres. Selon elle, on pouvait y trouver tout ce à quoi on aspirait, du moins s'il s'agissait de biens matériels. Elle connaissait et aimait le moindre recoin du magasin fondé par son arrière-grand-mère, mais tout spécialement le département de la mode, qu'elle administrait. Et le splendide rayon alimentaire... Emma en avait été fière, tout comme Linnet l'était aujourd'hui. Elle avait l'eau à la bouche chaque fois qu'elle le traversait. Il était unique, il n'y avait rien de comparable dans le monde entier.

Pour elle, Harte était la caverne d'Ali Baba. Il avait été son terrain de jeu, quand elle était petite, et aujourd'hui, c'était son univers.

Ce lundi matin, elle était seule dans le magasin, hormis les techniciens de surface et les agents de la sécurité. Linnet passait de rayon en rayon, embrassant tout du regard, prenant des notes et s'efforçant de visualiser les changements qu'elle souhaitait réaliser. Certains secteurs méritaient plus d'attention que d'autres, comme le département de la mode, l'institut de beauté, ainsi que l'espace où l'on exposait les lits et les matelas.

— C'est évident, leur place est à l'ameublement, marmonna-t-elle entre ses dents.

Jetant un coup d'œil aux matelas qui offensaient sa vue, elle se dirigea vers l'Escalator.

Arrivée au magasin à 6 heures, Linnet était maintenant prête à gagner son bureau pour revoir ses notes et élaborer une stratégie. En empruntant l'escalier roulant, elle regarda sa montre et fut surprise de constater qu'il était déjà 8 heures. Elle avait passé deux heures à arpenter le magasin. Le temps s'était enfui à une vitesse incroyable. Elle prit alors conscience que tout ce qu'elle avait inspecté ce matin-là était maintenant gravé de façon indélébile dans son esprit. Elle avait la chance de posséder une grande mémoire visuelle et pouvait facilement se rappeler les choses, sans produire un effort considérable. Cela lui facilitait souvent le travail.

Lorsqu'elle parvint au service administratif, elle s'arrêta un instant devant le portrait d'Emma Harte, niché au fond d'une alcôve, dans le couloir. Emma était élégante, dans sa robe de soie bleu pâle, avec ses émeraudes. Ce n'était pas sa beauté, pourtant, que Linnet admirait en ce moment, mais l'autorité de ce visage. Autorité et magnétisme émanaient de ce portrait.

S'approchant plus près du tableau, elle murmura :

— Ce coup-ci, tu dois être avec moi, Emma. Tu dois me soutenir à fond.

Jetant un regard par-dessus son épaule, pour s'assurer qu'elle était bien seule, elle ajouta très bas :

— Tu me l'as promis.

Elle se pencha en avant pour caresser le visage de son aïeule.

« Je suis toujours avec toi », l'entendit-elle prononcer distinctement, de très loin.

Souriant à son arrière-grand-mère, elle poursuivit son chemin. Elle se disait parfois que la façon dont elle parlait à Emma, ces derniers temps, prouvait qu'elle était folle. Le plus étrange, c'était qu'Emma lui répondait... Linnet en était certaine. Lorsqu'elle s'était confiée à Julian, son mari n'avait pas ri, il avait seulement dit :

« Je te crois, Linny, mais n'en parle à personne d'autre que moi. »

Une fois assise à son bureau, elle examina ses notes et gribouilla quelques réflexions supplémentaires, puis elle recula sur son siège et pensa à sa mère. Paula était d'accord pour la rencontrer ce matin, afin de discuter des mémos qu'elle avait emportés dans le Yorkshire durant le week-end. A la perspective de cette entrevue, Linnet se sentait nerveuse. Elle savait que sa mère était à cran, qu'elle s'inquiétait pour Tessa ainsi que pour Jean-Claude, disparu en Afghanistan. Et puis il y avait ces révélations à propos de Priscilla Marney, la maîtresse de Jonathan Ainsley.

Appuyée au dossier de sa chaise, Linnet passa en revue les derniers événements. Du moins sa mère avait-elle eu la bonne grâce d'admettre qu'elle avait eu raison sur ce point. Elle avait toujours affirmé qu'il y avait quelqu'un, parmi eux, qui fournissait des informations à Jonathan, mais personne ne la croyait.

« Elle ne lui a parlé que des réceptions qu'elle organisait pour nous », avait fait remarquer Paula.

Estimant que sa mère allait passait l'éponge un peu vite, Linnet avait rétorqué :

« Ce n'était déjà pas mal, tu ne trouves pas, maman ? Il a toujours su quand et où nous nous réunissions. Il pouvait très bien lâcher une bombe au milieu de nous. »

Sa mère avait protesté, puis elle avait changé de sujet et parlé du décès de Molly Caldwell ainsi que de sa fille Melinda. Dès que Paula avait raccroché, Linnet avait téléphoné à India, pour discuter avec elle de la situation en général. Ensuite, elle avait appelé Tessa, qui allait si mal qu'on pouvait difficilement la réconforter.

Linnet savait d'ailleurs qu'elle devait joindre sa sœur sur-le-champ, pour savoir si elle avait des nouvelles de Jean-Claude.

Attirant le téléphone à elle, elle composa le numéro de

Pennistone Royal. Ce fut Tessa qui décrocha. Elle parlait plus fort que d'habitude, sous l'effet de la tension.

— C'est Linnet. Tu as eu des nouvelles ?

— Aucune, répliqua Tessa d'une voix lugubre.

Linnet devina qu'elle était déçue que ce ne soit pas Jean-Claude qui l'appelle.

— Je suis anéantie. J'ai envie d'aller à Paris, avec Philippe, mais Lorne dit que c'est une très mauvaise idée. Alors j'essaie de travailler ici, dans la bibliothèque, sur mon ordinateur portable. Ensuite, j'irai au magasin d'Harrogate, cet après-midi. Lorne n'arrête pas de me répéter que je dois m'occuper.

— Il est avec toi ?

— Oui, heureusement ! Papa et maman sont partis pour Londres, ce matin.

— Comment va Adèle ?

— Elle est merveilleuse ! s'exclama Tessa d'une voix plus gaie. J'essaie de passer le plus de temps possible avec elle, cela me donne du courage.

Il y eut un bref silence, puis Tessa reprit d'une voix étouffée :

— Maman t'a dit ?

— A quel propos ?

— Visiblement, elle ne t'a rien dit... Je suis enceinte... Jean-Claude et moi allons avoir un bébé.

— C'est fantastique, Tessa ! Toutes mes félicitations... Je ne m'étonne plus que tu sois aussi inquiète... Je veux dire que, quand on est enceinte, tout prend des proportions plus importantes... Mais tu vas voir, il s'en sortira...

— Oui, répliqua Tessa, qui parut soudain très fatiguée. Je dois y croire, c'est ce qui me maintient debout.

— Si tu n'as pas envie de conduire jusqu'à Harrogate, India pourra passer te prendre.

— Elle est déjà suffisamment préoccupée comme ça, avec le magasin de Leeds et les ennuis de Dusty.

— Sans doute, mais d'un autre côté, leurs problèmes sont moins lourds que les tiens. N'hésite pas à faire appel à moi, si tu as besoin de quoi que ce soit, et je t'en prie, téléphone-moi si tu as la moindre nouvelle. Nous sommes tous anxieux, Tessa.

— C'est promis, Linnet. A la seconde même où je saurai quelque chose.

Un instant plus tard, Linnet téléphona à India, qui était sur le point de quitter Willows Hall pour se rendre à Leeds.

— Je suis contente que tu supportes bien la situation, India, mais Tessa va très mal. Elle est déprimée, ce qui n'a rien d'étonnant. Je lui ai dit de ne pas se soucier du magasin d'Harrogate aujourd'hui : elle n'a pas besoin d'y aller. Est-ce vraiment une nécessité ?

— Pas du tout ! Je le lui ai déjà dit hier. Mais Lorne est auprès d'elle et il lui répète qu'elle doit s'occuper. Elle fait ce qu'elle peut, la malheureuse ! Je prie pour elle, ainsi que pour Jean-Claude. J'imagine son désespoir. J'éprouverais la même chose à sa place.

— Moi aussi. Comment va Dusty ?

— Oh, tu le connais. Il est comme les Harte, résistant. Alors, il fait face. Quand les choses vont mal, il se comporte en bon petit soldat. Pourtant, la mort de Molly l'a beaucoup attristé et les circonstances du décès de Melinda l'ont perturbé, mais... eh bien... il gère la situation. En ce moment, justement, il organise leur enterrement.

— Quelle tâche épouvantable ! A propos, est-ce qu'il en a parlé à Atlanta ?

— Il ne lui a rien dit au sujet de sa mère. Atlanta ne la connaissait pas très bien, en réalité, voire pas du tout. C'est Molly qui l'a élevée, soupira India. Il lui a dit que sa grand-mère faisait un voyage avec les anges, c'est tout. Bien sûr, elle a posé pas mal de questions, mais nous sommes parvenus à l'apaiser, pour l'instant. Elle adore Gladys, qui est avec nous et qui s'est révélée une perle.

— Je me pose souvent des questions sur nous, India. Sur notre famille. Nous avons eu plus que notre part d'ennuis, me semble-t-il.

— J'ai fait la même remarque à Dusty pendant le petit déjeuner.

— Paula dit que c'est parce que nous sommes une très grande famille. Nous sommes si nombreux qu'il y a obligatoirement une crise par minute. En tout cas, c'est sa façon de voir les choses.

— Elle doit avoir raison. Il faut que je te quitte, Linnet, mais je te rappelle plus tard.

L'espace de quelques instants, la nouvelle de la grossesse de Tessa avait stupéfié Linnet. Elle voyait en sa demi-sœur quelqu'un de très calculateur, habile à gérer sa vie. Surtout ces derniers temps. Bien sûr, il y avait eu cette affreuse débâcle de son union avec Mark Longden, puis ce divorce pénible, mais pour finir Tessa avait remporté la bataille et gagné ce qu'elle voulait : sa liberté, son enfant et l'éloignement de Mark aux confins de la terre.

Elle voulait aussi prendre la direction des magasins Harte, un jour. Avait-elle renoncé à cette ambition ? Si elle en parlait à son grand-père Bryan, Linnet savait qu'il lui rirait au nez. Il n'avait cessé de lui répéter que Tessa Fairley serait toujours sa rivale, quoi qu'il arrivât. Et il ne se trompait pas, bien entendu. D'un autre côté, Tessa était maintenant très engagée vis-à-vis d'un homme célèbre qui vivait dans un autre pays et elle portait son enfant. Envisageait-elle de faire la navette entre Paris et Londres ? Se considérait-elle encore comme la dauphine, l'héritière légitime de sa mère ?

Linnet n'avait pas de réponse à cette question, pour l'instant.

Ouvrant l'un des dossiers qui se trouvaient sur son bureau, la jeune femme parcourut les mails qu'elle avait échangés avec Bonnadell Enloe. Elle avait plus ou moins établi un marché avec la femme d'affaires américaine, qui avait remporté un grand succès avec ses centres de thalassothérapie, très justement nommés *Beauté sereine*. Linnet ne doutait pas une seconde que le spa installé dans le magasin ferait un triomphe.

Prenant un second dossier, elle relut les notes qu'elle avait prises lorsqu'elle s'était entretenue avec Bobbi Snyder. Bobbi était une vieille amie de Marietta. Leur amitié remontait à l'époque où Marietta était célibataire, étudiante aux Beaux-Arts, et vivait à Londres. Bobbi était américaine, elle aussi, mais contrairement à Marietta, elle était restée en Angleterre. Elle avait épousé un Anglais, dont elle avait eu une fille, et elle avait dirigé le département de la mode chez Harvey Nichols. Quand Marietta avait appris par Evan que Linnet recherchait un cadre supérieur compétent pour lancer le rayon des mariées, elle avait recommandé sa vieille amie.

Pour l'instant, Linnet n'était pas en mesure d'engager Bobbi, mais elle espérait pouvoir le faire dans un avenir pas trop lointain.

Le troisième dossier concernait son propre département de la mode. En l'ouvrant, Linnet fit la grimace, toujours déprimée à la vue des mauvais chiffres de vente. Ce matin, en parcourant les rayons, elle avait été une fois de plus convaincue qu'il leur fallait un nouveau look.

Le quatrième dossier contenait un autre projet : l'ouverture d'un espace réservé aux articles de luxe. Si sa mère était d'accord, bien entendu. Et ce n'était pas gagné. Elle doutait aussi, tout comme Evan, que sa mère approuve son idée d'installer plusieurs sandwicheries au rayon alimentaire. En refermant ce dernier dossier, Linnet regretta soudain de l'avoir remis à Paula, ce week-end. Cela n'avait pas dû arranger son humeur.

Fermant les yeux, Linnet chercha à se représenter le grand magasin tel qu'elle le voyait, ce à quoi il ressemblerait dans trois mois... dans six mois... dans un an. Et ce qu'elle entra-perçut la transporta. Il fallait que sa mère voie le magasin comme elle le voyait, pas comme il était maintenant, mais tel qu'il pouvait être. Une nouvelle image, de la modernité, des idées neuves, de l'élégance et du goût, des vêtements ravissants conçus par de jeunes créateurs, des services personnels prodigués aux clients. Des bijoux à un prix accessible, parallèlement aux objets très coûteux, un étage consacré aux jeunes mariées, avec les services inhérents, l'organisation de la cérémonie, et même du voyage de noces, et le centre de thalasso pour dorloter les femmes de tous âges.

Se redressant sur sa chaise, Linnet s'écria :

— Une réorganisation totale ! Voilà ce dont Harte a besoin ! Il doit être entièrement remanié !

Je vais dire ça à maman, pensa-t-elle. Et je lui demanderai de me nommer directrice du service de création.

Elle savait que sa mère serait d'accord, puisque c'était son père qui le lui avait suggéré. Sa mère l'écouterait comme toujours.

Décrochant son téléphone, Linnet appela Evan, qui répondit après quelques sonneries.

— Tu vas bien ? demanda Linnet. Tu n'as pas une très bonne voix.

— Salut, Linnet ! Ça va, je crois. C'est juste que je me sens si grosse... énorme. J'ai l'impression que Winston et Robin vont sortir d'un moment à l'autre, maintenant, bien plus tôt que je ne m'y attendais.

— Oh, Evan, tu as choisi les prénoms !

— J'avais oublié de te le dire. Gideon et moi, nous nous sommes décidés la semaine dernière. Je trouve que Robin Harte et Winston Harte le troisième, cela sonne bien. Pas toi ?

— Bien sûr ! Mais ton père sera-t-il du même avis ?

— Oh ! Tu veux dire que j'aurais dû appeler l'un des deux garçons comme lui ?

Il y eut un bref silence, durant lequel Evan laissa échapper un gros soupir.

— Je ne veux pas m'en préoccuper. De toute façon, Robin s'appellera en réalité Robin Owen, cela devrait le satisfaire. Mais il n'a pas été vraiment amical avec nous, Linnet. Je ne te l'ai pas dit, mais il s'est même montré assez froid envers Robin, Winston et Gideon. Je ne qualifierai pas non plus de chaleureuse son attitude à mon égard.

— Tu ne m'en avais rien dit, en effet, mais je trouve cela affreux. Qu'est-ce qui ne va pas, à ton avis ?

— Les Harte, voilà ce qui ne va pas. Je pense qu'il nourrit

quelque chose comme de la haine envers la famille. Il l'ignore sans doute lui-même, tant c'est enfoui au fond de lui.

Sidérée par ces observations, Linnet resta silencieuse un instant.

— Tu es toujours là ? demanda Evan.

— Oui. Ecoute, s'il nous déteste autant que tu le dis, tu ne crois pas qu'il pourrait nous trahir et passer du côté d'Angharad ?

— Bien sûr que non ! Il ne la supporte pas et je sais qu'il m'aime. Il faut seulement qu'il surmonte cette jalousie. Ma mère et moi, nous sommes convaincues que tout vient de là. Je suis venue à Londres, j'ai obtenu un emploi chez Harte, je suis tombée amoureuse d'un Harte, j'ai découvert que j'étais une Harte. Ma mère pense qu'il a l'impression de m'avoir perdue au profit d'une famille puissante. Il oublie que lui-même est un Harte.

— Mais il ne t'a pas perdue, n'est-ce pas, Evan ?

— Non. Pourtant, il est en train de m'éloigner de lui.

— Il reviendra pour le baptême des jumeaux ?

— Oh oui, j'en suis sûre ! Et puis il n'a pas tellement changé à mon égard, il est seulement un peu froid, distant. Mais passons à un autre sujet. Tu vois Paula, aujourd'hui, pour discuter de toutes tes idées de rénovation ?

— Oui. Alors, croise les doigts.

— C'est fait. Je sais que tu réussiras à la convaincre.

Un soleil étincelant se déversa soudain dans la bibliothèque, par les hautes fenêtres situées au-dessus du bureau où travaillait Tessa. Elle sursauta et regarda dehors, notant que les premiers signes du printemps venaient de se manifester.

Elle se leva et s'approcha de la fenêtre qui donnait sur la lande. A sa grande surprise, elle constata que la neige qui coiffait les hauteurs pendant le week-end avait fondu. Et dans le jardin, des pousses vertes pointaient leur nez hors du sol.

Elle éprouva le besoin inattendu de sortir, d'aspirer une bouffée d'air frais et de faire quelques pas. Elle était enfermée dans la maison depuis plusieurs jours et elle n'avait rien fait d'autre que pleurer, se ronger les sangs et harceler Philippe à Paris. Il avait été gentil et attentif, toujours prêt à lui parler, à apaiser ses nerfs à vif. Son affection pour le fils de Jean-Claude était plus forte que jamais.

Lorsqu'ils s'étaient rencontrés au Clos-Fleuri, quelques semaines auparavant, ils s'étaient mutuellement plu. Leur relation était maintenant cimentée par leur inquiétude commune. Bien que Philippe n'eût pas le même caractère ni la même personnalité que son père, il lui ressemblait et avait la même voix. Elle tirait donc un grand réconfort de leurs échanges et de l'accueil généreux qu'il lui réservait, d'autant plus qu'il s'exprimait comme Jean-Claude.

Jean-Claude, où es-tu ? Que t'est-il arrivé ? Pourquoi n'avons-nous pas de nouvelles de toi ?

Ces questions tournoyaient dans sa tête, et sa gorge se serrait à la pensée qu'il pouvait être déjà mort. Depuis le lundi précédent, c'est-à-dire une semaine, très exactement, personne ne savait plus rien de lui.

Tessa prit son téléphone portable sur le bureau, puis elle sortit de la bibliothèque et gagna la cuisine. En ouvrant la porte, elle dit à Margaret :

— Je vais me promener, je serai de retour dans dix minutes.

— Couvre-toi bien, mon petit, répondit Margaret sur un ton comme toujours maternel et affectueux. Je te prépare un si bon déjeuner que tu vas avaler quelque chose, quand bien même je devrais te nourrir de force.

Pour la première fois depuis plusieurs jours, Tessa se mit à rire.

— Je n'ai plus quatre ans, tu sais, et tu ne seras pas obligée de me contraindre. Je mangerai quelque chose.

— Tu ferais bien, en effet, maintenant que tu dois manger pour deux.

Tessa s'abstint de tout commentaire. Elle se contenta de tourner les talons, puis elle prit un gros manteau de sa mère, dans la penderie du hall, l'enfila et sortit dans la cour pavée.

Comment sait-elle que je suis enceinte ? se demanda-t-elle.

Margaret avait toujours été au courant de tout ce qui se passait dans la famille, mais la façon dont elle s'y prenait restait un mystère. Tessa n'était pas fâchée que la gouvernante connût son état, en réalité elle se souciait peu qu'on le sût. A cet instant précis, elle ne se préoccupait que de la santé de Jean-Claude.

En descendant l'allée des Rhododendrons, elle pensa au bébé. Cette grossesse n'avait pas été voulue et elle avait été très étonnée lorsqu'elle s'était aperçue qu'elle était enceinte. Puis sa surprise s'était muée en bonheur. Elle était transportée de joie à l'idée de porter l'enfant de Jean-Claude. Elle était persuadée qu'il éprouverait la même chose quand il l'apprendrait.

Maintenant, elle regrettait de ne pas lui en avoir parlé avant son départ pour l'Afghanistan. Bien sûr, il serait parti quand même, puisqu'il avait un contrat à honorer avec la télévision. D'un autre côté, peut-être ne serait-il pas engagé dans ce qui était sans doute une mission difficile s'il avait su qu'il allait être père.

La nuit précédente, elle était restée étendue sans dormir pendant des heures. Elle s'inquiétait de devoir élever son enfant seule, si Jean-Claude ne revenait pas. Elle avait fini par s'endormir et, en s'éveillant le matin, elle s'était reproché sa propre stupidité. Elle avait élevé Adèle sans le soutien d'un père. D'ailleurs, elle n'était pas seule, puisqu'elle était entourée par une famille aimante. Une très grande famille, de surcroît.

Plus de pensées négatives, s'admonesta-t-elle.

Plongeant la main dans sa poche, elle la referma autour de son téléphone portable.

Je dois me montrer positive, me concentrer sur mon travail et m'occuper d'Adèle. Je dois être courageuse, pour elle, faire bonne figure et prendre soin de moi, pour le bien de mon enfant. Emma l'a fait avant moi, et toute seule, alors je le pourrai aussi, si cela s'avère nécessaire. Après tout, je suis une Harte, et les femmes Harte sont résistantes. Nous sommes compétentes, entreprenantes et nous pouvons tout assumer.

Avec l'arrivée de ce bébé, il était clair, maintenant, qu'elle devrait prendre un congé... mais pour une courte période ou bien de façon permanente ? Quelle décision prendrait-elle par la suite, au sujet de sa carrière ? Pourrait-elle faire la navette entre Paris et Londres ? Peut-être était-ce faisable. Elle pourrait éventuellement passer trois jours à Londres et de longs week-ends à Paris. Jean-Claude et elle en avaient discuté plusieurs fois et il lui avait dit que la décision lui appartenait.

Pourrait-elle prendre la tête des magasins Harte tout en habitant ailleurs ? Elle n'en était pas certaine. Et souhaitait-elle vraiment occuper ce poste ? Elle en avait toujours rêvé, mais tous les rêves ne se réalisent pas. Un mariage heureux, avec un homme merveilleux et des enfants, ne constituait-il pas le plus beau des rêves ?

31

Ce matin-là, Linnet trouva sa mère plus belle que jamais, malgré sa pâleur. La blancheur de son teint mettait en valeur ses cheveux noirs et rehaussait l'éclat de ses yeux violets. Tous ces contrastes formaient un ensemble spectaculaire.

Comme de coutume, Paula était extrêmement élégante. Elle portait un tailleur bien coupé d'une couleur étrange, mais ravissante, qui évoquait la violette et la mûre, ou plutôt un mélange subtil des deux. En dessous, son chemisier était d'un rose pâle, ainsi que l'écharpe Chanel posée sur son épaule. De grosses perles ornaient ses oreilles.

Lorsque Linnet traversa la pièce et s'approcha de son bureau, Paula leva les yeux vers elle.

— Bonjour, Linnet, dit-elle avec un sourire.

— Bonjour, maman. Tu es superbe, ce matin, et tu as l'air en bien meilleure forme que la semaine dernière. Je trouvais que tu avais l'air épuisé.

— Je me sentais très fatiguée, en effet, mais malgré tout ce qui s'est passé ce week-end, j'ai réussi à me reposer un peu. Les séjours à Pennistone Royal m'ont toujours requinquée, tout comme ils faisaient le plus grand bien à Emma.

— J'ai parlé avec Tessa, tout à l'heure, remarqua Linnet en s'asseyant. Toujours pas de nouvelles de Jean-Claude.

— Je le sais, soupira Paula. Nous devons pourtant rester optimistes, pour le bien de Tessa, et l'aider à garder le moral. J'ai la conviction qu'il est vivant. J'espère avoir raison.

Linnet se demanda si elle devait faire allusion à la grossesse de Tessa et décida que non. Allant droit au but, elle demanda :

— Tu as eu le temps d'examiner mes mémos ?

— Oui. Tu as visiblement beaucoup travaillé pour les rédiger, et j'ai eu beaucoup à lire, dit Paula en observant attentivement sa fille. Tu m'as fourni beaucoup plus de détails que je ne t'en demandais, en fait.

Linnet soutint le regard de Paula, songeant que l'expression de sa mère était sévère, voire désapprobatrice, bien que sa voix restât agréable.

— Tu as dû être un peu submergée, commença Linnet. Je sais que je...

— Moins submergée que contrariée, la coupa sa mère sur un ton irrité dont elle n'était guère coutumière. D'après ce que j'ai lu, il m'a semblé que tu voulais remanier le magasin *tout entier*. As-tu pensé à la somme considérable que cela représenterait ?

— Pas le magasin tout entier, maman. Je n'en ai pas du tout l'intention ! Mais honnêtement, je crois que le magasin a bien besoin d'être propulsé dans le XXIᵉ siècle.

Sidérée, Paula s'exclama avec une pointe d'âpreté :

— C'est vraiment ce que tu penses ?

Comprenant qu'elle venait de dire ce qu'il ne fallait pas, Linnet se pencha en avant et déclara d'une voix conciliante :

— Ne sois pas fâchée, maman. J'ai étudié la question de la vente au détail, ainsi que les problèmes de création, d'amélioration, de présentation et de distribution des marchandises en fonction de l'évolution des besoins. Je me suis aussi promenée chez nos concurrents, la semaine dernière. Harvey Nichols, Harrods et Selfridges étaient sur mon agenda. Ce que j'ai vu m'a confirmée dans l'idée que leurs réflexions ont suivi le même cours. Ils rénovent, cherchent à donner une nouvelle image, un look plus moderne. Et ils se concentrent sur les jeunes générations d'acheteuses. Ils engagent aussi de jeunes couturiers talentueux, sans pour autant délaisser les plus connus, tels que Chanel, Valentino, Armani et d'autres. Ils regardent vers l'avenir, maman.

— Nous sommes bien au-dessus de ces magasins, répliqua Paula, toujours sur le même ton irrité. Harte est devenu une institution au cours des années. Nous constituons aussi une attraction touristique et beaucoup de visiteurs étrangers se pressent dans nos locaux. En outre, nous offrons les meilleurs services de Londres ou de n'importe quel autre magasin au monde. Nous ne pouvons pas être comparés... Notre établissement est unique.

— Tout ce que tu dis est vrai, maman. Je ne le nie pas. Oui, nous sommes une institution, mais nous commençons à paraître un tout petit peu démodés. Nous pourrions très bien continuer d'être une institution, de plaire à notre clientèle habituelle, tout en nous modernisant un peu. Oui, nous constituons une attraction touristique, mais cela ne signifie pas pour autant que nous vendons nos articles aux touristes. Ils viennent seulement pour regarder.

Linnet s'interrompit, fixa un instant sa mère, puis reprit :

— Et je suis d'accord avec toi pour penser que nous offrons les meilleurs services. Mais ce dont nous avons besoin, dans ce nouveau monde qui est le nôtre, c'est d'un peu de punch. Quelque chose d'un peu extraordinaire, pour sauvegarder tout ce que nous sommes déjà.

Paula observait sa fille, l'air songeur. Au bout d'un long moment, elle répondit d'une voix froide :

— Il va falloir en rabattre un peu sur tes ambitions, Linnet, être moins absolue. Je ne permettrai pas que tu engages un tel remaniement, tout simplement parce que je ne suis pas d'accord avec toi et que je n'approuve pas tes projets.

Se sentant défaillir, Linnet fut submergée par une énorme déception.

— Tu veux dire qu'aucune de mes suggestions ne t'agrée ?

Elle pensait à tout le temps, à l'énergie et à l'effort qu'elle avait investis dans cette étude. Mais surtout, elle était bouleversée, parce qu'elle savait qu'elle avait raison. Si on n'introduisait pas quelques idées nouvelles dans le magasin, dans un an les bénéfices dégringoleraient.

— N'aie pas l'air aussi triste, Linny, reprit soudain Paula

sur un ton plus gentil. Je ne me suis pas bien exprimée. Ce que j'essaie de te dire, c'est que je n'approuve pas l'idée d'un remaniement total, parce que très franchement je ne pense pas que ce soit nécessaire. En revanche, je vais donner mon aval à plusieurs de tes idées.

Soulagée, Linnet se redressa et retint son souffle.

Paula feuilletait les mémos. Relevant la tête, elle annonça :

— L'étage entièrement consacré aux mariées me paraît une excellente initiative. Dieu seul sait où tu mettras les matelas, mais c'est ton problème. Je t'autorise aussi à installer ton spa « Beauté sereine ». A ce propos, tu t'es engagée avec Bonnadell ? Du moins, tu as pensé à un contrat ?

Se sentant moins désavouée et recouvrant un peu de son enthousiasme, Linnet s'exclama :

— J'ai bien progressé, en ce qui la concerne. Le plus important est qu'elle est d'accord pour que nous transformions nous-mêmes l'institut de beauté. Cela nous permettra de faire des économies, parce que je vais confier cette tâche au département de Charlie Fromett, à ses charpentiers et autres ouvriers, plutôt qu'aux architectes et aux décorateurs de Bonnadell. Le coût en sera nettement diminué. Je lui ai dit que si tu approuvais l'idée du spa, elle pourrait vendre ses produits au rayon des produits de beauté, aussi bien que dans le centre lui-même. Elle est d'accord et le magasin en tirera des bénéfices.

— J'imagine que ses employés géreront le centre pour nous ?

— J'en ai parlé à papa et il pense que c'est la meilleure solution, parce que son personnel est qualifié, sur le plan thérapeutique, et il connaît bien les effets des différents produits. Les spas sont gérés de cette façon dans les hôtels O'Neill.

— Ton père m'a rapporté votre discussion. Il semble croire, en effet, que l'ouverture d'un spa nous sera bénéfique.

C'est pour cela qu'elle est d'accord, pensa Linnet.

— Merci, maman, dit-elle seulement. Je sais que le spa constituera une attraction et incitera les jeunes femmes à entrer dans le magasin. Avec un peu de chance, elles flâneront ensuite jusqu'aux vêtements et accessoires de mode.

— Qui dirigera le rayon des mariées, Linnet ? interrogea Paula. Evan est en congé de maternité pour trois mois et tu as déjà assez à faire.

— J'ai trouvé le cadre approprié à cette tâche.

Très vite, Linnet parla à sa mère de l'amie de Marietta, Bobbi Snyder, pensant à préciser :

— Je voulais te dire autre chose : nous n'aurons pas besoin d'énormément d'argent pour rénover l'espace réservé jusqu'à maintenant aux matelas. Il est certain qu'il faut passer un coup de peinture sur les murs et changer la moquette, mais pour le reste, il s'agira d'un simple lifting.

Paula se leva, traversa la pièce et gagna la fenêtre, d'où elle contempla un instant Knightsbridge, avant de se tourner vers sa fille.

— Je m'en rends bien compte, Linnet, mais finalement, je voudrais que tu comprennes une chose. Je n'approuverai jamais, et je dis bien *jamais*, l'installation de sandwicheries au rayon alimentaire. Notre Epicerie fine est une légende, elle est connue dans le monde entier et je ne permettrai pas qu'on y touche.

— Honnêtement, maman, les sandwicheries pourraient facilement être installées dans les coins, ici ou là. Nous pourrions trouver l'espace adéquat.

— Ne discute pas avec moi, s'il te plaît. Cette stupide restauration rapide ne gâchera pas l'Epicerie fine. Le magasin comporte suffisamment de restaurants... Le Bird Cage, le Far Pavilions, le London Bridge et la cafétéria. Nous n'avons pas besoin d'en installer d'autres. C'est *compris* ?

— Mais...

— *J'ai dit non* !

Paula paraissait tellement fâchée que Linnet se ratatina sur sa chaise.

Au moment où Paula regagnait son bureau, quelque chose lui arriva. Elle ne cessa pas d'être consciente de ce qui se passait. Le bureau tout entier sembla soudain se remplir d'une lumière si brillante et si agressive qu'elle en fut aveuglée.

Elle continua de marcher, mais ses pas se firent hésitants et elle tituba en direction de sa chaise, éprouvant le besoin urgent de s'asseoir.

— Qu'est-ce que tu as, maman ? cria Linnet.

Se levant d'un bond, la jeune femme courut vers sa mère et l'aida à s'asseoir.

Pendant un instant, Paula fut incapable de parler. Elle se sentait mal, au bord de la nausée, et souffrait d'une atroce migraine. Elle porta les mains à sa tête et la serra entre ses doigts. Sa nuque était douloureuse.

— Maman ! Qu'est-ce que tu as ? répéta Linnet.

— Sais pas... Appelle le 999, fais venir une ambulance. Ma tête me fait terriblement mal. Oh, mon Dieu, j'ai mal !

Linnet se rua sur le téléphone, programmé pour appeler des numéros privés. Elle appuya sur la deuxième touche.

— Oui, Paula, fit la voix de Jack.

— Ce n'est pas maman, c'est moi ! s'exclama Linnet d'une voix aiguë. Ma mère est malade ! Appelle une ambulance. C'est sa tête. Je pense qu'elle fait peut-être attaque.

— Je m'en occupe ! dit Jack en raccrochant brutalement.

Linnet appuya ensuite sur la première touche, correspondant au bureau de Shane. Son père répondit après trois sonneries.

— Bonjour, Paula...

— C'est Linnet, dit la jeune femme d'une voix tremblante. Je pense que maman fait une attaque, ou quelque chose comme ça. Jack appelle une ambulance. Elle se plaint d'une douleur à la tête.

— Je suis là dans trois minutes.

Linnet courut à la porte, qu'elle ouvrit à la volée, faisant sursauter Jonelle, qui leva les yeux.

— Allez dans mon bureau, s'il vous plaît, ordonna Linnet. Prenez mon manteau et mon sac. Dépêchez-vous. Ma mère est malade. Une ambulance va arriver. Je pense qu'elle fait une attaque.

Ahurie, Jonelle la fixa pendant une fraction de seconde, puis elle se leva et sortit en courant du service administratif, en direction du bureau de Linnet.

Ils étaient tous les quatre assis dans la salle d'attente de l'hôpital : Shane, Linnet, Emily et Jack. Tous semblaient inquiets, tandis qu'ils attendaient des nouvelles de Paula. Ils étaient là depuis deux heures et, après avoir exprimé leur souci à voix haute et échangé leurs impressions, ils étaient maintenant silencieux et plongés dans leurs pensées.

Mais à un moment, Shane se redressa sur sa chaise et s'exclama :

— Jack, j'ai été terriblement grossier en oubliant de vous remercier d'avoir suggéré aux ambulanciers d'amener Paula ici, au King's Hospital.

— Ils l'auraient fait de toute façon, répliqua Jack. Ces professionnels savent ce qu'ils font. Ils m'ont immédiatement prévenu qu'ils comptaient l'emmener dans cet hôpital, dont le service de neurologie est le meilleur de Londres, d'après ce qu'ils m'ont dit. Selon moi, c'est même sans doute l'un des meilleurs d'Angleterre, sinon le meilleur. Il dispose de méthodes et de techniques très avancées. Quant à sa réputation, elle n'est plus à faire !

— Je serai soulagée quand nous saurons ce qui est arrivé à maman, murmura Linnet d'une voix anxieuse. Je me sens tellement coupable, papa ! Je venais de discuter du magasin avec elle lorsqu'elle s'est effondrée à cause de cette attaque ou de cette crise d'apoplexie, si c'en est une. C'est ma faute, conclut-elle, au bord des larmes.

Shane prit la main de sa fille et tenta de la rassurer :

— Ne dis pas de bêtises, ma chérie. Une simple discussion n'aurait pas déclenché un incident de ce genre. C'est un problème médical.

Le visage de Shane était tendu, ses yeux sombres angoissés. Emily le fixa un instant, avant de demander doucement :

— Tu crois que c'est une apoplexie ?

— Je n'en sais rien, Emily, et je ne veux pas faire de supposition. Quoi que ce soit, je prie pour qu'elle s'en sorte.

— Je crois que Paula a fait une hémorragie cérébrale, intervint Jack.

Shane braqua sur lui un regard à la fois étonné et troublé.

— Qu'est-ce qui vous fait penser cela ?

— Les symptômes. Linnet m'a dit que Paula s'était plainte d'une violente migraine et de nausées. Cette douleur terrible dans la tête, je ne pense pas que ce soit le symptôme de l'apoplexie. J'ai remarqué aussi que lorsque les ambulanciers ont soulevé le brancard, pour le glisser dans l'ambulance, sa tête est tombée d'un côté. Ce peut être le signe d'une hémorragie, mais ce n'est qu'une supposition.

A cet instant, la porte s'ouvrit et le médecin qu'ils avaient vu plus tôt entra dans la pièce.

— Monsieur O'Neill, dit-il, j'ai quelques nouvelles pour vous.

Shane se leva d'un bond et gagna la porte en quelques pas.

— Je vous en prie, docteur, dites-moi ce qui est arrivé à ma femme ce matin.

— Mme O'Neill a subi une hémorragie méningée, dit-il d'une voix calme.

— Pouvez-vous me dire de quoi il s'agit, exactement ?

— C'est une forme spécifique d'hémorragie, causée par la fragilité d'une artère, ou du moins de sa paroi.

— Qu'est-ce qui la cause ?

— Nous ne savons pas ce qui se passe, en fait nous ne le savons jamais vraiment. Cette hémorragie est appelée rupture d'anévrisme, un terme qui doit vous être plus familier.

— En effet.

— Ce que je peux vous dire, c'est que la pression sanguine cause une déchirure dans la paroi artérielle.

— Et le sang se répand dans le cerveau, c'est cela ?

— En effet. Il pénètre dans les méninges, plus précisément dans les espaces sous-arachnoïdiens, d'où le nom d'hémorragie subarachnoïdale ou méningée.

Le médecin posa la main sur le bras de Shane.

— Dix centimètres cubes de sang, c'est une toute petite quantité, vous savez, lui dit-il avec sympathie. En termes profanes, c'est ce qu'on appellerait une goutte.

— Si peu que cela ! s'exclama Shane.

— Malheureusement, les conséquences peuvent être catastrophiques.

— Est-ce que ma femme va se remettre ? demanda Shane d'une voix étouffée et inquiète.

— Mme O'Neill est très mal. Nous pensons l'opérer demain, très tôt dans la matinée.

— Pourquoi pas aujourd'hui ?

— Nous lui faisons passer des examens, monsieur O'Neill.

— Est-ce que je peux la voir ?

— Malheureusement non, pour la raison que je viens de vous indiquer. Mais nous vous tiendrons au courant.

— Je vous remercie pour les explications que vous venez de me fournir, docteur, et aussi de vous occuper de ma femme.

Le médecin serra la main de Shane, salua les autres d'un signe de tête et quitta la pièce aussi rapidement qu'il y était entré.

Shane rejoignit aussitôt ses parents et amis.

— Vous aviez raison, Jack. Je prie Dieu pour que Paula s'en sorte...

Il se tut et tourna brusquement la tête, puis il gagna la fenêtre. Ses yeux étaient emplis de larmes et il ne voulait pas montrer aux autres à quel point il était bouleversé.

Mais Linnet savait quelle épreuve traversait son père. Devinant qu'il était brisé, elle s'approcha de lui et lui prit le bras.

— Tout va bien se passer, papa, murmura-t-elle. Maman va guérir, je le sais. Elle surmontera la maladie, tu verras. Tu sais ce qu'elle dit toujours, ajouta-t-elle en glissant son bras sous celui de son père, les Harte sont faits de l'acier le plus résistant.

— Espérons-le, marmonna-t-il.

S'essuyant les yeux du plat de la main, il entoura sa fille d'un bras et la serra très fort contre lui, comme s'il souhaitait ne jamais la laisser s'éloigner. Paula était sa vie, il le savait, et

Linnet le savait aussi. Elle avait toujours eu conscience de l'amour immense qui unissait ses parents et les avait unis durant toute leur existence.

Tout en attirant sa fille aînée contre son cœur, Shane adressa une prière silencieuse au ciel. Mon Dieu, faites-la vivre ! Faites que ma Paula vive.

32

Lorsqu'elle fut rentrée chez elle, Linnet passa la majeure partie de la soirée à sangloter dans les bras de Julian. Malgré tous les efforts de son mari pour la convaincre qu'elle n'y était pour rien, elle ne cessait de se reprocher l'hémorragie de sa mère.

Lorsque enfin elle se tut, épuisée par les larmes, il s'adressa à elle avec sévérité.

— Personne ne provoque chez quelqu'un d'autre une rupture d'anévrisme, Linnet ! s'exclama-t-il en la fixant avec intensité. C'est un problème médical, ainsi que ton père te l'a expliqué. Réfléchis à une chose : Paula n'avait pas l'air dans son assiette depuis que nous sommes rentrés de notre lune de miel, en janvier.

Linnet se redressa sur le canapé.

— C'est vrai, répliqua-t-elle, les yeux dans ceux de Julian. Elle n'arrêtait pas de répéter qu'elle était seulement fatiguée, ou qu'elle s'était trop dépensée et qu'il y avait eu deux mariages à organiser, le nôtre et celui d'Evan. Peut-être s'agissait-il d'autre chose... ayant trait à sa santé.

— Sans aucun doute. Tu dois donc cesser de te flageller toi-même de cette façon. Ce n'est pas ta faute. Souviens-t'en.

Inclinant la tête de côté, Linnet tendit la main et prit celle de Julian.

— J'ai fini par me rendre compte, et en particulier ces deux dernières années, que maman est quelqu'un de très angoissé. Et elle s'est fait beaucoup de souci, ces temps-ci... à propos de cet ignoble Jonathan Ainsley. Elle s'inquiétait aussi de la santé de Robin. Je sais qu'elle est allée le voir, samedi dernier, papa m'a dit hier que quelque chose embarrassait oncle Robin. Apparemment, elle s'est aussi beaucoup angoissée ce week-end à propos de Tessa et de la disparition de Jean-Claude. Du moins, c'est ce que papa m'a expliqué après que nous avons quitté l'hôpital, cet après-midi.

— Je ne crois pas que l'inquiétude à propos de tous ces problèmes ait pu causer l'hémorragie, ma chérie. Cela reste un problème médical, ainsi que je viens de te le rappeler.

Julian soupira et secoua la tête.

— Je suis navré pour Tessa. Ce doit être affreux d'attendre ainsi des nouvelles de Jean-Claude. Elle est certainement sur les nerfs.

— Elle est enceinte, laissa échapper Linnet. Elle me l'a appris ce matin, quand je lui ai téléphoné. C'était avant que maman ne s'effondre.

L'esprit en éveil, Julian regarda sa femme.

— Cela change notablement le tableau, remarqua-t-il.

— C'est vrai. Elle semble heureuse d'attendre un enfant, mais j'imagine qu'elle s'inquiète à l'idée de devoir l'élever sans son père.

— Elle le fait déjà, coupa Julian sur un ton péremptoire. Et il me semble qu'Adèle ne s'en porte pas plus mal. Elle va mieux sans ce braillard de Mark Longden dans le coin. Heureusement que ta mère a mené les négociations astucieusement et l'a expédié à Sydney.

— Il ne serait pas laissé faire si facilement si maman ne lui avait pas offert un si gros dédommagement.

— L'argent est un atout, dit Julian en souriant. Mais comme tu le dis toujours, il y a bien d'autres monnaies d'échange.

Pour la première fois depuis des heures, Linnet sourit et, se penchant vers Julian, l'embrassa sur les lèvres.

— Je ne peux pas imaginer être mariée à un autre homme que toi, Julian.

— N'y pense même pas ! répliqua-t-il sur un ton faussement sévère.

— Emily et papa devaient téléphoner aux membres de la famille pour leur expliquer ce qui est arrivé à maman. Oh, mon Dieu, j'espère qu'elle va s'en tirer !

De nouveau, les yeux de Linnet s'emplirent de larmes, tandis qu'elle portait la main à sa bouche tremblante.

Julian l'attira dans ses bras et la serra très fort contre sa poitrine, caressant cette chevelure rousse qu'il aimait tant.

— Arrête, ma chérie. Tu dois rester calme, ne pas envisager qu'elle pourrait ne pas guérir. Envoie des pensées positives, de bonnes vibrations. Promets-le-moi.

— Je te le promets, murmura-t-elle contre son cœur.

Ils restèrent assis un long moment, enlacés, à regarder le feu dans la cheminée. Ils n'avaient pas encore cherché un appartement plus grand et vivaient dans la garçonnière de Julian, dans Chester Street. Elle était parfaite pour eux, pour le moment. Ils aimaient tous les deux le quartier, et la maison de Paula, à Belgrave Square, était toute proche, ce qui convenait à Linnet.

Les pensées de Julian Kallinski étaient concentrées sur sa belle-mère, à cet instant. Il affichait un certain optimisme pour soutenir Linnet et renforcer son courage naturel, mais il s'inquiétait pour Paula. Par une étrange coïncidence, la sœur de sa mère, Ashley Preston, était morte des suites d'une hémorragie cérébrale, quelques années auparavant. Il se rappelait maintenant que sa mère lui avait dit à l'époque que peu de gens survivaient à une rupture d'anévrisme. La plupart mouraient en l'espace de quelques jours, sinon moins. Il priait le Seigneur que Paula fît partie de ces survivants. Il ne savait pas comment Shane continuerait sans elle, ni même comment les autres membres de la famille se débrouilleraient. Paula McGill Harte Amory Fairley O'Neill... Dieu ! Quel nom elle avait... elle avait été baptisée Paula McGill, en souvenir de son grand-père Paul McGill ; Harte en souvenir d'Emma ; Amory parce que c'était le nom de famille de son père, David. Elle était Fairley par son premier mariage avec James Fairley, et

O'Neill puisqu'elle avait épousé Shane O'Neill, l'amour de sa vie...

Il soupçonnait aussi Paula d'être le grand amour de son propre père. Michael Kallinski ne s'était jamais remarié après avoir divorcé de Valentine, la mère de Julian. Au cours des années, le jeune homme avait fini par comprendre, grâce à ses observations, que son père était profondément attaché à la mère de Linnet.

Oh, Michael, Michael, songea-t-il soudain, tu aurais dû t'en guérir, à cette époque, et aller de l'avant. Aimer Paula était parfaitement vain.

Linnet était convaincue que Jack Figg était lui aussi amoureux de Paula et, connaissant la perspicacité de sa femme, Julian pensait qu'elle avait raison.

Mais les hommes que côtoyait Paula ne pouvaient être que de bons amis pour elle, il en était persuadé. Elle n'avait d'yeux que pour Shane, tout comme il n'avait d'yeux que pour elle. Et tout comme lui, Julian, n'avait d'yeux que pour ce paquet de contradictions qu'il serrait dans ses bras. Comme il l'aimait, sa Linnet ! Et justement parce qu'elle était ce qu'elle était : une Harte bon teint, loyale, têtue, tendre, entreprenante, forte, intelligente et courageuse. Ce serait ce courage qui lui permettrait de surmonter l'épreuve qu'elle traversait à présent. Julian l'aimait depuis qu'ils étaient enfants et grandissaient ensemble. Il n'avait jamais douté de sa bravoure ni de sa détermination à vaincre toutes les difficultés.

La sentant s'agiter, il s'inquiéta :

— Tu n'as pas mangé de la journée, n'est-ce pas ?

— Non, avoua la jeune femme en se redressant, mais je n'ai pas très faim. Je ne crois pas pouvoir avaler une seule bouchée.

— Eh bien, moi, si ! Je suis affamé.

Tout en disant ces mots, Julian s'était levé et gagnait la cuisine.

— Mme Ludlow nous a préparé un super repas, Linny.

— Qu'est-ce que c'est ?

Se levant à son tour, elle le suivit, prenant soudain

400

conscience qu'elle avait un peu mal au cœur et que son ventre criait famine.

Julian souleva le couvercle d'un plat, dans le réfrigérateur.

— Regarde, murmura-t-il. Un ragoût de bœuf, et je sais que nous avons aussi du saumon fumé, de la salade et des fruits. Tu prendras bien quelque chose ?

— Je devrais, en tout cas, parce que je me sens un peu faible, dit Linnet en allumant le gaz. J'espère que papa va bien. Il est retourné à son bureau, mais j'aurais dû l'inviter à dîner avec nous.

— Connaissant Emily, je suis certain qu'elle s'occupera de lui. Tu veux parier qu'il partage le repas de Winston et d'Emily, en ce moment ?

— Je ne parierai pas, parce que je suis certaine que tu as raison. Bien sûr, il est avec eux. Ce sont ses meilleurs amis... Ils l'ont été toute sa vie.

Le mercredi de la même semaine, deux jours après sa rupture d'anévrisme, Shane O'Neill sut que la vie de Paula avait été sauvée par l'équipe médicale du King's Hospital, à Londres.

Non seulement elle était désormais hors de danger, mais les médecins avaient informé Shane qu'elle poursuivrait ses activités. Selon eux, l'opération avait été couronnée d'un succès qui dépassait leurs espérances.

Après avoir raccroché, Shane pleura de soulagement. La tension de ces derniers jours exigeait son tribut et, malgré tout son courage et sa force, la perspective de perdre Paula avait endommagé les défenses de Shane. Bien qu'il eût réussi à garder un front serein, pour le bien de tous, il avait parfois cédé à panique.

Une fois rasséréné par ces bonnes nouvelles, il entreprit de prévenir la famille. Il appela d'abord son père, car il avait bien conscience que Bryan se rongeait d'inquiétude au sujet de Paula. Ce genre de pression était trop forte pour un homme de quatre-vingts ans.

Ensuite, il contacta ses enfants, qui furent aussi joyeux qu'il l'était lui-même et lui promirent de joindre les autres membres de la famille, pendant qu'il téléphonait à Winston et à Emily.

Le samedi matin, Shane fut enfin autorisé à voir Paula. Lorsqu'il entra dans sa chambre, il fut d'abord très étonné, car aucun bandage n'enveloppait sa tête, alors qu'elle avait subi une opération au cerveau. Il en parla au Dr Gilleon, qui l'avait conduit dans la pièce.

— Ce sont les nouvelles techniques, vous savez, répondit le chirurgien.

A la vue de son mari, Paula fut submergée par le soulagement. Après avoir échangé quelques mots avec elle, le médecin les laissa seuls.

— Juste un court instant, précisa-t-il en refermant la porte.

Après avoir embrassé sa femme sur la joue, Shane tira une chaise jusqu'au lit, puis il s'assit et prit la main de Paula dans la sienne.

— Quel soulagement pour nous tous de te savoir guérie, ma chérie ! Nous avons été malades de peur !

— Je peux l'imaginer...

Un petit sourire triste erra sur les lèvres de Paula.

— Je ne me rappelle rien, Shane. Hier, le chirurgien m'a expliqué ce qui m'était arrivé, il m'a dit que j'étais très malade et que je souffrais d'une hémorragie cérébrale.

— Le docteur dit que tu as eu beaucoup de chance, répliqua Shane.

— Oui, je sais. Mais que s'est-il passé ? Je me rappelle avoir discuté avec Linnet, dans mon bureau, lundi matin... puis plus rien.

— Linnet nous a raconté que tu étais debout près de la fenêtre et que tu regardais dehors. Ensuite, tu as fait quelques pas en direction de ton bureau, tu as semblé vaciller, trébucher, et elle s'est précipitée vers toi, pour te faire asseoir. Tu lui as demandé d'appeler le 999 et tu lui as dit que tu avais mal

402

à la tête. On t'a emmenée ici. Les chirurgiens t'ont opérée mardi.

— C'est étrange que je ne me souvienne de rien... Les médecins m'ont dit que je présentais les symptômes classiques en arrivant. Le côté droit de mon visage était de guingois et j'étais extrêmement sensible à la lumière.

Shane scrutait son visage. Elle avait remarquablement peu changé, pensa-t-il.

— Et aujourd'hui, comment te sens-tu, Paula ?

— Fatiguée. Un peu faible. Très étourdie, d'une certaine façon.

Paula sourit à son mari et s'adossa plus confortablement à ses oreillers.

— Dans la famille, reprit-elle, nous disons toujours que les Harte sont faits d'acier. Eh bien, l'une d'entre nous, au moins, a aussi du platine, à l'intérieur. Moi.

Shane ne put s'empêcher de rire et il caressa doucement sa joue. Il était au comble du bonheur, parce que cette femme qu'il aimait et qui faisait partie de sa vie depuis leur enfance était maintenant hors de danger.

— Je sais tout à propos du platine, dit-il. Le docteur m'a expliqué quelques petites choses, concernant l'opération. Il m'a dit qu'ils utilisaient des spires de platine, qui stoppent le saignement.

— Oui, cela, je le sais, mais je crains de ne pas avoir tout compris. Je suis encore un peu dans le brouillard.

— Ce n'est pas étonnant, quand on y réfléchit, mon ange. Eh bien, vois si tu comprends ce qu'on m'a expliqué. Je vais essayer de dire les choses simplement. Les chirurgiens ont localisé la lésion au moyen de la radio et d'un cathéter introduit dans l'artère. Ensuite, un second cathéter de plus petite taille a été introduit dans le premier, jusqu'à l'artère porteuse de l'anévrisme. Au travers de ce petit cathéter, une ou plusieurs spires de platine ont été déployées, de manière à boucher le trou. Elles resteront en place dans ton cerveau et préviendront un saignement ultérieur.

— Les médecins font des choses extraordinaires, de nos

jours, murmura Paula. Et c'est tant mieux, car sinon, je ne serais pas là.

— Les miracles modernes, répliqua Shane sur le même ton.

Il toussota avant de poursuivre prudemment :

— Ecoute-moi bien, Paula, tu vas bien, très bien même. Mais tout le monde n'a pas ta chance. Certains patients, qui ont survécu à une hémorragie cérébrale, souffrent de pertes de mémoire. Leur vision est troublée ou bien ils ont des difficultés d'élocution. Tout va donc bien en ce qui te concerne, ma chérie, mais nous allons devoir y aller doucement.

— Je le sais. Mais quand pourrai-je rentrer à la maison, Shane ? Les médecins l'ont-ils précisé ?

— Tu vas devoir rester ici encore un peu de temps, ma chérie, jusqu'à ce que tu aies recouvré toutes tes forces. N'oublie pas que tu as subi une opération très délicate. Les médecins m'ont dit qu'ils te laisseraient partir à la fin de la semaine prochaine, à condition que tu ailles aussi bien que ton état actuel le laisse présager.

— Oh, Shane, c'est dans des siècles ! Ils veulent me garder si longtemps...

La voix de Paula mourut, tant elle était déçue de ne pas rentrer chez elle avec lui le jour même.

— Ce n'est pas si long, étant donné les circonstances, répondit-il. Une semaine, ce n'est rien, si l'on considère que tu aurais pu ne jamais revenir à la maison. J'aurais passé le reste de ma vie sans toi.

Paula pressa la main de son mari.

— Je le sais, mon chéri, murmura-t-elle tendrement. Mais je peux recevoir des visiteurs, j'espère ? Je veux voir les enfants. Oh, Shane, j'oubliais ! A-t-on des nouvelles de Jean-Claude ?

Il secoua tristement la tête.

— Aucune. Sinon, je pense que tu as le droit de recevoir les enfants, tant qu'ils ne te fatiguent pas.

Lorsqu'il se pencha pour l'embrasser, Paula eut un sourire heureux.

— Mademoiselle Paula ! Qu'est-ce que vous faites, assise à votre bureau ? Vous n'êtes pas censée travailler, mais être couchée dans votre lit !

— Je ne travaille pas, Margaret, je suis seulement assise là, répliqua Paula avec une petite grimace. Je me suis levée pour prendre quelques notes, mais j'en ai été incapable. Mon cerveau refuse de m'obéir et j'espère bien que cela ne va pas durer.

— Bien sûr que non, voyons ! s'exclama Margaret sur un ton maternel. Vous êtes forcément fatiguée, après tout ce que vous avez traversé. Je vous ai apporté une bonne tasse de thé. Où voulez-vous le prendre ? Ici, ou dans votre lit ?

— Je crois que je vais me recoucher, répliqua Paula, sachant que c'était plus sage.

L'effort qu'elle avait fourni pour aller du lit au bureau l'avait épuisée. Elle qui avait pensé que la guérison serait rapide devait maintenant admettre que le processus serait lent. Elle était sortie de l'hôpital depuis près de deux semaines, et pourtant elle avait du mal à accomplir les petits gestes quotidiens. Les tâches les plus simples exigeaient d'elle une grande énergie ou la laissaient chancelante.

La prenant par le bras, la gouvernante aida Paula à traverser le petit salon et à regagner sa chambre. Dès qu'elle fut couchée, Margaret tapota les oreillers, lissa les couvertures et revint sur ses pas pour aller chercher le plateau.

Un instant plus tard, lorsqu'elle plaça la tasse et la soucoupe sur la table de chevet, Margaret demanda :

— Est-ce qu'on a des nouvelles du fiancé de Tessa ?

— Non. Rien depuis quatre semaines, maintenant. Elle est dans tous ses états.

— Oh, je suis désolée ! C'est affreux ! Elle viendra ce week-end ?

— Oui, Margaret. Elvira et Adèle seront avec elles. Linnet vient aussi, avec Julian, et il se peut que Mme Hughes se joigne à nous.

— La maison va être bien pleine, hein ? s'exclama Margaret avec un sourire heureux. Mais je sais que cela vous plaît, mademoiselle Paula, et à moi aussi. On se sent un peu seul, dans cette grande maison, quand personne ne galope dans tous les sens et qu'il n'y a que nous autres, les vieux.

— Parlez pour vous, répliqua Paula en buvant une gorgée de thé.

— Est-ce que Tessa compte faire la cuisine ? Elle n'a peut-être pas la tête à ça !

— Je l'ignore. Je n'ai pas pensé à le lui demander.

— Dois-je appeler Priscilla, ou est-elle toujours sur votre liste noire ?

— Vous savez très bien qu'elle n'a jamais été sur ma liste noire ! C'est juste que... eh bien, franchement, Margaret, presque tous les membres de la famille lui en veulent. Ils pensent qu'elle en a trop dit à mon affreux cousin.

— Je sais très bien ce qu'ils pensent, mais je ne crois pas que ce soit une mauvaise femme, vous savez.

— Ce soir, quand M. Shane sera rentré, nous verrons combien nous allons avoir de personnes en tout, puis nous prendrons une décision. D'accord ?

— Très bien. Eh bien, je m'en vais retourner à la cuisine. Je vous prépare un bon carrelet, pour le déjeuner, et des pommes au four en dessert. Vous avez toujours aimé les pommes au four, depuis que vous êtes toute petite.

— Merci, Margaret, murmura Paula.

Elle se laissa aller contre les oreillers, épuisée. Margaret pouvait être fatigante, parfois.

Une demi-heure plus tard, le téléphone sonna sur la table de chevet. Paula, qui somnolait, fut réveillée en sursaut.

— Allô ?

— C'est Emily, Paula chérie. Comment vas-tu ?

— Je me suis recouchée. Je me sens très fatiguée.

— Oh, je suis désolée ! Tu n'en as pas fait un peu trop ?

— Non. Je pense que cette lassitude soudaine fait partie des symptômes.

— Je pensais passer pour déjeuner avec toi. Je suis arrivée dans le Yorkshire hier soir. Mais peut-être préfères-tu que je m'abstienne ?

— Bien au contraire ! Je serai ravie de te voir, Boulette.

— Tu ne peux pas continuer de nommer Boulette une femme d'une cinquantaine d'années. Tu dois cesser, s'il te plaît.

Paula se mit à rire.

— A bientôt.

— Plus tôt que tu ne le penses.

Quelques minutes plus tard, Emily traversait le petit salon et entrait dans la chambre. Abasourdie, Paula la fixa un instant avant de demander :

— Comment as-tu fait pour arriver si vite ?

— Je t'appelais sur mon portable, depuis la terrasse.

— Emily ! Tu aurais dû me dire que tu étais là !

— Je ne voulais pas que tu te sentes obligée de m'inviter à déjeuner, si tu étais épuisée.

— Je vais bien...

Paula s'arrêta, car le téléphone portable d'Emily, qu'elle avait encore à la main, s'était mis à sonner.

— Emily Harte à l'appareil. Oh, bonjour, tante Edwina. Comment vas-tu ?

Emily s'assit sur une chaise, tout en écoutant attentivement son interlocutrice.

— Oh, je suis navrée, vraiment navrée. Comme c'est triste ! Oui, oui, je vais le lui dire et je te rappelle dans un instant.

Emily interrompit la communication, regarda Paula et annonça d'une voix attristée :

— C'était tante Edwina, comme tu l'as compris.

Emily fit une pause et reprit :

— On vient de retrouver oncle Robin... mort.

Paula se redressa dans le lit, abasourdie. Elle devint extrêmement pâle.

— Où ?

— A Lackland Priory. C'est Bolton qui l'a trouvé, il y a à peine quelques minutes. Apparemment, il était sorti se promener... Oncle Robin, je veux dire... et quand il est rentré, il a demandé à Bolton de lui préparer une tasse de thé. Quand Bolton la lui a apportée dans la bibliothèque, dix minutes plus

407

tard, oncle Robin était assis près du feu, dans sa bergère. Il était mort. Bolton est bouleversé, bien sûr, non seulement par le décès d'oncle Robin, mais à cause de la façon dont il s'en est aperçu.

— Cela a dû être terrible, pour lui. J'ai beaucoup de peine, mais je trouve que c'est une merveilleuse fin. Oncle Robin n'a pas souffert...

La voix de Paula chevrota et ses yeux s'emplirent de larmes. Elle les essuya et confia à sa cousine :

— Ces dernières années, je m'étais mise à beaucoup l'aimer.

— Moi aussi, Paula. Quel dommage que les jumeaux ne soient pas encore nés... Il ne verra jamais ses arrière-petits-fils, il ne les tiendra pas dans ses bras, lui qui le souhaitait tant.

— Au moins, il a connu Evan, sa seule petite-fille. Il a su qu'elle était heureuse avec Gideon et qu'elle portait ses petits-fils, pour perpétuer sa lignée, remarqua Paula, la tête sur l'oreiller.

— C'est vrai, répliqua Emily avec un soupir. Ma mère va avoir beaucoup de chagrin de perdre son jumeau.

— Pauvre tante Elizabeth ! Elle va accuser le coup, ainsi que tante Edwina.

Les deux cousines se turent un instant, tandis qu'elles pensaient aux sœurs de Robin.

Ce fut Emily qui finit par rompre le silence, au bout de quelques minutes :

— Paula, je viens de réaliser quelque chose d'affreux ! Est-ce que cela signifie que Jonathan Ainsley va venir dans le Yorkshire ? Est-ce qu'il assistera à l'enterrement d'oncle Robin ?

— Je n'en sais rien, ma chérie. Sans doute que oui. Après tout, oncle Robin est son père.

— Je ferais bien de rappeler tante Edwina, elle veut savoir ce qu'il faut faire, pour l'enterrement. Quand Bolton l'a appelée, il lui a dit qu'il ne voulait pas te surcharger davantage.

— Je ne suis pas capable de m'en occuper, Emily. J'en suis

désolée, mais c'est un fait. Je ne suis pas redevenue moi-même et cela peut durer encore longtemps.

— Je le sais, mais je me chargerai de tout à ta place. Ou j'aiderai Edwina, comme elle le voudra. Dois-je lui dire que c'est à elle de décider ?

— C'est une bonne idée, mais n'oublie pas qu'elle a quatre-vingt-quinze ans.

Le téléphone d'Emily sonna encore une fois. Elle appuya sur une touche et lança :

— Allô ?

— C'est moi, maman.

— Bonjour, Gideon, nous avons des nouvelles...

— Laisse-moi parler le premier, coupa-t-il, très excité. Evan a eu les premières douleurs ce matin. Je ne t'ai pas appelée, parce que je pensais que c'était peut-être une fausse alerte. Elle ne devait pas accoucher avant quelques jours, tu sais. Quoi qu'il en soit, tu es grand-mère ! Tu as deux petits-fils débordants d'énergie. Et pas de doute, ce sont bien des Harte ! Ils ont tous les deux un duvet auburn sur le haut du crâne.

— Oh, Gideon, toutes mes félicitations ! Evan va bien ?

— Tout s'est très bien passé, maman, mais elle est très fatiguée.

— Je suis désolée d'être dans le Yorkshire, Gid. Je voudrais rentrer à Londres, mais nous avons un problème, ici.

— Ne t'inquiète pas, maman. Marietta est déjà à l'hôpital et papa est en route. Ecoute, je dois te quitter...

— Attends une minute, Gideon. J'ai commencé à te dire que j'avais quelques nouvelles et un problème. Malheureusement, ce que j'ai à t'annoncer est plutôt triste. Je me trouve avec Paula et nous venons d'apprendre qu'oncle Robin est mort ce matin. Il s'est éteint paisiblement, assis dans son fauteuil près du feu.

— Je suis vraiment désolé, maman. Quel dommage qu'il ne puisse pas voir les jumeaux ! La semaine dernière, il m'a dit qu'il était fou d'impatience.

— Tu vas avertir Evan ? demanda Emily, brusquement inquiète.

— Pas aujourd'hui. La nouvelle la bouleverserait trop. Qu'en penses-tu ?

— Garde cela pour toi pendant les prochaines vingt-quatre heures, Gideon. Du moins en ce qui concerne Evan. En revanche, il vaudrait mieux que ton père le sache, pour qu'il publie une notice nécrologique dans le journal.

33

Les yeux d'Edwina allèrent d'Emily à Paula.

— Puisque je suis le membre le plus âgé de la famille, il est juste que je me charge moi-même de l'enterrement de Robin, annonça-t-elle. Pourtant, j'aurai besoin de ton aide, Emily, car je ne suis plus aussi rapide qu'avant.

Se penchant en avant, Emily s'empara de la théière en argent et se resservit. Elle ne pouvait s'empêcher de penser que la vieille dame était plus vive que bien des gens qu'elle connaissait.

— Mon aide t'est acquise, répliqua-t-elle. Mon principal souci concerne Jonathan Ainsley. Que devons-nous faire, à son sujet ?

— Je dispose de toutes les informations nécessaires, Emily. J'ai tous ses numéros de téléphone à travers le monde et le nom de ses avocats.

Edwina tendit la main vers son sac, l'ouvrit et en sortit une enveloppe. Elle la remit à Emily, assise auprès d'elle.

— Robin me l'a donnée il y a plusieurs semaines, expliqua-t-elle. J'ai le sentiment que mon frère savait sa mort prochaine.

— C'est drôle que tu dises cela, tante Edwina, murmura Paula, j'ai eu la même impression.

Etendue sur le second canapé, Paula était recouverte d'une couette et appuyée à de nombreux coussins, qui soutenaient sa tête et sa nuque.

— Juste avant ma rupture d'anévrisme, je suis allée le voir, expliqua-t-elle. Nous avons parlé de nombreux points concernant son testament.

— En effet, il m'en a parlé aussi, répliqua Edwina en lançant à sa petite-nièce un coup d'œil entendu. Et maintenant, Emily, pour en revenir à Jonathan Ainsley, je crois que nous devons organiser cet enterrement sans le consulter. Il n'est jamais là, il n'a jamais été là pour son père. Je dirai même qu'ils étaient à couteaux tirés, ces derniers temps. La question est donc de savoir où se tiendra la cérémonie. Ici, à Pennistone Village, ou bien à l'église de Fairley ?

— Oh ! Je n'avais même pas envisagé Fairley ! s'exclama Emily en jetant un coup d'œil à Paula.

— Emma est enterrée là-bas, expliqua cette dernière, ainsi que ses frères et ses parents, sans compter un certain nombre de Fairley.

— Cela n'a guère d'importance, puisque Robin n'en était pas un, intervint Edwina. Je suis la seule à descendre de cette famille, précisa-t-elle comme si ses nièces l'ignoraient.

A une certaine époque, Edwina était obsédée par son lien avec les Fairley, Paula et Emily le savaient parfaitement. Cette préoccupation constante de sa généalogie rendait Emma folle.

Prenant conscience du mal qu'elle éprouvait à suivre la conversation, Paula ferma les yeux. Pendant un instant, elle ne parvint plus à réfléchir. Déconcertée, elle s'aperçut que son esprit était surchargé.

— Je ne sais pas s'il faut prendre en compte cette considération, mais ce serait plus commode si oncle Robin était enterré ici, dans le cimetière près de l'église de Pennistone. Avons-nous vraiment envie de randonner à travers la lande, à cette époque de l'année ?

— Très bien dit, Emily !

Edwina but une gorgée de thé, puis elle se carra dans son siège et lissa sa robe de laine pourpre.

— A quelle heure programmerons-nous l'enterrement, à ton avis ? Pour ma part, je préfère le matin, de façon que nous puissions nous réunir ensuite autour d'un buffet. Juste la famille, bien sûr.

— Si la cérémonie commence à 10 heures, tout sera terminé à 11, assura Emily en repoussant ses cheveux en arrière. Nous pourrions déjeuner aux alentours de midi. Tu es d'accord ?

— Cela me paraît très bien.

Posant un doigt sur ses lèvres, Edwina jeta un coup d'œil à Paula. Emma suivit la direction de son regard et hocha la tête. Paula somnolait.

— Très bien. Nous pouvons donc prévenir Jonathan Ainsley, maintenant, et le prier d'assister à l'enterrement de son père. Ensuite, nous avertirons les autres membres de la famille.

— Tu peux t'en charger, Emily chérie ? demanda Edwina.

— Bien entendu. Et Jonathan aussi, d'ailleurs. Je l'appellerai...

— Non, non, l'interrompit Edwina. Je souhaite m'en occuper moi-même.

— Très bien. Je comprends. Maintenant, tante Edwina, quel jour allons-nous fixer ? La semaine prochaine ? Lundi, mardi ou mercredi ?

— Puisque nous sommes vendredi, aujourd'hui, le délai est trop court, d'ici à lundi, pour tout organiser. Mieux vaut en parler au curé de Pennistone et lui demander quel jour l'arrange le mieux. Mardi ou mercredi ? Sans doute mercredi serait-il préférable, parce que je suis certaine que Sally et Anthony viendront de Clonloughlin. Les autres membres de la famille ont aussi un trajet relativement important à faire pour venir jusqu'ici.

— Tu as raison. Tante Edwina...

Emily se tut et fixa sa tante, la sœur de sa mère et sa meilleure amie. La vieille dame remarqua aussitôt son expression bizarre.

— Qu'est-ce qu'il y a ? Tu veux me dire quelque chose ?

— C'est une coïncidence étrange, Paula et moi sommes d'accord sur ce point. Juste après que tu m'as téléphoné, ce matin, j'ai eu un autre appel. C'était Gideon. Evan a accouché vers 11 heures... Tout s'est bien passé et les jumeaux ont un

413

duvet auburn sur le crâne, selon leur père, qui était au comble de l'excitation. Mais tu ne trouves pas cette simultanéité étonnante ?

Edwina s'appuya de nouveau aux coussins et secoua la tête, l'air songeur.

— C'est tout à fait extraordinaire. Au moment précis où Robin meurt, ses arrière-petits-fils viennent au monde... Ça par exemple ! Tu as raison, c'est bizarre et peut-être prophétique, annonciateur de quelque chose de merveilleux. Il est possible qu'ils héritent de ses dons et de ses qualités, mais d'aucun de ses défauts. Mais bon, personne n'est parfait.

— En effet.

— Evan se porte bien ?

— Elle est en pleine forme. Tu ne crois pas que nous devons aussi appeler son père, Owen Hughes, au cas où il voudrait assister à l'enterrement ?

— Il ne voudra pas forcément venir. Personnellement, je déteste les funérailles. Il y a bien longtemps, je me suis promis de n'aller qu'aux mariages et aux baptêmes. Evidemment, cette fois-ci, c'est différent. Robin était mon frère et il a toujours été mon préféré. Mais je ne vais jamais aux enterrements des amis et amies, ces derniers temps. Pour commencer, il y en a trop, et ensuite, ce serait contraire à ma philosophie. Je suis pour la vie, Emily, pas pour la mort.

Emily ne put s'en empêcher : elle éclata de rire.

Assise à l'arrière de la voiture, Tessa Fairley regardait dehors, l'air morose, ses beaux yeux tristes et vides. Les premiers signes du printemps étaient visibles dans la campagne, mais elle n'y prêtait aucune attention. Ses pensées étaient ailleurs. Elles se concentraient sur Jean-Claude, dont la disparition était une source de peine et d'angoisse, ou sur sa mère, dont l'hémorragie cérébrale constituait un autre souci important.

Elle ne pouvait rien pour Jean-Claude, sauf prier pour qu'il fût sain et sauf. En revanche, elle éprouvait le besoin de protéger sa mère, de la dorloter et de faire en sorte qu'elle se porte bien.

Les autres pensaient ce qu'ils voulaient, mais Tessa était certaine que sa mère venait de traverser des semaines difficiles. En sortant du King's Hospital, elle était venue s'installer à Pennistone Royal, pensant qu'elle était dans son état normal. Mais elle avait découvert, à son grand désappointement, que ce n'était pas le cas. Paula avait très vite compris que les petites choses qu'elle avait faites machinalement toute sa vie lui prenaient plus de temps, dorénavant. Elle avait aussi avoué à Tessa qu'elle était fréquemment déconcertée par toutes les informations qui étaient transmises à son cerveau, de façon pourtant normale. Elle ne parvenait plus à intégrer les choses, ou bien à les comprendre, et elle se fatiguait très facilement.

Autre chose dérangeait Paula. Elle ne portait aucun bandage sur la tête, parce que c'était inutile, si bien que la plupart des gens voyaient en elle la femme qu'ils avaient toujours connue. Ils ne comprenaient pas qu'elle avait été gravement malade.

« Ils s'imaginent que je suis toujours la même, s'était plainte Paula une semaine auparavant. Et c'est faux. Je souffre encore. Je ne suis pas complètement guérie. C'est drôle, tu sais : si j'avais le bras ou la jambe dans un plâtre, ils se rendraient compte que j'ai subi un traumatisme. Mais là, ce n'est pas le cas. »

Evidemment, les membres les plus proches de la famille, tels que Shane, Linnet, Lorne, Emsie et Desmond, ainsi que le personnel de Pennistone, comprenaient la situation. Cependant, Tessa avait décidé de rafraîchir toutes les mémoires, ce week-end, pour être sûre que tout le monde avait bien intégré les informations.

Adèle commença à bouger.

Tessa baissa les yeux vers sa fille, puis elle regarda Elvira, qui caressait les cheveux de l'enfant et lui murmurait des mots d'apaisement.

— Je crois qu'elle a fait un mauvais rêve, murmura la jeune fille. Mais nous sommes bientôt arrivées et elle peut avoir...

415

Le téléphone portable de Tessa sonna, interrompant Elvira. Tessa le sortit de son sac et appuya sur une touche.

— Allô ?

— Tessa ?

— Oui.

— C'est Philippe. J'ai de très bonnes nouvelles.

Les doigts de Tessa serrèrent très fort le téléphone.

— Oui, oui, dis-moi !

Il parut s'éloigner un instant, puis revenir.

— Tu m'as entendu ?

— Non.

— Mon père se trouve actuellement à Kaboul, avec les forces américaines. Ils l'ont retrouvé. Il était blessé et soigné dans une sorte d'hôpital de fortune, quelque part. Il rentre à la maison, Tessa !

— Oh, mon Dieu, Philippe, c'est une merveilleuse nouvelle ! cria la jeune femme.

Elle s'accrochait à l'appareil, craignant que la communication ne fût interrompue. Son visage ruisselait de larmes et elle avait du mal à articuler.

— Quand revient-il à Paris ?

— Je l'ignore. Je t'ai appelée dès que j'ai su.

Il raccrocha avant qu'elle ait pu lui dire qu'elle serait à Pennistone pendant le week-end et qu'il pouvait l'appeler sur la ligne fixe.

Se tournant vers Elvira, elle s'écria :

— M. Deléon est sain et sauf !

— C'est fantastique, madame Fairley.

Adèle se redressa et caressa la joue mouillée de sa mère.

— Pourquoi tu pleures, maman ?

— Parce que je suis heureuse, ma chérie. Très, très heureuse !

Adèle la regarda avec une visible perplexité.

Un instant plus tard, le chauffeur s'arrêta devant la façade de Pennistone Royal. Quand Tessa ouvrit la portière, elle vit Edwina et Emily, sur le seuil de la maison. Elle jaillit hors de la voiture et se précipita vers elles en agitant les bras :

— Il est vivant ! Jean-Claude est vivant ! Il rentre à la maison !

Emily courut à sa rencontre. Lorsqu'elles s'embrassèrent, Tessa se remit à pleurer, imitée par Emily. Au bout d'un instant, elles parvinrent à se maîtriser et rejoignirent Edwina, qui leur souriait largement.

— Tessa, ma chérie, c'est une nouvelle merveilleuse, et je crois que nous méritons bien un petit remontant. Je m'apprêtais à rentrer chez moi, mais je crois que je vais revenir sur mes pas et m'offrir un petit plaisir, en l'occurrence un verre de sherry.

— Quelle bonne idée, tante Edwina ! Nous pourrons boire ensemble, dans le petit salon du premier, avec maman.

Adèle arrivait en courant. Elle se planta devant Edwina et leva les yeux vers elle, un grand sourire aux lèvres.

— Maman m'a dit que tu étais ma grande, grande, grande, grande tante.

Edwina considéra un instant l'exquise petite créature blonde. Une vraie Fairley, pensa-t-elle.

— Pas tant de « grande », ma chérie, je ne suis pas aussi vieille.

— Combien, alors ?

— Un seul, et on dit grand-tante, pas grande tante. Appelle-moi grand-tante Edwina, Adèle, ou tante Edwina, ce sera plus simple.

Adèle se mit à rire, puis elle se laissa entraîner dans la maison par sa baby-sitter. Elvira emmena l'enfant dans sa chambre, pour lui faire un brin de toilette. Pendant ce temps, Edwina montait l'escalier, aidée par Tessa et suivie de près par Emily.

Lorsqu'elles entrèrent dans le petit salon, Paula se tourna vers la porte et demanda :

— Où étiez-vous ?

A la vue de Tessa, son visage s'éclaira.

— Tu es là, ma chérie ! s'exclama-t-elle.

— Maman ! J'ai une nouvelle merveilleuse à t'annoncer. Jean-Claude est vivant.

417

Une fois de plus, elle se mit à pleurer et fut imitée par Paula, lorsqu'elles s'embrassèrent.

— Pendant que vous vous mouchez, dit Emily, je vais chercher une bouteille de champagne à la cuisine. Nous allons boire à la santé de Jean-Claude.

En l'absence d'Emily, Tessa raconta à sa mère le coup de fil de Philippe, puis elle expliqua :

— A la fin du week-end, j'irai à Londres et je prendrai l'avion pour Paris lundi. Il ne devrait pas tarder à rentrer, maintenant.

Paula resta silencieuse un instant.

— Nous avons des nouvelles, nous aussi, ma chérie. Plutôt tristes. Oncle Robin est mort hier.

— Oh, maman, je suis désolée ! Que s'est-il passé ?

— Il s'est simplement éteint, très paisiblement.

— Nous l'enterrerons mercredi prochain, précisa Edwina.

Le visage de Tessa s'assombrit.

— Oh ! Je...

Elle n'alla pas plus loin, car Edwina s'exclama :

— Mais il n'y a absolument aucune raison pour que tu restes ici ! Tu dois partir pour Paris, afin de retrouver ton fiancé bien-aimé et t'occuper de lui. Robin ne t'en voudra pas si tu n'assistes pas à son enterrement. C'était un grand romantique. Regarde comment il a aimé Glynnis... et cela a duré cinquante ans !

Mordant sa lèvre inférieure, Tessa fixait sa mère.

— Edwina a raison, ma chérie, confirma cette dernière.

Quelques minutes plus tard, Emily arrivait, portant une bouteille de champagne dans un seau à glace. Elle était suivie de Margaret, qui s'était chargée du plateau sur lequel étaient disposés les verres.

— Voilà de bonnes nouvelles ! dit-elle à Tessa. Je suis contente qu'il soit sain et sauf.

— Merci, Margaret.

Emily servit le Pol Roger, puis elle distribua les flûtes à la ronde.

— A Jean-Claude ! Et aux deux nouveaux Harte !

Tessa écarquilla les yeux.

— Evan a accouché ?

— Exactement, répondit Emily avec un sourire. Deux petits rouquins de plus, selon leur père, qui est aux anges.

— De vrais Harte, en ce cas, remarqua Tessa, qui regarda Edwina. Tu es sûre que je ne devrais pas rester pour l'enterrement, tante Edwina ?

— Absolument sûre. Tu es interdite de séjour ! Et c'est moi qui l'ai décidé.

Les quatre femmes éclatèrent de rire.

Quelle journée ! pensa Paula. Grâce à Dieu, j'ai pu gérer tout cela sans trop de mal. Deux événements heureux et un triste. D'une certaine façon, l'équilibre est respecté.

34

Jack Figg se tenait près de Linnet et de Julian, devant le porche de l'église, attendant l'arrivée des membres de la famille.

La sécurité avait été renforcée et des gardes surveillaient l'église depuis plusieurs jours. A l'intérieur du lieu de culte, Jack et ses hommes avaient aussi utilisé des chiens capables de déceler les bombes ou les métaux, afin d'éviter une nouvelle explosion. Depuis le mariage d'Evan et de Gideon, le mur avait été réparé et habilement restauré.

Jack avait pris toutes ces précautions parce qu'il était impossible de prévoir ce qui pouvait se produire quand Jonathan Ainsley était de la partie. Pourtant, Jack savait instinctivement que Jonathan assisterait à l'enterrement de son père et que par conséquent l'église et ses occupants ne risquaient rien.

Comme si elle avait lu dans ses pensées, Linnet déclara brusquement :

— Je parie qu'Ainsley va venir, il ne peut donc rien nous arriver. Les Harte ne sont victimes d'incidents que lorsqu'il est au loin.

Jack pouffa et s'exclama :

— Tu lis en moi à livre ouvert, Beauté.

— Elle a développé ce talent, ces derniers temps, intervint Julian. Je commence à la soupçonner d'être une sorcière.

Linnet changea de sujet :

— Je suis contente que papa ait persuadé maman de ne pas venir, Jack. Pas toi ?

420

— Si. Elle n'est pas encore tout à fait remise.

Jack leva les yeux vers le ciel bleu pâle, illuminé par le soleil matinal.

— C'est une belle journée de printemps, dit-il, mais il y a un vent froid qui vient de la lande. En fait, le froid risque d'être très mordant, dans le cimetière, c'est pourquoi je me réjouis qu'Evan ne soit pas venue non plus. Un enterrement constitue toujours une épreuve épuisante et il vaut mieux qu'elle s'occupe d'elle-même.

— Tessa n'est pas là, ajouta Linnet. Tu es au courant ?

— Ton père me l'a dit. Je comprends qu'Edwina lui ait interdit de venir et l'ait expédiée à Paris pour y attendre Jean-Claude.

— Oui, apparemment, elle l'a interdite de séjour. Et pour parler franchement, Edwina a eu raison. Comme maman me le disait ce matin, la vie est faite pour vivre. Quoi qu'il en soit, Tessa a laissé Adèle et Elvira à Pennistone Royal. Nous étions tous d'accord pour penser que c'était la meilleure décision. Tessa aura de quoi s'occuper, à Paris.

— J'ai appris qu'elle est enceinte, murmura Jack. A mon avis, cela signifie que tu vas être la patronne, finalement.

— Un peu ! s'écria Julian.

— Seulement jusqu'au retour de maman, rectifia immédiatement Linnet. Maman ne prend pas sa retraite. Et de toute façon, on ne sait jamais, avec Tessa. Elle peut très bien décider de faire la navette entre Paris et Londres après la naissance du bébé. Elle a toujours cru qu'elle était la dauphine.

— Linnet va gouverner le navire toute seule, Jack, expliqua Julian. Evan est en congé de maternité, Tessa se focalise sur Paris et sur son bébé, et India doit soutenir Dusty dans l'épreuve, tout en gérant les magasins du Nord. Mais je n'ai aucun doute sur ma femme. Elle fera du bon travail.

— Tout à fait d'accord ! s'exclama Jack. Quand ta mère sera-t-elle assez bien pour reprendre son poste, Linnet ? Dans un mois ?

— Oh non, Jack ! Les neurologues lui ont dit qu'elle allait devoir se reposer pendant au moins six mois. D'après eux, elle pourra reprendre une vie normale, si elle le supporte bien, mais elle ne peut pas envisager de travailler pendant six à huit mois, peut-être davantage. Hier, papa m'a confié qu'il pensait l'emmener à la villa Faviola, en été. Il croit que le climat du sud de la France lui fera du bien.

— J'ai toujours eu confiance dans le jugement de ton père, remarqua Jack.

Sortant une feuille de papier de sa poche, il la parcourut rapidement.

— Emily m'a donné cette liste de noms, hier soir. Tu peux la regarder et me dire s'il y a des changements, Linnet ?

— Bien sûr. Il y en a peut-être quelques-uns. Le téléphone a sonné toute la matinée.

Jack lui jeta un coup d'œil rapide.

— Commençons par la famille Hughes. Owen, Marietta et Elayne. Ils seront tous là, je suppose.

— Marietta est la seule à venir, malheureusement. Elle est arrivée très tard, hier soir, et ce matin, pendant le petit déjeuner, elle m'a dit qu'Owen et Elayne ne viendraient pas des Etats-Unis comme prévu.

— C'est très étonnant. Il y a deux jours, elle disait qu'Owen était d'accord et qu'il emmenait Elayne avec lui.

— Il a changé d'avis, apparemment. Marietta ne s'est pas montrée très loquace, mais je crois que le refus d'Owen d'assister à l'enterrement de son père l'embarrasse. Tu sais qu'Evan ne peut pas venir non plus. Cet accouchement l'a épuisée, Jack, et il y a quelques complications mineures. De toute façon, elle est toujours au Queen Charlotte's et le médecin ne lui permettra pas de quitter l'hôpital avant la fin de la semaine.

— Elle va bien, j'espère ?

— Oh oui, elle sera sur pied dans deux jours. Pour l'instant, elle a seulement besoin de repos.

— Très bien, marmonna Jack en barrant deux noms. Seulement Marietta pour la famille Hughes. Passons à ceux de Clonloughlin. Emily a tracé un gros point d'interrogation en face de tous ces noms. Tu sais s'ils viennent ?

— Non. Edwina leur a conseillé de s'abstenir. Elle trouvait stupide de faire venir Anthony, Sally et leur famille d'Irlande. D'autant qu'elle projette de faire célébrer une cérémonie en mémoire de Robin à Londres, dans quelques mois.

Jack raya les Dunvale, ainsi que leurs deux fils.

— Si je comprends bien, India représente ses parents et ses frères ?

— Exactement, répliqua Linnet. Mais Dusty l'accompagne.

— Très bien. Est-ce que les autres sœurs de Robin seront là ? Ta grand-mère Daisy et Elizabeth, la sœur jumelle de Robin ?

— Absolument. Grand-mère logera chez nous, et Elizabeth chez Emily et Winston, à Allington Hall. Oh, et n'oublie pas le mari d'Elizabeth, Mark Deboyne. Je suis certaine qu'Emily l'a mis sur la liste, puisqu'il est son beau-père.

— En effet. Mais Francesca et Amanda n'y sont pas.

— Amanda est en Chine. Tu sais qu'elle se charge de tous les achats de Harte Enterprises. Edwina trouvait ridicule de la faire revenir. Quant à sa jumelle, Francesca, elle passe ses vacances en Thaïlande. Cette fois, c'est Emily qui a pris la décision de les laisser terminer leurs vacances en paix, elle et sa famille.

Jack acquiesça du menton et continua :

— Pour ce qui est des Harte, nous avons Emily, Winston, Toby, Gideon et Natalie. Je sais qu'ils seront là. Ensuite, il y a toi, Julian, ton père, grand-père Bryan et Emsie. Ta mère ne vient pas, mais qu'en est-il de ton frère ? Desmond ne figure pas sur la liste.

— Papa a décidé de ne pas lui faire quitter son pensionnat pour un enterrement qui va durer une heure, et maman était d'accord. Elle a dit que ce serait idiot.

— En tout cas, mon père vient, murmura Julian. Je suis certain qu'il est inscrit.

— Il l'est. Enfin, je le pense.

Linnet frissonna et s'écria :

— Je trouve qu'il commence à faire froid, ici. On monte dans l'église ?

Quittant le portail, Julian et Jack gravirent les marches à la suite de Linnet. Ils s'arrêtèrent sous le porche, où ils étaient protégés du vent.

Quelques minutes plus tard, la procession des voitures descendit la colline et pénétra dans le village. Les membres de la famille en descendirent, vêtus de noir, et commencèrent à remplir l'église.

Enfin, le corbillard arriva. Winston, Toby et Gideon Harte, ainsi que Michael Kallinski et Shane O'Neill, en sortirent le cercueil et le chargèrent chacun sur une épaule. Les cinq hommes, représentant les trois clans, gravirent les marches puis entrèrent dans l'église et remontèrent l'allée centrale à pas mesurés.

L'église débordait de fleurs. Le soleil filtrait à travers les vitraux et la musique d'orgue s'éleva vers les voûtes, tandis que les cinq hommes portaient le cercueil jusqu'à l'autel.

Quand Linnet se glissa près de Julian, sur le banc, elle reconnut les premiers accords de *Jérusalem*, de William Blake, son cantique préféré.

Ce fut quand les choristes commencèrent à chanter qu'une grosse boule se forma dans la gorge de Linnet, dont les yeux se mouillèrent de larmes. Elle songea à Evan et à la conversation qu'elles avaient eue la veille. Evan aurait tellement voulu être là, pour rendre un dernier hommage à ce grand-père qu'elle ne connaissait que depuis un an mais pour qui son affection n'avait cessé de grandir !

La cérémonie débuta par des chants et des prières, puis le curé, le révérend Henry Thorpe, prononça un discours à propos de Robin Ainsley. Il dit tout ce qu'il avait été, en tant qu'homme, politicien et paroissien. Lorsqu'il eut terminé, les trois sœurs vinrent ensemble se placer derrière le lutrin.

Edwina, la sœur aînée de Robin, fut la première à s'exprimer. Ses propos furent éloquents : elle rappela la bonté de Robin vis-à-vis de ses trois sœurs, son authentique amour fraternel et l'amitié durable qu'il leur avait manifestée jusqu'à sa mort.

Elizabeth, la jumelle de Robin, parla de leur affection

mutuelle, puis elle énuméra d'une voix chevrotante ses nombreux exploits durant la Seconde Guerre mondiale. A cette époque, il était pilote de guerre dans la Royal Air Force et il s'était montré très courageux.

Pour finir, Daisy, la fille d'Emma et de Paul McGill, évoqua la solidarité de Robin envers ses camarades de la Royal Air Force. Il leur avait apporté chaleur et réconfort pendant la bataille d'Angleterre en les accueillant dans sa famille, en les amenant à la maison pour qu'ils soient dorlotés par leur mère, Emma Harte, ainsi que par ses sœurs. Il avait toujours été un homme de cœur.

Winston monta alors en chaire pour faire l'éloge de son oncle. Il retraça la brillante carrière de Robin, en tant que membre du Parlement. Il exposa les changements qu'il avait apportés dans le pays, grâce aux projets de loi qu'il avait proposés, les victoires qu'il avait remportées à la Chambre, tout ce qu'il avait accompli pendant sa longue et fructueuse vie politique.

A la fin de la cérémonie, Linnet tourna la tête et repéra Jonathan Ainsley, qui se tenait au fond de l'église. Elle saisit le bras de Jack et chuchota à son oreille, mais lorsqu'il se retourna, Jonathan Ainsley avait disparu.

Il fut tout aussi invisible au cimetière, mais au moment où l'on descendait le cercueil dans la fosse, Jack l'aperçut qui se tenait à l'écart, près d'un bouquet d'arbres.

Ce ne fut qu'à la dernière minute que Jonathan Ainsley se rapprocha et se montra enfin au reste de la famille. Il se comporta comme s'il ne les connaissait pas et ils firent de même. Se penchant, il prit une poignée de terre et la jeta dans la tombe au moment où le curé proclamait :

— Nous remettons son corps au sépulcre, la terre à la terre, les cendres aux cendres, la poussière à la poussière...

Alors, sans un mot ou un regard, Jonathan Ainsley tourna les talons et s'éloigna, haute et lugubre silhouette vêtue de noir.

La sonnerie de son téléphone portable arracha Marietta Hughes au sommeil. Un peu désorientée, elle se redressa dans son lit, s'empara du téléphone et appuya sur une touche.

— Allô ?

— J'espère qu'il n'est pas trop tard pour t'appeler, maman, dit la voix d'Angharad. Tu n'es pas fâchée ?

Surprise d'entendre sa fille, qui avait disparu de sa vie sans même un au revoir, Marietta s'exclama :

— A vrai dire, si. Tu ne trouves pas ça un peu culotté ? Tu ne m'appelles pas pendant des semaines et tu te décides un beau soir, sur le coup de 23 heures !

— Allez, maman, ne monte pas sur tes grands chevaux ! Je voulais seulement te dire bonjour. Ecoute, j'ai appris que tu étais à l'enterrement, aujourd'hui. J'imagine que tu es à Pennistone, chez Paula ?

Marietta respira profondément.

— Pourquoi m'appelles-tu, Angharad ?

— Pour te dire bonjour. Comment va Paula, après son hémorragie cérébrale ? Est-ce qu'elle a... une araignée au plafond ?

— Ne dis pas de bêtises ! répliqua Marietta avec irritation. Je vais raccrocher.

— Non, non, maman ! Ecoute, je suis fiancée. Tu le savais ?

— Pas le moins du monde, mentit Marietta.

— C'est vrai. J'ai le plus beau diamant que tu aies jamais vu. Comment dit-on, déjà ? Un diamant gros comme le Ritz. Eh bien, le mien est comme ça ! Je vais épouser Jonathan, tu sais. Il est fou de moi, parce que, au lit, je le rends cinglé.

— Je ne veux pas t'écouter une seconde de plus, Angharad.

— Papa n'a pas assisté à l'enterrement, hein ? Pourquoi ?

— Angharad, il est très tard, je vais raccrocher.

— J'aimerais te voir, maman. Quand tu reviendras à Londres. Je veux dire que je ne suis pas montée dans le Yorkshire avec Jonathan. Il est venu pour l'enterrement de son père. Il va devenir encore plus riche, je parie que tu l'ignorais.

Il hérite de tout. Rien pour la petite Evan. Et comment va t-elle, à propos ? Elle a accouché de ses bébés éléphants ?

— Bonne nuit.

— Ne raccroche pas, maman ! Je serai à Londres toute la semaine. Je veux que tu me voies, que nous prenions le thé ensemble, au Ritz.

Angharad éclata d'un rire perçant.

— Je ne sais pas si ce sera possible, répliqua Marietta. Je te rappellerai.

— Je pars lundi, maman. Nous retournons à Paris, alors appelle-moi avant, d'accord ?

— Très bien.

— Tu ne me reconnaîtras pas. Je suis très chic, maintenant, c'est ce que tout le monde dit, même Jonathan.

Une fois de plus, son rire retentit, à l'autre bout du fil, puis Angharad reprit :

— Je serai plus riche qu'Evan, beaucoup, beaucoup plus riche. Tu vois, je vais bientôt m'appeler Mme Ainsley.

— Bonne nuit, Angharad, dit Marietta avant d'interrompre la communication.

Après cela, Marietta fut incapable de s'endormir. Ce que venait de dire Angharad la préoccupait. Grâce à Dieu, elle n'avait rien laissé échapper au sujet de Paula ou de la naissance des jumeaux.

Devrait-elle prendre le thé avec sa fille, cette semaine ? Elle l'ignorait encore. Elle demanderait à Evan son avis. Mieux encore, elle en parlerait à Linnet. Les deux jeunes femmes lui conseilleraient peut-être d'accepter l'invitation, ne serait-ce que pour glaner le plus d'informations possible.

35

Et alors, cela commença. L'emploi du temps le plus cruel, la discipline la plus épuisante jamais imaginée, sauf par Emma Harte.

Bien des années auparavant, Emma avait entrepris d'accumuler l'argent et le pouvoir. Et elle avait réussi, atteignant des sommets qu'elle-même n'avait jamais rêvé de conquérir. Elle avait accompli cet exploit grâce à une volonté d'acier, la rigueur, le sacrifice de soi et l'endurance. Elle avait dix-sept ans lorsqu'elle s'était embarquée pour cet extraordinaire voyage vers les cimes ; son arrière-petite-fille, Linnet, avait presque dix ans de plus, et son but n'était pas d'acquérir la fortune ou le pouvoir. Son seul objectif était de faire entrer le grand magasin dans le XXIe siècle. Plus vite et mieux qu'aucun de ses concurrents, ses rivaux, qui convoitaient la même clientèle, avaient les mêmes projets et poursuivaient les mêmes buts.

Plus qu'aucun autre membre de la famille, Linnet avait hérité les dons d'Emma en matière de commerce : cette énergie unique, cette volonté d'acier, cette résistance et ce goût du travail acharné. Plus important encore, elle avait la même capacité de dépasser ses propres limites. Emma lui avait transmis autre chose : le talent et l'intelligence qui rehaussaient encore tous ces traits de caractère.

Hormis ces qualités très particulières, Emma lui avait légué sa compréhension de la vente et sa vision à très long terme. Tout au long des années, la mère de Linnet, Paula, avait parfaitement géré les magasins, comme Emma avant elle, sans jamais enfreindre les lois que sa grand-mère avait établies. Paula avait été formée par la fondatrice de l'empire, elle la révérait et elle gouvernait bien le navire.

Mais bien qu'elle fût une femme d'affaires avisée, bien qu'elle eût du flair, Paula n'avait jamais eu cette capacité de prévoir l'avenir qui avait permis à Emma de se différencier de ses rivaux. Ses trois arrière-petites-filles Tessa, India et Evan ne la possédaient pas non plus. Linnet était la seule à avoir reçu ce don.

Cette intuition lui permettait de prévoir l'échec aussi bien que le succès. Plusieurs fois par jour, ces derniers temps, elle avait marmonné pour elle-même :

— Je sais exactement ce qui va marcher. Ce que je dois estimer, ce sont toutes les choses qui peuvent facilement échouer.

C'était presque comme si Linnet avait eu un ange gardien qui l'informait de ce qu'il y avait à savoir. Elle pouvait être assise dans son bureau, les yeux perdus dans le vide, et voir l'avenir, imaginer tout ce qui pouvait provoquer la faillite du magasin et sa propre chute. Ou au contraire ce qui était susceptible d'exaucer ses rêves et de conférer au magasin un avenir glorieux.

Bien qu'elle eût carte blanche, pour le moment, puisque Paula l'avait nommée directrice de création tout en la chargeant de gérer le magasin, Linnet savait très bien qu'elle avait des comptes à rendre au conseil d'administration. Harte était une société anonyme par actions, cotée en Bourse. Même si sa mère et la famille possédaient la majorité des parts, elle savait néanmoins qu'elle devait surveiller ses arrières. Son père l'en avait avertie, plusieurs jours après l'enterrement, lorsqu'il lui avait rendu visite au magasin de Knightsbridge. Emily, qui dirigeait les entreprises Harte avec Paula, Winston et Amanda Line, lui en avait dit autant. Tous siégeaient d'ailleurs au conseil d'administration.

C'est pourquoi elle regardait où elle posait les pieds, comme son grand-père le lui avait conseillé. En même temps, elle mettait tout son cœur à la tâche, travaillait vingt-quatre heures sur vingt-quatre, poursuivant son chemin et mettant en œuvre ses projets. Le spa « Beauté sereine » était en place ; l'espace qui serait consacré aux mariées était entièrement restauré et décoré, et n'attendait pour ouvrir que la livraison des articles de base ; elle avait commencé à concevoir sur papier un rayon réservé aux produits de luxe, bien que sa mère ne lui eût pas donné son accord. Néanmoins, Linnet pensait que c'était indispensable.

Son emploi du temps était inhumain, mais elle parvenait à le respecter en sacrifiant sa vie sociale. Son mari l'y aidait énormément. Julian Kallinski avait grandi avec elle, il avait des responsabilités égales aux siennes et il hériterait un jour d'un ensemble d'entreprises, les Industries Kallinski, transmis par son père Michael, qui en avait lui-même hérité de son père, David Kallinski, le fondateur du clan. C'est pourquoi Julian savait exactement ce qu'elle faisait, pourquoi elle le faisait, et il l'approuvait.

Linnet souhaitait faire passer au XXIᵉ siècle un établissement merveilleux mais légèrement désuet. De ce fait, elle le sauverait aussi de la débâcle.

Aujourd'hui plus que jamais, Harte devait affronter de nombreux concurrents à Londres, non seulement les grands magasins, mais les boutiques, les ateliers et même les échoppes qui rivalisaient pour conquérir les suffrages de la jolie femme élégante, tout en retenant aussi la cliente plus âgée et plus sophistiquée. Julian la soutenait, il l'encourageait et jamais il ne doutait de sa victoire. Sa Linnet était une gagnante, quoi qu'il arrivât.

Si bien qu'ensemble ils avaient organisé leur journée.

Chaque matin, Linnet sautait du lit à 4 h 30, en même temps que Julian. Elle prenait sa douche la première, pendant qu'il préparait le café. Ensuite, il prenait sa douche à son tour tandis qu'elle se maquillait. Elle faisait griller les tartines pendant qu'il se rasait. Quelques minutes plus tard, enveloppés dans leur peignoir, ils s'asseyaient ensemble dans la cuisine et savouraient un petit déjeuner léger, puis ils s'habillaient et quittaient l'appartement.

Leur chauffeur déposait Linnet au magasin, puis il emmenait Julian jusqu'à l'Immeuble Kallinski. Elle était à sa table de travail à 5 h 45, lui dans son bureau à 6.

Chaque soir, à 19 heures, Julian passait la prendre au magasin et le chauffeur les conduisait à la maison, pour un souper sympathique devant le feu, ou bien dans l'un de leurs restaurants préférés.

Comme Linnet était obligée de travailler le samedi, Julian en faisait autant. A la fin du premier mois, c'était devenu une routine bien huilée ; ils l'appréciaient parce qu'ils étaient deux, chacun dans son domaine respectif, à voir qu'un travail acharné portait ses fruits.

Ce jour-là, par une délicieuse matinée du mois de mai, Linnet se promenait dans le rayon de la mode, retenant son souffle et croisant les doigts, car c'était le grand jour.

Le spa « Beauté sereine » allait ouvrir ses portes pour la première fois, et le rayon « mariées » exhibait fièrement ses robes magnifiques et tous les accessoires nécessaires à une jeune épousée. Même l'espace des produits de luxe était terminé et serait accessible au public aujourd'hui.

Linnet était tout aussi excitée par le renouveau total qu'elle avait apporté au rayon de la mode. Trois jours après l'enterrement de Robin, elle s'était précipitée à Paris, où elle avait accompli un marathon de folles dépenses et selectionné des vêtements dans toutes les meilleures boutiques de prêt-à-porter. Elle avait aussi acheté des articles chez Valentino, Ungaro, Chanel et chez quelques autres grands couturiers, bien décidée à hausser son rayon de la mode au plus haut niveau.

Le rayon maroquinerie avait été rénové de la même manière, et sa nouvelle assistante, Phyllis Peter, avait disposé sur les stands les articles les plus délicieux, les plus charmants et les plus provocants qu'elle eût jamais vus.

Jetant un coup d'œil à sa montre, Linnet constata qu'il n'était que 8 heures, si bien qu'il n'y avait encore personne.

Mais lorsqu'elle poussa la porte du spa, elle découvrit que l'institut était ouvert et se retrouva nez à nez avec Sophie Forrester, la gérante.

— Bonjour, Linnet. Vous voulez entrer et visiter encore une fois les lieux ?

— Volontiers, Sophie.

Ensemble, la gérante et Linnet firent le tour du spa. Une fois de plus, Linnet fut frappée par la paix qui y régnait. L'éclairage était doux, des bougies parfumées étaient allumées un peu partout et on entendait le bruit de l'eau qui ruisselait sur les pierres. La décoration était plutôt orientale, avec des bouquets à la fois beaux et épurés, dans le style japonais. Les cabines de bois ressemblaient à des pagodes. L'impression de calme et de paix était renforcée par une musique douce, diffusée en arrière-fond.

— Je m'allongerais bien un instant pour me faire faire des soins, dit Linnet en souriant à Sophie. Le nom est tout à fait approprié... Beauté sereine... c'est parfait.

En quittant le spa, Linnet ajouta :

— Merci pour la visite et bonne chance pour aujourd'hui.

— Merci, Linnet.

Linnet traversa la salle et s'arrêta pour regarder les articles de luxe. Elle avait intitulé ce rayon : « luxe », et les présentoirs offraient toute une variété d'objets précieux – de beaux sacs de soirée, des écharpes et des pulls en cachemire, des châles de soie, des colliers et des boucles d'oreilles en perles rares, des sandales exotiques, des vestes de cachemire, des peignoirs de bain brodés à la main et toutes sortes d'articles exclusifs. Les doigts croisés, Linnet marmonna quelques mots à voix basse tout en se dirigeant vers l'escalator.

Il n'y avait pas de doute, le rayon « mariées » était l'un des mieux conçus du magasin. Grâce à Bobbi Snyder, pensa Linnet en admirant les robes ravissantes exposées sur les mannequins. Sa propre robe figurait d'ailleurs sur le stand que Linnet avait appelé très simplement : *Evan Harte Couture*. C'était parce que la couturière n'avait pu terminer que cinq robes dans le temps qu'on lui avait imparti et que Bobbi en

432

voulait absolument une sixième, pour créer une vraie exposition. Toutes les robes d'Evan étaient faites sur mesure et la jeune femme avait promis de continuer à en dessiner, bien qu'elle eût prolongé de trois mois son congé de maternité.

Il y avait de beaux voiles, des diadèmes de perles ou de diamants, des robes pour les demoiselles d'honneur, des tenues fleuries pour les petites filles, des costumes de velours et de satin pour les petits garçons. Les chaussures, les sandales, la lingerie et autres articles étaient magnifiquement disposés. Remplie de pensées positives, Linnet emprunta l'Escalator pour descendre.

Le rayon de la mode, qu'elle gérait toujours personnellement, était placé sous le signe du printemps. Comme la veille, elle fut ravie de la façon dont les vêtements étaient exposés. Les robes et les ensembles, tous conçus pour le printemps, de soie, de mousseline ou de laine légère, offraient aux yeux de ravissantes couleurs pastel. Et les caisses d'azalées et d'hortensias accentuaient ce sentiment que le printemps et l'été flottaient partout.

En regagnant les services administratifs, une vingtaine de minutes plus tard, Linnet ressentit une bouffée de gratitude envers le personnel qui avait fourni un effort immense afin que tout soit prêt pour la date limite.

Son téléphone portable sonna.

— Je te souhaite des tonnes de chance, Linny, fit la voix d'India. Je sais que le magasin doit être plus beau que jamais. Je me trompe ?

— C'est fabuleux. Le printemps règne sur les lieux, grâce à toutes ces couleurs pastel et à ces fleurs. Les décorateurs ont fait un merveilleux travail à tous les étages, India. Oh, et le spa est... serein.

— Je meurs d'impatience de le voir. Je viendrai dans la semaine. J'ai mon dernier essayage pour ma robe de mariée.

— On pourra déjeuner ou dîner ensemble ?

— Les deux, si tu le peux, pouffa India. Tu me manques vraiment. Et le magasin aussi, pendant que j'y suis.

— Je me languis de toi, moi aussi, ainsi que d'Evan.

— Tu as des nouvelles de Tessa ?

— Je sais seulement que Jean-Claude va mieux. Il est blessé à la jambe, il a reçu une balle. Mais maman m'a dit que Tessa semblait gaie.

— J'ai parlé à Paula, hier, et j'ai été un peu déçue quand elle m'a dit qu'elle craignait de ne pouvoir assister à mon mariage.

— Je m'en doutais. Papa m'en a parlé. Il pense que tout ce qui exige d'elle un effort l'épuise. Patience ! On verra bien comment elle se sentira quand la date approchera. En tout cas, tu peux compter sur moi, quand les cloches retentiront.

— Tu as intérêt ! Ainsi qu'Evan et Tessa... Vous êtes mes trois demoiselles d'honneur. A ce propos, comment va Evan ?

— Elle est très heureuse et les bébés sont adorables. Ils ont une houpette de cheveux auburn sur le crâne, comme le dit Gideon, et des yeux verts. De vrais Harte, ainsi qu'oncle Winston le répète à qui veut l'entendre.

Linnet hésita, puis elle confia à sa cousine :

— Evan prolonge son congé de maternité. Six mois en tout. J'ai un peu le cafard à cause de cela, mais je respecte son choix.

— Oh là, là, j'imagine ce que tu éprouves ! Je voudrais être avec toi à Knightsbridge, mais j'ai beaucoup de choses à faire, ici, surtout en l'absence de Tessa.

India hésita avant de reprendre :

— Qu'est-ce qu'elle va faire, finalement ? Tu le sais ?

— Pas vraiment, elle passe la majeure partie de son temps à Paris et je doute que cela change.

— Je suis d'accord... A propos de Paris, est-ce que tu as eu des nouvelles d'Angharad ? demanda India, curieuse.

— Maman a eu des bribes d'informations, par Sarah. Elle est fiancée avec Jonathan, c'est une certitude... enfin, si l'on en croit Sarah. Marietta a pris le thé avec Angharad, il y a quelques semaines. Selon Marietta, elle n'a pas cessé de se vanter de ses acquisitions

— Tu veux dire ce qu'elle a si malhonnêtement acquis, répliqua India sur un ton acerbe.

— C'est tout à fait vrai. Mais voyons le bon côté des choses : elle l'occupe, apparemment. Le diable trouve du travail pour les mains oisives. Peut-être nous oubliera-t-il un peu, s'il est absorbé par elle.

— Je l'espère. Mon père m'a dit que Jack est allé en Irlande pour vérifier le système de sécurité en place, à Clonloughlin. J'en suis ravie et je suis très contente aussi qu'il vienne à mon mariage. Pour moi, c'est comme... mon oncle préféré.

— C'est le mien aussi, India. Maintenant, je vais devoir te quitter. Je veux faire une autre ronde dans le magasin.

Cela n'avait pas fonctionné.

A la fin de la semaine, Linnet avait conscience que les affaires avaient été médiocres dans tous les rayons et qu'il y avait peu de réservations pour le spa.

Le chiffre des ventes, au rayon mode, était bas ; deux robes de mariée seulement avaient été commandées ; le rayon « luxe » n'avait pas vendu un seul article.

En ce samedi matin, Linnet ne savait plus que faire et elle était très déprimée. Elle avait cru qu'en retapant le magasin elle allait propulser le magasin Harte dans le XXIe siècle. Elle avait visiblement commis une énorme erreur.

Le nouveau look du grand magasin, les produits dernier cri, l'extraordinaire spa Beauté sereine, aucune de ces innovations n'avait suscité l'enthousiasme ou attiré une nouvelle cliente, du moins pour autant qu'elle le sût.

L'Epicerie fine avait bien marché, mais c'était toujours le cas. Linnet se recroquevilla, pensant à la façon dont elle s'était battue avec sa mère pour la convaincre d'installer des sandwicheries dans le magasin. Mais elle repoussa immédiatement ce souvenir. Il y avait autre chose de vraiment bizarre... Les matelas, relégués au sous-sol, avaient battu tous leurs records de vente, la semaine passée. Elle se demandait pourquoi et était incapable de répondre à cette question.

Comme elle était assise devant son bureau, la tête entre ses mains, les larmes lui montèrent aux yeux. Linnet se mit alors à pleurer. *Un échec.* C'était ce qu'elle devait assumer, une éventualité qu'elle n'avait jamais envisagée. Elle aurait à rendre des comptes au conseil d'administration, tout autant qu'à sa mère. Cette seule pensée la fit frissonner et elle resta longtemps assise, paralysée, incapable de penser et encore moins de bouger.

Le problème était qu'elle n'avait personne à qui parler, personne vers qui se retourner pour demander un conseil. India avait annulé son passage à Londres, mais quand bien même eût-elle été là, qu'est-ce que sa cousine aurait pu lui dire ? Linnet savait qu'elle était censée être la « tête pensante » de la famille lorsqu'il s'agissait de vente.

« Trop de culot », aurait dit Julian. Et elle croyait entendre sa mère : « L'orgueil précède la chute. » Soudain, les larmes jaillirent. Elle posa sa tête sur son bureau et pleura comme si son cœur allait se briser.

« Pleurer ne te mènera nulle part », dit la voix, dont l'écho se répercuta dans la grande pièce.

Surprise, Linnet sursauta et se redressa pour regarder autour d'elle. Evidemment, il n'y avait personne. Il était 7 heures du matin, on était samedi, et il n'y avait quasiment pas un chat dans le magasin. Linnet essuya ses larmes avec ses doigts, puis elle trouva un mouchoir dans sa poche. Après s'être mouchée, elle se leva et gagna la salle de bains adjacente pour se regarder dans la glace. Son visage était sillonné de mascara et elle avait mangé presque tout son rouge à lèvres. Après s'être aspergé la figure à l'eau froide, elle la sécha. Elle retourna ensuite à sa table, sortit d'un tiroir un poudrier compact et effaça les traces de larmes sur son visage, puis elle passa du rouge sur ses lèvres.

Se levant de nouveau, elle gagna la porte et parcourut le long couloir, pour se planter devant le portrait de son arrière-grand-mère.

— C'était toi, Grandy, n'est-ce pas ? Tu m'as parlé ?

Bien entendu, il n'y eut pas de réponse. Néanmoins, Linnet continua son monologue :

— Comment faisais-tu, toute seule ? demanda-t-elle en

plongeant dans les prunelles vertes si semblables aux siennes. Comment te débrouillais-tu ? Qui te conseillait ? Vers qui te tournais-tu quand rien n'allait comme tu le voulais ?

Linnet connaissait les réponses à ces questions. Emma Harte n'avait eu personne pour la conseiller ou la guider. Elle avait tout fait toute seule.

Solo.

Et elle jouait en solo, désormais. Tout comme Grandy y avait été contrainte durant la majeure partie de sa vie. Se penchant vers le tableau, Linnet murmura :

— Tu as raison, pleurer ne me mènera nulle part. Je ne pleurerai plus. Je vais résoudre le problème, tout comme tu as résolu les tiens, Emma.

Comme d'habitude, Linnet sourit au portrait, caressa le visage de son arrière-grand-mère, puis elle gagna en hâte le bureau de sa mère, qu'elle occupait ces derniers temps.

Elle savait que tout le monde la trouverait pour le moins bizarre, si on savait qu'elle croyait entendre Emma. C'était bien pour cette raison que Julian lui avait recommandé de n'en rien dire à personne.

Bizarre ou folle, peu lui importait ! Linnet se sentait mieux lorsqu'elle reprit sa place derrière la table, saisit un stylo et commença à écrire. Elle était certaine d'avoir pris les bonnes décisions. Elle avait passé énormément d'annonces astucieuses, dans les journaux, aussi les clientes avaient-elles appris l'ouverture du spa Beauté sereine et les innovations apportées au rayon de la mode. Elle avait engagé de nouveaux décorateurs de vitrines et elle avait même fait venir Perry Jones de New York, pour qu'il y ajoutât sa touche créatrice. La publicité, les vitrines... tout avait été fait dans les règles... Alors, que fallait-il de plus ? Qu'est-ce qui lui avait échappé ? Le mauvais temps était-il le coupable ? Il avait plu, cette semaine...

Impatiente. Le mot jaillit dans l'esprit de Linnet.

Je suis trop pressée... oui, c'est peut-être ça...

Elle resta à sa table et prit des notes jusqu'à 11 heures. Puis elle descendit au rez-de-chaussée et sortit sur le trottoir pour examiner les vitrines.

En les étudiant le plus objectivement possible, Linnet commença à comprendre qu'elles étaient trop chargées. De fait, elle avait demandé aux artisans de créer un univers printanier et estival à la fois, mais n'y avait-il pas un peu trop de décoration et pas assez d'articles exposés ?

Elle se déplaça jusqu'au coin de la rue pour regarder la vitrine où étaient exposés les nouveaux sacs. C'est alors qu'elle entendit deux femmes discuter.

— C'est difficile à voir dans tout ce fouillis, disait l'une d'entre elles, mais il y a le sac Cholly Chello, ici, celui dont je t'ai parlé. Tu le vois ? C'est le rouge. C'est le sac que toute femme au monde souhaiterait avoir. Je voudrais avoir les moyens de me l'offrir.

La femme avait raison : la vitrine comportait bien trop d'articles, Linnet le reconnut aussitôt. Mais ce qui l'avait frappée le plus, c'était cette phrase qu'elle avait prononcée, à propos du Cholly Chello, désigné comme « le sac que toute femme au monde souhaiterait avoir ». Elle grimpa quatre à quatre dans son bureau, l'esprit en ébullition.

La vitrine était austère, l'arrière-fond peint en crème tout simple. Sur une caisse de bois était posé le sac rouge Cholly Chello. Une grande pancarte jaune, accrochée au plafond, pendait près de la caisse. Et sur cette pancarte, des lettres noires en relief annonçaient : LE SAC QUE TOUTE FEMME AU MONDE SOUHAITERAIT POSSÉDER.

— C'est parfait, Perry, dit Linnet au décorateur américain. A mon avis, ça va vraiment marcher, cette fois !

— Que Dieu vous entende ! répondit Perry.

Prenant Linnet par le bras, il l'entraîna jusqu'à la vitrine qui se trouvait en façade, sur Knightsbridge.

— Qu'est-ce que vous en pensez, maintenant ? demanda-t-il. Nous avons terminé il y a une demi-heure et j'espère sincèrement que ça va marcher.

La grande vitrine était aussi sobre que celle du coin de la rue. Cette fois, les vêtements n'étaient plus éclipsés par le décor.

— Oh, Perry, c'est parfait ! s'écria-t-elle. Vous avez fait du bon travail !

Le ciel peint en bleu était parsemé de gros nuages blancs. Une petite barrière de bois blanc et trois marguerites jaunes composaient l'arrière-plan et deux robes seulement étaient exposées dans chaque vitrine, de façon qu'on pût les admirer vraiment.

— Le mieux est l'ennemi du bien, murmura Linnet. Merci d'avoir travaillé pendant de longues heures pour refaire les vitrines. J'apprécie votre dévouement.

— C'était un plaisir et, de toute façon, vous avez trouvé un magnifique slogan, pour le sac. Pour tout dire, je n'avais jamais entendu parler de Cholly Chello.

— Moi non plus ! admit Linnet avec un petit rire. Mais mon fournisseur prétend que les élégantes vont se l'arracher.

Riant ensemble, Perry et Linnet repassèrent le seuil du plus grand magasin du monde.

— C'est le Cholly Chello qui incite la foule à entrer chez Harte, dit Linnet à India, deux semaines plus tard. Nous n'en avons plus en réserve et le fabricant ne les produit pas assez vite. Ils n'ont jamais connu un tel succès avec un sac. *Jamais.*

— C'est étrange, remarqua India en jetant à sa cousine un coup d'œil bizarre. Mais je n'en avais jamais entendu parler, avant. Et toi ?

— Non. Pourtant, il fait mouche !

— C'est grâce au slogan que tu as trouvé, affirma India en faisant glisser le poisson dans son assiette. C'est grâce à lui que tu as lancé ce sac.

— Allons, India, je ne suis pas si maligne !

— Ecoute-moi bien, Linnet. C'est exactement ce qu'Hermès a réalisé avant toi, avec le Kelly et le Birkin. Ils ont habilement suscité une demande en réduisant l'offre.

Maintenant, les gens s'inscrivent sur une liste d'attente pour acheter l'un de ces deux produits. Et ils peuvent attendre pendant des années.

Linnet pouffa.

— Nous avons une liste d'attente, nous aussi, pour le Cholly Chello. Et lorsque toutes ces brillantes jeunes femmes apposent leur nom en bas de la liste, elles remarquent le spa Beauté sereine. Elles se hasardent à l'intérieur et sont emballées. Elles sont aussi séduites par ma boutique de luxe, sans parler du rayon mode. Mais je dois admettre que toute cette affluence est due à ce sac !

Les deux cousines étaient installées au Bird Cage, où elles déjeunaient et rattrapaient le temps perdu. Pour Linnet, c'était un vrai soulagement que de voir India et de lui parler de son travail. Les jumeaux occupaient Evan, Tessa était encore à Paris et son père ne voulait pas qu'on dérangeât Paula. Pendant l'heure qu'elles passèrent ensemble, Linnet examina avec India ses projets pour le magasin et elles convinrent qu'India devait venir à Londres plus souvent. Les magasins de Leeds et d'Harrogate marchaient bien, maintenant, et les soucis de Dusty concernant les Caldwell et le testament de Molly appartenaient au passé.

— Tout ce qu'il a à prévoir, désormais, c'est notre mariage en Irlande, murmura India lorsqu'elles quittèrent le restaurant. Comme tu le sais, Atlanta portera un panier de fleurs, ainsi qu'Adèle. Cette perspective l'enchante.

— Je suis contente pour toi, India. Heureusement, tout s'est bien terminé pour Dusty et toi. J'ai hâte d'assister à votre mariage, en juin, à Clonloughlin.

36

Soixante-dix ans auparavant, jeune mariée, elle était arrivée en Irlande avec son époux, Jeremy Standish, comte de Dunvale, et c'était comme dans un rêve. Ici, dans cette belle demeure de Clonloughlin, elle avait passé les plus belles années de sa vie.

Elle aurait voulu que Jeremy fût là, aujourd'hui, pour voir cette autre mariée de Clonloughlin, leur exquise petite-fille India Standish, enfant unique de leur fils Anthony.

Elle est le produit de tout ce qu'il y a de meilleur et de brillant, pensa Edwina. Issue des Dunvale, des Harte et des Fairley.

Oh, oui ! India avait hérité beaucoup de ses gènes à elle.

La vieille dame était assise à une table, dans la salle de bal, par un magnifique samedi de juin. Comme d'habitude, elle observait l'assemblée. Les invités étaient pour la plupart des membres de la famille, mais il y avait aussi des amis, une cinquantaine en tout. Depuis quelques semaines, la maison fourmillait d'activité, mais ce mariage ne constituait pas l'événement spectaculaire qu'il aurait pu être, et cela pour plusieurs raisons : le bon goût, le deuil et la sécurité. S'inclinant devant son jugement, qu'ils savaient bon, et persuadés qu'elle avait raison, Anthony et Sally avaient suivi ses conseils de simplicité. Dusty et India, qui partageaient son avis, en avaient fait autant. Robin n'était mort que depuis quelques mois, après la disparition de Molly Caldwell et de sa fille.

« Ce serait vraiment du plus mauvais goût que d'organiser

une grande réception tape-à-l'œil, avait déclaré Edwina. Respectons les convenances. »

En dehors des deuils, il y avait la question de la sécurité et le spectre de Jonathan Ainsley, planant sur toute chose. Il était le cousin germain d'Anthony et ils s'étaient violemment querellés, voilà bien longtemps. Depuis lors, Ainsley s'était montré vindicatif, surtout après qu'Anthony avait pris le parti de Paula, à l'occasion de cette grande catastrophe, il y avait quelques années.

C'était néanmoins une bien belle assemblée.

Edwina avait eu le souffle coupé d'orgueil et de ravissement lorsque India avait remonté l'allée centrale de la petite église, située dans la propriété, au bras de son père.

Edwina l'observait, maintenant, qui se tenait entre ses parents et parlait avec Winston, le frère de sa mère. Quelle superbe jeune femme ! Il n'y avait pas d'autre terme pour la désigner. Sa robe de taffetas ivoire, conçue par Evan, avait des manches bouffantes, un décolleté rond et une large crinoline qui flottait autour d'elle comme un nuage gonflé. Elle avait retiré son voile, mais le diadème de diamant était bien en place sur ses cheveux brillants d'un blond cendré. Le diadème d'Adèle Fairley, songea Edwina. Souriante, elle évoqua leur lignée, celle d'India et la sienne.

India était une créature de rêve, en ce jour de son mariage ; elle semblait ne pas appartenir à ce monde. Le marié, d'une beauté ténébreuse et visiblement fier de sa femme, se tenait auprès d'elle. Cette fierté se lisait sur son visage. Un homme sincère, honnête et loyal, un homme digne de confiance et... quel talent il avait !

Elle n'oublierait jamais l'expression de Dusty quand India avait paru glisser vers lui. Flanqué de son témoin, il l'attendait au pied de l'autel, et son visage exprimait une joie et un amour absolus.

Après la cérémonie, ils étaient tous revenus dans la maison de Clonloughlin, pour déguster les cocktails servis dans le grand salon où plusieurs photographes étaient dispersés. Deux heures plus tard, à 18 h 30, ils s'étaient installés dans la salle

442

à manger, pour le souper. Tous les meubles anciens avaient été enlevés, et la pièce était remplie de tables rondes auxquelles on avait adjoint des chaises dorées. Edwina avait été agréablement surprise par la décoration. Presque tout était blanc, depuis les nappes d'organdi jusqu'aux arrangements floraux. Les belles robes des femmes produisaient comme des éclaboussures de couleur et, lorsqu'elle avait regardé autour d'elle, elle n'avait pu s'empêcher d'admirer les lustres de cristal étincelants, qu'elle avait elle-même choisis des années auparavant et qui étaient toujours suspendus au très haut plafond.

Après le souper, durant lequel de nombreux discours avaient été prononcés, l'assemblée s'était transportée dans la salle de bal, pour terminer la soirée en dansant. Il y avait trois musiciens à une extrémité de la salle et, au grand plaisir d'Edwina, les mariés firent leur entrée. Ils firent quelques pas sur la piste, pour leur première danse en tant que mari et femme. Quand les accords de *True Love* s'élevèrent, Dusty prit India par la main et l'entraîna au milieu de la salle.

— Tu vas bien, tante Edwina ? demanda Linnet en s'asseyant auprès d'elle.

— Je suis en grande forme, Linnet, en grande forme.

Edwina observa la jeune femme avec attention, puis elle dit, d'une voix basse mais vibrante :

— Seigneur ! Dans cette robe bleu pâle et avec ces émeraudes aux oreilles, tu ressembles trait pour trait à ma mère, ce soir.

— C'est ce que m'a dit grand-père Bryan, tout à l'heure.

Linnet posa les yeux sur le couple qui évoluait sur la piste de danse.

— Tu ne trouves pas qu'India est la plus jolie mariée que tu aies jamais vue ? s'exclama-t-elle.

— Tout à fait, mais toutes les trois, vous êtes tout aussi superbes. Tout le monde l'est, en fait. Les femmes sur leur trente et un, les hommes en habit de soirée. Je suis juste un peu triste que Paula et Shane ne soient pas là.

— Papa est hyperprotecteur vis-à-vis de maman. Il a pensé

que la tension suscitée par le voyage, ajoutée à l'excitation du mariage, ce serait trop pour elle.

— Mais elle semble aller si bien, pourtant !

— Elle a l'esprit un peu confus, elle ne peut pas toujours démêler les choses, comme elle le faisait avant.

Edwina lança à Linnet un regard perçant.

— Mais elle n'est pas malade ?

— Non, non. Je pense que cela s'arrangera lorsqu'elle sera complètement guérie.

— En attendant, c'est toi qui gardes le fort, pour ainsi dire ?

Linnet eut un petit sourire.

— Du moins, j'essaie, et je dois admettre que ce n'est pas facile tous les jours, surtout sans India, Tessa et Evan. Je me sens très seule.

— On est toujours seul, au sommet. Je sais ce que ma mère a enduré.

— Je peux te demander quelque chose, Edwina ?

— Tout ce que tu veux, ma chérie.

— Une fois, tu m'as dit que tu entendais la voix de ta mère, à l'intérieur de toi. Tu voulais dire que tu l'entendais vraiment, ou c'était seulement un écho du passé, dans ton esprit ?

— Un écho, la plupart du temps, j'en suis certaine. Mais parfois, il m'a semblé que je reconnaissais vraiment sa voix... Peut-être me la rappelais-je seulement... Oui, ce pouvaient être des souvenirs qui me revenaient. Pourquoi cette question ?

— Parce que je l'entends... je l'entends qui me dit des choses. Tu crois que je suis timbrée ?

— Non. Seulement imaginative.

Linnet observa sa tante en silence.

Se penchant en avant, Edwina continua :

— Toute ta vie, on t'a répété que tu as la même apparence qu'elle, que tu parles comme elle, que tu agis comme elle. Tu as grandi persuadée que tu avais hérité de sa force, de son endurance, de son intelligence et de son sens des affaires. Sa présence t'a enveloppée dès le jour de ta naissance. Elle fait partie de toi, tout comme tu fais partie d'elle, et tu as ses

444

gènes. Si bien que lorsque tu es inquiète ou stressée, lorsque tu te sens profondément seule, tu penses qu'elle vient pour te soutenir.

— Oui, oui ! C'est tout à fait ça !

— Mais cela se passe dans ta tête, dans ton esprit, Linnet. Ne te tracasse pas à ce sujet, ma chérie, parce que si ça peut t'aider, qu'est-ce que cela fait ? Aucun mal, en tout cas. Malgré tout, n'en parle à personne d'autre.

Linnet sourit, puis elle se pencha pour murmurer à l'oreille de la vieille dame :

— C'est ce que Julian me dit aussi. Il s'inquiète sans doute à l'idée que les gens pourraient me croire folle.

— Cela se pourrait bien, en effet. D'un autre côté, pourquoi te soucierais-tu de ce que les gens pensent de toi ? Tu es ta propre maîtresse, Linnet, et tu dois le rester à jamais. Alors, tu seras vraiment la nouvelle Emma Harte.

Soudain, India et Dusty surgirent près de la table, rayonnants.

— M'accorderez-vous la prochaine danse, Edwina ? demanda Dusty en s'inclinant légèrement.

— Très volontiers, Dusty. Vous l'ai-je déjà dit... ? Soyez le bienvenu dans ma famille.

— Vous me l'avez dit, mais vous pouvez me le répéter autant que vous le voudrez, répondit Dusty en la conduisant galamment sur la piste de danse.

India prit place près de Linnet et, glissant un bras sous celui de sa cousine, elle murmura tristement :

— Je regrette que Paula et Shane ne soient pas là !

— Moi aussi, mais il vaut sans doute mieux que maman reste au calme.

— Elle redevient elle-même, pourtant ? s'enquit doucement India.

— Oui, répondit Linnet.

— Quand reviendra-t-elle au magasin ?

— Je ne sais pas. Papa et elle vont passer les mois de juillet et d'août à la villa Faviola. Il y a autre chose... Tessa m'a dit qu'elle et Jean-Claude allaient se marier pendant la première

445

semaine de septembre. Cela se passera dans le Yorkshire. Il y aura donc un nouveau mariage.

— Quelle bonne nouvelle ! Je suis contente pour elle, déclara India avec sincérité.

Regardant autour d'elle, elle ajouta :

— Regarde-la, Linnet. Elle est très amoureuse de son adorable Français.

— Je le sais. Il est bien différent de l'affreux Mark Longden.

— Tessa a-t-elle précisé ce qu'elle ferait, après son mariage ?

— Je ne pense pas qu'elle travaillera à Londres, India. Maman m'a toutefois donné l'impression que Tessa souhaitait garder la main en se chargeant de nos ventes à Paris.

— Cela pourrait être tout bénéfice, pour nous tous !

— Je l'espère, India. Vois donc ta grand-mère et Dusty ! Elle nous fait une démonstration exceptionnelle des danses d'autrefois, digne de Ginger Rogers.

— Elle aussi, c'est un vieil oiseau exceptionnel, tu ne trouves pas ?

— Il n'y a personne comme elle... Elle est le joyau de la couronne.

Les deux jeunes femmes se turent et admirèrent Edwina, qui valsait dans les bras de Dusty. Royale et élégante, avec ses diamants et sa robe de mousseline pourpre, tout à fait extraordinaire pour ses quatre-vingt-quinze ans.

Peu de temps après, Dusty la raccompagna jusqu'à la table, puis il dansa de nouveau avec India. Julian vint inviter Linnet et brusquement Edwina fut seule, observant le déroulement des festivités, un sourire aux lèvres. En l'espace de quelques secondes, Gideon et Evan s'empressèrent autour d'elle, bientôt suivis par Bryan, Emsie et Desmond. Un instant plus tard, Jean-Claude et Tessa arrivèrent à leur tour et s'assirent avec eux, ainsi que Lorne. Edwina fut soudain entourée par ceux qu'elle aimait, ce qui l'enchanta.

Posant la main sur son bras, Bryan remarqua :

— Eh bien ! Regarde par là, Edwina. Marietta Hughes

danse avec Jack Figg. Ils forment un couple superbe, *mavourneen*, tu ne trouves pas ?

— Bien sûr que si, Bryan, mon gars, répliqua-t-elle en adoptant l'accent irlandais. Je suis pour la romance.

Comme Bryan éclatait de rire, elle se joignit à lui, ainsi que tous ceux qui se trouvaient autour de la table.

A un moment, Edwina regarda autour d'elle. Ses yeux avisés se posèrent sur chacun d'entre eux, l'un après l'autre.

Ils sont les descendants d'Emma Harte, pour la plupart, pensa-t-elle. Ils sont le sel de la terre. Emma serait fière d'eux tous...

Et le cœur d'Edwina se gonfla de bonheur. Elle était tellement heureuse d'avoir pu vivre cette journée !

Une semaine plus tard, Linnet travaillait tard au magasin quand son téléphone portable sonna. Elle prit aussitôt la communication.

— Allô ! dit-elle. Linnet O'Neill à l'appareil.

— C'est India.

— Bonjour, ma chérie, comment se passe ta lune de miel ? Dusty se plaît à Clonloughlin ?

— Oui. Il est tombé amoureux de cet endroit... Linnet ?

— Oui ? Qu'est-ce qu'il y a ? Tu as une voix bizarre.

— Grand-mère est morte.

Les yeux de Linnet s'emplirent de larmes.

— Oh non, pas Edwina ! parvint-elle à articuler, la gorge serrée. Je n'arrive pas à le croire. Elle semblait dans une telle forme à ton mariage !

— Elle avait quatre-vingt-quinze ans, tu sais.

— Tout le monde s'imaginait qu'elle serait centenaire. C'était même son but, elle me l'a dit. Oh, India, c'est trop affreux... Elle va terriblement manquer à toute la famille.

Linnet prit un mouchoir et s'essuya les yeux. India se mit à pleurer, mais à travers ses larmes, elle parvint à expliquer :

— C'est moi qui l'ai trouvée, Linnet. Je pensais qu'elle somnolait sur le canapé, mais elle était partie. Elle tenait une photographie d'elle-même et d'Emma, lorsqu'elle était une petite fille et qu'elle s'accrochait à la main de sa mère. Elle devait penser à Emma quand elle est morte.

— Je dois poser le téléphone une minute, dit Linnet, le visage ruisselant de larmes.

Un instant plus tard, après s'être mouchée et avoir repris le contrôle d'elle-même, Linnet demanda :

— A quelle date est fixé l'enterrement, India ?

— Nous l'avons déjà enterrée. Ce matin, dans le cimetière de la propriété. C'était ce qu'elle voulait. Elle a récemment dit à papa qu'elle souhaitait être enterrée dans l'intimité. Elle ne voulait pas que la famille tout entière se « trimbale » à travers l'Irlande, a-t-elle dit.

India s'interrompit, respira un grand coup et conclut :

— Elle a dit qu'elle n'aimait pas les funérailles, seulement les baptêmes et les mariages.

— J'aurais voulu y être et je parie que tout le monde serait venu.

— Vous veniez de repartir, après le mariage. Papa a jugé plus avisé de respecter les vœux de sa mère.

Il y eut une pause, puis India se mit à rire à travers ses larmes.

— Grand-mère disait qu'elle voulait une messe du souvenir. Une grande.

Une fois qu'India eut raccroché, Linnet resta un instant assise, les yeux perdus dans le vide. Elle pensait à Edwina, à la femme qu'elle avait été. Comme c'était étrange qu'on l'eût retrouvée une photographie d'elle et de sa mère à la main ! Non, finalement, peut-être pas. Après tout, elle avait aimé sa mère.

Pendant une fraction de seconde, Linnet envisagea d'emprunter le couloir, pour prévenir le portrait d'Emma que sa fille aînée était morte, mais elle ne le fit pas.

Au lieu de cela, elle écrivit une lettre à Anthony. Elle lui dit quelle femme remarquable avait été sa mère et combien cette perte lui causait de chagrin. Pour conclure, elle lui envoyait ses condoléances.

Plus tard, avec le recul, il sembla à Linnet que cet été-là s'était tout simplement enfui.

Julian et elle poursuivaient leur routine et travaillaient beaucoup. A son grand soulagement, les innovations qu'elle avait apportées au magasin avaient remporté un immense succès. En juin, en juillet et en août, il y eut une grosse affluence. Les clientes se pressaient au spa Beauté sereine, envahissaient le rayon mode et faisaient de la boutique de luxe leur lieu de prédilection. Elles y acquéraient les articles les plus chers du magasin. Le rayon des mariées avait finalement décollé, et les robes dessinées par Evan constituèrent les plus grosses ventes de l'été.

Chaque jour, Linnet priait pour que sa chance se maintînt. Et elle se maintenait. Le magasin attirait de nouvelles clientes, plus jeunes, tout en continuant de fournir les meilleurs produits aux anciennes, celles qui avaient fréquenté Harte pendant des années. Et tout le monde remarquait le relooking, les articles au goût du jour et les étalages splendides à chaque étage.

Linnet savait qu'elle avait réussi à adapter Harte au XXIᵉ siècle. Elle avait aussi conscience que son travail ne faisait que commencer. Elle devait constamment améliorer les choses, lancer de nouvelles idées pour titiller les goûts naissants des clientes tout en s'assurant que les magasins concurrents ne se montraient pas plus intelligents qu'elle.

India venait à Londres deux fois par mois et les deux cousines se réjouissaient de ces occasions qui leur permettaient d'être ensemble. Linnet savait combien elle avait besoin qu'India dirige les magasins situés au nord de Londres. Souvent, elle se demandait comment son arrière-grand-mère avait réussi à les gérer tous les trois sans aucune aide, alors qu'un seul lui prenait tant de temps à elle.

S'il y avait des moments où elle était saisie de panique, souffrait de la solitude, du stress, ou même était effrayée, il y en avait beaucoup plus durant lesquels elle frissonnait de satisfaction, sachant qu'elle avait encore marqué un point. Cela pouvait être le nouveau sac Cholly Chello, appelé Cholly Baby, un petit sac de soirée élégant que les clientes s'arrachaient, que ce fût à Londres, à Leeds ou Harrogate. Cela pouvait être aussi le succès remporté par un produit de beauté ou un soin du spa.

Et c'est ainsi que les jours s'écoulaient.

En fin d'après-midi, à la fin du mois d'août, Jack Figg appela.

— C'est moi, Beauté. Tu as un instant à m'accorder ? Je peux monter te voir ?

— Bien sûr. Il y a un problème, Jack ?

— Non, je ne formulerais pas les choses ainsi. Je suis là dans deux secondes.

Quand Jonelle l'introduisit dans son bureau, quelques minutes plus tard, Linnet se leva et contourna sa table pour l'embrasser. Puis elle l'entraîna vers une table ronde, à une extrémité de la pièce, et lui montra un siège.

— Assieds-toi, Jack. Je préfère ces chaises à ces canapés grassouillets.

Il se mit à rire.

— Moi aussi.

— Tu veux une tasse de thé ?

— Pourquoi pas ? Mais seulement si tu en prends aussi.

Hochant la tête, Linnet retourna près de la table et décrocha le téléphone. Elle parla un instant à Jonelle, puis elle revint vers lui et s'assit à son tour en face de lui.

— Comment va ta mère ? demanda-t-il.

— Très bien. D'après papa, le sud de la France lui convient tout à fait. Julian et moi projetons de les rejoindre depuis des siècles, mais nous avons trop de travail.

— Je connais ta routine : vingt-quatre heures sur vingt-quatre et sept jours sur sept. Je me trompe, Linny ?

Elle se mit à rire et regarda la porte, car Jonelle venait d'entrer, portant un plateau.

Dès qu'ils furent seuls, Linnet servit le thé et demanda :

— Alors, Jack. S'il ne s'agit pas d'un problème, qu'est-ce que c'est ? Pourquoi voulais-tu me voir ?

Jack but une gorgée de thé, puis il posa sa tasse dans la soucoupe.

— Emma avait l'habitude de dire que chacun recevait sa juste récompense, dans la vie, qu'on avait ce qu'on méritait. Et ton arrière-grand-mère avait raison.

— En d'autres termes, elle pensait qu'on récolte toujours ce qu'on a semé ?

— C'est à peu près cela, oui... L'un de mes hommes, en France, vient de m'annoncer une nouvelle extraordinaire. Elle concerne Jonathan Ainsley.

— Qu'est-ce que c'est ? demanda Linnet en se redressant pour le fixer avec attention. Tu sembles bien solennel, tout à coup.

— Ainsley a eu un très grave accident de voiture, aux alentours de Paris. Il est soigné à l'Hôpital américain et il souffre de blessures terribles, d'après ce que m'a dit mon informateur.

— Il n'est pas mort, alors ?

— Non, mais les médecins pensent qu'il ne vivra pas longtemps.

— Qu'est-ce qui est arrivé ? Tu es au courant ?

— Une collision de plein fouet avec un camion.

— Et Angharad ? Elle se trouvait avec lui ? Elle est blessée ?

— Il semble qu'elle n'était pas dans la voiture.

Le téléphone portable de Jack vibra et il le sortit de sa poche.

— Allô ? Jack Figg à l'appareil.

Il écouta son interlocuteur et, au bout de quelques secondes, il déclara :

— On reste en contact. Merci, Pierre.

En remettant le téléphone dans sa poche, il annonça :

— Celui de mes hommes qui se trouve à l'hôpital vient de m'apprendre que Jonathan Ainsley est dans le coma. Les médecins pensent qu'il ne survivra pas.

— Mon Dieu ! Je n'arrive pas à y croire ! cria Linnet en

451

saisissant les bras de Jack. Nous sommes enfin débarrassés de lui ! Débarrassés de sa méchanceté et de sa perversité.

— On récolte toujours ce que l'on sème, ainsi que le disait sans cesse Emma, murmura Jack. Jonathan Ainsley a eu ce qu'il méritait.

— J'ai hâte de l'annoncer à tout le monde ! cria Linnet. Il va y avoir une grande liesse familiale !

Et c'est ce qui arriva.

En fin de matinée, à la fin de la même semaine, Linnet reçut une visite imprévue. Elle étudiait le chiffre des ventes du mois précédent quand une voix douce lança :

— Bonjour, ma chérie.

Tournant un visage surpris vers la porte, elle vit sa mère sur le seuil de la pièce.

Se levant d'un bond, elle se précipita vers elle.

— Maman ! Je ne savais pas que tu étais revenue de France.

— Nous sommes arrivés hier soir, expliqua Paula en embrassant sa fille et en la serrant très fort contre son cœur. Tu m'as manqué, Linny.

— Tu m'as manqué aussi, maman. Viens, asseyons-nous. Mieux encore, assieds-toi à ton bureau. C'est toujours le tien, tu sais. Je te l'ai seulement emprunté.

— Non, non, je ne reviens pas pour travailler, répondit Paula.

Avisant la table ronde, elle remarqua :

— C'est une bonne idée ! En tout cas, c'est mieux que ces affreux canapés.

Linnet se mit à rire et suivit sa mère, ravie de la voir en si bonne forme.

— Tu es de nouveau toi-même, maman.

— Pas tout à fait encore, mais je progresse en ce sens.

Prenant place près de sa mère, Linnet demanda :

— Tu veux une tasse de café ou de thé ? Autre chose ?

— Je n'en ai pas vraiment envie, ma chérie, merci. Le magasin est magnifique...

Paula tendit la main et tapota celle de sa fille.

— Beau travail. Tu as réussi à moderniser les lieux sans pour autant détruire toutes les traditions que nos clientes apprécient. Tes innovations ont été couronnées de succès. Toutes mes félicitations.

— Merci, maman. Cela n'a pas été facile, parfois, et j'avais tout le temps envie de t'appeler, mais papa s'est montré inflexible : il ne voulait pas que je te dérange.

— Il m'en a parlé, en effet, et j'avais hâte de pouvoir te parler, moi aussi. Je n'arrêtais pas de m'inquiéter pour toi, sachant combien ce travail peut être éprouvant. Mais je me suis retenue.

— « Tu nages ou tu coules », c'est ça ? demanda Linnet, dont les yeux verts étincelaient.

— A peu près, ma chérie.

— Quoi qu'il en soit, maman, bienvenue chez toi. C'est merveilleux, que tu sois là. Dès cet après-midi, je débarrasse ton bureau de toutes mes affaires. Je ne m'y suis jamais vraiment installée, en réalité.

— Tu n'as pas à faire cela, Linnet.

— Qu'est-ce que tu veux dire ?

— C'est ton bureau.

De nouveau, Linnet parut déconcertée.

— Je ne comprends pas.

Paula se carra sur son siège et regarda sa fille un long moment, puis, d'une voix forte et ferme, elle expliqua :

— Je ne reviens pas travailler... Il y a bien longtemps de cela, ma grand-mère m'a dit qu'il vient un moment, dans la vie de tout être humain, où l'on doit s'effacer, permettre à des voix plus jeunes de se faire entendre et à des visions plus ambitieuses de s'imposer. Elle me l'a dit quand elle avait quatre-vingts ans. C'était lors de cette réception d'anniversaire que nous donnions en son honneur. Elle ne prononçait pas ces paroles uniquement à mon intention, Linnet, elle les adressait à chacun et en particulier à ceux de ma génération, ses petits-enfants. Ce soir-là, elle s'est retirée des affaires.

Linnet fixait sa mère, comme paralysée.

453

— Maman, je ne comprends pas...

— Je prends ma retraite, Linnet. C'est ton tour, maintenant. Ton tour de prendre la tête des magasins Harte et d'être la patronne, comme tu m'appelais toujours.

— Mais...

— Il n'y a pas de « mais », trancha Paula. Pendant toutes ces années, Emma m'a répété : « Je te charge de réaliser mon rêve. » Et je l'ai fait. Linnet, je te charge de réaliser le rêve d'Emma et le mien. C'est le tien, désormais. Je sais que tu aimes les magasins comme je les ai aimés avant toi. Je sais que nos rêves sont en sécurité, entre tes mains... petites, mais capables.

Épilogue

La femme était grande, élancée et élégante. Elle se tenait devant la fenêtre de la chambre plongée dans la pénombre. Elle contemplait les montagnes couvertes de neige, étincelantes sous le clair soleil de l'après-midi. Elle aimait Zurich : c'était un lieu magnifique. Elle espérait pouvoir y vivre. Quand la porte s'ouvrit et qu'un homme entra, la main tendue, elle pivota sur elle-même.

Se précipitant vers lui, elle lui serra la main et scruta attentivement son visage.

— Que disent les examens ? demanda-t-elle d'une voix basse et harmonieuse.

— Je suis heureux de vous dire que les rayons X nous en ont appris beaucoup plus que nous ne nous y attendions. Le dommage n'est pas aussi grave qu'on vous l'avait laissé entendre. Vous avez eu raison de vous adresser à nous, car nous allons pouvoir vous aider. Il guérira, j'en suis certain. Ce sera long, mais cela en vaudra la peine, s'il peut retrouver toutes ses fonctions. Et en fait, nous pensons que c'est possible.

— Oui, vous avez raison. Cela vaut le temps, les efforts et l'argent que cela coûtera. Je vais vous faire confiance.

L'homme inclina gracieusement la tête.

— Accordez-moi un instant, je vous prie, demanda-t-elle. Ensuite, je vous rejoindrai dans votre bureau et nous réglerons les détails.

— Bien sûr, madame, dit l'homme en quittant la pièce.

La femme gagna un coin de la chambre et baissa les yeux vers la tête bandée de l'homme, qui gisait presque sans vie sur le lit étroit.

Elle tendit la main, la posa sur son épaule et murmura :

— Tu vas aller bien. Tu vas aller bien.

Il n'y eut pas une réponse, pas un mouvement. Rien.

Elle savait qu'il était vivant. Les médecins le lui avaient confirmé et maintenant, elle était certaine qu'ils feraient de leur mieux et le lui rendraient. Le directeur de la clinique venait de le lui confirmer.

Elle se pencha pour déposer un baiser sur la tête bandée, puis elle recula. Elle ne voulait pas le quitter, mais il le fallait.

— Tu iras mieux, mon chéri, souffla-t-elle en se dirigeant vers la porte.

Il le fallait ! Elle portait son enfant. Cet enfant tellement désiré... Et il s'appellerait Jonathan Ainsley, comme son père. Angharad Hughes sourit pour elle-même.

A la fin, ils remporteraient la victoire. Parce qu'ils étaient des gagnants. Jonathan le lui avait dit, le jour où il l'avait épousée.

Table des matières

Transcontinental
IMPRESSION
IMPRIMERIE GAGNÉ

IMPRIMÉ AU CANADA